MADRIGAL'S MAGIC KEY TO FRENCH

BOOKS BY MARGARITA MADRIGAL

Madrigal's Magic Key to French (with Colette Dulac)
Madrigal's Magic Key to Spanish
Open Door to Spanish
An Invitation to Spanish (with Ezequías Madrigal)
An Invitation to Portuguese (with Henriqueta Chamberlain)
An Invitation to French (with Pierre Launay)

MADRIGAL'S MAGIC KEY TO FRENCH

MARGARITA MADRIGAL

IN COLLABORATION WITH

COLETTE DULAC

DOUBLEDAY & COMPANY, INC., GARDEN CITY, NEW YORK

Library of Congress Catalog Card Number: 58-11321

Printed in the United States of America
First Edition

PREFACE

At this moment you know several thousand French words even if you have never seen or heard a French word before. You are not aware of these words simply because they have not been pointed out to you. In this book you will see how easy it is to learn French because you will discover how much of it you already know. For instance, have you ever seen these French words before?

table	blouse	concert
probable	possible	flexible
client	président	important
nation	invitation	conversation

Can you recognize any of these words?

artiste	dentiste	dramatique
electrique	curiosité	université
dîner	extraordinaire	théâtre

If you can recognize even a few of these words, the French language is yours for the taking.

It is encouraging to know that you can identify thousands upon thousands of French words at sight. But it is really exciting to discover that with a few hints you yourself can form these words and that you can start out on your venture of learning French with a large, ready-made vocabulary. When you study this method you will find that you will not only have the ability to recognize words, but that it will actually be within your power to convert English words into French words.

Furthermore, you will learn what to do with these words. You will feel the thrill of starting right out forming sentences from the very first lesson. You will learn to think in French and you will know the beauty and rhythm of spoken French. When you finish this course you will be able to go to a French-speaking country and talk to the people and understand them.

From the time man first began to learn foreign tongues down to the present time, language methods have relied on memory and not on the pupil's powers of creation. Now the process is reversed. This book will teach you to create. The very first lesson will prove to you that you can create at least one hundred times more material than you could possibly memorize in the same given time. Furthermore, the process of creation is exciting, whereas mechanical memorizing is tremendously boring. Also consider that you are apt to forget a word that you memorize mechanically. But a word that you create stays with you forever.

The motto of this book, if such there be, is "And gladly would he learn and gladly teach" (Chaucer). From my own experience I know that what is not gladly learned is not learned at all. It is the essence of this method to make learning French a pleasure for you. Every means of making it easy for you has been incorporated into this book. Thousands of questions that have been asked by former students have made it possible for me to anticipate your questions and to answer them.

Do you believe that you cannot learn a foreign tongue?

Did you study languages in school and fail to learn to speak them?

Do you know a great many French words that you cannot put into sentences?

Were you ever bored in a language class?

Have you thought that learning a new language involved so much work that it couldn't fit into your schedule?

If you can answer "yes" to these questions, this method is for you.

This book will teach you to:

1. **Speak French**
2. **Read French**
3. **Write in French**
4. **Think in French**

This is not an empty promise. The method has proved successful with more than a quarter of a million people in the span of a few years. Not one student who has started this method has failed. Some went more slowly than others, but in the end every student learned more French for every hour that he spent with the book than he had thought possible in his fondest dreams.

This method, which has worked with so many students, will work with you. Turn to Lesson I and prove this to yourself right now.

MARGARITA MADRIGAL
New York City
April 17, 1959

Contents

1
Leçon Numéro Un

It is very easy to build a large vocabulary of French words. In fact, you already know thousands of English words that become French words if you change them very slightly. These words fall into several large categories.

CATEGORY I

The first category is made up from words that end in *"ist"* in English. If you merely add the letter "e" to most of these, they magically become French words.

IST = ISTE

Remember: "le" means *"the."*

the pianist = le pianiste

le touriste	le communiste
le pessimiste	le spécialiste
le capitaliste	le socialiste

NOTE: Do not pronounce the final "e" in the above words. Stress the "i" in "iste," but remember to stress it very lightly. "Iste" is pronounced, *"east."*

PAST TENSE

In French the past tense is not expressed as it is in English. For example, in French you cannot simply say, *"I visited."* You must say, *"I have visited"* ("J'ai visité").

"Je" means *"I."*
"ai" means *"have."*

The word "je" becomes "j' " when it is followed by "ai." Therefore, "j'ai" means "*I have.*"

Repeat the following words:

J'ai visité. *I visited* (literally "*I have visited*").
J'ai voté. I voted.
J'ai préparé. *I prepared.*

In French you cannot say, "*Did you visit?*" You must say, "*Have you visited?*" ("Avez-vous visité?").

"Vous" means "*You.*"
"Avez" means "*Have.*"
"Avez-vous?" means "*Have you?*"

Repeat the following words:

Avez-vous visité? *Did you visit?*
Avez-vous voté? *Did you vote?*
Avez-vous préparé? *Did you prepare?*

WORDS TO REMEMBER

le rosbif, *the roast beef*
le bifteck, *the beefsteak*
le dîner, *dinner*
le dessert, *the dessert*
oui, *yes*
le café, *the coffee*
pour, *for*
pour Paul, *for Paul*
pour le dîner, *for dinner*

J'ai préparé. *I prepared.*
Avez-vous préparé? *Did you prepare?*

CONVERSATION

Avez-vous préparé le dîner? *Did you prepare dinner?*
Oui, j'ai préparé le dîner. *Yes, I prepared dinner.*

Avez-vous préparé le rosbif?
Oui, j'ai préparé le rosbif.

Avez-vous préparé le dessert?
Oui, j'ai préparé le dessert.

Avez-vous préparé le bifteck?
Oui, j'ai préparé le bifteck.

Avez-vous préparé le café?
Oui, j'ai préparé le café.

Avez-vous préparé le café pour Paul?
Oui, j'ai préparé le café pour Paul.

Avez-vous préparé le dessert pour Paul?
Oui, j'ai préparé le dessert pour Paul.

Avez-vous préparé le rosbif pour le dîner?
Oui, j'ai préparé le rosbif pour le dîner.

Avez-vous préparé le café pour le dîner?
Oui, j'ai préparé le café pour le dîner.

Avez-vous préparé le dessert pour le dîner?
Oui, j'ai préparé le dessert pour le dîner.

Avez-vous préparé le bifteck pour le dîner?
Oui, j'ai préparé le bifteck pour le dîner.

Avez-vous préparé le rosbif pour Paul?
Oui, j'ai préparé le rosbif pour Paul.

Avez-vous préparé le dîner pour Paul?
Oui, j'ai préparé le dîner pour Paul.

SENTENCE-FORMING EXERCISE

You will find three columns of French words below. Take words from Columns 1, 2, and 3 and form complete sentences with them. For example, take "J'ai préparé" from Column 1, "le dîner" from Column 2, and "pour Paul" from Column 3. Put them together and they form the sentence "J'ai préparé le dîner pour Paul."

For practice combine the words below in different ways to form as many sentences as you can. Just be sure to use words from each of the three columns in every sentence you form.

1	2	3
J'ai préparé	le dîner	pour Paul
Avez-vous préparé?	le dessert	pour le dîner
	le café	
	le rosbif	
	le bifteck	

EXERCISE IN TRANSLATION

Translate the following English sentences into French. Write out each sentence in French, using the columns above as a guide. After you have written out all the sentences, check with the correct translations below this exercise.

1. I prepared (the) dinner for Paul.
2. I prepared the dessert for (the) dinner.
3. Did you prepare (the) dinner for Paul?
4. Did you prepare the dessert for (the) dinner?
5. Did you prepare the coffee for Paul?
6. I prepared the coffee for Paul.
7. Did you prepare the beefsteak for Paul?
8. I prepared the beefsteak for Paul.
9. Did you prepare the roast beef for (the) dinner?
10. Yes, I prepared the roast beef for (the) dinner.

Check your sentences with the correct translations below, and repeat each sentence aloud after you write it. You will surely learn French faster if you say aloud all the French words and sentences in the book: in this way the language will become as familiar to your ear and your tongue as to your mind.

1. J'ai préparé le dîner pour Paul.
2. J'ai préparé le dessert pour le dîner.
3. Avez-vous préparé le dîner pour Paul?
4. Avez-vous préparé le dessert pour le dîner?
5. Avez-vous préparé le café pour Paul?
6. J'ai préparé le café pour Paul.
7. Avez-vous préparé le bifteck pour Paul?
8. J'ai préparé le bifteck pour Paul.
9. Avez-vous préparé le rosbif pour le dîner?
10. Oui, j'ai préparé le rosbif pour le dîner.

CATEGORY I

You can convert most English words that end in *"ist"* into French words by adding the letter "e" to them. Note that these words are masculine.

IST = ISTE

the tourist = le touriste

alarmiste	communiste	matérialiste	organiste
artiste	économiste	moraliste	pacifiste
botaniste	fasciste	nationaliste	pessimiste
capitaliste	guitariste	naturaliste	pianiste
caricaturiste	humoriste	oculiste	réaliste
chimiste	idéaliste	opportuniste	spiritualiste
(*chemist*)	journaliste	optimiste	touriste

NOTE: See how many "iste" words you can remember without looking at the list. Don't try to learn the list by heart, but master the technique of changing English words that end in *"ist"* into French words.

Get some 3-by-5 cards at your stationer's and copy onto one of them the material that is shown on the sample below. Carry the card with you in your pocket or purse and glance at it during your spare moments (on the bus, while you are waiting for people). Each time you look at it try to make up sentences using the words on the card.

REMINDER CARD

J'ai préparé	le café	pour le dîner
(I prepared)		
Avez-vous préparé?	le dîner	pour Paul
(Did you prepare?)	le rosbif	
	le bifteck	
	le dessert	

2
Leçon Numéro Deux

HOW TO FORM VERBS

Take the English word "*voted.*" Drop the letter "*d*" and add an accent and you have the French word "voté." There are a great many English verbs that can be changed into French in the same way.

Following is a list of these verbs that you can learn virtually at a glance.

J'ai voté, *I voted*	Avez-vous voté? *Did you vote?*
J'ai copié, *I copied*	Avez-vous copié? *Did you copy?*
J'ai préparé, *I prepared*	Avez-vous préparé? *Did you prepare?*
J'ai passé, *I passed*	Avez-vous passé? *Did you pass?*
J'ai visité, *I visited*	Avez-vous visité? *Did you visit?*
J'ai décidé, *I decided*	Avez-vous décidé? *Did you decide?*
J'ai refusé, *I refused*	Avez-vous refusé? *Did you refuse?*
J'ai protesté, *I protested*	Avez-vous protesté? *Did you protest?*
J'ai formé, *I formed*	Avez-vous formé? *Did you form?*
J'ai forcé, *I forced*	Avez-vous forcé? *Did you force?*
J'ai réservé, *I reserved*	Avez-vous réservé? *Did you reserve?*

In French we have both masculine and feminine words. Masculine words take the article "le" (*the*).

EXAMPLES:

le café	le bifteck
le dîner	le rosbif

Feminine words take the article "la" (*the*).

EXAMPLES:

la salade, *the salad*	la leçon, *the lesson*
la soupe, *the soup*	la classe, *the class*

NOTE: When the letter "c" has the cedilla, "ç," it is pronounced as the "*s*" in "*so.*"

Don't try to figure out which words are masculine or feminine. You will learn this automatically as you go through the lessons.

WORDS TO REMEMBER

la classe, *the class*	**ce,** *this*
la salade, *the salad*	**soir,** *evening, night*
la soupe, *the soup*	**ce soir,** *this evening, tonight*
la table, *the table*	**pour Paul,** *for Paul*
la leçon, *the lesson*	**pour le dîner,** *for dinner*
le dessert, *the dessert*	**pour la classe,** *for the class*

J'ai préparé. *I prepared.*
Avez-vous préparé? *Did you prepare?*
J'ai copié. *I copied.*
Avez-vous copié? *Did you copy?*
J'ai réservé. *I reserved.*
Avez-vous réservé? *Did you reserve?*

NOTE: In French "oi" is pronounced as the "*wa*" in "*wasp.*" "Soir" is pronounced, "Swahr."

CONVERSATION

Avez-vous préparé la leçon? *Did you prepare the lesson?*
Oui, j'ai préparé la leçon.

Avez-vous préparé la leçon ce soir?
Oui, j'ai préparé la leçon ce soir.

Avez-vous préparé la leçon pour la classe?
Oui, j'ai préparé la leçon pour la classe.

Avez-vous copié la leçon?
Oui, j'ai copié la leçon.

Avez-vous copié la leçon ce soir?
Oui, j'ai copié la leçon ce soir.

Avez-vous copié la leçon pour la classe?
Oui, j'ai copié la leçon pour la classe.

Avez-vous préparé la salade?
Oui, j'ai préparé la salade.

Avez-vous préparé la salade pour le dîner?
Oui, j'ai préparé la salade pour le dîner.

Avez-vous préparé la soupe pour Paul ce soir?
Oui, j'ai préparé la soupe pour Paul ce soir.

Avez-vous réservé la table?
Oui, j'ai réservé la table.

Avez-vous réservé la table ce soir?
Oui, j'ai réservé la table ce soir.

Avez-vous réservé la table pour Paul ce soir?
Oui, j'ai réservé la table pour Paul ce soir.

SENTENCE-FORMING EXERCISE

For practice combine the words below to form as many sentences as you can. Just be sure to use words from each of the columns in every sentence you form.

1	2	3
J'ai copié	la leçon	pour la classe
Avez-vous copié?	la table	pour Paul
J'ai réservé	la soupe	pour le dîner
Avez-vous réservé?	la salade	ce soir
J'ai préparé	le café	
Avez-vous préparé?	le thé (*tea*)	
	le rosbif	
	le bifteck	
	le dîner	

EXERCISE IN TRANSLATION

Translate the following English sentences into French. Write out each sentence in French, using the columns above as a guide. After you have written out each sentence, check with the correct translation below this exercise.

1. I copied the lesson for the class.
2. Did you reserve the table for Paul?
3. Did you copy the lesson for Paul?
4. I copied the lesson for Paul.
5. I prepared the lesson this evening.
6. I prepared the salad for Paul.
7. Did you prepare (the) dinner this evening?
8. Yes, I prepared (the) dinner this evening.
9. Did you prepare (the) dinner for Paul?
10. Yes, I prepared (the) dinner for Paul.
11. Did you prepare the soup?
12. Yes, I prepared the soup.

Check your sentences with the correct translations below, and repeat each sentence aloud after you write it. You will surely learn French faster if you say aloud all the French words and sentences in the book: in this way the language will become as familiar to your ear and your tongue as to your mind.

1. J'ai copié la leçon pour la classe.
2. Avez-vous réservé la table pour Paul?
3. Avez-vous copié la leçon pour Paul?
4. J'ai copié la leçon pour Paul.
5. J'ai préparé la leçon ce soir.
6. J'ai préparé la salade pour Paul.
7. Avez-vous préparé le dîner ce soir?
8. Oui, j'ai préparé le dîner ce soir.
9. Avez-vous préparé le dîner pour Paul?
10. Oui, j'ai préparé le dîner pour Paul.
11. Avez-vous préparé la soupe?
12. Oui, j'ai préparé la soupe.

REMINDER CARD

J'ai copié	la leçon	pour la classe
Avez-vous copié?	la table	ce soir
J'ai réservé		pour Paul
Avez-vous réservé?		pour le dîner

3
Leçon Numéro Trois

When "vous" is followed by a word that begins with a vowel (a, e, i, o, u), the letter "s" in "vous" is pronounced and also run together with the word that follows it.

In the list below we have linked the words visually so that you will remember to pronounce the "s" and to run it together with the word that follows it. This letter "s" is pronounced as the "z" in "*zero.*"

The curve joining two words is put here so you will know that the pronunciation of one word slides into the next. "Vous‿acceptez" is pronounced as though it were spelled "vouzaccepté"—one word. When you are writing French, never write the curve. Repeat these words:

Avez-vous‿accepté? *Did you accept?*
Avez-vous‿exporté? *Did you export?*
Avez-vous‿adopté? *Did you adopt?*
Avez-vous‿accusé? *Did you accuse?*
Avez-vous‿amusé? *Did you amuse?*
Avez-vous‿alarmé? *Did you alarm?*
Avez-vous‿adapté? *Did you adapt?*
Avez-vous‿aidé? *Did you help (aid)?*
Avez-vous‿étudié? *Did you study?*

WORDS TO REMEMBER

la blouse, *the blouse*
une blouse, *a blouse*
la jaquette, *the jacket (woman's)*
une jaquette, *a jacket*
la robe, *the dress*
une robe, *a dress*
pour la classe, *for the class*
pour Louise, *for Louise*

la table, *the table* **pour Suzanne,** *for Susan*
une table, *a table* **ce soir,** *this evening, tonight*

NOTE: "Une" means *"a"* and it is used only before feminine words. Example: une table, *a table.*

J'ai étudié, *I studied*
Avez-vous‿étudié? *Did you study?*
J'ai acheté, *I bought*
Avez-vous‿acheté? *Did you buy?*

NOTE: The first "e" in "acheté" is virtually silent.

CONVERSATION

Avez-vous‿étudié la leçon? *Did you study the lesson?*
Oui, j'ai étudié la leçon.

Avez-vous‿étudié la leçon pour la classe?
Oui, j'ai étudié la leçon pour la classe.

Avez-vous‿étudié la leçon ce soir?
Oui, j'ai étudié la leçon ce soir.

Avez-vous‿acheté une blouse? *Did you buy a blouse?*
Oui, j'ai acheté une blouse.

Avez-vous‿acheté une blouse pour Suzanne?
Oui, j'ai acheté une blouse pour Suzanne.

Avez-vous‿acheté une blouse pour Louise?
Oui, j'ai acheté une blouse pour Louise.

Avez-vous‿acheté une robe pour Suzanne?
Oui, j'ai acheté une robe pour Suzanne.

Avez-vous‿acheté une robe pour Louise?
Oui, j'ai acheté une robe pour Louise.

Avez-vous‿acheté une jaquette pour Suzanne?
Oui, j'ai acheté une jaquette pour Suzanne.

Avez-vous‿acheté une jaquette pour Louise?
Oui, j'ai acheté une jaquette pour Louise.

Avez-vous‿acheté une table?
Oui, j'ai acheté une table.

There is no English equivalent of the French "u" sound. The best way to pronounce this sound is to round the lips as if about to pronounce the letter "o"; then without moving the lips say "ee."

EXAMPLES:

une, *a*	pur, *pure*	la mule, *the mule*
la lune, *the moon*	la plume, *the pen*	le menu, *the menu*

SENTENCE-FORMING EXERCISE

For practice combine the words below in different ways to form as many sentences as you can. Be sure to use words from each of the three columns in every sentence you form.

1	2	3
J'ai étudié	la leçon	ce soir
Avez-vous‿étudié?	une blouse	pour Louise
J'ai acheté	une jaquette	pour Suzanne
(*I bought*)	une robe (*a dress*)	pour Paul
Avez-vous‿acheté?	une table	pour la classe
(*Did you buy?*)	le dîner	pour le dîner
J'ai réservé	la salade	
J'ai copié	le café	
Avez-vous préparé?		

EXERCISE IN TRANSLATION

Translate the following sentences into French. Write out each sentence in French, using the columns above as a guide. After you have written out all the sentences, check with the correct translations below this exercise.

1. I studied the lesson this evening.
2. Did you study the lesson for the class?
3. I bought a blouse for Louise.
4. Did you buy a dress for Susan?
5. Did you buy a jacket for Louise?
6. I bought a table.
7. I bought a dress for Susan.
8. I reserved a table for (the) dinner.

9. Did you reserve a table for Susan?
10. Did you buy a dress for Louise?
11. Did you copy the lesson?
12. Did you prepare the lesson this evening?

Check your sentences with the correct translations below, and repeat each sentence aloud after you write it. You will surely learn French faster if you say aloud all the French words and sentences in the book: in this way the language will become as familiar to your ear and your tongue as to your mind.

1. J'ai étudié la leçon ce soir.
2. Avez-vous étudié la leçon pour la classe?
3. J'ai acheté une blouse pour Louise.
4. Avez-vous acheté une robe pour Suzanne?
5. Avez-vous acheté une jaquette pour Louise?
6. J'ai acheté une table.
7. J'ai acheté une robe pour Suzanne.
8. J'ai réservé une table pour le dîner.
9. Avez-vous réservé une table pour Suzanne?
10. Avez-vous acheté une robe pour Louise?
11. Avez-vous copié la leçon?
12. Avez-vous préparé la leçon ce soir?

REMINDER CARD

J'ai étudié	la leçon	ce soir
(I studied)	une blouse	pour Louise
Avez-vous‿étudié?	une jaquette	pour Suzanne
(Did you study?)	une table	pour Paul
J'ai acheté	une robe	
(I bought)		
Avez-vous‿acheté?		
(Did you buy?)		

4
Leçon Numéro Quatre

WORDS TO REMEMBER

la leçon, *the lesson*
une blouse, *a blouse*
une robe, *a dress*
une cravate, *a necktie*
une chemise, *a shirt*
ce soir, *this evening, tonight*
à, *to*
à Robert, *to Robert*
à Pauline, *to Pauline*
pour la classe, *for the class*

J'ai étudié, *I studied*
Avez-vous‿étudié? *Did you study?*
J'ai acheté, *I bought*
Avez-vous‿acheté? *Did you buy?*
J'ai parlé, *I talked, I spoke*
Avez-vous parlé? *Did you talk, speak?*
J'ai téléphoné, *I phoned, I called up*
Avez-vous téléphoné? *Did you phone, did you call up?*
J'ai câblé, *I cabled*
Avez-vous câblé? *Did you cable?*

J'ai téléphoné à Paul. *I phoned Paul.*
J'ai câblé à Robert. *I cabled Robert.*

Notice that in French you do not say, "*I phoned Paul.*" You must say, "*I phoned to Paul.*" You cannot say, "*I cabled Robert.*" You must say, "*I cabled to Robert.*"

Remember that in French "oi" is pronounced as the "*wa*" in "*wasp.*" "Soir" is pronounced, "Swahr."

CONVERSATION

Avez-vous parlé à Paul? *Did you talk to Paul?*
Oui, j'ai parlé à Paul.

Avez-vous parlé à Paul ce soir?
Oui, j'ai parlé à Paul ce soir.

Avez-vous parlé à Louise ce soir?
Oui, j'ai parlé à Louise ce soir.

Avez-vous parlé à Suzanne ce soir?
Oui, j'ai parlé à Suzanne ce soir.

Avez-vous téléphoné à Paul?
Oui, j'ai téléphoné à Paul.

Avez-vous téléphoné à Paul ce soir?
Oui, j'ai téléphoné à Paul ce soir.

Avez-vous téléphoné à Louise ce soir?
Oui, j'ai téléphoné à Louise ce soir.

Avez-vous téléphoné à Suzanne ce soir?
Oui, j'ai téléphoné à Suzanne ce soir.

Avez-vous câblé à Pauline?
Oui, j'ai câblé à Pauline.

Avez-vous câblé à Robert?
Oui, j'ai câblé à Robert.

Avez-vous‿étudié la leçon ce soir?
Oui, j'ai étudié la leçon ce soir.

Avez-vous étudié la leçon pour la classe?
Oui, j'ai étudié la leçon pour la classe.

Avez-vous‿acheté une robe pour Pauline?
Oui, j'ai acheté une robe pour Pauline.

Avez-vous‿acheté une blouse pour Suzanne?
Oui, j'ai acheté une blouse pour Suzanne.

Avez-vous‿acheté une cravate pour Paul?
Oui, j'ai acheté une cravate pour Paul.

Avez-vous‿acheté une cravate pour Robert?
Oui, j'ai acheté une cravate pour Robert.

Avez-vous‿acheté une chemise pour Paul?
Oui, j'ai acheté une chemise pour Paul.

Avez-vous‿acheté une chemise pour Robert?
Oui, j'ai acheté une chemise pour Robert.

Avez-vous réservé une table pour ce soir?
Oui, j'ai réservé une table pour ce soir.

CATEGORY II

Most words that end in "*or*" in English end in "eur" in French.

OR = EUR

le docteur, *the doctor*
le professeur, *the professor*
le visiteur, *the visitor*
le sénateur, *the senator*
le spectateur, *the spectator*
le directeur, *the director*

"Eur" is pronounced as the "ir" in "*sir.*"

The words "à le" (*to the*) become "au" in French. "Au" is a contraction of "à le."

"au" means "*to the*"

J'ai parlé au docteur. *I talked to the doctor.*
J'ai parlé au sénateur. *I talked to the senator.*
Avez-vous parlé au directeur? *Did you talk to the director?*
J'ai téléphoné au docteur. *I phoned (to) the doctor.*
J'ai téléphoné au sénateur. *I phoned (to) the senator.*
J'ai téléphoné au professeur. *I phoned (to) the professor.*
J'ai câblé au docteur. *I cabled (to) the doctor.*

SENTENCE-FORMING EXERCISES

For practice combine the words below in different ways to form as many sentences as you can.

A

1	2	3
J'ai parlé	à Paul	ce soir
Avez-vous parlé?	à Louise	
J'ai téléphoné	à Robert	
Avez-vous téléphoné?	à Suzanne	
J'ai câblé	à Pauline	
Avez-vous câblé?	au docteur (*to the doctor*)	
	au sénateur	
	au professeur	
	au conducteur (train)	
	au directeur	

B

1	2	3
Avez-vous‿étudié?	la leçon	ce soir
Avez-vous‿acheté?	une blouse	pour la classe
	une robe	pour Suzanne
	une chemise	pour Robert
	une cravate	pour Paul
	une jaquette (woman's)	pour Pauline

EXERCISE IN TRANSLATION

Translate the following English sentences into French. Write out each sentence in French, using the columns above as a guide. After you have written out all the sentences, check with the correct translations below this exercise.

1. Did you talk to Louise this evening?
2. Yes, I talked to Louise this evening.
3. Did you talk to Susan?

4. Did you phone (to) Robert this evening?
5. I phoned (to) Paul this evening.
6. Did you call up Pauline?
7. I called up Robert.
8. Did you phone (to) the doctor?
9. Did you call up the senator?
10. Did you cable the senator?
11. Did you call up the professor?
12. Did you study the lesson for the class?
13. Did you buy a shirt for Robert?
14. Did you buy a necktie for Paul?
15. Did you buy a dress for Susan?

Check your sentences with the correct translations below.

1. Avez-vous parlé à Louise ce soir?
2. Oui, j'ai parlé à Louise ce soir.
3. Avez-vous parlé à Suzanne?
4. Avez-vous téléphoné à Robert ce soir?
5. J'ai téléphoné à Paul ce soir.
6. Avez-vous téléphoné à Pauline?
7. J'ai téléphoné à Robert.
8. Avez-vous téléphoné au docteur?
9. Avez-vous téléphoné au sénateur?
10. Avez-vous câblé au sénateur?
11. Avez-vous téléphoné au professeur?
12. Avez-vous étudié la leçon pour la classe?
13. Avez-vous acheté une chemise pour Robert?
14. Avez-vous acheté une cravate pour Paul?
15. Avez-vous acheté une robe pour Suzanne?

REMINDER CARD

J'ai parlé	à Robert
Avez-vous parlé?	à Suzanne
J'ai téléphoné	à Louise
Avez-vous téléphoné?	au docteur
	au sénateur

5

Leçon Numéro Cinq

In French "in" and "im" are pronounced as the *"an"* in *"thank."* Make this a nasal sound.

"Cinq" (*five*) rhymes with *"thank."*

Pronounce these words aloud:

intérieur, *interior*
inférieur, *inferior*
impérial, *imperial*
impossible, *impossible*
invisible, *invisible*
simple, *simple*
matin, *morning*
ce matin, *this morning*
vin, *wine*
province, *province*
insecte, *insect*
industrie, *industry*
J'ai invité, *I invited*
J'ai insulté, *I insulted*
J'ai insisté, *I insisted*
J'ai importé, *I imported*
J'ai imploré, *I implored*
J'ai informé, *I informed*
J'ai inspiré, *I inspired*
J'ai installé, *I installed*
Avez-vous‿invité? *Did you invite?*
Avez-vous‿insulté? *Did you insult?*

Avez-vous‿importé? *Did you import?*
Avez-vous‿installé? *Did you install?*

CATEGORY II

Remember that you can convert most English words that end in *"or"* into French words by changing the *"or"* to "eur."

OR = EUR

the doctor = le docteur

inférieur	le sénateur
inspecteur	le directeur
instructeur	le professeur
intérieur	le docteur

"Eur" is pronounced as the *"ir"* in *"sir."*

WORDS TO REMEMBER

le docteur, *the doctor*
le weekend, *the weekend*
avec, *with*
avec Anne, *with Ann*
le jour, *the day*
avec Philippe, *with Philip*
avec Suzanne, *with Susan*
à, *to, in*
à Paris, *in Paris*
au, *to the*
au cinéma, *to the movies*
au concert, *to the concert*
au ballet, *to the ballet*
au théâtre, *to the theater*

J'ai invité, *I invited*
Avez-vous‿invité? *Did you invite?*
J'ai passé, *I spent (time)*
Avez-vous passé? *Did you pass, did you spend (time)?*

CONVERSATION

Avez-vous‿invité Anne au cinéma? *Did you invite Ann to the movies?*
Oui, j'ai invité Anne au cinéma.

Avez-vous‿invité Philippe au théâtre?
Oui, j'ai invité Philippe au théâtre ce soir.

Avez-vous‿invité Suzanne au concert?
Oui, j'ai invité Suzanne au concert.

Avez-vous‿invité Philippe au ballet?
Oui, j'ai invité Philippe au ballet.

Avez-vous‿invité Louise au cinéma?
Oui, j'ai invité Louise au cinéma ce soir.

Avez-vous‿invité le docteur au ballet?
Oui, j'ai invité le docteur au ballet.

Avez-vous passé le weekend à Paris?
Oui, j'ai passé le weekend à Paris.

Avez-vous passé le weekend avec Louise?
Oui, j'ai passé le weekend avec Louise.

Avez-vous passé le weekend avec Anne?
Oui, j'ai passé le weekend avec Anne.

SENTENCE-FORMING EXERCISES

For practice combine the words below in different ways to form as many sentences as you can.

A

1	2	3
J'ai invité	Philippe	au cinéma (*to the movies*)
Avez-vous‿invité?	Suzanne	au ballet
	Louise	au théâtre
	Paul	au concert
	le sénateur	
	le docteur	

B

1	2	3
J'ai passé (*I spent*)	le weekend	à Paris (*in Paris*)
Avez-vous passé? (*Did you spend?*)		avec Philippe
		avec Louise
		avec Paul
		avec Suzanne
		avec le sénateur
		avec le docteur

EXERCISE IN TRANSLATION

Translate the following English sentences into French. Write out each sentence in French, using the columns above as a guide. After you have written out all the sentences, check with the correct translations below this exercise.

1. Did you invite Paul to the concert?
2. Yes, I invited Paul to the concert.
3. I invited Susan to the ballet.
4. Did you invite the doctor to the concert?
5. Did you invite Louise to the movies?
6. Did you invite Susan to the movies this evening?
7. Did you invite Philip to the theater this evening?
8. Did you spend the weekend in Paris?
9. Yes, I spent the weekend in Paris.
10. Did you spend the weekend with Philip?
11. I spent the weekend with Susan.
12. Did you spend the weekend with the senator?
13. Did you reserve a table for dinner?
14. Did you buy a necktie for Paul?
15. Did you buy a dress for Louise?
16. Did you study the lesson with Philip?
17. Did you talk to Philip this evening?

Check your sentences with the correct translations below.

1. Avez-vous invité Paul au concert?
2. Oui, j'ai invité Paul au concert.
3. J'ai invité Suzanne au ballet.
4. Avez-vous invité le docteur au concert?

5. Avez-vous invité Louise au cinéma?
6. Avez-vous invité Suzanne au cinéma ce soir?
7. Avez-vous invité Philippe au théâtre ce soir?
8. Avez-vous passé le weekend à Paris?
9. Oui, j'ai passé le weekend à Paris.
10. Avez-vous passé le weekend avec Philippe?
11. J'ai passé le weekend avec Suzanne.
12. Avez-vous passé le weekend avec le sénateur?
13. Avez-vous réservé une table pour le dîner?
14. Avez-vous acheté une cravate pour Paul?
15. Avez-vous acheté une robe pour Louise?
16. Avez-vous étudié la leçon avec Philippe?
17. Avez-vous parlé à Philippe ce soir?

In French we do not say, "le acteur." Instead we say "l'acteur." The word **le** becomes **l'** when it is followed by a word that begins with a vowel (a, e, i, o, u).

EXAMPLES:

l'acteur	l'artiste
l'inspecteur	l'optimiste
l'instructeur	l'économiste

"La" becomes "l'" when it is followed by a word that begins with a vowel.

EXAMPLES:

l'auto, *the automobile*	une auto, *an auto*
l'olive, *the olive*	une olive, *an olive*
l'avenue, *the avenue*	une avenue, *an avenue*

CATEGORY II

Remember that you can convert most English words that end in "*or*" into French words by changing the "*or*" to "eur."

OR = EUR

the visitor = le visiteur

In general "*or*" words that represent people are masculine.

l'acteur	l'agresseur	l'ambassadeur
the actor	*the aggressor*	*the ambassador*

l'auteur *the author*	l'exécuteur *the executor*	l'orateur *the orator*
l'aviateur *the aviator*	l'exterminateur *the exterminator*	le pasteur *the pastor*
le censeur *the censor*	le gouverneur *the governor*	le prédécesseur *the predecessor*
le collaborateur *the collaborator*	l'inspecteur *the inspector*	le possesseur *the possessor*
le conducteur *the conductor*	l'instigateur *the instigator*	le professeur *the professor*
le confesseur *the confessor*	l'instructeur *the instructor*	le propagateur *the propagator*
le conspirateur *the conspirator*	l'inventeur *the inventor*	le protecteur *the protector*
le constructeur *the constructor*	l'investigateur *the investigator*	le recteur *the rector*
le créateur *the creator*	le législateur *the legislator*	le sénateur *the senator*
le créditeur *the creditor*	le libérateur *the liberator*	le spectateur *the spectator*
le décorateur *the decorator*	le médiateur *the mediator*	le spéculateur *the speculator*
le démonstrateur *the demonstrator*	le modérateur *the moderator*	le successeur *the successor*
le directeur *the director*	le narrateur *the narrator*	le supérieur *the superior*
le distributeur *the distributor*	le navigateur *the navigator*	le tailleur *the tailor*
le docteur *the doctor*	l'opérateur *the operator*	le vendeur *the vendor*
l'électeur *the elector*	l'oppresseur *the oppressor*	le visiteur *the visitor*

NOTE: The following words do not represent people but are still masculine; they are exceptions. Le carburateur, *the carburetor*; l'équateur, *the equator*; l'extérieur, *the exterior*; l'honneur, *the honor*; l'indicateur, *the indicator* (*timetable*); l'intérieur, *the interior*; le moteur, *the motor*; le projecteur, *the projector*; le reflecteur, *the reflector*; le secteur, *the sector*; le tracteur, *the tractor*; le ventilateur, *the ventilator*.

Most *"or"* words that do not represent people are feminine. All the following words are feminine:

l'ardeur	la faveur	la rumeur	la terreur
the ardor	*the favor*	*the rumor*	*the terror*
la candeur	la ferveur	la saveur	la tumeur
the candor	*the fervor*	*the savor*	*the tumor*
la clameur	la fureur	(*flavor*)	la valeur
the clamor	*the furor*	la splendeur	*the valor*
la couleur	l'horreur	*the splendor*	(*bravery*)
the color	*the horror*	la stupeur	la vapeur
l'erreur	l'odeur	*the stupor*	*the vapor*
the error	*the odor*		

NOTE: Some words that end in *"er"* in English end in "eur" in French. These words are masculine: le boxeur, *the boxer*; le charmeur, *the charmer*; le déserteur, *the deserter*; le danseur, *the dancer*; le mineur, *the miner*; le porteur, *the porter*; le promoteur, *the promoter*; le voyageur, *the voyager* (*traveler*).

Some words that end in "eur" are used in both English and French: l'amateur, *the amateur*; le chauffeur, *the chauffeur*; le coiffeur, *the coiffeur* (*hairdresser*); la liqueur, *the liqueur*.

EXTRA WORDS

Exercise in Pronunciation of IN, IM

Remember that in French "in" and "im" are pronounced as the *"an"* in *"thank."* Make this a nasal sound.

le timbre, *the stamp*
le magasin, *the store*
le vin, *the wine*
cinq, *five*
un‿interprète, *an interpreter*
intéressant, *interesting*
distingué, *distinguished*

ce matin, *this morning*
inviter, *to invite*

REMINDER CARD

J'ai invité	Philippe	au cinéma
Avez-vous‿invité?	le sénateur	au concert
	Suzanne	au ballet
J'ai passé *(I spent)*	le weekend	à Paris
Avez-vous passé?		avec Philippe
		avec Suzanne

Pronounce: cinq, matin, insisté, impossible.

6
Leçon Numéro Six

CATEGORY III

Most words that end in "*ble*" are identical in French and English. In these words stress the letter before the "ble."

BLE = BLE

the table, la table

possible	formidable	admirable
impossible	probable	capable
terrible	flexible	noble

The word "est" means "*is*."
Read these sentences aloud:

La blouse est jolie. *The blouse is pretty.*
La robe est jolie. *The dress is pretty.*
La leçon est facile. *The lesson is easy.*
Pauline est jolie. *Pauline is pretty.*
La cravate est jolie. *The necktie is pretty.*

The above sentences can be changed into questions by putting the words "Est-ce que" (*Is it that*) before them. In French you do not say, "*Is Pauline pretty?*" You say instead, "*Is it that Pauline is pretty?*" (Est-ce que Pauline est jolie?)

Read these sentences aloud:

Est-ce que la robe est jolie? *Is the dress pretty?*
Est-ce que la leçon est facile? *Is the lesson easy?*
Est-ce que la cravate est jolie? *Is the necktie pretty?*

WORDS TO REMEMBER

est, *is*
ce, *this, it*
que, *that*
est-ce que, *is it that*
jolie, *pretty*
facile, *easy*
rouge, *red*
très, *very*
très jolie, *very pretty*
très facile, *very easy*
Avez-vous‿invité? *Did you invite?*
Avez-vous‿acheté? *Did you buy?*

CONVERSATION

Est-ce que Suzanne est jolie? *Is Susan pretty?*
Oui, Suzanne est jolie.

Est-ce que la robe est jolie?
Oui, la robe est jolie.

Est-ce que la blouse est jolie?
Oui, la blouse est très jolie.

Est-ce que la cravate est jolie?
Oui, la cravate est très jolie.

Est-ce que Pauline est jolie?
Oui, Pauline est très jolie.

Est-ce que Louise est jolie?
Oui, Louise est très jolie.

Est-ce que la leçon est facile?
Oui, la leçon est très facile.

Est-ce que la cravate est rouge?
Oui, la cravate est rouge.

Est-ce que la robe est rouge?
Oui, la robe est rouge.

Est-ce que la blouse est rouge?
Oui, la blouse est rouge.

Est-ce que la jaquette est jolie?
Oui, la jaquette est très jolie.

Avez-vous‿acheté une robe?
Oui, j'ai acheté une robe.

Avez-vous‿acheté une cravate?
Oui, j'ai acheté une cravate.

Avez-vous‿invité Philippe au concert?
Oui, j'ai invité Philippe au concert.

Avez-vous‿invité Philippe au cinéma?
Oui, j'ai invité Philippe au cinéma.

The word **ce** (*it*) becomes **c'** when it is followed by **est. C'est** means *"it is"* or *"it's."*

Read these words aloud:

C'est terrible. *It's terrible.*
C'est possible. *It's possible.*
C'est facile. *It's easy.*
C'est formidable. *It's formidable, it's terrific.*
C'est bon. *It's good.*
C'est difficile. *It's difficult.*
C'est superbe. *It's superb.*

SENTENCE-FORMING EXERCISES

For practice combine the words below in different ways to form as many sentences as you can.

A

1	2	3
La leçon	est	facile
La robe		jolie
La blouse		rouge
La cravate		très jolie
La jaquette		
Suzanne		
Anne		
Louise		

B

1	2	3	4
Est-ce que	la leçon	est	facile?
	la robe		jolie?
	la blouse		rouge?
	la cravate		
	la jaquette		

EXERCISE IN TRANSLATION

Translate the following English sentences into French. Write out each sentence in French, using the columns above as a guide. After you have written out all the sentences, check with the correct translations below this exercise.

1. Is the lesson easy?
2. Yes, the lesson is very easy.
3. Is the dress red?
4. Is the necktie pretty?
5. Susan is pretty.
6. The blouse is red.
7. Ann is very pretty.
8. Is the blouse red?
9. Is the necktie red?
10. The necktie is very pretty.
11. It's easy.
12. It's possible.
13. It's good.
14. It's difficult.

Check your sentences with the correct translations below.

1. Est-ce que la leçon est facile?
2. Oui, la leçon est très facile.
3. Est-ce que la robe est rouge?
4. Est-ce que la cravate est jolie?
5. Suzanne est jolie.
6. La blouse est rouge.
7. Anne est très jolie.
8. Est-ce que la blouse est rouge?

9. Est-ce que la cravate est rouge?
10. La cravate est très jolie.
11. C'est facile.
12. C'est possible.
13. C'est bon.
14. C'est difficile.

After you have checked each of your French sentences, read it aloud, again and again, so that the language is as familiar to your ear and your tongue as it is to your mind.

CATEGORY III

Words that end in *"ble"* are mostly identical in French and in English.

BLE = BLE

List of words that end in "able":

the cable, le câble
capable, capable

acceptable
adaptable
admirable
adorable
affable
agréable
(*agreeable*)
aimable
(*amiable*)
applicable
appréciable
approchable
(*approachable*)
arable
le câble
calculable
capable
censurable

charitable
comparable
confortable
(*comfortable*)
considérable
défendable
délectable
déplorable
désagréable
(*disagreeable*)
désirable
détestable
durable
endurable
enviable
excitable
excusable
exécrable

la fable
favorable
formidable
honorable
impeccable
impénétrable
imperméable
(*raincoat*)
imperturbable
implacable
impondérable
impossible
impraticable
(*impracticable*)
imprégnable
impressionable
improbable
incalculable

incapable
incomparable
inconcevable
(*inconceivable*)
inconsolable
incontestable
incurable
indispensable
indésirable
(*undesirable*)
inflammable
insatiable
inscrutable
inséparable
insolvable
(*unsolvable*)
instable
(*unstable*)

insupportable
insurmontable
(*insurmountable*)
intolérable
invariable
invulnérable
irréparable
irréprochable
(*irreproachable*)
irresponsable
(*irresponsible*)
irrévocable
irritable
lamentable
mémorable
mesurable
(*measurable*)

misérable
navigable
négociable
(*negotiable*)
noble
notable
palpable
pardonnable
(*pardonable*)
passable
payable
pénétrable
percevable
(*perceivable*)
pliable
pondérable
portable

praticable
(*practicable*)
préférable
présentable
probable
profitable
raisonnable
(*reasonable*)
redoutable
(*redoubtable*)
réfutable
regrettable
remarquable
(*remarkable*)
réparable
(*repairable*)
respectable

responsable
(*responsible*)
séparable
sociable
solvable
stable
supportable
surmontable
(*surmountable*)
la table
tolérable
transférable
variable
vénérable
véritable
vulnérable

Words that end in "ible":

IBLE = IBLE

possible, *possible*

accessible
admissible
la Bible
combustible
compatible
compréhensible
convertible
corruptible
destructible
digestible
divisible

éligible
faible
(*feeble, weak*)
faillible
(*fallible*)
flexible
horrible
imperceptible
impossible
incompatible
incompréhensible

incorrigible
incorruptible
indestructible
indivisible
infaillible
(*infallible*)
intangible
intelligible
invincible
invisible
irascible

irrépressible
irrésistible
plausible
répréhensible
reversible
risible
susceptible
tangible
terrible
visible

NOTE: You have learned that "in" is pronounced as the "*an*" in "*thank.*" However, in the following words the "in" that begins a word is pronounced, "*een*" as in "*keen.*" For example, "inévitable" is pronounced "eeneveetabl."

*in*effable
*in*estimable

*in*excusable
*in*évitable

*in*exorable
*in*explicable

*in*habitable	*in*admissible	*in*imaginable
*in*accessible	*in*éligible	(*unimaginable*)

REMINDER CARD

La robe	est	jolie
La leçon		facile
La cravate		rouge
Est-ce que	la robe	est jolie?
	la leçon	est facile?
	la cravate	est rouge?

C'est facile *(It's easy)*. C'est terrible.
C'est bon. C'est superbe.

7
Leçon Numéro Sept

In French "em, en, am, an" are pronounced as the "*a*" in "*want*," but this "*a*" must be very nasal.

EM
EN
AM
AN } "*a*" as in "*want*," but very nasal

Read these words aloud ("em, en, am, an" have been printed in heavy type):

j'ai comm**en**cé, *I began*
j'ai recomm**an**dé, *I recommended*
j'ai inv**en**té, *I invented*
j'ai prés**en**té, *I presented*
rendez-vous, *appointment, date*
enveloppe, *envelope*
ambassadeur, *ambassador*
pl**an**, *plan*
b**an**que, *bank*
c**an**deur, *candor*
t**em**pérature, *temperature*
spl**en**deur, *splendor*
d**an**seur, *dancer*
ch**an**teur, *singer*
ch**am**bre, *room*
Flor**en**ce, *Florence*
Fr**an**ce, *France*
d**en**tiste, *dentist*

absence, *absence*
distance, *distance*
orange, *orange*
sandwich, *sandwich*
grandeur, *grandeur*
enfant, *child*

CATEGORY IV

Most words that end in "ent" or "ant" are identical in French and English. The "ent" or "ant" in these words is pronounced as the *"a"* in *"want,"* but be sure to make this a very nasal *"a."*

ENT = ENT
ANT = ANT

le président	prudent	urgent
le descendant	différent	élégant
le client	excellent	important
le restaurant	éloquent	évident

When "est" is followed by a word that begins with a vowel (a, e, i, o, u), the letter "t" in "est" is pronounced and also run together with the word that follows it.

EXAMPLES:

Le film est‿excellent. *The film is excellent.*
Le câble est‿urgent. *The cable is urgent.*
Le client est‿important. *The client is important.*
Le sénateur est‿éloquent. *The senator is eloquent.*
C'est‿impossible. *It's impossible.*

WORDS TO REMEMBER

le dentiste, *the dentist*	**patient**
le télégramme, *the telegram*	**urgent**
le câble, *the cable*	**éloquent**
le sénateur, *the senator*	**élégant**
le président, *the president*	**prudent**
le restaurant, *the restaurant*	**constant**
le client, *the client*	**compétent**

le chauffeur, *the chauffeur* **permanent**
le journaliste, *the journalist* **important**

CONVERSATION

Est-ce que le docteur est patient? *Is the doctor patient?*
Oui, le docteur est patient.

Est-ce que le dentiste est patient?
Oui, le dentiste est patient.

Est-ce que le télégramme est important?
Oui, le télégramme est‿important.

Est-ce que le câble est urgent?
Oui, le câble est‿urgent.

Est-ce que le sénateur est éloquent?
Oui, le sénateur est‿éloquent.

Est-ce que le sénateur est important?
Oui, le sénateur est‿important?

Est-ce que le président est éloquent?
Oui, le président est‿éloquent.

Est-ce que le restaurant est élégant?
Oui, le restaurant est‿élégant.

Est-ce que le client est important?
Oui, le client est‿important.

Est-ce que le chauffeur est prudent?
Oui, le chauffeur est prudent.

Est-ce que le professeur est patient?
Oui, le professeur est patient.

Est-ce que le journaliste est compétent?
Oui, le journaliste est compétent.

When "très" (*very*) is followed by a word that begins with a vowel (a, e, i, o, u) the letter "s" in "très" is pronounced and run together with the word that follows it. This letter "s" is pronounced as the "*z*" in "*zero.*"

Read these words aloud:

C'est très‿intéressant. *It's very interesting.*
C'est très‿important. *It's very important.*
C'est très‿urgent. *It's very urgent.*
C'est très‿amusant. *It's very amusing.*

SENTENCE-FORMING EXERCISES

For practice combine the words below in different ways to form as many sentences as you can.

A

1	2	3
Le film	est	‿excellent
Le télégramme		‿urgent
Le câble		‿important
Le dentiste		patient
Le sénateur		‿impatient
Le président		‿éloquent
Le restaurant		‿élégant
Le journaliste		prudent
Le chauffeur		‿intéressant
L'artiste		nonchalant

B

1	2	3
Est-ce que	le film	est‿intéressant?
	le câble	est‿urgent?
	le télégramme	est‿important?
	le docteur	est patient?
	le sénateur	est‿éloquent?

EXERCISE IN TRANSLATION

Translate the following English sentences into French and check them with the correct translations below this exercise.

1. Is the telegram important?
2. The senator is eloquent.

3. Is the cable urgent?
4. The client is important.
5. Is the senator important?
6. The telegram is important.
7. The restaurant is excellent.
8. The dentist is very patient.
9. The restaurant is elegant.
10. The film is very interesting.
11. Is the film interesting?
12. The cable is very important.

Check your sentences with the correct translations below.

1. Est-ce que le télégramme est important?
2. Le sénateur est éloquent.
3. Est-ce que le câble est urgent?
4. Le client est important.
5. Est-ce que le sénateur est important?
6. Le télégramme est important.
7. Le restaurant est excellent.
8. Le dentiste est très patient.
9. Le restaurant est élégant.
10. Le film est très intéressant.
11. Est-ce que le film est intéressant?
12. Le câble est très important.

CATEGORY IV

Most words that end in "ent" or "ant" are identical in French and in English. These words are masculine.

ENT = ENT

the president, le président

absent	l'adolescent	l'appartement
abstinent	l'affluent	(*apartment*)
l'accent	l'agent	ardent
l'accident	l'amusement	l'armement
adhérent	l'antécédent	(*armament*)
adjacent	apparent	l'arrangement

l'astringent
le ciment
(*cement*)
le client
cohérent
le compartiment
(*compartment*)
compétent
le complément
le compliment
le condiment
confluent
le contentement
(*contentment*)
le continent
le contingent
le convalescent
le couvent
(*convent*)
décadent
décent
le département
(*department*)
le détergent
le détriment
différent
diligent
le document
l'élément
éloquent
éminent
l'emprisonnement
(*imprisonment*)
l'engagement
l'enrôlement
(*enrollment*)
l'équivalent

l'établissement
(*establishment*)
évident
excellent
l'expédient
le ferment
(*yeast*)
fervent
le firmament
fréquent
le fragment
le gouvernement
(*government*)
impatient
impertinent
imprudent
l'incident
incohérent
incompétent
indécent
indifférent
indolent
indulgent
innocent
insolent
intelligent
intermittent
le jugement
(*judgment*)
latent
le ligament
le moment
le monument
le mouvement
(*movement*)
négligent
l'Occident
l'Orient

l'ornement
(*ornament*)
le parlement
(*parliament*)
patient
permanent
pertinent
phosphorescent
le pigment
le précédent
le présent
le président
proéminent
(*prominent*)
prudent
récent
le régent
le régiment
le résident
le rudiment
le sacrement
(*sacrament*)
le sédiment
le sentiment
le serpent
strident
le supplément
le talent
tangent
le tempérament
le testament
le tourment
(*torment*)
le torrent
transparent
urgent
véhément

ANT = ANT

the restaurant, le restaurant

absorbant
(*absorbent*)
abondant
(*abundant*)
l'adjudant
(*adjutant*)
arrogant
l'ascendant
l'assistant
belligérant
(*belligerent*)
brillant
(*brilliant*)
le chant
le commandant
le confident
(*confidant*)
consistant
(*consistent*)
constant
le correspondant
(*correspondent*)
courant
(*current*)
dépendant
(*dependent*)
le descendant
le désinfectant
(*disinfectant*)
discordant
dissonant
distant
dominant
dormant
élégant
l'éléphant
l'émigrant
l'enfant
(*the child*)
exorbitant
extravagant
exubérant
flagrant
flamboyant
ignorant
important
incessant
inconsistant
(*inconsistent*)
inconstant
indépendant
(*independent*)
insignifiant
intolérant
intransigeant
(*intransigent*)
jubilant
le lieutenant
militant
nonchalant
l'occupant
le participant
le pédant
persistant
(*persistent*)
pétulant
plaisant
(*pleasant*)
pliant
poignant
prédominant
prépondérant
répugnant
le restaurant
stagnant
stimulant
vacant
vibrant

EXTRA WORDS

je, *I*	**nous,** *we*
vous, *you* (sing.)	**vous,** *you* (pl.)
il, *he, it* (masc.)	**ils,** *they* (masc.)
elle, *she, it* (fem.)	**elles,** *they* (fem.)

Exercise in Pronunciation of EN, EM

Remember that in French "en" and "em" are pronounced as the "*a*" in "*want,*" but this "*a*" must be very nasal.

l'encre, *the ink*
l'enveloppe, *the envelope*
lentement, *slowly*
encore, *yet, still*
de l'essence, *gasoline (of the gasoline)*
l'entrée, *the entrance*
un‿agent, *a policeman*
un gendarme, *a state trooper*
pendant, *during*
ensemble, *together*
souvent, *often*

REMINDER CARD

I. IST = ISTE
le dentiste
le pianiste
le touriste
l'artiste

II. OR = EUR
le docteur
le sénateur
l'acteur

III. BLE (identical)
impossible
terrible
probable

IV. ENT, ANT (identical)
le président
excellent
le restaurant
important

Le restaurant est‿excellent.

8
Leçon Numéro Huit

J'ai étudié, *I studied*
Vous‿avez‿étudié, *You studied*
Il a étudié, *He studied* (literally *"He has studied"*)
Elle a étudié, *She studied* (literally *"She has studied"*)

The word "a" means *"has."*
"A" is pronounced, "Ah," as in "Ah, sweet mystery."

In French you cannot say, *"He studied."* You must say instead, *"He has studied"* (Il a étudié). You cannot say, *"She studied."* You must say, *"She has studied"* (Elle a étudié).

Read these sentences aloud:

Paul a étudié la leçon. *Paul studied the lesson.*
Suzanne a acheté une blouse. *Susan bought a blouse.*
Louise a préparé le dîner. *Louise prepared dinner.*
Robert a invité Louise au cinéma. *Robert invited Louise to the movies.*

The above sentences can be changed into questions by putting "Est-ce que" (*Is it that*) before them.
In French you do not say, *"Did Paul study the lesson?"* You must say instead, *"Is it that Paul has studied the lesson?"* (Est-ce que Paul a étudié la leçon?)

Read these sentences aloud:

Est-ce que Suzanne a acheté une blouse? *Did Susan buy a blouse?*

Est-ce que Louise a préparé le dîner? *Did Louise prepare dinner?*

Est-ce que Robert a invité Louise au cinéma? *Did Robert invite Louise to the movies?*

CATEGORY V

You can convert most English words that end in *"ty"* into French words by changing the *"ty"* to "té." These words are feminine and take the articles "la" (*the*) or "une" (*a*).

TY = TÉ

the capacity, la capacité

la curiosité	la possibilité	l'électricité
la dignité	la responsabilité	l'activité
la flexibilité	la prospérité	l'autorité
la sincérité	la publicité	l'intégrité

CATEGORY VI

You can convert most English words that end in *"ic"* or *"ical"* into French words by changing the *"ic"* or *"ical"* to "ique."

IC = IQUE

organic, organique

atomique	électrique
automatique	excentrique
démocratique	fantastique
diplomatique	magique
dramatique	pacifique
élastique	publique
plastique	romantique

ICAL = IQUE

physical, physique

classique, *classical*	mécanique, *mechanical*
logique, *logical*	typique, *typical*

WORDS TO REMEMBER

les, *the* (plural)
les billets, *the tickets*
une rose, *a rose*
une cravate, *a necktie*
a, *has*
Robert a réservé, *Robert reserved*
hier, *yesterday*
une chemise, *a shirt*

J'ai travaillé. *I worked.*
Avez-vous travaillé? *Did you work?*
Il a travaillé. *He worked.*
Elle a travaillé. *She worked.*
Il a acheté. *He bought.*
Il a copié. *He copied.*
Paul a étudié. *Paul studied.*
Elle a acheté. *She bought.*
Elle a copié. *She copied.*
Anne a parlé. *Ann talked.*
Est-ce que Paul a étudié? *Did Paul study?*

CONVERSATION

Est-ce que Robert a acheté une cravate? *Did Robert buy a necktie?*
Oui, Robert a acheté une cravate.

Est-ce que Philippe a acheté une chemise?
Oui, Philippe a acheté une chemise.

Est-ce que Louise a préparé le dîner?
Oui, Louise a préparé le dîner.

Est-ce que Paul a étudié la leçon?
Oui, Paul a étudié la leçon.

Est-ce que Louise a copié la leçon?
Oui, Louise a copié la leçon.

Est-ce que Robert a téléphoné à Suzanne?
Oui, Robert a téléphoné à Suzanne.

Est-ce que Robert a réservé une table pour le dîner?
Oui, Robert a réservé une table pour le dîner.

Est-ce que Robert a invité Suzanne au théâtre?
Oui, Robert a invité Suzanne au théâtre.

Est-ce que Robert a acheté une rose pour Suzanne?
Oui, Robert a acheté une rose pour Suzanne.

Est-ce que Paul a travaillé ce matin? *Did Paul work this morning?*
Oui, Paul a travaillé ce matin.

Est-ce que Paul a travaillé hier?
Oui, Paul a travaillé hier.

Est-ce que Philippe a travaillé hier?
Oui, Philippe a travaillé hier.

Avez-vous travaillé hier?
Oui, j'ai travaillé hier.

"Que" becomes "qu'" when it is followed by a word that begins with a vowel. Thus "Est-ce que il a" becomes "Est-ce qu'il a" (*Has he*). "Est-ce que elle a" becomes "Est-ce qu'elle a" (*Has she*).

Read these sentences aloud:

Est-ce qu'il a travaillé hier? *Did he work yesterday?* (*Is it that he has worked yesterday?*)
Est-ce qu'elle a travaillé hier? *Did she work yesterday?*
Est-ce qu'il a travaillé ce matin? *Did he work this morning?*
Est-ce qu'elle a travaillé ce soir? *Did she work this evening?*
Est-ce qu'elle a acheté une robe? *Did she buy a dress?*
Est-ce qu'il a parlé à Paul? *Did he talk to Paul?*

SENTENCE-FORMING EXERCISES

For practice combine the words below to form as many sentences as you can.

A

1	2	3
Paul a	étudié	la leçon
Louise a	préparé	le dîner
Robert a	téléphoné à	Suzanne
J'ai	invité	Anne
Elle a	travaillé	hier
Il a		ce matin

B

1	2	3
Avez-vous	étudié	la leçon?
Est-ce que Paul a	préparé	le dîner?
Est-ce que Louise a	téléphoné à	Suzanne?
Est-ce que Robert a	invité	Anne?
Est-ce qu'il a	acheté	une chemise?
Est-ce qu'elle a		une blouse?

EXERCISE IN TRANSLATION

Translate the following English sentences into French and check them with the correct translations below this exercise.

1. Paul studied the lesson.
2. Louise prepared dinner.
3. Robert phoned Susan.
4. I bought a dress.
5. He invited Ann to the movies.
6. She bought a dress yesterday.
7. Paul worked yesterday.
8. Did you study the lesson this morning?
9. She worked this morning.
10. Did you work yesterday?
11. Robert worked this evening.
12. Did he buy a shirt?
13. Did she study the lesson?
14. Did Robert reserve a table for dinner?
15. Did Paul invite Ann to the theater?

Check your sentences with the correct translations below.

1. Paul a étudié la leçon.
2. Louise a préparé le dîner.
3. Robert a téléphoné à Suzanne.
4. J'ai acheté une robe.
5. Il a invité Anne au cinéma.
6. Elle a acheté une robe hier.
7. Paul a travaillé hier.
8. Avez-vous étudié la leçon ce matin?
9. Elle a travaillé ce matin.

10. Avez-vous travaillé hier?
11. Robert a travaillé ce soir.
12. Est-ce qu'il a acheté une chemise?
13. Est-ce qu'elle a étudié la leçon?
14. Est-ce que Robert a réservé une table pour le dîner?
15. Est-ce que Paul a invité Anne au théâtre?

CATEGORY V

You can convert most English words that end in "*ty*" into French words by changing "*ty*" to "té." These words are feminine.

TY = TÉ

the curiosity, la curiosité

l'absurdité	l'excentricité	l'immunité
l'acidité	l'extrémité	l'impartialité
l'activité	la facilité	l'impétuosité
l'adversité	la familiarité	l'impossibilité
l'affinité	la fatalité	l'improbabilité
l'anxiété	la férocité	l'inactivité
l'atrocité	la fertilité	l'incapacité
l'austérité	la fidélité	l'incompatibilité
la beauté	la flexibilité	l'indemnité
la brutalité	la formalité	l'indignité
la calamité	la fraternité	l'individualité
la capacité	la frivolité	l'infériorité
la célébrité	la frugalité	l'infidélité
la célérité	la généralité	l'infinité
la charité	la générosité	l'inflexibilité
la complexité	l'hérédité	l'insanité
la cordialité	l'hospitalité	l'instabilité
la crédulité	l'hostilité	l'intensité
la curiosité	l'humidité	l'intégrité
la dignité	l'humilité	l'irrégularité
la divinité	l'identité	la légalité
la docilité	l'immensité	la localité
la duplicité	l'immobilité	la majorité
l'électricité	l'immoralité	la maternité
l'éternité	l'immortalité	la maturité

la minorité
la monstruosité
(*monstrosity*)
la moralité
la municipalité
la nationalité
la nécessité
la neutralité
l'obésité
l'obscurité
(*darkness*)
l'originalité
la parité
la paternité
la pénalité
(*penalty*)
la perplexité
la perspicacité
la personnalité
(*personality*)
la piété
la pitié
(*pity*)
la placidité
la plausibilité
la ponctualité
(*punctuality*)

la popularité
la possibilité
la postérité
la priorité
la probabilité
la prospérité
la proximité
la qualité
la quantité
la réalité
la régularité
la responsabilité
(*responsibility*)
la rigidité
la sécurité
la sérénité
la sévérité
la similarité
la simplicité
la sincérité
la sobriété
la société
la spécialité
la stabilité
la stupidité
la subtilité
(*subtlety*)

la supériorité
la susceptibilité
la ténacité
la timidité
la tranquillité
l'unanimité
l'uniformité
l'unité
l'université
l'utilité
la validité
la vanité
la variabilité
la variété
la vélocité
la véracité
la versatilité
la virilité
la visibilité
la vitalité
la vivacité
la volubilité
la voracité
la vulgarité
la vulnérabilité

CATEGORY VI

You can convert many English words that end in "*ic*" or "*ical*" into French words by changing the "*ic*" or "*ical*" to "ique."

IC = IQUE
ICAL = IQUE
democratic, démocratique
comical, comique

académique
acrobatique
aéronautique

agnostique
allégorique
allergique

anémique
angélique
antiseptique

aquatique
aristocratique
arithmétique
aromatique
l'Atlantique
atomique
authentique
autocratique
automatique
la Baltique
botanique
britannique
bureaucratique
catholique
caustique
chaotique
chromatique
chronique
chronologique
comique
cosmétique
critique
cubique
cynique
démocratique
diabétique
diplomatique
dogmatique
domestique
dramatique
drastique
dynamique
économique
élastique
électrique
encyclopédique
énigmatique
épique

érotique
erratique
esthétique
excentrique
exotique
fanatique
fantastique
flegmatique
(*phlegmatic*)
géographique
gothique
graphique
harmonique
héroïque
historique
hygiénique
hypnotique
identique
idiomatique
illogique
ironique
léthargique
lithographique
logique
lyrique
magique
magnétique
mathématique
mécanique
mélodramatique
métallique
métallurgique
méthodique
microscopique
monastique
la musique
narcotique
nautique

nostalgique
optique
organique
orthopédique
pacifique
paralytique
pathétique
patriotique
périodique
philanthropique
philharmonique
phonétique
photogénique
photographique
physique
plastique
platonique
ploutocratique
(*plutocratic*)
poétique
la politique
préhistorique
problématique
prolifique
prophétique
prosaïque
psychologique
la république
romantique
rustique
sarcastique
sardonique
satanique
sceptique
(*skeptic*)
scientifique
scolastique
(*scholastic*)
spécifique

statique
sténographique
stratégique
symbolique
symétrique
(*symmetric*)
symphonique
synthétique
la tactique
la technique
teutonique
tonique
tragique
transatlantique
tropique
tyrannique
volcanique

EXTRA WORDS

Exercise in Pronunciation of AN, AM

Remember that in French "an" and "am" are pronounced as the "*a*" in "*want*," but this "*a*" must be very nasal.

la lampe, *the lamp*
la chambre, *the room*
la banque, *the bank*
en‿avance, *early (in advance)*
devant, *in front of*
devant la banque, *in front of the bank*
dans, *in*
dans la valise, *in the suitcase*
viande, *meat*
changer, *to change*
les gants, *the gloves*
la tante, *the aunt*
maman, *mamma*
C'est très‿amusant. *It's very amusing.*

REMINDER CARD

Paul	a étudié	hier
Louise	a acheté	une blouse
Il	a invité	Suzanne
Elle	a acheté	
Est-ce que Paul	a étudié	hier?
Est-ce que Louise	a acheté	une blouse?
Est-ce qu'il	a invité	Suzanne?
Est-ce qu'elle	a acheté	

9
Leçon Numéro Neuf

In French "on" and "om" are pronounced as *"on"* in *"don't,"* but make this sound extremely nasal.

Read these words aloud:

leçon, *lesson*
bonbon, *bonbon, candy*
bon, *good*
bonsoir, *good evening*
bonjour, *good morning*
pardon, *pardon*
bon voyage, *have a good trip*
concert, *concert*
avion, *airplane*
conducteur, *conductor*

Most words that end in "ion" are identical in English and in French. These words are feminine. The "tion" is pronounced "sion," with a short, nasal "on."

CATEGORY VII

ION = ION

the nation, la nation

la constitution	la conversation	la religion
la nation	la perfection	la profession
l'inspiration	la distraction	l'invitation

The best way to learn French is through large concepts and ideas, not through memorizing little isolated words. One idea well established in your mind will give you two hundred verbs forever. And every time you use one of these two hundred verbs you become more automatic in the use of the other hundred and ninety-nine.

Memorizing is dull and ineffectual. When you learn twenty verbs by rote, you are apt to forget most of them and be bored by all of them. You are annoyed by the fact that you have to sit down and toil over them and they become your enemies. But when you invent a verb, it is your creation; you have made it, and you will always like it.

HOW TO FORM VERBS

You are probably saying, "How can I invent a verb? Where do I start?" Start with nouns that end in "ATION." Take for instance the word "invitation." Remove the "ation" and you get "invit." Add "é" and, presto, you have a verb: "J'ai invité," *I invited.*

EXAMPLES:

1. invitation
2. préparation
3. présentation
4. décoration

Remove the "ation":

1. invit-ATION
2. prépar-ATION
3. présent-ATION
4. décor-ATION

Add "é" and, presto, you have a verb:

1. J'ai invité
   I invited
2. J'ai préparé
   I prepared
3. J'ai présenté
   I presented
4. J'ai décoré
   I decorated

EXERCISE IN FORMING VERBS

Following is a list of nouns converted into verbs.

1. Use a sheet of lined paper that has been divided into two columns, and cover up all but the first (left-hand) column below.

2. Drop "ation" from each noun in the first column.

3. Add "é" as in the second column below, then write the verb in the first column of your sheet.

4. Write "j'ai" before each word.

5. Then translate the verb into English, as in the third column below.

6. Now check your columns with the two right-hand columns below, saying aloud each of your words.

l'accélération	j'ai accéléré	*I accelerated*
l'accentuation	j'ai accentué	*I accentuated*
l'acclamation	j'ai acclamé	*I acclaimed*
l'accumulation	j'ai accumulé	*I accumulated*
l'accusation	j'ai accusé	*I accused*
l'adaptation	j'ai adapté	*I adapted*
l'administration	j'ai administré	*I administered*
l'admiration	j'ai admiré	*I admired*
l'adoration	j'ai adoré	*I adored*
l'affirmation	j'ai affirmé	*I affirmed*
l'aliénation	j'ai aliéné	*I alienated*
l'amputation	j'ai amputé	*I amputated*
l'animation	j'ai animé	*I animated*
l'annihilation	j'ai annihilé	*I annihilated*
l'anticipation	j'ai anticipé	*I anticipated*
l'appropriation	j'ai approprié	*I appropriated*
l'articulation	j'ai articulé	*I articulated*
l'assimilation	j'ai assimilé	*I assimilated*
l'association	j'ai associé	*I associated*
l'augmentation	j'ai augmenté	*I augmented* (*increased*)
l'autorisation	j'ai autorisé	*I authorized*
la circulation	j'ai circulé	*I circulated*
la collaboration	j'ai collaboré	*I collaborated*
la compilation	j'ai compilé	*I compiled*
la concentration	j'ai concentré	*I concentrated*
la conciliation	j'ai concilié	*I conciliated*
la condensation	j'ai condensé	*I condensed*
la confirmation	j'ai confirmé	*I confirmed*
la confrontation	j'ai confronté	*I confronted*
la considération	j'ai considéré	*I considered*
la consolidation	j'ai consolidé	*I consolidated*
la contamination	j'ai contaminé	*I contaminated*
la contemplation	j'ai contemplé	*I contemplated*

la coopération	j'ai coopéré	*I co-operated*
la coordination	j'ai coordiné	*I co-ordinated*
la création	j'ai créé	*I created*
la déclaration	j'ai déclaré	*I declared*
la décoration	j'ai décoré	*I decorated*
la dégradation	j'ai dégradé	*I degraded*
la délibération	j'ai délibéré	*I deliberated*
la dépréciation	j'ai déprécié	*I depreciated*
la désignation	j'ai désigné	*I designated*
la détermination	j'ai déterminé	*I determined*
la déviation	j'ai dévié	*I deviated*
la distillation	j'ai distillé	*I distilled*
la domination	j'ai dominé	*I dominated*
la donation	j'ai donné	*I donated, gave*
l'élaboration	j'ai élaboré	*I elaborated*
l'élévation	j'ai élevé	*I elevated*
l'élimination	j'ai éliminé	*I eliminated*
l'émigration	j'ai émigré	*I emigrated*
l'énumération	j'ai énuméré	*I enumerated*
l'estimation	j'ai estimé	*I estimated*
l'évaluation	j'ai évalué	*I evaluated*
l'exaspération	j'ai exaspéré	*I exasperated*
l'excavation	j'ai excavé	*I excavated*
l'exhalation	j'ai exhalé	*I exhaled*
l'exonération	j'ai exonéré	*I exonerated*
l'expérimentation	j'ai expérimenté	*I experimented*
l'exploration	j'ai exploré	*I explored*
l'exportation	j'ai exporté	*I exported*
l'expropriation	j'ai exproprié	*I expropriated*
l'extermination	j'ai exterminé	*I exterminated*
l'exultation	j'ai exulté	*I exulted*
la formation	j'ai formé	*I formed*
l'habitation	j'ai habité	*I inhabited*
l'hésitation	j'ai hésité	*I hesitated*
l'humiliation	j'ai humilié	*I humiliated*
l'illumination	j'ai illuminé	*I illuminated*
l'illustration	j'ai illustré	*I illustrated*
l'imagination	j'ai imaginé	*I imagined*
l'imitation	j'ai imité	*I imitated*

l'immigration	j'ai immigré	*I immigrated*
l'importation	j'ai importé	*I imported*
l'improvisation	j'ai improvisé	*I improvised*
l'incrimination	j'ai incriminé	*I incriminated*
l'information	j'ai informé	*I informed*
l'inhalation	j'ai inhalé	*I inhaled*
l'innovation	j'ai innové	*I innovated*
l'inoculation	j'ai inoculé	*I inoculated*
l'insinuation	j'ai insinué	*I insinuated*
l'inspiration	j'ai inspiré	*I inspired*
l'installation	j'ai installé	*I installed*
l'interprétation	j'ai interprété	*I interpreted*
l'intimation	j'ai intimé	*I intimated*
l'intimidation	j'ai intimidé	*I intimidated*
l'invitation	j'ai invité	*I invited*
l'irritation	j'ai irrité	*I irritated*
l'isolation	j'ai isolé	*I isolated*
la libération	j'ai libéré	*I liberated*
la liquidation	j'ai liquidé	*I liquidated*
la manifestation	j'ai manifesté	*I manifested*
la manipulation	j'ai manipulé	*I manipulated*
la modération	j'ai modéré	*I moderated*
la modulation	j'ai modulé	*I modulated*
la notation	j'ai noté	*I noted (noticed)*
l'observation	j'ai observé	*I observed*
l'occupation	j'ai occupé	*I occupied*
l'opération	j'ai opéré	*I operated*
l'orientation	j'ai orienté	*I oriented*
la participation	j'ai participé	*I participated*
la pénétration	j'ai pénétré	*I penetrated*
la perforation	j'ai perforé	*I perforated*
la préparation	j'ai préparé	*I prepared*
la présentation	j'ai présenté	*I presented*
la proclamation	j'ai proclamé	*I proclaimed*
la protestation	j'ai protesté	*I protested*
la récitation	j'ai récité	*I recited*
la réformation	j'ai réformé	*I reformed*
la réfrigération	j'ai réfrigéré	*I refrigerated*
la régénération	j'ai régénéré	*I regenerated*

la rémunération	j'ai rémunéré	*I remunerated*
la rénovation	j'ai rénové	*I renovated*
la représentation	j'ai représenté	*I represented*
la répudiation	j'ai répudié	*I repudiated*
la révélation	j'ai révélé	*I revealed*
la séparation	j'ai séparé	*I separated*
la stimulation	j'ai stimulé	*I stimulated*
la stipulation	j'ai stipulé	*I stipulated*
la transformation	j'ai transformé	*I transformed*
l'usurpation	j'ai usurpé	*I usurped*
la vaccination	j'ai vacciné	*I vaccinated*
la vacillation	j'ai vacillé	*I vacillated*
la variation	j'ai varié	*I varied*
la violation	j'ai violé	*I violated*

Now that you know the technique of changing "ation" nouns into verbs, you are ready to begin working with speed. You can get the most advantage out of these verbs if you learn to form them in the flick of an eyelash. The best way to learn to change these nouns into verbs quickly is to look at the noun, remove "ation" and add the letter "é" in one quick mental process. Do not read the noun aloud. Just look at it, change it as quickly as you can, and repeat the verb aloud. As you read the list of nouns, change each into a verb as quickly as you can. You will find that by the time you have reached the end of the list you can change a noun into a verb in a split second.

It is a very good idea to practice the above list of verbs in different persons.

EXAMPLES:

J'ai exagéré. *I exaggerated.*
Avez-vous présenté? *Did you present, introduce?*
Il a hésité. *He hesitated.*
Elle a exaspéré. *She exasperated.*
Il a présenté. *He presented.*
Vous‿avez révélé. *You revealed.*

WORDS TO REMEMBER

les billets, *the tickets*
au club, *to the, at the club*
l'invitation, *the invitation*
non, *no*
avec, *with*
la valse, *the waltz*

J'ai dîné. *I dined, I had dinner.*
Avez-vous dîné? *Did you dine, did you have dinner?*
Il a dîné. *He dined, he had dinner.*
Elle a dîné. *She dined, she had dinner.*
J'ai accepté. *I accepted.*
Avez-vous‿accepté? *Did you accept?*
Il a accepté. *He accepted.*
Elle a accepté. *She accepted.*
J'ai refusé. *I refused.*
Avez-vous refusé? *Did you refuse?*
Il a refusé. *He refused.*
Elle a refusé. *She refused.*
J'ai dansé. *I danced.*
Avez-vous dansé? *Did you dance?*
Il a dansé. *He danced.*
Elle a dansé. *She danced.*

CONVERSATION

Est-ce que Paul a invité Louise au club? *Did Paul invite Louise to the club?*
Oui, Paul a invité Louise au club.

Est-ce que Louise a accepté l'invitation?
Non, Louise a refusé l'invitation.

Est-ce que Paul a invité Suzanne au club?
Oui, Paul a invité Suzanne au club.

Est-ce que Suzanne a accepté l'invitation?
Oui, Suzanne a accepté l'invitation.

Est-ce que Paul a dîné avec Suzanne?
Oui, Paul a dîné avec Suzanne.

Est-ce que Suzanne est jolie?
Oui, Suzanne est très jolie.

Est-ce que Paul a parlé à Suzanne?
Oui, Paul a parlé à Suzanne.

Est-ce que Paul a dansé avec Suzanne?
Oui, Paul a dansé avec Suzanne.

Est-ce que Suzanne a dansé la valse avec Paul?
Oui, Suzanne a dansé la valse avec Paul.

Est-ce que Paul a invité Suzanne au théâtre?
Oui, Paul a invité Suzanne au théâtre.

Avez-vous dîné au club?
Oui, j'ai dîné au club.

Avez-vous parlé à Paul?
Oui, j'ai parlé à Paul.

Avez-vous dîné avec Robert?
Oui, j'ai dîné avec Robert.

Avez-vous dansé avec Robert? (Louise?)
Oui, j'ai dansé avec Robert.

Avez-vous dansé la valse?
Oui, j'ai dansé la valse.

Est-ce que Robert a réservé une table pour le dîner?
Oui, Robert a réservé une table pour le dîner.

SENTENCE-FORMING EXERCISE

For practice combine the words below to form as many sentences as you can.

1	2	3
J'ai	dansé	la valse
Il a	dîné	avec Paul
Elle a	accepté	l'invitation
Avez-vous?	refusé	hier
Est-ce qu'il a?	invité	Louise
Est-ce qu'elle a?	parlé à	Robert
Est-ce que Paul a?		ce soir
Est-ce que Louise a?		avec Suzanne
Paul a		au club

EXERCISE IN TRANSLATION

Translate the following English sentences into French and check them with the correct translations below this exercise.

1. Paul invited Louise to the club.
2. Louise refused the invitation.
3. Susan accepted the invitation.
4. Paul had dinner (dined) with Susan.
5. Did he invite Louise to the club?
6. Did she invite Paul to the club?
7. Did you talk to Paul this evening?
8. Did he dance with Louise?
9. Did Paul talk to Susan yesterday?
10. Did Paul invite Susan to the theater?
11. Did you invite Louise to the club?
12. Did you have dinner (dine) with Paul?

Check your sentences with the correct translations below.

1. Paul a invité Louise au club.
2. Louise a refusé l'invitation.
3. Suzanne a accepté l'invitation.
4. Paul a dîné avec Suzanne.
5. Est-ce qu'il a invité Louise au club?
6. Est-ce qu'elle a invité Paul au club?
7. Avez-vous parlé à Paul ce soir?
8. Est-ce qu'il a dansé avec Louise?
9. Est-ce que Paul a parlé à Suzanne hier?
10. Est-ce que Paul a invité Suzanne au théâtre?
11. Avez-vous invité Louise au club?
12. Avez-vous dîné avec Paul?

CATEGORY VII

Most words that end in "ion" in French and in English are identical. These words are feminine. Remember that "tion" is pronounced, "sion," with a nasal "on."

ION = ION

the direction, la direction

l'abbréviation
l'abdication
l'abduction
l'aberration
l'abnégation
l'abolition
l'abomination
l'absolution
l'abstention
l'absorption
l'abstraction
l'accélération
l'accentuation
l'accession
l'acclamation
l'accumulation
l'acquisition
l'action
l'adaptation
l'addition
l'adhésion
l'administration
l'admiration
l'admission
l'adoption
l'adoration
l'adulation
l'affectation
l'affection
l'affiliation
l'affirmation
l'affliction
l'agression
(*aggression*)
l'agitation
l'aliénation
l'allocation
l'allusion
l'altération
l'altercation
l'ambition
l'amputation
l'animation
l'annihilation
l'anticipation
l'apparition
l'application
l'appréciation
l'appréhension
l'approbation
l'appropriation
l'approximation
l'articulation
l'aspiration
l'assertion
l'assignation
l'assimilation
l'association
l'attention
l'autorisation
(*authorization*)
l'aversion
l'aviation
la capitulation
la célébration
la cessation
la circulation
la citation
la civilisation
(*civilization*)
la clarification
la classification
la coagulation
la coalition
la cohésion
la collaboration
la collection
la commisération
la commission
la communication
la compassion
la compensation
la compilation
la complication
la composition
la compréhension
la compression
la compulsion
la concentration
la conception

la concession
la conciliation
la conclusion
la condensation
la condition
la confédération
la confession
la confirmation
la confiscation
la conflagration
la confusion
la congestion
la conglomération
la congrégation
la conscription
la consécration
la conservation
la considération
la consolidation
la constellation
la consternation
la constitution
la construction
la contamination
la contemplation
la contraction
la contradiction
la contribution
la convention
la conversation
la conversion
la conviction
la coopération
la coordination
la correction
la corrosion
la corruption
la création
la culmination

la décision
la déclaration
la décoration
la définition
la déformation
la dégradation
la délégation
la déliberation
la démolition
la démonstration
la dépréciation
la dépression
la dérision
la description
la désertion
la désignation
la désolation
la destination
la destruction
la détention
la détermination
la déviation
la dévotion
la diction
la digestion
la dimension
la direction
la discrétion
la discussion
la dispersion
la disposition
la dissension
la dissipation
la distinction
la distraction
la distribution
la diversion
la division
la domination

la donation
l'édition
l'éducation
l'élection
l'élévation
l'élimination
l'émigration
l'émotion
l'énumération
l'érosion
l'éruption
l'évaluation
l'évaporation
l'évasion
l'éviction
l'évolution
l'exagération
(*exaggeration*)
l'excavation
l'exception
l'exclamation
l'exclusion
l'excursion
l'exemption
l'exhalation
l'exonération
l'expansion
l'expédition
l'expérimentation
l'exploration
l'explosion
l'exportation
l'exposition
l'expression
l'expropriation
l'expulsion
l'extension
l'extermination
l'extraction

la faction
la fascination
la fédération
la fermentation
la fiction
la fixation
la fluctuation
la formation
la fortification
la friction
la fusion
la génération
la glorification
la graduation
l'hallucination
l'hésitation
l'humiliation
l'ignition
l'illusion
l'illustration
l'imagination
l'imitation
l'immigration
l'imperfection
l'implication
l'imposition
l'impression
l'improvisation
l'inaction
l'inauguration
l'indication
l'indigestion
l'indignation
l'indiscrétion
l'indisposition
l'infection
l'inflammation
l'inflation
l'information
l'initiation
l'innovation
l'insinuation
l'inspection
l'inspiration
l'installation
l'instigation
l'institution
l'instruction
l'intention
l'interjection
l'intermission
l'interprétation
l'interrogation
l'intersection
l'intervention
l'intimation
l'intimidation
l'introduction
l'intrusion
l'intuition
l'invasion
l'invention
l'investigation
l'invitation
l'invocation
l'irrigation
l'irritation
l'isolation
la justification
la légation
la légion
la législation
la libération
la limitation
la liquidation
la lotion
la manifestation
la manipulation
la médiation
la méditation
la mention
la mission
la modération
la modification
la mortification
la motion
la multiplication
la munition
la mutilation
la narration
la nation
la navigation
la négation
la nomination
la notation
la notification
la notion
la nutrition
l'objection
l'obligation
l'observation
l'obsession
l'obstruction
l'occasion
l'occupation
l'omission
l'opération
l'opinion
l'opposition
l'oppression
l'option
l'orchestration
l'organisation
(*organization*)
l'orientation
la palpitation
la participation

la passion
la pénétration
la pension
la perfection
la perforation
la permission
la persécution
la persuasion
la pétition
la population
la portion
la position
la possession
la précaution
la précision
la prédiction
la préoccupation
la préparation
la préposition
la présentation
la préservation
la procession
la production
la profession
la progression
la promotion
la proportion
la proposition
la propulsion
la protection
la provision
la provocation
la publication
la purification
la qualification
la question

la radiation
la ration
la réaction
la recommandation
(*recommendation*)
la reconstruction
la récréation
la réduction
la réélection
la réflexion
(*reflection*)
la région
la relation
la religion
la rémunération
la rénovation
la répercussion
la répétition
la représentation
la répression
la répudiation
la réputation
la résignation
la résolution
la restriction
la rétention
la réunion
la révélation
la révision
la révolution
la rotation
la satisfaction
la saturation
la section
la sélection
la sensation

la séparation
la session
la situation
la solution
la spécification
la station
la stimulation
la stipulation
la subordination
la substitution
la succession
la suggestion
la superstition
la suppression
la suspension
la taxation
la télévision
la tension
la traction
la tradition
la transaction
la transcription
la transformation
la transfusion
la transmission
la vaccination
la variation
la végétation
la vénération
la ventilation
la version
la vibration
la violation
la vision
la vocation

EXTRA WORDS

Exercise in Pronunciation of ON, OM

Remember that in French "on" and "om" are pronounced as the *"o"* in *"don't."* Make this a short, nasal sound.

bonbon, *candy*
le garçon, *the waiter, the boy*
le salon, *the living room*
bon marché, *cheap*
par avion, *air mail*
le patron, *the boss*
la prison, *the jail*
le camion, *the truck*
le nom, *the name*
Combien? *How much?*
un compartiment, *a train compartment*
un bâton de rouge, *lipstick*
Pardon. *Excuse me, Pardon me.*
Non merci. *No, thank you.*
Bonjour. *Good morning.*

REMINDER CARD

J'ai	dansé	la valse
Avez-vous?	dîné	avec Paul
Il a	accepté	l'invitation
Elle a	refusé	hier
Est-ce qu'il a?	invité	Louise
Est-ce qu'elle a?	parlé à	Robert

EXTRA WORDS

Exercise in Pronunciation of ION

In French "ion" is pronounced as "yo," but make this a short, extremely nasal sound.

Attention! *Watch out!*
la représentation, *the performance*
la condition, *the condition*
à condition, *on approval*
la réception, *the party*
le chef de réception, *the desk clerk*
consommations, *refreshments*
une exposition, *an exposition, exhibition*
une station de taxis, *a taxistand*
une pension, *a boardinghouse*
une chambre avec pension, *a room on the American plan*
une région, *a region, part of the country*

TEST YOUR PROGRESS

Now that you have completed nine lessons, this is a good place to pause and see what you have learned. The following test is chosen from the categories of words you should know at this point. Let's see how well you have learned them.

TEST I

Fill in the blanks with the French equivalents of the following English words. You should be able to complete this test in twenty minutes.

1. the tourist ______
2. the communist ______
3. the doctor ______
4. the visitor ______
5. the conductor ______
6. noble ______
7. possible ______
8. terrible ______
9. the table ______
10. capable ______
11. the continent ______
12. the restaurant ______
13. excellent ______
14. important ______
15. the dignity ______
16. the responsibility ______
17. the university ______
18. the activity ______
19. the Atlantic ______
20. dramatic ______
21. diplomatic ______
22. plastic ______
23. tonic ______
24. tragic ______
25. the condition ______
26. the aviation ______

27. the ambition ____________
28. the action ____________
29. the confirmation ____________
30. the exception ____________
31. the co-ordination ____________
32. the illustration ____________
33. the impression ____________
34. the explosion ____________
35. the version ____________
36. the vision ____________
37. the journalist ____________
38. the pianist ____________
39. the director ____________
40. the artist ____________
41. probable ____________
42. the talent ____________
43. the actor ____________
44. the vitality ____________
45. the identity ____________
46. the humanity ____________
47. atomic ____________
48. the constitution ____________
49. the conclusion ____________
50. plausible ____________
51. the pessimist ____________
52. the organist ____________
53. flexible ____________
54. the composition ____________
55. the professor ____________
56. honorable ____________
57. the moment ____________
58. the tension ____________
59. the solution ____________
60. the inventor ____________

That was a fair test. Each word illustrated something you have learned by now if you have read the lessons seriously.

Now check your words with the correct answers below. If you have made no more than eight errors, you are doing superior work; continue to read the lessons as carefully as you have before.

If you have not written more than thirty words correctly, you are hitting only the high spots. We suggest that you review the categories before you go on to the next lesson.

1. le touriste
2. le communiste
3. le docteur
4. le visiteur
5. le conducteur
6. noble
7. possible
8. terrible
9. la table
10. capable
11. le continent
12. le restaurant
13. excellent
14. important
15. la dignité
16. la responsabilité
17. l'université
18. l'activité
19. l'Atlantique
20. dramatique
21. diplomatique
22. plastique
23. tonique
24. tragique
25. la condition
26. l'aviation
27. l'ambition
28. l'action
29. la confirmation
30. l'exception
31. la coordination
32. l'illustration
33. l'impression
34. l'explosion
35. la version
36. la vision
37. le journaliste
38. le pianiste
39. le directeur

40. l'artiste
41. probable
42. le talent
43. l'acteur
44. la vitalité
45. l'identité
46. l'humanité
47. atomique
48. la constitution
49. la conclusion
50. plausible
51. le pessimiste
52. l'organiste
53. flexible
54. la composition
55. le professeur
56. honorable
57. le moment
58. la tension
59. la solution
60. l'inventeur

TEST II

Now let's see how well you have learned the **words to remember.** Fill in the blanks with the French equivalents of the following. You should be able to complete this test in fifteen minutes.

1. the dessert ______________
2. the coffee ______________
3. for Paul ______________
4. the salad ______________
5. the soup ______________
6. the class ______________
7. the lesson ______________
8. tonight ______________
9. for the class ______________
10. the blouse ______________
11. the dress ______________
12. a shirt ______________
13. this morning ______________
14. with ______________
15. to the concert ______________
16. with the doctor ______________
17. is ______________
18. red ______________
19. very easy ______________
20. the film ______________
21. the chauffeur ______________
22. the tickets ______________
23. a rose ______________
24. yesterday ______________
25. yes ______________

This test isn't as easy as the first test. If you have eighteen or more correct answers your work is superior. If you have less than twelve correct answers you should review the **words to remember** before you go on to the next lessons.

Check your words with the correct answers below.

1. le dessert
2. le café
3. pour Paul
4. la salade
5. la soupe
6. la classe
7. la leçon
8. ce soir
9. pour la classe
10. la blouse
11. la robe
12. une chemise
13. ce matin
14. avec
15. au concert
16. avec le docteur
17. est
18. rouge

19. très facile
20. le film
21. le chauffeur
22. les billets
23. une rose
24. hier
25. oui

TEST III

This test will show you how well you have learned the verbs. Fill in the blanks with the French equivalents of the following English words. You should be able to complete this test in twenty minutes.

1. I prepared. ____________
2. Did you prepare? ____________
3. Did you vote? ____________
4. Did you copy? ____________
5. I copied. ____________
6. I accepted. ____________
7. Did you accept? ____________
8. Did you buy? ____________
9. I bought. ____________
10. Did you talk? ____________
11. I talked. ____________
12. I invited. ____________
13. Did you invite? ____________
14. I spent the weekend. ____________
15. I worked. ____________
16. Did you work? ____________
17. He talked. ____________
18. She worked. ____________
19. He copied. ____________
20. She talked. ____________
21. He prepared. ____________
22. She bought. ____________
23. I had dinner (dined). ____________
24. He danced. ____________
25. She refused. ____________
26. Did you dance? ____________
27. Did you refuse? ____________
28. He had dinner (dined). ____________
29. Did you dine (Have you dined)? ____________
30. She had dinner. ____________

Check your verbs with the correct answers below.

1. J'ai préparé.
2. Avez-vous préparé?
3. Avez-vous voté?
4. Avez-vous copié?
5. J'ai copié.
6. J'ai accepté.
7. Avez-vous accepté?
8. Avez-vous acheté?
9. J'ai acheté.
10. Avez-vous parlé?
11. J'ai parlé.
12. J'ai invité.
13. Avez-vous invité?
14. J'ai passé le weekend.
15. J'ai travaillé.
16. Avez-vous travaillé?
17. Il a parlé.
18. Elle a travaillé.

19. Il a copié.
20. Elle a parlé.
21. Il a préparé.
22. Elle a acheté.
23. J'ai dîné.
24. Il a dansé.
25. Elle a refusé.
26. Avez-vous dansé?
27. Avez-vous refusé?
28. Il a dîné.
29. Avez-vous dîné?
30. Elle a dîné.

TEST IV

Now let's see how well you can form complete sentences. Translate the following English sentences into French.

1. I prepared the lesson this morning.
2. I prepared dinner for Paul.
3. Did you copy the lesson?
4. Did you buy a blouse?
5. I bought a dress this morning.
6. I bought a table.
7. Did you talk to Paul this evening?
8. No, I talked to Paul this morning.
9. Did you invite Paul to the concert?
10. I spent the weekend with Paul.
11. The blouse is pretty.
12. The dress is pretty.
13. The rose is very pretty.
14. It's terrible.
15. It's possible.
16. It's good.
17. It's difficult.
18. Is the blouse pretty?
19. Is the dress red?
20. Pauline bought a blouse.
21. I worked this morning.
22. He invited Pauline to the movies.
23. She bought a dress yesterday.
24. Did he buy a shirt?
25. Did Paul work yesterday?
26. Did you have dinner with Paul?

This is not an easy test. If you have eighteen or more perfect sentences, your work is excellent. If you have fewer than twelve perfect sentences, you should review the first nine lessons before you go on.

Check your sentences with the correct answers below.

1. J'ai préparé la leçon ce matin.
2. J'ai préparé le dîner pour Paul.
3. Avez-vous copié la leçon?
4. Avez-vous acheté une blouse?
5. J'ai acheté une robe ce matin.
6. J'ai acheté une table.
7. Avez-vous parlé à Paul ce soir?
8. Non, j'ai parlé à Paul ce matin.
9. Avez-vous invité Paul au concert?
10. J'ai passé le weekend avec Paul.
11. La blouse est jolie.
12. La robe est jolie.
13. La rose est très jolie.
14. C'est terrible.
15. C'est possible.
16. C'est bon.
17. C'est difficle.
18. Est-ce que la blouse est jolie?
19. Est-ce que la robe est rouge?
20. Pauline a acheté une blouse.
21. J'ai travaillé ce matin.
22. Il a invité Pauline au cinéma.
23. Elle a acheté une robe hier.
24. Est-ce qu'il a acheté une chemise?
25. Est-ce que Paul a travaillé hier?
26. Avez-vous dîné avec Paul?

10
Leçon Numéro Dix

"Inviter" means *"to invite"*; it is the infinitive of the verb. It is called the infinitive because it is infinite; it does not say who visited or when anyone visited. It goes on forever with no person or time attached to it.

You can form the infinitives of all the verbs you have learned thus far by removing the final "é" and adding "er."

EXAMPLES:

J'ai acheté, *I bought*	**acheter,** *to buy*
J'ai préparé, *I prepared*	**préparer,** *to prepare*
J'ai invité, *I invited*	**inviter,** *to invite*
J'ai travaillé, *I worked*	**travailler,** *to work*
J'ai refusé, *I refused*	**refuser,** *to refuse*
J'ai accepté, *I accepted*	**accepter,** *to accept*
J'ai dansé, *I danced*	**danser,** *to dance*

The infinitive is a very handy form of the verb because in combination with "Je vais" (*I'm going*) it expresses future action.

EXAMPLES:

Je vais‿acheter. *I'm going to buy.*
Je vais travailler. *I'm going to work.*
Je vais‿inviter Paul. *I'm going to invite Paul.*
Je vais dîner avec Louise. *I'm going to have dinner (dine) with Louise.*

"Allez-vous" means *"Are you going"*

Read these sentences aloud:

Allez-vous‿à Paris? *Are you going to Paris?*
Allez-vous‿au cinéma? *Are you going to the movies?*
Allez-vous‿au théâtre? *Are you going to the theater?*
Allez-vous travailler ce soir? *Are you going to work tonight?*
Allez-vous‿inviter Paul? *Are you going to invite Paul?*
Allez-vous‿accepter? *Are you going to accept?*

WORDS TO REMEMBER

demain, *tomorrow*
le bureau, *the office*
au bureau, *to the office, at the office*
parler au docteur, *to speak to the doctor*
au cinéma, *to the movies*
passer le weekend, *to spend the weekend*

Je vais danser. *I'm going to dance.*
Allez-vous danser? *Are you going to dance?*
Je vais préparer. *I'm going to prepare.*
Allez-vous préparer? *Are you going to prepare?*
Je vais travailler. *I'm going to work.*
Allez-vous travailler? *Are you going to work?*
Je vais‿acheter. *I'm going to buy.*
Allez-vous‿acheter? *Are you going to buy?*

CONVERSATION

Allez-vous préparer le dîner ce soir? *Are you going to prepare dinner tonight?*
Oui, je vais préparer le dîner ce soir.

Allez-vous‿inviter Paul?
Oui, je vais‿inviter Paul.

Allez-vous téléphoner à Paul?
Oui, je vais téléphoner à Paul.

Allez-vous dîner avec Paul?
Oui, je vais dîner avec Paul.

Allez-vous danser avec Paul (Louise) ce soir?
Oui, je vais danser avec Paul (Louise) ce soir.

Allez-vous travailler demain?
Oui, je vais travailler demain.

Allez-vous‿étudier la leçon demain?
Oui, je vais‿étudier la leçon demain.

Allez-vous copier la leçon demain?
Oui, je vais copier la leçon demain.

Allez-vous parler au docteur demain?
Oui, je vais parler au docteur demain.

Allez-vous téléphoner au dentiste demain?
Oui, je vais téléphoner au dentiste demain.

Allez-vous dîner avec Louise demain?
Oui, je vais dîner avec Louise demain.

Allez-vous réserver la table pour le dîner?
Oui, je vais réserver la table pour le dîner.

Allez-vous‿inviter Louise au théâtre?
Oui, je vais‿inviter Louise au théâtre.

Allez-vous‿à Paris pour le weekend?
Oui, je vais‿à Paris pour le weekend.

Allez-vous passer le weekend à Paris?
Oui, je vais passer le weekend à Paris.

Allez-vous‿au cinéma ce soir?
Oui, je vais‿au cinéma ce soir.

Allez-vous‿au théâtre demain?
Oui, je vais‿au théâtre demain.

Allez-vous‿au bureau demain?
Oui, je vais‿au bureau demain.

Allez-vous travailler au bureau demain?
Oui, je vais travailler au bureau demain.

"Allez-vous" means both "*Are you going*" and "*Do you go.*" In French you do not say, "*How are you?*" You say instead, "*How do you go?*" (Comment‿allez-vous?).

The following dialogue is repeated millions of times every day in the French-speaking world.

—Comment‿allez-vous? *How are you?* (*How go you?*)

—Très bien, merci, et vous? *Very well, thank you, and you?*

SENTENCE-FORMING EXERCISE

For practice combine the words below to form as many sentences as you can:

1	2	3
Je vais (*I'm going*)	préparer	le dîner
Allez-vous (*Are you going*)?	copier	la leçon
	danser	ce soir
	parler à	Paul
	travailler	demain
	au bureau	ce matin
	au cinéma	avec Louise
	dîner	avec Suzanne

EXERCISE IN TRANSLATION

Translate the following English sentences into French and check them with the correct translations below this exercise:

1. Are you going to the movies tonight?
2. I'm going to have dinner (dine) with Paul.
3. Are you going to invite Louise to the movies?
4. Are you going to call up Paul?
5. I'm going to study the lesson.
6. Are you going to Paris?
7. I'm going to the movies tonight.
8. Are you going to the office tomorrow?
9. I'm going to the office with Paul.

Check your sentences with the correct translations below. After you have checked each of your French sentences, read it aloud, again and again, so that the language is as familiar to your ear and your tongue as it is to your mind.

1. Allez-vous au cinéma ce soir?
2. Je vais dîner avec Paul.
3. Allez-vous inviter Louise au cinéma?
4. Allez-vous téléphoner à Paul?
5. Je vais étudier la leçon.
6. Allez-vous à Paris?
7. Je vais au cinéma ce soir.
8. Allez-vous au bureau demain?
9. Je vais au bureau avec Paul.

VERY USEFUL EXPRESSIONS

Following are some verbs you will learn in future lessons. Go down the list of these expressions, using them in combination with words you know. Use all of these expressions with "dîner, réserver, travailler, etc."

If you are going to Paris soon, be sure to learn these expressions. **They will help you more than anything else you could learn.**

"Voulez-vous" (*Would you like, do you want*) has an immense turnover. Learn:

avec moi, *with me*
avec vous, *with you*

Copy the following sentences and learn them well:

Voulez-vous un café? *Would you like some coffee (a coffee)?*
Voulez-vous un bonbon? *Would you like some candy (a candy)?*
Voulez-vous une cigarette? *Would you like a cigarette?*
Voulez-vous dîner avec moi? *Would you like to have dinner with me?*
Voulez-vous aller à Paris? *Would you like to go to Paris?*
Voulez-vous rester à Paris avec moi? *Would you like to stay in Paris with me?*
Voulez-vous réserver une table? *Would you like to reserve a table?*

Voulez-vous rester ici? *Would you like to stay here?*

"Je voudrais" means "*I would like.*" It is a very useful expression.

Je voudrais rester à Paris. *I would like to stay in Paris.*

Je voudrais réserver une table pour deux. *I would like to reserve a table for two.*

VOULEZ-VOUS *Do you want* *Would you like* JE VOUDRAIS *I want* *I would like* ALLEZ-VOUS *Are you going* JE VAIS *I am going* POUVEZ-VOUS *Can you* JE PEUX *I can* JE DOIS *I have (to), must* AVEZ-VOUS BESOIN DE *Do you need* J'AI BESOIN DE *I need* J'ESPÈRE *I hope*	DÎNER (*to dine, have dinner*) TRAVAILLER (*to work*) RÉSERVER (*to reserve*) PRÉPARER (*to prepare*) ALLER (*to go*) PARLER À (*to speak to*) ÉTUDIER (*to study*) INVITER (*to invite*) RESTER (*to stay*)

Important: Nothing you ever learn will help you get around in French as well as the expressions above. **Master them.**

COMMAND (IMPERATIVE)

To form the command of all the verbs you have learned thus far, drop "er" and add "ez."

Préparez la leçon. *Prepare the lesson.*
Réservez une table. *Reserve a table.*
Étudiez la leçon. *Study the lesson.*

REMINDER CARD

Je vais	préparer	le dîner
Allez-vous?	copier	la leçon
	danser	ce soir
	parler à	Paul
	travailler	demain

11
Leçon Numéro Onze

In French "un" and "um" are pronounced as the "*un*" in "*sun.*" But make this a nasal sound. In Paris, though, you will often hear "un" pronounced as the "*an*" in "*thank.*"

Repeat these words aloud:

un, *a, an* (*masculine*)
un chapeau, *a hat*
parfum, *perfume*
lundi, *Monday, on Monday*

THE NEGATIVE

The negative "*not*" requires two words in French: "ne–pas." "Ne" (*not*) always precedes the verb and "pas" follows it.

"Est" means "*is.*"

"N'est pas" means "*Is not.*" "N'est" is a contraction of "ne" (*not*) and "est" (*is*); but don't let that worry you. Just remember that "n'est pas" means "*is not*" or "*isn't.*" Repeat "n'est pas" several times until you can say it easily.

Repeat these sentences aloud:

Pierre n'est pas sarcastique. *Peter isn't sarcastic.*
Paul n'est pas timide. *Paul isn't timid.*
Marie n'est pas stupide. *Mary isn't stupid.*
Le sénateur n'est pas‿éloquent. *The senator isn't eloquent.*
Le sofa n'est pas confortable. *The sofa isn't comfortable.*
Philippe n'est pas patient. *Philip isn't patient.*
Robert n'est pas chez Louise. *Robert isn't at Louise's house.*

When "pas" is followed by a word that begins with a vowel, the letter "s" in "pas" is pronounced and run together with the word that follows it. This letter "s" is pronounced as the "z" in "*zero.*"

Read these sentences aloud:

Le film n'est pas‿intéressant. *The film isn't interesting.*
Paul n'est pas‿au bureau. *Paul isn't at the office.*
Pierre n'est pas‿une mule. *Peter isn't a mule.*
Marie n'est pas‿au théâtre. *Mary isn't at the theater.*
Suzanne n'est pas‿à Paris. *Susan isn't in Paris.*
Le docteur n'est pas‿impatient. *The doctor isn't impatient.*
Ce n'est pas‿impossible. *It isn't impossible.*
Ce n'est pas‿important. *It isn't important.*
Ce n'est pas‿urgent. *It isn't urgent.*

WORDS TO REMEMBER

Pierre, *Peter*
une mule, *a mule*
un‿animal, *an animal*
le bébé, *the baby*
stupide, *stupid*
timide, *timid*
sarcastique, *sarcastic*
extraordinaire, *extraordinary*
distingué, *distinguished*
au bureau, *at the office*
où, *where*
demain, *tomorrow*
chez Louise, *at Louise's house*
chez le docteur, *at the doctor's*
chez le dentiste, *at the dentist's*
mignon, *cute*
est, *is*
n'est pas, *is not*

Quelle confusion! *What confusion!*
C'est‿absolument ridicule. *It's absolutely ridiculous.*
Allez-vous dîner? *Are you going to dine, have dinner?*
Je vais dîner. *I'm going to dine, have dinner.*
Allez-vous travailler? *Are you going to work?*
Allez-vous‿acheter? *Are you going to buy?*
Je vais‿acheter. *I'm going to buy.*

The letter "u," as in the word "mule," is pronounced by rounding your lips as if to pronounce the letter "o," then saying, "ee." Say this letter and then pronounce, "mule, ridicule, bureau."

CONVERSATION

Est-ce que Pierre est‿intelligent?
Oui, Pierre est‿intelligent.

Est-ce que Pierre est stupide?
Non, Pierre n'est pas stupide.

Est-ce que Pierre est‿une mule?
Non, c'est‿absolument ridicule, Pierre n'est pas‿une mule.

Est-ce que Pierre est‿arrogant?
Non, Pierre n'est pas‿arrogant.

Est-ce que Pierre est sarcastique?
Non, Pierre n'est pas sarcastique.

Est-ce que Pierre est‿un animal?
Non, c'est ridicule, Pierre n'est pas‿un animal.

Est-ce que le bébé est mignon?
Oui, le bébé est mignon.

Est-ce que le président est mignon?
Non, c'est‿absolument ridicule, le président n'est pas mignon.
Le président est distingué. Le président est‿éloquent. Le président est‿extraordinaire.

Est-ce que le sénateur est timide?
Non, c'est‿absolument ridicule, le sénateur n'est pas timide.

Est-ce que le sénateur est stupide?
Non, c'est ridicule, le sénateur n'est pas stupide. Le sénateur est très‿intelligent.

Est-ce que Paul est chez Louise?
Non, Paul n'est pas chez Louise, Paul est‿au bureau.

Est-ce que Pierre est chez Louise?
Oui, Pierre est chez Louise.

Est-ce que Louise est chez Pierre?
Oui, Louise est chez Pierre.

Est-ce que Suzanne est chez Paul?
Non, Suzanne n'est pas chez Paul. Suzanne est‿au bureau.

Où est Paul?
Paul est chez le docteur.

Où est le docteur?
Le docteur est chez le dentiste.

Où est le dentiste?
Le dentiste est chez Louise.

Est-ce que Paul est chez le docteur?
Oui, Paul est chez le docteur.

Est-ce que le docteur est chez le dentiste?
Oui, ha, ha, ha. C'est‿absolument ridicule. Le docteur est chez le dentiste.

Est-ce que le dentiste est chez Louise?
Ha, ha, ha, c'est ridicule. Le dentiste est chez Louise. Quelle confusion!

Allez-vous dîner avec Louise ce soir?
Oui, je vais dîner avec Louise ce soir.

Allez-vous dîner chez Louise?
Oui, je vais dîner chez Louise.

Allez-vous‿inviter Louise au cinéma?
Oui, je vais‿inviter Louise au cinéma.

Allez-vous travailler demain?
Oui, je vais travailler demain.

Repeat these sentences aloud:

C'est possible. *It's possible.*
Ce n'est pas possible. *It isn't possible.*
C'est bon. *It's good.*
Ce n'est pas bon. *It isn't good.*
C'est‿intéressant. *It's interesting.*
Ce n'est pas‿intéressant. *It isn't interesting.*
C'est‿urgent. *It's urgent.*
Ce n'est pas‿urgent. *It isn't urgent.*

CATEGORY VIII

You can convert many English words that end in *"ary"* into French words by changing *"ary"* to "aire."

ARY = AIRE

the vocabulary, le vocabulaire

un anniversaire	nécessaire	élémentaire
extraordinaire	ordinaire	temporaire
imaginaire	un salaire	volontaire

You can convert many English words that end in *"ory"* into French words by changing *"ory"* to "oire."

ORY = OIRE

the victory, la victoire

une histoire, *a history*	un laboratoire, *a laboratory*
la gloire, *the glory*	un observatoire, *an observatory*
obligatoire, *obligatory*	un territoire, *a territory*

CATEGORY IX

Most words that end in "ce" are identical in French and English.

CE = CE

the distance, la distance

Alice	l'élégance	l'importance
la coïncidence	la France	l'ambulance
la différence	la grâce	l'intelligence

SENTENCE-FORMING EXERCISES

For practice combine the words below to form as many sentences as you can.

A

1	2	3
Pierre	est	‿intelligent
Philippe	n'est pas	stupide
Paul		‿arrogant
Le président		timide
Le sénateur		sarcastique
Le docteur		distingué
Le dentiste		‿extraordinaire
La mule		mignon
Le bébé		chez Louise (*at Louise's house*)
		chez Suzanne
		chez le docteur (*at the doctor's*)
		‿au bureau

B

1	2	3
Allez-vous?	‿au cinéma	ce soir
Je vais	chez Pierre (*to Peter's house*)	demain (*tomorrow*)
		lundi (*on Monday*)
	travailler	avec Paul
	dîner	l'invitation
	‿accepter	la leçon
	‿étudier	une blouse
	‿acheter	chez Louise
	danser	au bureau

EXERCISE IN TRANSLATION

Write the following English sentences in French and check them with the correct translations below this exercise.

1. The president is eloquent.
2. Paul isn't stupid.
3. Philip isn't timid.
4. The senator is distinguished.
5. Robert isn't arrogant.
6. Peter isn't sarcastic.

7. The baby is cute.
8. The doctor isn't at Louise's house.
9. Peter is at Susan's house.
10. Paul isn't at the office.
11. I'm going to the movies tonight.
12. Are you going to Peter's house tomorrow?
13. Are you going to work on Monday?
14. I'm going to have dinner with Paul.
15. I'm going to accept the invitation.
16. I'm going to work at the office.
17. I'm going to the theater tonight.
18. I'm going to Peter's house tomorrow.

Check your sentences with the correct translations below.

1. Le président est éloquent.
2. Paul n'est pas stupide.
3. Philippe n'est pas timide.
4. Le sénateur est distingué.
5. Robert n'est pas arrogant.
6. Pierre n'est pas sarcastique.
7. Le bébé est mignon.
8. Le docteur n'est pas chez Louise.
9. Pierre est chez Suzanne.
10. Paul n'est pas au bureau.
11. Je vais au cinéma ce soir.
12. Allez-vous chez Pierre demain?
13. Allez-vous travailler lundi?
14. Je vais dîner avec Paul.
15. Je vais accepter l'invitation.
16. Je vais travailler au bureau.
17. Je vais au théâtre ce soir.
18. Je vais chez Pierre demain.

WRITTEN EXERCISE

Write the following sentences in the negative and check them with the sentences below this exercise.

1. Paul est au bureau.
2. Pierre est timide.

3. Le sénateur est sarcastique.
4. Le docteur est chez Louise.
5. Robert est patient.
6. Le sofa est confortable.
7. Le film est intéressant.
8. C'est important.
9. C'est bon.
10. C'est urgent.

Check your sentences with those below:

1. Paul n'est pas au bureau.
2. Pierre n'est pas timide.
3. Le sénateur n'est pas sarcastique.
4. Le docteur n'est pas chez Louise.
5. Robert n'est pas patient.
6. Le sofa n'est pas confortable.
7. Le film n'est pas intéressant.
8. Ce n'est pas important.
9. Ce n'est pas bon.
10. Ce n'est pas urgent.

CATEGORY VIII

You can convert many English words that end in "*ary*" into French words by changing "*ary*" to "aire." These words are masculine.

ARY = AIRE

ordinary, ordinaire
a salary, un salaire

un adversaire	disciplinaire	littéraire
un anniversaire	élémentaire	(*literary*)
arbitraire	extraordinaire	mercenaire
auxiliaire	fragmentaire	un missionnaire
un commentaire	un glossaire	(*missionary*)
contraire	héréditaire	nécessaire
culinaire	imaginaire	un notaire
un dictionnaire	incendiaire	ordinaire
(*dictionary*)	involontaire	parlementaire
un dignitaire	un itinéraire	(*parliamentary*)

préliminaire
primaire
réactionnaire (*reactionary*)
révolutionnaire (*revolutionary*)
rudimentaire
un salaire
sanitaire
secondaire
une, un secrétaire
solitaire
un sommaire (*summary*)
stationnaire (*stationary*)
supplémentaire
temporaire
tributaire
un vétérinaire
un visionnaire (*visionary*)
un vocabulaire
volontaire

You can convert many English words that end in "*ory*" into French words by changing "*ory*" to "oire."

ORY = OIRE

the victory, la victoire

un accessoire
contradictoire
la gloire
une histoire
un laboratoire
la mémoire
obligatoire
un observatoire
préparatoire
un répertoire
respiratoire
un territoire
une victoire

CATEGORY IX

Most words that end in "ce" are identical in French and in English. These words are feminine.

CE = CE

the distance, la distance

l'absence
l'abondance (*abundance*)
l'adolescence
Alice
l'ambulance
l'arrogance
l'assistance
l'assurance
la balance (*balance, scale*)
la circonstance (*circumstance*)
la cohérence
la coïncidence
la compétence
la confidence
la conférence
la confiance (*confidence*)
la conscience
la conséquence
la convalescence
la correspondance (*correspondence*)
la défiance
la différence
la diligence
la disgrâce
la distance
l'élégance
l'éloquence
l'essence
l'évidence
l'excellence
l'existence
l'expérience
la farce
la finance
la force (*force, strength*)
la France

la grâce
l'ignorance
l'impatience
l'impertinence
l'importance
l'indépendance
(*independence*)
l'indifférence
l'indolence
l'indulgence
l'influence
l'injustice
l'innocence
l'insignifiance
(*insignificance*)
l'insistance
(*insistence*)
l'insolence
l'instance
l'intelligence
l'intolérance
la justice
la licence
la malice
la menace
la négligence
la nièce
la notice
la novice
la patience
la permanence
la persévérance
la place
la police
la populace
la préface
la préférence
la présence
la référence
la résidence
la résonnance
(*resonance*)
la réticence
la science
la substance
la surface
la tempérance
la tolérance
la trace
la turbulence
la véhémence
la vigilance
la violence
la virulence

NOTE: A few words that end in "*ce*" in English are masculine in French.

un armistice
un caprice
le commerce
un dentifrice
un divorce
un précipice
un préjudice
un prince
un sacrifice
un service
un silence
un vice
un vice-consul
un vice-président
un vice-roi
vice-versa

EXTRA WORDS

Exercises in Pronunciation of UN, UM

Remember that in French "un" and "um" are pronounced as the "*un*" in "*sun.*" In Paris, though, you will often hear "un" pronounced as the "*an*" in "*thank.*"

le parfum, *perfume*
lundi, *Monday, on Monday*
un, *a, an*
un café, (*a*) *coffee*
un café crème, (*a*) *coffee with cream*
brun (masc.), *brown*

un jour, *one day, a day*
un‿acteur, *an actor*
un‿hôtel, *a hotel*
un restaurant, *a restaurant*
un bistro, *a small restaurant*
un bar, *a bar*

REMINDER CARD

V. TY = TÉ

l'électricité
la possibilité
la curiosité

VI. IC = IQUE
ICAL = IQUE

dramatique, *dramatic*
fantastique, *fantastic*
logique, *logical*
typique, *typical*

VII. ION = ION

la nation
la religion
la profession

VIII. ARY = AIRE
ORY = OIRE

le, la secrétaire
le salaire
la gloire
le laboratoire

IX. CE = CE

la France
l'élégance
la grâce

REMINDER CARD

1	2	3
Pierre	est	chez Louise
Paul	n'est pas *(is not)*	stupide
Robert	est	au bureau
Allez-vous?	chez Paul	ce soir
Je vais	travailler	demain
Je ne vais pas	accepter	l'invitation

12
Leçon Numéro Douze

THE NEGATIVE

You have learned that the negative is formed with the words "ne–pas." In expressing future action these words are used in the following way:

Je ne vais pas travailler. *I'm not going to work.*

Read these sentences aloud:

Je vais travailler demain. *I'm going to work tomorrow.*
Je ne vais pas travailler demain. *I'm not going to work tomorrow.*
Je vais parler à Paul. *I'm going to talk to Paul.*
Je ne vais pas parler à Paul. *I'm not going to talk to Paul.*
Je ne vais pas danser. *I'm not going to dance.*
Je ne vais pas téléphoner. *I'm not going to phone.*

Repeat the words "je ne vais pas" (*I'm not going*) several times until you feel them flow easily. These words are the key to this lesson.

WORDS TO REMEMBER

au bureau, *at the office, to the office*
la lettre, *the letter*
le chèque, *the check*
le contrat, *the contract*
lundi, *Monday, on Monday*
un client, *a client*
demain, *tomorrow*
ce matin, *this morning*
ce soir, *this evening, tonight*

Je ne vais pas. *I'm not going.*
Je vais dicter. *I'm going to dictate.*
Je ne vais pas dicter. *I'm not going to dictate.*
Je vais signer. *I'm going to sign.*
Je ne vais pas signer. *I'm not going to sign.*
Je vais danser. *I'm going to dance.*
Je ne vais pas danser. *I'm not going to dance.*
Je ne vais pas travailler. *I'm not going to work.*
Je ne vais pas parler. *I'm not going to talk.*
Je ne vais pas passer. *I'm not going to spend* (time).
Je ne vais pas dîner. *I'm not going to dine* (*have dinner*).

CONVERSATION

Allez-vous travailler ce matin? *Are you going to work this morning?*
Oui, je vais travailler ce matin.

Allez-vous travailler ce soir?
Non, je ne vais pas travailler ce soir.

Allez-vous travailler demain?
Non, je ne vais pas travailler demain.

Allez-vous travailler lundi?
Oui, je vais travailler lundi.

Allez-vous travailler au bureau ce soir?
Non, je ne vais pas travailler au bureau ce soir. Je vais travailler chez Pierre ce soir.

Allez-vous parler à Louise ce matin?
Non, je ne vais pas parler à Louise ce matin.

Allez-vous téléphoner à Pierre ce matin?
Non, je ne vais pas téléphoner à Pierre ce matin.

Allez-vous‿au bureau ce matin?
Oui, je vais‿au bureau ce matin.

Allez-vous téléphoner à un client ce matin?
Non, je ne vais pas téléphoner à un client ce matin.

Allez-vous dicter la lettre au bureau?
Non, je ne vais pas dicter la lettre au bureau.

Allez-vous signer le chèque?
Non, je ne vais pas signer le chèque.

Allez-vous signer le contrat?
Non, je ne vais pas signer le contrat.

Allez-vous passer le weekend à Paris?
Non, je ne vais pas passer le weekend à Paris.

Allez-vous dîner au restaurant?
Non, je ne vais pas dîner au restaurant. Je vais dîner chez Paul.

Allez-vous danser ce soir?
Non, je ne vais pas danser ce soir. Je vais‿au cinéma.

SENTENCE-FORMING EXERCISE

For practice combine the words below to form as many sentences as you can.

1	2	3
Je ne vais pas	signer	le chèque
(*I'm not going*)	dicter	la lettre
Je vais	travailler	au bureau
(*I'm going*)	réserver	une table
Allez-vous?	dîner	avec Paul
(*Are you going?*)	parler à	Pierre
Vous‿allez	voter	ce matin
(*You are going*)	préparer	la leçon
	téléphoner à	Suzanne
	danser	ce soir
		le contrat

EXERCISE IN TRANSLATION

Translate the following sentences into French and check them with the correct translations below this exercise.

1. I'm not going to dictate the letter.
2. I'm not going to work this morning.

3. Are you going to have dinner with Paul?
4. I'm going to reserve a table.
5. I'm not going to phone Susan.
6. I'm not going to talk to Paul this evening.
7. I'm not going to sign the contract.
8. Are you going to sign the check?
9. I'm not going to work tomorrow.
10. I'm not going to prepare the lesson this evening.

Check your sentences with the correct translations below.

1. Je ne vais pas dicter la lettre.
2. Je ne vais pas travailler ce matin.
3. Allez-vous dîner avec Paul?
4. Je vais réserver une table.
5. Je ne vais pas téléphoner à Suzanne.
6. Je ne vais pas parler à Paul ce soir.
7. Je ne vais pas signer le contrat.
8. Allez-vous signer le chèque?
9. Je ne vais pas travailler demain.
10. Je ne vais pas préparer la leçon ce soir.

EXTRA WORDS

Exercise in Pronunciation of U

Remember that in French the letter "u" is pronounced by rounding the lips as if to produce the sound "oo," and then saying "ee."

la plume, *the pen*
l'autobus, *the bus*
sur, *on*
sur la table, *on the table*
le sucre, *the sugar*
un costume, *a suit* (man's)
le vestibule, *the lobby*
le bureau, *the office, the desk*
le bureau de poste, *the post office*
un musée, *a museum*
le reçu, *the receipt*

la lune, *the moon*
ridicule, *ridiculous*
urgent, *urgent*
le numéro de téléphone, *the telephone number*
le consulat, *the consulate*
le menu, *the menu*
la rue, *the street*
l'avenue, *the avenue*
la jupe, *the skirt*
les légumes, *the vegetables*
la facture, *the bill*
utile, *useful*

REMINDER CARD

Je ne vais pas	signer	le chèque
Je vais	dicter	la lettre
Allez-vous?	travailler	demain
	téléphoner à	Paul
	préparer	la leçon
	réserver	une table

13
Leçon Numéro Treize

When "pas" is followed by a word that begins with a vowel, the letter "s" in "pas" is pronounced and run together with the word that follows it. This letter "s" is pronounced as the "z" in "*zero.*"

Read these sentences aloud:

Je ne vais pas‿étudier ce matin. *I'm not going to study this morning.*

Je ne vais pas‿accepter l'invitation. *I'm not going to accept the invitation.*

Je ne vais pas‿inviter Robert. *I'm not going to invite Robert.*

Je ne vais pas‿au bureau. *I'm not going to the office.*

Je ne vais pas‿au cinéma. *I'm not going to the movies.*

Je ne vais pas‿à Paris. *I'm not going to Paris.*

Repeat, "Je ne vais pas‿à Paris" (*I'm not going to Paris*) several times until you have mastered the rhythm and feel of the words.

WORDS TO REMEMBER

le tigre, *the tiger*
la mule, *the mule*
au théâtre, *to the theater*
au bureau, *to the office, at the office*
avec, *with*

Allez-vous? *Are you going?*
Je ne vais pas‿à Paris. *I'm not going to Paris.*
C'est‿impossible. *It's impossible.*

Je vais‿à Paris. *I'm going to Paris.*
Je ne vais pas‿à Paris. *I'm not going to Paris.*
Je ne vais pas‿au cinéma. *I'm not going to the movies.*

Je ne vais pas‿inviter. *I'm not going to invite.*
Je vais‿aider. *I'm going to help.*
Je ne vais pas‿aider. *I'm not going to help.*
Je vais‿embrasser. *I'm going to kiss.*
Je ne vais pas‿embrasser. *I'm not going to kiss.*

CONVERSATION

Allez-vous‿au cinéma ce soir?
Oui, je vais‿au cinéma ce soir.

Allez-vous‿au théâtre ce soir?
Non, je ne vais pas‿au théâtre ce soir.

Allez-vous‿au ballet ce soir?
Non, je ne vais pas‿au ballet ce soir.

Allez-vous‿au bureau ce soir?
Non, c'est ridicule, je ne vais pas‿au bureau ce soir.

Allez-vous‿à Paris pour le weekend?
Non, je ne vais pas‿à Paris pour le weekend.

Allez-vous‿inviter Louise au cinéma?
Oui, je vais‿inviter Louise au cinéma.

Allez-vous‿inviter Paul au théâtre?
Oui, je vais‿inviter Paul au théâtre.

Allez-vous‿inviter Suzanne au cinéma?
Non, je ne vais pas‿inviter Suzanne au cinéma.

Allez-vous‿embrasser (*kiss*) Paul (Louise)?
Oui, je vais‿embrasser Paul (Louise).

Allez-vous‿embrasser la mule?
Non, c'est‿absolument ridicule, je ne vais pas‿embrasser la mule.

Allez-vous‿embrasser l'éléphant?
Non, c'est ridicule, je ne vais pas‿embrasser l'éléphant.

Allez-vous‿embrasser le tigre?
Ha, ha, ha, c'est‿impossible. Je ne vais pas‿embrasser le tigre. Je vais‿embrasser Robert (Suzanne).

Allez-vous travailler avec Paul?
Oui, je vais travailler avec Paul.

Allez-vous‿aider Paul?
Non, je ne vais pas‿aider Paul.

Allez-vous‿aider le sénateur?
Non, je ne vais pas‿aider le sénateur.

Allez-vous‿aider le dentiste?
Non, je ne vais pas‿aider le dentiste.

Allez-vous‿aider Philippe?
Oui, je vais‿aider Philippe.

SENTENCE-FORMING EXERCISE

For practice combine the words below in different ways to form as many sentences as you can.

1	2	3
Je ne vais pas	‿inviter	Paul
(*I'm not going*)	‿accepter	l'invitation
Je vais	‿acheter	une robe rouge
Allez-vous?	‿étudier	la leçon
	‿aider	le docteur
	‿embrasser	le bébé
	danser	au restaurant
	travailler	ce matin
	‿à Paris	lundi
		une jaquette
		au bureau
		le contrat

EXERCISE IN TRANSLATION

Translate the following sentences into French and check them with the correct translations below this exercise:

1. I'm not going to the theater this evening.
2. I'm not going to accept the invitation.
3. Are you going to study the contract?
4. I'm going to Paris on Monday.
5. I'm not going to invite Louise to the club.

6. Are you going to help Peter this morning?
7. I'm not going to kiss the baby.
8. I'm not going to study the lesson with Paul.
9. I'm not going to invite Peter to the movies.
10. I'm not going to help Susan.
11. I'm not going to the movies on Monday.

Check your sentences with the correct translations below:

1. Je ne vais pas au théâtre ce soir.
2. Je ne vais pas accepter l'invitation.
3. Allez-vous étudier le contrat?
4. Je vais à Paris lundi.
5. Je ne vais pas inviter Louise au club.
6. Allez-vous aider Pierre ce matin?
7. Je ne vais pas embrasser le bébé.
8. Je ne vais pas étudier la leçon avec Paul.
9. Je ne vais pas inviter Pierre au cinéma.
10. Je ne vais pas aider Suzanne.
11. Je ne vais pas au cinéma lundi.

EXTRA WORDS

lundi, *Monday, on Monday*
mardi, *Tuesday, on Tuesday*
mercredi, *Wednesday, on Wednesday*
jeudi, *Thursday, on Thursday*
vendredi, *Friday, on Friday*
samedi, *Saturday, on Saturday*
dimanche, *Sunday, on Sunday*

REMINDER CARD

Je ne vais pas	‿aider	le docteur
Je vais	‿embrasser	le bébé
Allez-vous?	‿accepter	l'invitation
	‿inviter	l'acteur
	‿étudier	le contrat

14
Leçon Numéro Quatorze

VERBS THAT END IN "IR"

All the verbs you have learned thus far end in "er" in the infinitive. However, in French there are also verbs that end in "ir" in the infinitive.

EXAMPLES:

finir, *to finish* | **obéir,** *to obey*
applaudir, *to applaud* | **choisir,** *to choose*
accomplir, *to accomplish* | **polir,** *to polish*

Je vais finir. *I'm going to finish.*
Je ne vais pas finir. *I'm not going to finish.*
Je vais‿applaudir. *I'm going to applaud.*
Je vais‿accomplir. *I'm going to accomplish.*
Je vais‿obéir. *I'm going to obey.*
Je vais choisir. *I'm going to choose.*

The past tense is formed by dropping the "r" from "ir" verbs.

J'ai fini. *I finished.*
J'ai choisi. *I chose.*
J'ai accompli. *I accomplished.*
J'ai poli. *I polished.*

Remember that the negative (*not*) requires two words in French: "ne–pas." "J'ai préparé" means "*I prepared.*" "Je n'ai pas préparé" means "*I didn't prepare.*" "N'ai" is a contraction of "ne ai," but don't let that worry you. Just remember that "Je n'ai pas" means "*I didn't*" (*I haven't*).

Read these sentences aloud:

J'ai travaillé. I worked.
Je n'ai pas travaillé. *I didn't work.*
J'ai dansé. *I danced.*
Je n'ai pas dansé. *I didn't dance.*
J'ai refusé. *I refused.*
Je n'ai pas refusé. *I didn't refuse.*
J'ai protesté. *I protested.*
Je n'ai pas protesté. *I didn't protest.*
J'ai parlé à Paul. *I talked to Paul.*
Je n'ai pas parlé à Paul. *I didn't talk to Paul.*
J'ai fini. *I finished.*
Je n'ai pas fini. *I didn't finish.*
J'ai poli la table. *I polished the table.*
Je n'ai pas poli la table. *I didn't polish the table.*
J'ai invité Robert. *I invited Robert.*
Je n'ai pas‿invité Robert. *I didn't invite Robert.*
J'ai accepté. *I accepted.*
Je n'ai pas‿accepté. *I didn't accept.*

WORDS TO REMEMBER

hier, *yesterday*
hier soir, *last night, yesterday evening*
au club, *to the club*
le travail, *the work*
avec, *with*
C'est‿absolument ridicule. *It's absolutely ridiculous.*
demain, *tomorrow*
un‿éléphant, *an elephant*
une mule, *a mule*
chez Louise, *at Louise's house*
chez Pierre, *at Peter's house*
le garçon, *the waiter, the boy*
un chapeau, *a hat*

J'ai fini. *I finished.*
Je n'ai pas fini. *I didn't finish.*
J'ai travaillé. *I worked.*
Je n'ai pas travaillé. *I didn't work.*
Je n'ai pas dansé. *I didn't dance.*
Je n'ai pas dîné. *I didn't have dinner (dine).*
Je n'ai pas‿étudié. *I didn't study.*
Je n'ai pas‿accepté. *I didn't accept.*

Je n'ai pas‿invité. *I didn't invite.*
Je n'ai pas‿embrassé. *I didn't kiss.*
Je n'ai pas‿aidé. *I didn't help.*
Je n'ai pas‿accompli. *I didn't accomplish.*
Je n'ai pas choisi. *I didn't choose.*

CONVERSATION

Avez-vous travaillé hier soir? *Did you work last night?*
Non, je n'ai pas travaillé hier soir. *No, I didn't work last night.*

Avez-vous‿invité Suzanne au club hier soir?
Non, je n'ai pas‿invité Suzanne au club hier soir. J'ai invité Louise au club hier soir.

Avez-vous dansé hier soir?
Oui, j'ai dansé hier soir.

Avez-vous dansé avec un‿éléphant?
Non, c'est‿absolument ridicule, je n'ai pas dansé avec un‿éléphant.

Avez-vous dansé avec une mule?
Non, c'est ridicule, je n'ai pas dansé avec une mule. J'ai dansé avec Paul (Louise).

Avez-vous travaillé ce matin?
Non, je n'ai pas travaillé ce matin.

Avez-vous fini le travail?
Non, je n'ai pas fini le travail.

Avez-vous dîné avec Paul hier soir?
Non, je n'ai pas dîné avec Paul hier soir.

Avez-vous‿invité Louise au cinéma?
Non, je n'ai pas‿invité Louise au cinéma. J'ai invité Louise au théâtre.

Avez-vous‿étudié la leçon hier soir?
Non, je n'ai pas‿étudié la leçon hier soir. J'ai étudié la leçon ce matin.

Avez-vous‿étudié la leçon chez Louise?
Non, je n'ai pas‿étudié la leçon chez Louise. J'ai étudié la leçon chez Pierre.

Avez-vous voté hier soir?
Non, je n'ai pas voté hier soir.

Avez-vous dicté une lettre ce matin?
Oui, j'ai dicté une lettre ce matin.

Avez-vous signé la lettre?
Non, je n'ai pas signé la lettre.

Avez-vous signé le contrat?
Non, je n'ai pas signé le contrat.

Avez-vous signé le chèque?
Non, je n'ai pas signé le chèque.

Avez-vous dîné avec Pierre hier soir?
Oui, j'ai dîné avec Pierre hier soir.

Avez-vous dîné avec le garçon?
Non, je n'ai pas dîné avec le garçon.

Avez-vous‿embrassé le garçon?
Non, c'est‿absolument ridicule, je n'ai pas‿embrassé le garçon.

Avez-vous‿aidé le garçon?
Non, je n'ai pas‿aidé le garçon.

SENTENCE-FORMING EXERCISES

For practice combine the words below to form as many sentences as you can.

A

1	2	3	4
Allez-vous?	finir	le travail	mardi
Je vais	choisir	une robe	demain
Je ne vais pas	polir	la table	ce matin
	préparer	le travail	demain matin
	réserver	une table	(*tomorrow*
	signer	le contrat	*morning*)
		la lettre	

B

1	2	3	4
Avez-vous?	fini	la lettre	hier soir
J'ai	choisi	la blouse	mardi
Je n'ai pas	poli	la table	hier
	signé	le chèque	ce matin
	préparé	le travail	lundi
	signé	le contrat	

EXERCISE IN TRANSLATION

Translate the following sentences into French and check them with the correct translations below this exercise.

1. Are you going to finish the work?
2. I chose a blouse.
3. I am going to polish the table.
4. I am going to finish the work.
5. Did you finish the lesson?
6. I am going to finish the letter.
7. Did you choose a hat?
8. Did you polish the table?
9. I am going to choose a jacket.
10. Are you going to choose a restaurant?
11. I finished the letter.

Check your sentences with the correct translations below.

1. Allez-vous finir le travail?
2. J'ai choisi une blouse.
3. Je vais polir la table.
4. Je vais finir le travail.
5. Avez-vous fini la leçon?
6. Je vais finir la lettre.
7. Avez-vous choisi un chapeau?
8. Avez-vous poli la table?
9. Je vais choisir une jaquette.

10. Allez-vous choisir un restaurant?
11. J'ai fini la lettre.

CATEGORY X

Most words that end in "ade," "ide," "id," and "ude" are identical in French and in English.

ADE = ADE

Most of these words are feminine:
the parade, la parade

une ballade
une barricade
une brigade
une cascade
une cavalcade
centigrade
une décade
une escapade
une façade
un jade
une limonade
(*lemonade*)
une marmelade
(*marmalade*)
une orangeade
une parade
une pommade
(*pomade*)
une promenade
une sérénade
une tirade

IDE = IDE
ID = IDE

The nouns are masculine:
the guide, le guide
liquid, liquide

acide
avide
candide
fluide
un guide
homicide
humide
un insecticide
insipide
intrépide
liquide
livide
lucide
morbide
placide
rapide
rigide
solide
sordide
splendide
stupide
un suicide
timide
valide

UDE = UDE

These words are feminine:

the gratitude, la gratitude

une altitude
une aptitude
une attitude
une gratitude
une ingratitude
une lassitude
une latitude
une longitude
une solitude
une vicissitude

EXTRA WORDS

Exercise in Pronunciation of TH

In French "th" is pronounced as "t."

TH = T

la cathédrale, *the cathedral*
le thermomètre, *the thermometer*
le théâtre, *the theater*
catholique, *Catholic*
la bibliothèque, *the library*
le thé, *the tea*

REMINDER CARD

Allez-vous?	finir
Je vais	choisir
Je ne vais pas	polir
Avez-vous?	fini
J'ai	choisi
Je n'ai pas	poli

15
Leçon Numéro Quinze

VERBS THAT END IN "RE"

The verbs you have learned thus far end in "er" or in "ir" in the infinitive.

EXAMPLES:

parler, *to speak*
acheter, *to buy*
finir, *to finish*
accomplir, *to accomplish*

There are also verbs in French that end in "re" in the infinitive.

EXAMPLES:

lire, *to read*
vendre, *to sell*

Read these sentences aloud:

Je vais lire la lettre. *I am going to read the letter.*
Allez-vous lire l'article? *Are you going to read the article?*
Allez-vous lire la lettre? *Are you going to read the letter?*
Je vais vendre l'auto. *I am going to sell the car.*
Allez-vous vendre l'auto? *Are you going to sell the car?*

"Il va" means "*He is going.*"
"Elle va" means "*She is going.*"

Read these sentences aloud:

Il va travailler. *He is going to work.*
Elle va téléphoner. *She is going to phone.*

Il va finir. *He is going to finish.*
Elle va acheter une blouse. *She is going to buy a blouse.*
Paul va travailler. *Paul is going to work.*
Suzanne va au cinéma. *Susan is going to the movies.*
Pauline va lire la lettre. *Pauline is going to read the letter.*
Pierre va chez Louise. *Peter is going to Louise's house.*
Robert va vendre l'auto. *Robert is going to sell the car.*
Est-ce que Pierre va vendre l'auto? *Is Peter going to sell the car?*

WORDS TO REMEMBER

le journal, *the newspaper*
le contrat, *the contract*
la maison, *the house*
l'auto, *the car*
la bicyclette, *the bicycle*
signer, *to sign*
demain, *tomorrow*
mercredi, *Wednesday, on Wednesday*
au bureau, *at the office, to the office*
en classe, *in class*
une lettre, *a letter*
l'amour, *love*
une lettre d'amour, *a love letter*
chez Louise, *at Louise's house*
commencer, *to begin, to start*
le téléphone, *the telephone*

Je vais lire. *I am going to read.*
Allez-vous lire? *Are you going to read?*
Il va lire. *He is going to read.*
Elle va lire. *She is going to read.*
Pierre va lire. *Peter is going to read.*
Est-ce que Pierre va lire? *Is Peter going to read?*

Je vais vendre. *I am going to sell.*
Allez-vous vendre? *Are you going to sell?*
Il va vendre. *He is going to sell.*
Elle va vendre. *She is going to sell.*
Louise va vendre. *Louise is going to sell.*
Est-ce que Philippe va vendre? *Is Philip going to sell?*

CONVERSATION

Allez-vous lire le journal ce matin? *Are you going to read the newspaper this morning?*
Oui, je vais lire le journal ce matin.

Allez-vous lire le journal en classe?
Non, c'est ridicule, je ne vais pas lire le journal en classe. Je vais lire une composition en classe.

Allez-vous lire la leçon en classe?
Oui, je vais lire la leçon en classe.

Est-ce que Pierre va lire le journal?
Oui, Pierre va lire le journal.

Est-ce que Paul va lire le contrat?
Oui, Paul va lire le contrat.

Est-ce que Paul va signer le contrat?
Oui, Paul va signer le contrat.

Allez-vous vendre l'auto?
Oui, je vais vendre l'auto.

Allez-vous vendre la bicyclette?
Non, je ne vais pas vendre la bicyclette.

Allez-vous vendre le téléphone?
Non, c'est ridicule, je ne vais pas vendre le téléphone.

Allez-vous vendre la maison?
Non, je ne vais pas vendre la maison.

Est-ce que Paul va vendre l'auto?
Oui, Paul va vendre l'auto.

Est-ce que Suzanne va vendre la maison?
Oui, Suzanne va vendre la maison.

Est-ce que Philippe va travailler demain?
Oui, Philippe va travailler au bureau demain.

Est-ce que Philippe va finir le travail?
Oui, Philippe va finir le travail.

Est-ce que Paul va téléphoner à Louise?
Oui, Paul va téléphoner à Louise.

Est-ce que Louise va dîner avec Paul?
Oui, Louise va dîner avec Paul.

Est-ce que Louise va danser avec Paul?
Oui, Louise va danser avec Paul.

Est-ce que Paul va chez Louise ce soir?
Oui, Paul va chez Louise ce soir.

"Il va" means both *"He is going"* and *"He goes."* In French you do not say, *"How is Paul?"* Instead you say, *"How goes Paul?"* (Comment va Paul?)

Repeat these sentences aloud:

Comment va le docteur? *How is the doctor?*
Comment va Pierre? *How is Peter?*
Comment va Louise? *How is Louise?*
Comment va Phillipe? *How is Philip?*
Comment‿allez-vous? *How are you?*

Now you know how to express future action in statements, in questions, and in the negative. Let's put all these forms together so that you can see how well you know them.

1. STATEMENTS

Je vais lire. *I am going to read.*
Vous‿allez lire. *You are going to read.*
Il va lire. *He is going to read.*
Elle va lire. *She is going to read.*

2. QUESTIONS

Est-ce que je vais lire? *Am I going to read?*
Est-ce que vous‿allez lire? *Are you going to read?*
Est-ce qu'il va lire? *Is he going to read?*
Est-ce qu'elle va lire? *Is she going to read?*

Remember that the English question *"Are you going to read?"* can be expressed in two ways in French: "Allez-vous lire?" or "Est-ce que vous‿allez lire?"

3. NEGATIVE

Je ne vais pas lire. *I am not going to read.*
Vous n'allez pas lire. *You are not going to read.*
Il ne va pas lire. *He is not going to read.*
Elle ne va pas lire. *She is not going to read.*

Write out the future of the following verbs in the three sections: 1. Statements, 2. Questions, 3. Negatives.

After you have written out the verbs, check them with the correct answers below.

parler, *to speak*	vendre, *to sell*
finir, *to finish*	commencer, *to begin, to start*
travailler, *to work*	choisir, *to choose*

Parler

1. STATEMENTS

Je vais parler. *I am going to speak.*
Vous‿allez parler. *You are going to speak.*
Il va parler. *He is going to speak.*
Elle va parler. *She is going to speak.*

2. QUESTIONS

Est-ce que je vais parler? *Am I going to speak?*
Est-ce que vous‿allez parler? } *Are you going to speak?*
Allez-vous parler? }
Est-ce qu'il va parler? *Is he going to speak?*
Est-ce qu'elle va parler? *Is she going to speak?*

3. NEGATIVE

Je ne vais pas parler. *I am not going to speak.*
Vous n'allez pas parler. *You are not going to speak.*
Il ne va pas parler. *He is not going to speak.*
Elle ne va pas parler. *She is not going to speak.*

Finir

1. STATEMENTS

Je vais finir. *I am going to finish.*
Vous‿allez finir. *You are going to finish.*

Il va finir. *He is going to finish.*
Elle va finir. *She is going to finish.*

2. QUESTIONS

Est-ce que je vais finir? *Am I going to finish?*
Est-ce que vous‿allez finir? } *Are you going to finish?*
Allez-vous finir?
Est-ce qu'il va finir? *Is he going to finish?*
Est-ce qu'elle va finir? *Is she going to finish?*

3. NEGATIVE

Je ne vais pas finir. *I am not going to finish.*
Vous n'allez pas finir. *You are not going to finish.*
Il ne va pas finir. *He is not going to finish.*
Elle ne va pas finir. *She is not going to finish.*

Travailler

1. STATEMENTS

Je vais travailler. *I am going to work.*
Vous‿allez travailler. *You are going to work.*
Il va travailler. *He is going to work.*
Elle va travailler. *She is going to work.*

2. QUESTIONS

Est-ce que je vais travailler? *Am I going to work?*
Est-ce que vous‿allez travailler? } *Are you going to work?*
Allez-vous travailler?
Est-ce qu'il va travailler? *Is he going to work?*
Est-ce qu'elle va travailler? *Is she going to work?*

3. NEGATIVE

Je ne vais pas travailler. *I am not going to work.*
Vous n'allez pas travailler. *You are not going to work.*
Il ne va pas travailler. *He is not going to work.*
Elle ne va pas travailler. *She is not going to work.*

Vendre

1. STATEMENTS

Je vais vendre. *I am going to sell.*
Vous‿allez vendre. *You are going to sell.*
Il va vendre. *He is going to sell.*
Elle va vendre. *She is going to sell.*

2. QUESTIONS

Est-ce que je vais vendre? *Am I going to sell?*
Est-ce que vous‿allez vendre? } *Are you going to sell?*
Allez-vous vendre? }
Est-ce qu'il va vendre? *Is he going to sell?*
Est-ce qu'elle va vendre? *Is she going to sell?*

3. NEGATIVE

Je ne vais pas vendre. *I am not going to sell.*
Vous n'allez pas vendre. *You are not going to sell.*
Il ne va pas vendre. *He is not going to sell.*
Elle ne va pas vendre. *She is not going to sell.*

Commencer

1. STATEMENTS

Je vais commencer. *I am going to begin, I am going to start.*
Vous‿allez commencer. *You are going to begin, you are going to start.*
Il va commencer. *He is going to begin, he is going to start.*
Elle va commencer. *She is going to begin, she is going to start.*

2. QUESTIONS

Est-ce que je vais commencer? *Am I going to begin, am I going to start?*
Est-ce que vous‿allez commencer? } *Are you going to begin,*
Allez-vous commencer? } *start?*
Est-ce qu'il va commencer? *Is he going to begin, is he going to start?*
Est-ce qu'elle va commencer? *Is she going to begin, is she going to start?*

3. NEGATIVE

Je ne vais pas commencer. *I am not going to begin, I am not going to start.*
Vous n'allez pas commencer. *You are not going to begin, you are not going to start.*
Il ne va pas commencer. *He is not going to begin, he is not going to start.*
Elle ne va pas commencer. *She is not going to begin, she is not going to start.*

Choisir

1. STATEMENTS

Je vais choisir. *I am going to choose.*
Vous‿allez choisir. *You are going to choose.*
Il va choisir. *He is going to choose.*
Elle va choisir. *She is going to choose.*

2. QUESTIONS

Est-ce que je vais choisir? *Am I going to choose?*
Est-ce que vous‿allez choisir? / Allez-vous choisir? } *Are you going to choose?*
Est-ce qu'il va choisir? *Is he going to choose?*
Est-ce qu'elle va choisir? *Is she going to choose?*

3. NEGATIVE

Je ne vais pas choisir. *I am not going to choose.*
Vous n'allez pas choisir. *You are not going to choose.*
Il ne va pas choisir. *He is not going to choose.*
Elle ne va pas choisir. *She is not going to choose.*

SENTENCE-FORMING EXERCISES

For practice combine the words below to form as many sentences as you can.

A

1	2	3	4
Je vais	finir	la lettre	demain
Vous‿allez	commencer	le travail	ce soir
Il va	(*to begin*)	le journal	ce matin
Elle va	lire	le chèque	mercredi
Paul va	signer	la maison	(*Wednesday*)
Philippe va	vendre	une auto	
Louise va	acheter		
	au cinéma		

B

1	2	3	4
Allez-vous	finir	le travail	demain?
Est-ce qu'il va	lire	la leçon	en classe?
Est-ce qu'elle va	travailler	au bureau	mercredi?
Est-ce que Paul va	embrasser	Louise	ce soir?
Est-ce que Louise va	(*to kiss*)		
	au théâtre?		

C

1	2	3	4
Je ne vais pas	travailler	au bureau	demain
Vous n'allez pas	finir	le travail	ce matin
Il ne va pas	lire	le journal	en classe
Elle ne va pas	dîner	avec Pierre	mercredi
	au bureau		
	au théâtre		

EXERCISE IN TRANSLATION

Translate the following sentences into French and check them with the correct translations below this exercise.

1. I am going to finish the work tomorrow.
2. He is going to read the letter this evening.
3. Paul is going to sell the house.
4. Philip is going to buy a car.
5. I am going to read the newspaper.
6. I am going to finish the letter tomorrow.

7. Are you going to read the lesson in class?
8. Is she going to work at the office this morning?
9. I am going to the movies tonight.
10. Is she going to the theater tomorrow?
11. Is Paul going to finish the work on Tuesday?
12. She is not going to the office on Monday.
13. He is not going to the theater tonight.
14. I am not going to the office this morning.
15. Are you going to finish the work?

Check your sentences with the correct translation below.

1. Je vais finir le travail demain.
2. Il va lire la lettre ce soir.
3. Paul va vendre la maison.
4. Philippe va acheter une auto.
5. Je vais lire le journal.
6. Je vais finir la lettre demain.
7. Est-ce que vous allez lire la leçon en classe?
8. Est-ce qu'elle va travailler au bureau ce matin?
9. Je vais au cinéma ce soir.
10. Est-ce qu'elle va au théâtre demain?
11. Est-ce que Paul va finir le travail mardi?
12. Elle ne va pas au bureau lundi.
13. Il ne va pas au théâtre ce soir.
14. Je ne vais pas au bureau ce matin.
15. Allez-vous finir le travail?

CATEGORY XI

Most words that end in "age" are identical in French and in English.

AGE = AGE

the courage, le courage

un âge
un avantage
(*advantage*)
les bagages
(*baggage*)
un bandage
un barrage

une cage
un camouflage
un cartilage
le courage
un désavantage
(*disadvantage*)

un drainage
un entourage
l'espionnage
(*espionage*)
un garage
un héritage

un hommage	un mucilage	un ravage
(*homage*)	un otage	un sabotage
une image	(*hostage*)	un sauvage
un langage	un outrage	(*savage*)
(*language*)	une page	un usage
un mariage	un passage	un village
(*marriage*)	un personnage	un visage
un massage	(*personage*)	(*visage, face*)
un message	un présage	un voyage
un mirage	une rage	(*sea voyage*)

EXTRA WORDS

In French "ss" is pronounced as the "s" in "so."

le passage, *the passage*
le dessert, *the dessert*
le poisson, *the fish*
dissonant, *dissonant*
la casserole, *the pan, casserole*
aussi, *also, as*

When the letter "s" appears between vowels it is pronounced as the "z" in "*zero*."

rose, *rose, pink*
la vendeuse, *the salesgirl*
plusieurs, *several*
les fraises, *strawberries*

REMINDER CARD

Je vais	lire	le journal
Allez-vous?	vendre	la maison
Je ne vais pas	commencer	le travail
Paul va	au cinéma	mercredi
Paul ne va pas	au bureau	mardi matin

Copy the above material on a card and practice different sentence combinations with it as often as you can.

16
Leçon Numéro Seize

The past tense of "re" verbs is formed by dropping the "re" and adding the letter "u."

vendre, *to sell* — **j'ai vendu,** *I sold*
entendre, *to hear* — **j'ai entendu,** *I heard*

Remember that the negative is formed with the words "ne—pas." You already know that "Il a parlé" means *"He talked."* "Il n'a pas parlé" means *"He didn't talk."* Repeat the words "n'a pas" (*didn't*) a few times until they seem familiar to you.

WORDS TO REMEMBER

le dictionnaire, *the dictionary*
un livre, *a book*
une biographie, *a biography*
un roman, *a novel*
le journal, *the newspaper*
un‿article, *an article*
la revue, *the magazine*
une histoire, *a story*
un programme, *a program*
une plaisanterie, *a joke*
discret, *discreet*
intéressant, *interesting*
le menu, *the menu*
jeudi, *Thursday*
un livre intéressant, *an interesting book*
un discours, *a speech*
un discours politique, *a political speech*
les, *the (plural)*
les nouvelles, *the news*
de, *of*
dans, *in*
dans la revue, *in the magazine*
dans le journal, *in the newspaper*
la T.S.F., *the radio*
à la T.S.F., *on the radio*
monsieur, *mister*
comique, *comical, funny*
chanter, *to sing*
entendre, *to hear*

Je vais chanter. *I'm going to sing.*
J'ai chanté. *I sang.*
Je vais choisir. *I'm going to choose.*
J'ai choisi. *I chose.*
J'ai vendu. *I sold.*
Avez-vous vendu? *Did you sell?*
J'ai entendu. *I heard.*
Avez-vous‿entendu? *Did you hear?*
Je vais lire. *I'm going to read.*
J'ai lu. *I read* (past).
Avez-vous lu? *Did you read?*
Il a lu. *He read* (past).
Il n'a pas lu. *He didn't read.*

CONVERSATION

Avez-vous lu le dictionnaire?
Non, c'est ridicule, je n'ai pas lu le dictionnaire. J'ai lu un livre intéressant.

Avez-vous lu une lettre d'amour en classe?
Oh non, ce n'est pas discret.

Avez-vous lu un roman intéressant?
Oui, j'ai lu un roman intéressant.

Avez-vous lu une biographie de Napoléon?
Oui, j'ai lu une biographie de Napoléon.

Avez-vous lu le journal ce matin?
Oui, j'ai lu le journal ce matin.

Avez-vous lu un article intéressant dans le journal?
Oui, j'ai lu un article très‿intéressant dans le journal.

Avez-vous lu les nouvelles?
Oui, j'ai lu les nouvelles.

Avez-vous lu la revue?
Oui, j'ai lu la revue.

Avez-vous lu une plaisanterie dans la revue?
Oui, j'ai lu une plaisanterie dans la revue.

Avez-vous lu une histoire dans la revue?
Oui, j'ai lu une histoire très‿intéressante dans la revue.

Avez-vous lu le menu au restaurant?
Oui, j'ai lu le menu au restaurant.

Avez-vous choisi le dîner?
Oui, j'ai choisi le dîner.

Allez-vous lire le journal jeudi?
Oui, je vais lire le journal jeudi.

Avez-vous‿entendu un concert à la T.S.F. ce soir?
Oui, j'ai entendu un concert à la T.S.F. ce soir.

Avez-vous‿entendu un programme intéressant à la T.S.F.?
Oui, j'ai entendu un programme très‿intéressant à la T.S.F.

Avez-vous lu les nouvelles dans le journal ce soir?
Non, je n'ai pas lu les nouvelles dans le journal ce soir. J'ai entendu les nouvelles à la T.S.F.

Avez-vous‿entendu un discours politique à la T.S.F. ce soir?
Oui, j'ai entendu un discours politique à la T.S.F. ce soir.

Avez-vous‿entendu une plaisanterie à la T.S.F.?
Oui, j'ai entendu une plaisanterie très comique à la T.S.F.

Avez-vous parlé à la T.S.F. ce matin?
Non, je n'ai pas parlé à la T.S.F. ce matin.

Avez-vous chanté à la T.S.F. ce matin?
Non, je n'ai pas chanté à la T.S.F. ce matin.

Allez-vous chanter à la T.S.F. demain?
Oh non, je ne vais pas chanter à la T.S.F. demain.

Avez-vous vendu l'auto?
Non, je n'ai pas vendu l'auto.

Est-ce que Paul a vendu l'auto?
Non, Paul n'a pas vendu l'auto.

Est-ce que Louise a vendu la bicyclette?
Non, Louise n'a pas vendu la bicyclette.

Est-ce que Monsieur Dufrac a vendu la maison?
Non, Monsieur Dufrac n'a pas vendu la maison.

Est-ce que Monsieur Dufrac est élégant?
Oh oui, Monsieur Dufrac est très‿élégant.

Now that you have learned the verb "lire" (*to read*), it is safe to tell you that it is an irregular verb. Irregular verbs are verbs that don't do exactly the things they're supposed to do.

For example, when you want to form the past of an "re" verb, you drop the "re" from the infinitive and add the letter "u." But in the verb "lire" you do not drop "re"; you drop "ire." This makes it an irregular verb, since you have dropped one letter more than you should.

You learned "j'ai lu" (*I read* [past]) so easily that the chances are you didn't even notice that this verb was misbehaving. It misbehaved so sweetly that I'll wager you weren't aware of the fact that it is "irregular." This should show you once and for all that irregular verbs are not frightening or formidable. You will learn them as easily as any other verbs.

Now you know how to make statements, ask questions, and express the negative in the past. Let's put all these forms together to see how well you know them.

1. STATEMENTS

J'ai entendu. *I heard.*
Vous‿avez entendu. *You heard.*
Il a entendu. *He heard.*
Elle a entendu. *She heard.*

2. QUESTIONS

Est-ce que j'ai entendu? *Did I hear?*
Est-ce que vous‿avez entendu? *Did you hear?*
Est-ce qu'il a entendu? *Did he hear?*
Est-ce qu'elle a entendu? *Did she hear?*

Remember that the English question *"Did you hear?"* can be expressed in two ways in French:

"Est-ce que vous‿avez entendu?" or
"Avez-vous‿entendu?"

3. NEGATIVE

Je n'ai pas‿entendu. *I didn't hear.*
Vous n'avez pas‿entendu. *You didn't hear.*
Il n'a pas‿entendu. *He didn't hear.*
Elle n'a pas‿entendu. *She didn't hear.*

WRITTEN EXERCISE

Write out the past of the following verbs in three sections: 1. Statements, 2. Questions, 3. Negative. After you have written out the verbs, check them with the correct answers below.

chanter, *to sing*	finir, *to finish*
acheter, *to buy*	lire, *to read*
choisir, *to choose*	vendre, *to sell*

To form the past: **er** verbs, drop **"er"** and add **"é"**
ir verbs, drop the letter **"r"**
re verbs, drop **"re"** and add the letter **"u"**

Chanter

1. STATEMENTS

J'ai chanté. *I sang.*
Vous avez chanté. *You sang.*
Il a chanté. *He sang.*
Elle a chanté. *She sang.*

2. QUESTIONS

Est-ce que j'ai chanté? *Did I sing?*
Est-ce que vous avez chanté? } *Did you sing?*
Avez-vous chanté? }
Est-ce qu'il a chanté? *Did he sing?*
Est-ce qu'elle a chanté? *Did she sing?*

3. NEGATIVE

Je n'ai pas chanté. *I didn't sing.*
Vous n'avez pas chanté. *You didn't sing.*
Il n'a pas chanté. *He didn't sing.*
Elle n'a pas chanté. *She didn't sing.*

Acheter

1. STATEMENTS

J'ai acheté. *I bought.*
Vous avez acheté. *You bought.*
Il a acheté. *He bought.*
Elle a acheté. *She bought.*

2. QUESTIONS

Est-ce que j'ai acheté? *Did I buy?*
Est-ce que vous avez acheté? } *Did you buy?*
Avez-vous acheté? } *Did you buy?*
Est-ce qu'il a acheté? *Did he buy?*
Est-ce qu'elle a acheté? *Did she buy?*

3. NEGATIVE

Je n'ai pas acheté. *I didn't buy.*
Vous n'avez pas acheté. *You didn't buy.*
Il n'a pas acheté. *He didn't buy.*
Elle n'a pas acheté. *She didn't buy.*

Choisir

1. STATEMENTS

J'ai choisi. *I chose.*
Vous avez choisi. *You chose.*
Il a choisi. *He chose.*
Elle a choisi. *She chose.*

2. QUESTIONS

Est-ce que j'ai choisi? *Did I choose?*
Est-ce que vous avez choisi? } *Did you choose?*
Avez-vous choisi? } *Did you choose?*
Est-ce qu'il a choisi? *Did he choose?*
Est-ce qu'elle a choisi? *Did she choose?*

3. NEGATIVE

Je n'ai pas choisi. *I didn't choose.*
Vous n'avez pas choisi. *You didn't choose.*
Il n'a pas choisi. *He didn't choose.*
Elle n'a pas choisi. *She didn't choose.*

Finir

1. STATEMENTS

J'ai fini. *I finished.*
Vous avez fini. *You finished.*
Il a fini. *He finished.*
Elle a fini. *She finished.*

2. QUESTIONS

Est-ce que j'ai fini? *Did I finish?*
Est-ce que vous avez fini? / Avez-vous fini? } *Did you finish?*
Est-ce qu'il a fini? *Did he finish?*
Est-ce qu'elle a fini? *Did she finish?*

3. NEGATIVE

Je n'ai pas fini. *I didn't finish.*
Vous n'avez pas fini. *You didn't finish.*
Il n'a pas fini. *He didn't finish.*
Elle n'a pas fini. *She didn't finish.*

Lire

1. STATEMENTS

J'ai lu. *I read.*
Vous avez lu. *You read.*
Il a lu. *He read.*
Elle a lu. *She read.*

2. QUESTIONS

Est-ce que j'ai lu? *Did I read?*
Est-ce que vous avez lu? / Avez-vous lu? } *Did you read?*
Est-ce qu'il a lu? *Did he read?*
Est-ce qu'elle a lu? *Did she read?*

3. NEGATIVE

Je n'ai pas lu. *I didn't read.*
Vous n'avez pas lu. *You didn't read.*
Il n'a pas lu. *He didn't read.*
Elle n'a pas lu. *She didn't read.*

Vendre

1. STATEMENTS

J'ai vendu. *I sold.*
Vous avez vendu. *You sold.*
Il a vendu. *He sold.*
Elle a vendu. *She sold.*

2. QUESTIONS

Est-ce que j'ai vendu? *Did I sell?*
Est-ce que vous avez vendu? / Avez-vous vendu? } *Did you sell?*
Est-ce qu'il a vendu? *Did he sell?*
Est-ce qu'elle a vendu? *Did she sell?*

3. NEGATIVE

Je n'ai pas vendu. *I didn't sell.*
Vous n'avez pas vendu. *You didn't sell.*
Il n'a pas vendu. *He didn't sell.*
Elle n'a pas vendu. *She didn't sell.*

SENTENCE-FORMING EXERCISES

For practice combine the words below to form as many sentences as you can.

A

1	2	3
J'ai lu (*I read* [past])	la lettre	ce soir
Avez-vous lu?	l'article	dans la revue
Il a lu	la biographie	de Napoléon
Il n'a pas lu	les nouvelles	ce matin
Pierre a lu	la revue	hier
Pierre n'a pas lu	le journal	hier soir

1	2	3
Elle a lu	le roman	en classe
Elle n'a pas lu	l'histoire	mercredi
Suzanne n'a pas lu		(*Wednesday*)

B

1	2	3
Philippe a vendu	la maison	hier
Philippe n'a pas vendu	l'auto	jeudi soir
J'ai entendu (*I heard*)	un programme	(*Thursday night*)
Avez-vous‿entendu?	les nouvelles	intéressant
Il a entendu	un discours politique	à la T.S.F.
Elle a entendu	une plaisanterie	ce soir
	une histoire	au bureau
		lundi matin

EXERCISE IN TRANSLATION

Translate the following sentences into French and check them with the correct translations below this exercise.

1. I read (past) an interesting article in the newspaper.
2. Peter read a biography of Napoleon.
3. Did you read the newspaper this morning?
4. Did you read the news?
5. Peter didn't read the magazine. He read a book.
6. She didn't read the news this morning.
7. I read (past) an interesting novel.
8. Philip sold the house yesterday.
9. Philip didn't sell the car.
10. I heard an interesting program on the radio Wednesday night.
11. Did you hear the news on the radio?
12. He heard a political speech on the radio this evening.
13. I read a story in the newspaper this morning.

Check your sentences with the correct translations below:

1. J'ai lu un article intéressant dans le journal.
2. Pierre a lu une biographie de Napoléon.

3. Avez-vous lu le journal ce matin?
4. Avez-vous lu les nouvelles?
5. Pierre n'a pas lu la revue. Il a lu un livre.
6. Elle n'a pas lu les nouvelles ce matin.
7. J'ai lu un roman intéressant.
8. Philippe a vendu la maison hier.
9. Philippe n'a pas vendu l'auto.
10. J'ai entendu un programme intéressant à la T.S.F. mercredi soir.
11. Avez-vous entendu les nouvelles à la T.S.F.?
12. Il a entendu un discours politique à la T.S.F. ce soir.
13. J'ai lu une histoire dans le journal ce matin.

EXTRA WORDS

Exercise in Pronunciation of GN

In French "gn" is pronounced as the "*ni*" sound in "*onion.*"

magnifique, *magnificent*
la campagne, *the countryside*
ignorant, *ignorant*
les champignons, *the mushrooms*
le champagne, *the champagne*
la montagne, *the mountain*
la ligne, *the line*
la baignoire, *the bathtub*
un cognac, une fine, *a cognac, brandy*

REMINDER CARD

J'ai lu	la lettre	ce soir
Avez-vous lu?	l'article	hier soir
Il n'a pas lu	les nouvelles	dans le journal
J'ai entendu	le programme	ce soir
Il a vendu	la maison	hier matin

17
Leçon Numéro Dix-Sept

Adjectives become feminine when you add the letter "e" to them. But remember that when you add an "e" to a word that ends in a consonant, you must SOUND the consonant and not pronounce the final "e."

You already know that you do not pronounce the final "t" in the masculine "élégant." But when this word becomes feminine, "élégante," you pronounce the "t" distinctly. The final "e" is silent.

Read these words aloud:

MASCULINE	FEMININE
élégant	**élégante**
éloquent	**éloquente**
excellent	**excellente**
amusant, *amusing*	**amusante**
charmant, *charming*	**charmante**
intéressant, *interesting*	**intéressante**

le livre intéressant *the interesting book*	**la biographie intéressante** *the interesting biography*
un programme intéressant *an interesting program*	**une histoire intéressante** *an interesting story*

The verb **"voir"** means *"to see."*

Je vais voir. *I'm going to see.*
Allez-vous voir? *Are you going to see?*

The past of **"voir"** is **"j'ai vu"** (*I saw*).

Repeat these sentences aloud.

Je vais voir Pierre demain. *I'm going to see Peter tomorrow.*
Allez-vous voir Marie? *Are you going to see Mary?*
J'ai vu un film intéressant. *I saw an interesting film.*
Avez-vous vu le journal? *Did you see the newspaper?*

"Voir" is an irregular verb.

WORDS TO REMEMBER

charmant (masc.), *charming*
charmante (fem.), *charming*
amusant (masc.), *amusing*
amusante (fem.), *amusing*
un film, *a film*
une pièce, *a play*
une comédie, *a comedy*
la lune, *the moon*
Antoine, *Anthony*
Marie, *Mary*
hier soir, *last night*
samedi, *Saturday, on Saturday*
un programme de télévision, *a television program (a program of television)*
une boîte, *a box*
de, *of*
une boîte de chocolats, *a box of chocolates*
une douzaine, *a dozen*
une douzaine de roses, *a dozen (of) roses*
à, *to*

Je vais‿envoyer. *I'm going to send.*
J'ai envoyé. *I sent.*
Pierre a envoyé. *Peter sent.*
Est-ce que Pierre a envoyé? *Did Peter send?*
Je vais voir. *I'm going to see.*
Allez-vous voir? *Are you going to see?*
J'ai vu. *I saw.*
Avez-vous vu? *Did you see?*
Il a vu. *He saw.*
Elle a vu. *She saw.*
Avez-vous lu? *Did you read?*
J'ai lu. *I read (past).*

CONVERSATION

Avez-vous vu un film intéressant hier soir?
Oui, j'ai vu un film très‿intéressant hier soir.

Avez-vous vu une pièce intéressante samedi?
Oui, j'ai vu une pièce très‿intéressante samedi.

Avez-vous vu une comédie?
Oui, j'ai vu une comédie très‿amusante.

Avez-vous vu un programme de télévision ce matin?
Oui, j'ai vu un programme de télévision très‿amusant ce matin.

Avez-vous vu la lune ce soir?
Oui, j'ai vu la lune ce soir.

Avez-vous vu Antoine ce soir?
Oui, j'ai vu Antoine ce soir.

Allez-vous voir Marie demain?
Oui, je vais voir Marie demain.

Allez-vous voir Antoine demain?
Non, je ne vais pas voir Antoine demain.

Allez-vous voir le docteur samedi?
Oui, je vais voir le docteur samedi.

Avez-vous vu le journal ce matin?
Oui, j'ai vu le journal ce matin.

Avez-vous lu une histoire intéressante dans le journal?
Oui, j'ai lu une histoire très‿intéressante dans le journal.

Est-ce que Monsieur Dufrac est charmant?
Oui, Monsieur Dufrac est charmant.

Est-ce que Monsieur Dufrac est‿amusant?
Oui, Monsieur Dufrac est très‿amusant.

Est-ce que Mademoiselle Coquette est charmante?
Oui, Mademoiselle Coquette est charmante.

Est-ce que Mademoiselle Coquette est jolie?
Oui, Mademoiselle Coquette est très jolie.

Est-ce que Monsieur Dufrac a envoyé une douzaine de roses à Mademoiselle Coquette?
Oui, Monsieur Dufrac a envoyé une douzaine de roses à Mademoiselle Coquette.

Est-ce que Monsieur Dufrac a envoyé une boîte de chocolats à Mademoiselle Coquette?
Oui, Monsieur Dufrac a envoyé une boîte de chocolats à Mademoiselle Coquette.

Est-ce que Monsieur Dufrac est galant?
Oui, Monsieur Dufrac est très galant.

Read the following adjectives aloud. Remember to pronounce the final "t" in the feminine adjectives.

MASCULINE		FEMININE	
différent	intelligent	différente	intelligente
important	arrogant	importante	arrogante
compétent	ignorant	compétente	ignorante
prudent	nonchalant	prudente	nonchalante
patient	amusant	patiente	amusante
impertinent	charmant	impertinente	charmante

Remember that when you add an "e" to a word that ends in a consonant, you must sound the consonant. For example, you do not sound the final "s" in "surpris" (*surprised*, masc.). But when you add the letter "e" to this word to make it feminine, the "s" is pronounced (as the "z" in "*zero*").

MASCULINE	FEMININE
surpris, *surprised*	surprise

When a word ends in an accented "e" you must still add an "e" to make that word feminine.

MASCULINE	FEMININE
fatigué, *tired*	fatiguée
occupé, *busy*	occupée
marié, *married*	mariée

When a word ends in an unaccented "e," you DO NOT add another "e" to make it feminine. You leave it just as it is. There is absolutely no difference in the pronunciation or spelling of the masculine and feminine of these words.

The following adjectives are both masculine and feminine:

rouge, *red*	ridicule, *ridiculous*
stupide, *stupid*	facile, *easy*
riche, *rich*	difficile, *difficult*
timide, *timid, shy*	libre, *free* (*a person or cab*)
agile, *agile*	malade, *sick*
fragile, *fragile*	flexible, *flexible*

In spoken French all you have to remember is that if an adjective ends in a consonant, you do not pronounce the final consonant in the masculine. You do pronounce the consonant in the feminine.

SENTENCE-FORMING EXERCISES

For practice combine the words below to form as many sentences as you can.

A

1	2	3
Allez-vous voir	Louise	demain matin
Je vais voir	Antoine	demain soir
Je ne vais pas voir	la pièce	samedi
Paul va voir	le docteur	lundi
Paul ne va pas voir	la composition	ce matin
Je vais lire	un livre	en classe
Je vais envoyer	une boîte de chocolats	à Paul
Pierre va envoyer	une douzaine de roses	à Suzanne
Il va envoyer	un programme de télévision	à Louise

B

1	2	3
J'ai vu	une pièce amusante	hier soir
Avez-vous vu	la lune	ce soir
Louise a vu	un film intéressant	samedi soir
Paul a vu	Paul	intéressant
Je n'ai pas vu	Louise	lundi

1	2	3
J'ai lu	une histoire intéressante	dans le journal
Avez-vous lu	la composition	en classe
J'ai entendu	une plaisanterie	amusante à la T.S.F.
J'ai envoyé	le livre	
Il a envoyé	une douzaine de roses	à Paul
Paul a envoyé	une boîte de chocolats	à Suzanne
		à Louise

EXERCISE IN TRANSLATION

Translate the following sentences into French and check them with the correct translations below this exercise.

1. Are you going to see Louise tomorrow?
2. I'm not going to see the president on Saturday.
3. I'm going to see a television program tonight.
4. Paul isn't going to see the client this morning.
5. I'm going to read the composition in class.
6. I'm going to send a book to Paul.
7. Peter is going to send a box of chocolates to Susan.
8. He's going to send a dozen roses to Louise.
9. I saw an interesting play last night.
10. Did you see the moon tonight?
11. Louise saw an interesting film on Saturday.
12. He didn't see Paul this morning.
13. Paul saw Louise this morning.
14. I saw an interesting television program on Saturday.
15. I read (past) an interesting story in the newspaper.
16. I heard an amusing joke this morning.
17. He heard an interesting program on the radio this evening.
18. Paul sent a box of chocolates to Louise.
19. He sent a dozen roses to Susan.
20. I sent a book to Paul.

Check your sentences with the correct translations below.

1. Allez-vous voir Louise demain?
2. Je ne vais pas voir le président samedi.
3. Je vais voir un programme de télévision ce soir.

4. Paul ne va pas voir le client ce matin.
5. Je vais lire la composition en classe.
6. Je vais envoyer un livre à Paul.
7. Pierre va envoyer une boîte de chocolats à Suzanne.
8. Il va envoyer une douzaine de roses à Louise.
9. J'ai vu une pièce intéressante hier soir.
10. Avez-vous vu la lune ce soir?
11. Louise a vu un film intéressant samedi.
12. Il n'a pas vu Paul ce matin.
13. Paul a vu Louise ce matin.
14. J'ai vu un programme de télévision intéressant samedi.
15. J'ai lu une histoire intéressante dans le journal.
16. J'ai entendu une plaisanterie amusante ce matin.
17. Il a entendu un programme intéressant à la T.S.F. ce soir.
18. Paul a envoyé une boîte de chocolats à Louise.
19. Il a envoyé une douzaine de roses à Suzanne.
20. J'ai envoyé un livre à Paul.

EXTRA WORDS

Exercise in Pronunciation of AIN, EIN

In French "ain" and "ein" are pronounced as the "*an*" in "*thank.*"

un bain, *a bath*
la salle de bain, *the bathroom*
une serviette de bain, *a bath towel*
une chambre avec salle de bain, *a room with bath*
demain, *tomorrow*
après-demain, *day after tomorrow*
maintenant, *now*
le pain, *the bread*
les petits pains, *the rolls*
le train, *the train*
le lendemain, *the next day*
j'ai faim, *I am hungry (I have hunger)*
un‿Américain (masc.), *an American*
américain (masc.), *American*
je suis‿Américain (masc.), *I am (an) American*

plein (de), *full (of)*
une ceinture, *a belt*

REMINDER CARD

Allez-vous voir	Louise	ce matin
Je vais voir	le docteur	samedi
Je vais‿envoyer	un livre	à Paul
J'ai vu	un film	intéressant
Avez-vous vu	la lune	ce soir
J'ai lu	une plaisanterie	amusante

18
Leçon Numéro Dix-Huit

Now that you have mastered the singular verbs, you can learn the plurals. Up to this time you have been talking about half the world, the singular world. Now, with the plural, you will be able to talk about everything under the living sun.

You have learned:

J'ai vu. *I saw.*
Avez-vous vu? *Did you see?*
Il a vu. *He saw.*
Elle a vu. *She saw.*

Now you can learn:

Nous‿avons vu. *We saw.*
("Nous‿avons" is pronounced, "Noozavon," with a nasal "on" and a slight stress on the "on.")
Ils‿ont vu. *They saw.*
("Ils‿ont" is pronounced, "Eelzon," with a nasal "on" and a slight stress on the "on.")

Remember that when you say, "*They saw*" in French, you must say, "Ils‿ont vu" if men saw and "Elles‿ont vu" if women saw. If both men and women saw you must say "Ils‿ont vu." This applies to all verbs in French.

"Avez-vous vu?" means "*Did you see?*" in both the singular and the plural.

The entire plural of this verb is:

Nous‿avons vu. *We saw.*

Vous‿avez vu. *You saw* (pl.).
Ils‿ont vu. *They saw* (masc.).
Elles‿ont vu. *They saw* (fem.).

You can form the plural of all the verbs you know in exactly the same way. Isn't it wonderful?

Read the following verbs aloud:

Nous‿avons parlé (*we talked*)	**Ils‿ont parlé** (masc.) (*they talked*)
Nous‿avons préparé (*we prepared*)	**Ils‿ont préparé** (masc.) (*they prepared*)
Nous‿avons dansé (*we danced*)	**Ils‿ont dansé** (masc.) (*they danced*)
Nous‿avons câblé (*we cabled*)	**Elles‿ont câblé** (fem.) (*they cabled*)
Nous‿avons téléphoné (*we phoned*)	**Elles‿ont téléphoné** (fem.) (*they phoned*)
Nous‿avons dîné (*we dined, had dinner*)	**Ils‿ont dîné** (masc.) (*they dined, had dinner*)
Nous‿avons réservé (*we reserved*)	**Elles‿ont réservé** (fem.) (*they reserved*)
Nous‿avons refusé (*we refused*)	**Elles‿ont refusé** (fem.) (*they refused*)
Nous‿avons copié (*we copied*)	**Ils‿ont copié** (masc.) (*they copied*)
Nous‿avons voté (*we voted*)	**Elles‿ont voté** (fem.) (*they voted*)
Nous‿avons travaillé (*we worked*)	**Ils‿ont travaillé** (masc.) (*they worked*)
Nous‿avons décidé (*we decided*)	**Elles‿ont décidé** (fem.) (*they decided*)
Nous‿avons‿invité (*we invited*)	**Ils‿ont‿invité** (masc.) (*they invited*)
Nous‿avons‿imité (*we imitated*)	**Elles‿ont‿imité** (fem.) (*they imitated*)
Nous‿avons‿inventé (*we invented*)	**Ils‿ont‿inventé** (masc.) (*they invented*)
Nous‿avons‿acheté (*we bought*)	**Elles‿ont‿acheté** (fem.) (*they bought*)

Nous‿avons‿admiré	**Ils‿ont‿admiré** (masc.)
(*we admired*)	(*they admired*)
Nous‿avons‿étudié	**Elles‿ont‿étudié** (fem.)
(*we studied*)	(*they studied*)
Nous‿avons‿accepté	**Ils‿ont‿accepté** (masc.)
(*we accepted*)	(*they accepted*)
Nous‿avons‿exporté	**Elles‿ont‿exporté** (fem.)
(*we exported*)	(*they exported*)
Nous‿avons‿aidé	**Ils‿ont‿aidé** (masc.)
(*we helped*)	(*they helped*)
Nous‿avons commencé	**Elles‿ont commencé** (fem.)
(*we began*)	(*they began*)
Nous‿avons chanté	**Ils‿ont chanté** (masc.)
(*we sang*)	(*they sang*)
Nous‿avons‿envoyé	**Elles‿ont‿envoyé** (fem.)
(*we sent*)	(*they sent*)
Nous‿avons fini	**Ils‿ont fini** (masc.)
(*we finished*)	(*they finished*)
Nous‿avons choisi	**Elles‿ont choisi** (fem.)
(*we chose*)	(*they chose*)
Nous‿avons‿accompli	**Elles‿ont‿accompli** (fem.)
(*we accomplished*)	(*they accomplished*)
Nous‿avons‿obéi	**Ils‿ont‿obéi** (masc.)
(*we obeyed*)	(*they obeyed*)
Nous‿avons vendu	**Ils‿ont vendu** (masc.)
(*we sold*)	(*they sold*)
Nous‿avons lu	**Ils‿ont lu** (masc.)
(*we read*)	(*they read*)
Nous‿avons vu	**Elles‿ont vu** (fem.)
(*we saw*)	(*they saw*)

WORDS TO REMEMBER

et, *and*
pendant, *during*
le rôle, *the role* (theater)
parfait, *perfect* (masc.)
après, *after*
la mère, *the mother*
son, *his, her*
son père, *his father, her father*
son succès, *his success*
dans, *in*

après le dîner, *after dinner*
la lune, *the moon*
une semaine, *a week*
mais, *but*
les fleurs, *the flowers*
les tulipes, *the tulips*
les violettes, *the violets*
le jardin, *the garden*
dans le jardin, *in the garden*
à l'hôtel, *at the hotel*
à la campagne, *in (at) the country*
de, *of, about*
la mère de Robert, *Robert's mother (the mother of Robert)*
beaucoup, *much, a lot*

Nous‿avons refusé. *We refused.*
Nous n'avons pas refusé. *We didn't refuse.*
Nous‿avons‿aidé. *We helped.*
Nous n'avons pas‿aidé. *We didn't help.*
Nous‿avons passé. *We passed, we spent* (time).
Nous‿avons passé une semaine. *We spent a week.*
Avez-vous‿accepté? *Did you accept?* (sing. and pl.)
Avez-vous refusé? *Did you refuse?* (sing. and pl.)

In French you do not say, "*I talked a lot.*" You must say instead, "*I much talked*" (J'ai beaucoup parlé). "Beaucoup" comes before the verb.

The "Avez-vous" questions in the conversation below are intended to be in the plural, since the answers are in the plural.

CONVERSATION

Avez-vous refusé l'invitation de Robert?
Non, nous n'avons pas refusé l'invitation de Robert.

Avez-vous‿accepté l'invitation de Robert?
Oui, nous‿avons‿accepté l'invitation de Robert.

Avez-vous passé le weekend avec Robert?
Oui, nous‿avons passé le weekend avec Robert.

Avez-vous passé le weekend à la campagne?
Oui, nous‿avons passé le weekend à la campagne. Nous‿avons passé le weekend chez Robert.

Avez-vous dîné chez Robert?
Oui, nous‿avons dîné chez Robert.

Avez-vous parlé pendant le dîner?
Oui, nous‿avons beaucoup parlé pendant le dîner. Nous‿avons parlé de Charles et de son succès au théâtre dans le rôle de Roméo. Charles est‿un Roméo parfait.

Avez-vous lu le journal après le dîner?
Non, nous n'avons pas lu le journal après le dîner.

Avez-vous‿entendu les nouvelles à la T.S.F. après le dîner?
Non, nous n'avons pas‿entendu les nouvelles à la T.S.F. après le dîner.

Avez-vous dansé après le dîner?
Oui, nous‿avons dansé après le dîner.

Avez-vous chanté après le dîner?
Oui, nous‿avons chanté après le dîner.

Avez-vous vu la lune à la campagne?
Oui, nous‿avons vu la lune à la campagne.

Est-ce que la conversation de Robert est‿amusante?
Oui, la conversation de Robert est très‿amusante.

Avez-vous‿étudié la leçon avec Robert?
Oui, nous‿avons‿étudié la leçon avec Robert.

Avez-vous préparé une composition pour la classe?
Oui, nous‿avons préparé une composition pour la classe.

Avez-vous parlé à la mère de Robert?
Oui, nous‿avons beaucoup parlé à la mère de Robert.

Est-ce que la mère de Robert est charmante?
Oui, la mère de Robert est charmante.

Avez-vous passé le weekend à l'hôtel?
Non, nous n'avons pas passé le weekend à l'hôtel. Nous‿avons passé le weekend chez Robert.

Avez-vous passé une semaine chez Robert?
Oh non, nous n'avons pas passé une semaine chez Robert. Nous‿avons passé le weekend chez Robert.

Avez-vous vu les fleurs dans le jardin de Robert?
Oui, nous‿avons vu les fleurs dans le jardin de Robert. Nous‿avons vu les roses, les tulipes, et les violettes.

Avez-vous‿aidé Robert?
Oui, nous‿avons‿aidé Robert.

Avez-vous travaillé dans le jardin de Robert?
Oui, nous‿avons travaillé dans le jardin de Robert.

Est-ce que Robert a travaillé dans le jardin?
Oh non, Robert est terrible. Robert n'a pas travaillé dans le jardin. Robert a beaucoup parlé, mais il n'a pas travaillé. Robert a beaucoup parlé, beaucoup chanté et il a lu le journal. Robert est terrible, mais très‿amusant.

SENTENCE-FORMING EXERCISE

For practice combine the words below to form as many sentences as you can.

1	2	3
Nous‿avons	refusé	l'invitation
Avez-vous (*think of this in the plural*)	acheté	les fleurs
	beaucoup parlé	après le dîner
Ils‿ont	vu	la lune
Elles‿ont	lu	le journal
J'ai	entendu	le programme
Il a	travaillé	dans le jardin
Elle a	beaucoup travaillé	ce matin
Charles a	beaucoup dansé	ce soir
Son père a	étudié	après la classe
Nous n'avons pas	passé	une semaine à la campagne
Charles et Marie ont	aidé	
Paul et Louise ont	dîné	Louise
Les docteurs ont	chanté	avec son père
		ce soir

EXERCISE IN TRANSLATION

Translate the following sentences into French and check them with the correct translations below this exercise:

1. We refused the invitation.
2. She talked a lot after dinner.
3. Charles worked a lot this evening.

4. We sang after dinner.
5. We worked after dinner.
6. She bought the flowers.
7. Her (or his) father spent a week in the country.
8. We helped Louise.
9. We dined with his father.
10. We spent a week in the country.
11. His father dined with Louise.
12. His father sang after dinner.
13. Did you see the moon this evening?
14. He read the newspaper after dinner.
15. We danced a lot this evening.
16. We worked a lot this morning.
17. They (masc.) talked during dinner.
18. They (masc.) talked about his success.
19. They (masc.) talked a lot after dinner.
20. She talked about her father.
21. Her father talked to Paul.
22. She talked a lot during dinner.
23. We did not talk about the article.
24. We did not dance after dinner.
25. We did not accept the invitation.
26. We did not work this evening.
27. He worked a lot this morning.
28. They (masc.) helped Louise.
29. They (fem.) sang after dinner.

Check your sentences with the correct translations below.

1. Nous avons refusé l'invitation.
2. Elle a beaucoup parlé après le dîner.
3. Charles a beaucoup travaillé ce soir.
4. Nous avons chanté après le dîner.
5. Nous avons travaillé après le dîner.
6. Elle a acheté les fleurs.
7. Son père a passé une semaine à la campagne.
8. Nous avons aidé Louise.
9. Nous avons dîné avec son père.
10. Nous avons passé une semaine à la campagne.
11. Son père a dîné avec Louise.

12. Son père a chanté après le dîner.
13. Avez-vous vu la lune ce soir?
14. Il a lu le journal après le dîner.
15. Nous avons beaucoup dansé ce soir.
16. Nous avons beaucoup travaillé ce matin.
17. Ils ont parlé pendant le dîner.
18. Ils ont parlé de son succès.
19. Ils ont beaucoup parlé après le dîner.
20. Elle a parlé de son père.
21. Son père a parlé à Paul.
22. Elle a beaucoup parlé pendant le dîner.
23. Nous n'avons pas parlé de l'article.
24. Nous n'avons pas dansé après le dîner.
25. Nous n'avons pas accepté l'invitation.
26. Nous n'avons pas travaillé ce soir.
27. Il a beaucoup travaillé ce matin.
28. Ils ont aidé Louise.
29. Elles ont chanté après le dîner.

REMINDER CARD

Avez-vous	dîné	avec Paul
J'ai	téléphoné	à l'hôtel
Je n'ai pas	entendu	le programme
Il a	fini	son travail
Elle n'a pas	vendu	la maison
Nous‿avons	accepté	l'invitation
Nous n'avons pas	fini	le travail
Vous‿avez	choisi	le restaurant
Vous n'avez pas	vendu	la bicyclette
Ils‿ont	entendu	un concert
Elles n'ont pas	vu	le film

19
Leçon Numéro Dix-Neuf

Now we would like to tell you something wonderful about what you have learned. The past tense you now know completely really expresses two tenses. When you learned the past, you got "two in one." You remember that in your first lesson you learned that "J'ai visité" (*I visited*) actually means "*I have visited.*" We did not want to confuse you at that time, when you were taking your first wobbly steps in French, so we didn't tell you that "J'ai visité" means BOTH "*I visited*" and "*I have visited.*"

Repeat these verbs aloud and think of them in the sense of their new meaning:

J'ai préparé. *I have prepared* (also *I prepared*).
Avez-vous préparé? *Have you prepared?*
Il a préparé. *He has prepared.*
Elle a préparé. *She has prepared.*
Nous avons préparé. *We have prepared.*
Ils ont préparé (masc.). *They have prepared.*
Elles ont préparé (fem.). *They have prepared.*
J'ai fini. *I have finished* (also *I finished*).
Avez-vous fini? *Have you finished?*
Il a fini. *He has finished.*
Elle a fini. *She has finished.*
Nous avons fini. *We have finished.*
Ils ont fini (masc.). *They have finished.*
Elles ont fini (fem.). *They have finished.*
J'ai vu. *I have seen* (also *I saw*).
Avez-vous vu? *Have you seen?*
Il a vu. *He has seen.*

Elle a vu. *She has seen.*
Nous‿avons vu. *We have seen.*
Ils‿ont vu (masc.) *They have seen.*
Elles‿ont vu (fem.). *They have seen.*

There is still another way to use the verb *"to have."* It denotes possession.

J'ai une auto. *I have a car.*
Avez-vous‿une T.S.F.? *Have you a radio?*
Nous‿avons‿un phonographe. *We have a phonograph.*
Ils‿ont‿une ferme. *They have a farm.*
Paul et Louise ont‿une auto. *Paul and Louise have a car.*
Charles et Marie ont‿une T.S.F. *Charles and Mary have a radio.*

WORDS TO REMEMBER

aujourd'hui, *today*
une maison, *a house*
une ferme, *a farm*
un canari, *a canary*
un‿appartement, *an apartment*
dernièrement, *lately*
seulement, *only*
le jardin, *the garden*
un jardin zoologique, *a zoological garden*
à Paris, *in Paris*
à la campagne, *in the country*

J'ai. *I have.*
Avez-vous? *Have you?*
Il a. *He has.*
Elle a. *She has.*
Nous‿avons. *We have.*
Ils‿ont (masc.). *They have.*
Elles‿ont (fem.). *They have.*
J'ai écrit. *I wrote, I have written.*
Nous‿avons‿écrit. *We wrote, we have written.*
Nous‿avons beaucoup travaillé. *We worked a lot, we have worked a lot.*
Nous‿avons‿envoyé. *We sent, we have sent.*
Nous‿avons commencé. *We began, we have begun.*
Ils‿ont commencé (masc.). *They began, they have begun.*

Elles‿ont commencé (fem.). *They began, they have begun.*
Je vais‿écrire. *I am going to write.*

"Écrire" is an irregular verb.

CONVERSATION

Avez-vous lu le journal aujourd'hui? *Have you read the newspaper today?*
Oui, j'ai lu le journal aujourd'hui. *Yes, I have read the newspaper today.*

Avez-vous vu Charles aujourd'hui? *Have you seen Charles today?*
Oui, j'ai vu Charles aujourd'hui. *Yes, I have seen Charles today.*

Avez-vous commencé le travail? *Have you begun the work?*
Oui, j'ai commencé le travail.

Avez-vous fini le travail?
Oui, j'ai fini le travail.

Avez-vous beaucoup travaillé aujourd'hui?
Oui, j'ai beaucoup travaillé aujourd'hui.

Avez-vous‿écrit les lettres aujourd'hui?
Oui, j'ai écrit les lettres aujourd'hui.

Avez-vous‿écrit une composition pour la classe?
Oui, j'ai écrit une composition pour la classe.

Avez-vous vu Paul dernièrement?
Oui, j'ai vu Paul aujourd'hui.

Avez-vous vu Louise dernièrement?
Non, je n'ai pas vu Louise dernièrement.

Avez-vous‿envoyé le câble?
Oui, j'ai envoyé le câble.

Avez-vous‿une auto?
Oui, j'ai une auto.

Est-ce que Paul a une auto?
Oui, Paul a une auto.

Est-ce que Charles et Marie ont‿une auto?
Oui, Charles et Marie ont‿une auto.

Est-ce que Paul et Louise ont‿une auto?
Oui, Paul et Louise ont‿une auto.

Avez-vous‿une maison à la campagne?
Oui, nous‿avons‿une maison à la campagne.

Est-ce que Paul et Louise ont‿une maison à la campagne?
Oui, Paul et Louise ont‿une maison à la campagne.

Avez-vous‿une ferme?
Oui, nous‿avons‿une ferme.

Avez-vous‿un jardin?
Oui, j'ai un jardin.

Avez-vous‿un jardin zoologique?
Non, j'ai seulement un canari.

Avez-vous‿un‿appartement à Paris?
Oui, nous‿avons‿un appartement à Paris.

Avez-vous‿un piano?
Oui, nous‿avons‿un piano.

Avez-vous‿une T.S.F.?
Oui, nous‿avons‿une T.S.F.

SENTENCE-FORMING EXERCISES

Combine the words below to form as many sentences as you can.

A

1	2
J'ai	un canari
Vous‿avez (*you have*)	un jardin
Avez-vous (*have you*)	un appartement
Il a	un piano
Elle a	une T.S.F.
Nous‿avons	une maison à la campagne
Ils‿ont (masc.)	une ferme

1	2
Elles‿ont (fem.)	un phonographe
Est-ce qu'il a (*has he*)	une auto
Est-ce qu'elle a (*has she*)	une maison
Est-ce qu'ils‿ont (*have they*, masc.)	le billet
Est-ce qu'elles‿ont (*have they*, fem.)	une bicyclette
	un bébé

B

1	2	3
Nous‿avons	beaucoup travaillé	ce matin
Ils‿ont (masc.)	téléphoné	aujourd'hui
Elles‿ont (fem.)	envoyé	le câble
Est-ce qu'ils‿ont	aidé	Paul
Est-ce qu'elles‿ont	passé (*spent*)	le weekend à Paris
J'ai	fini	le travail
Avez-vous	écrit	un livre
Il a	commencé	la leçon
Elle a	refusé	l'invitation
Je n'ai pas	parlé à	Marie
Nous n'avons pas	vu	la lettre

EXERCISE IN TRANSLATION

Translate the following sentences into French and check them with the correct translations below this exercise.

1. I have a canary.
2. Have you a piano?
3. He has a house in the country.
4. She has an apartment.
5. We have a farm.
6. They (masc.) have a car.
7. She has the ticket.
8. Has he a bicycle?
9. Have they (masc.) a house?
10. We have a phonograph.
11. They (masc.) have a baby.
12. Have you a garden?

13. We have worked a lot lately.
14. They (masc.) called up today.
15. Did they (fem.) send the cable?
16. Did they (masc.) spend the weekend in Paris?
17. We have finished the work.
18. They (masc.) have begun the work.
19. She has refused the invitation.
20. We haven't seen Mary lately.
21. I haven't written the letter.
22. Did they (masc.) help Paul?
23. Have they (masc.) helped Paul?
24. He has written a book.
25. I finished the work today.
26. He saw Mary today.
27. We haven't sent the cable.
28. Have you seen Paul lately?
29. Have you talked to Mary lately?
30. We have written a composition for the class.

Check your sentences with the correct translation below.

1. J'ai un canari.
2. Avez-vous un piano?
3. Il a une maison à la campagne.
4. Elle a un appartement.
5. Nous avons une ferme.
6. Ils ont une auto.
7. Elle a le billet.
8. Est-ce qu'il a une bicyclette?
9. Est-ce qu'ils ont une maison?
10. Nous avons un phonographe.
11. Ils ont un bébé.
12. Avez-vous un jardin?
13. Nous avons beaucoup travaillé dernièrement.
14. Ils ont téléphoné aujourd'hui.
15. Est-ce qu'elles ont envoyé le câble?
16. Est-ce qu'ils ont passé le weekend à Paris?
17. Nous avons fini le travail.
18. Ils ont commencé le travail.
19. Elle a refusé l'invitation.

20. Nous n'avons pas vu Marie dernièrement.
21. Je n'ai pas écrit la lettre.
22. Est-ce qu'ils ont aidé Paul?
23. Est-ce qu'ils ont aidé Paul?
24. Il a écrit un livre.
25. J'ai fini le travail aujourd'hui.
26. Il a vu Marie aujourd'hui.
27. Nous n'avons pas envoyé le câble.
28. Avez-vous vu Paul dernièrement?
29. Avez-vous parlé à Marie dernièrement?
30. Nous avons écrit une composition pour la classe.

ADVERBS

HOW TO FORM ADVERBS

I. When you add *"ly"* to English adjectives, they become adverbs.

EXAMPLE:

constant + ly = constantly

When you add "ment" to French adjectives, they become adverbs.

EXAMPLE:

terrible + ment = terriblement, *terribly.*

bravement, *bravely*; simplement, *simply*; horriblement, *horribly*; arbitrairement, *arbitrarily*; terriblement, *terribly*; admirablement, *admirably*; économiquement, *economically.*

II. When the masculine form of an adjective ends in a consonant, change it into the feminine form and then add "ment."

ADJECTIVES		ADVERBS
Masculine	Feminine	
normal, *normal*	normale	normalement, *normally*
impartial, *impartial*	impartiale	impartialement, *impartially*
général, *general*	générale	généralement, *generally*
principal, *principal*	principale	principalement, *principally*
immédiat, *immediate*	immédiate	immédiatement, *immediately*

POSITION OF ADVERBS

I. Most adverbs are placed immediately after the verb, as in English.

J'ai marché lentement. *I walked slowly.*

II. "Bien, beaucoup, trop, déjà, encore, toujours, souvent, mal" are placed between the auxiliary and the verb.

Il a TROP travaillé. *He worked too much.*
Paul a BEAUCOUP voyagé. *Paul has traveled a lot.*
Vous avez TROP lu. *You read* (past) *too much. You have read too much.*

"DE" USED AFTER ADVERBS

The words below are followed by DE or D' when they appear before a noun.

EXAMPLES:

combien de café, *how much coffee*
beaucoup d'amis, *many friends*
assez d'argent, *enough money*
trop de livres, *too many books*
un peu de café, *a little (bit of) coffee*
peu de temps, *little time*

Notice that you do not use an article after DE.

"MEILLEUR" AND "MIEUX" = BETTER

"Meilleur" is an adjective and modifies nouns. "Mieux" is an adverb and modifies verbs.

EXAMPLES:

un meilleur restaurant, *a better restaurant*
une meilleure chambre, *a better room*
Paul écrit mieux. *Paul writes better.*
Louise chante mieux. *Louise sings better.*

REMINDER CARD

J'ai	préparé	le dîner
Il a	fini	le travail
Elle a	vendu	la maison
Nous‿avons	vu	le film
Vous‿avez	lu	le journal
Ils‿ont	écrit	une lettre
Elles‿ont	envoyé	un câble

TEST YOUR PROGRESS

Now that you have completed nineteen lessons, let us try another test to see how well you are grasping the material.

TEST I

Fill in the blanks with the French equivalents of the following English words. You should be able to complete this test in twenty minutes. Write adjectives in the masculine form unless they have "(fem.)" after them.

1. temporary ________	14. to the movies ________
2. extraordinary ________	15. tomorrow ________
3. the vocabulary ________	16. the baby ________
4. the victory ________	17. sarcastic ________
5. a laboratory ________	18. where ________
6. the glory ________	19. at Louise's house ________
7. the distance ________	20. at the dentist's ________
8. the coincidence ________	21. cute ________
9. the importance ________	22. the letter ________
10. the intelligence ________	23. Monday ________
11. Alice ________	24. last night ________
12. the office ________	25. the work ________
13. to the office ________	26. the waiter ________

27. the newspaper ________
28. the house ________
29. the car ________
30. a novel ________
31. an article ________
32. the magazine ________
33. a story ________
34. a joke ________
35. interesting ________
36. an interesting book ________
37. in the newspaper ________
38. excellent ________
39. excellent (fem.) ________
40. amusing ________
41. amusing (fem.) ________
42. charming ________
43. charming (fem.) ________
44. interesting (fem.) ________
45. a play ________
46. the moon ________
47. Saturday ________
48. and ________
49. perfect ________
50. perfect (fem.) ________
51. after dinner ________
52. a week ________
53. but ________
54. much, a lot ________
55. in the garden ________
56. today ________
57. a farm ________
58. an apartment ________
59. lately ________
60. only ________

This is not an easy test. If you have no more than twelve mistakes you are doing very well. If you have made twenty or more mistakes, you are not reading the lessons carefully enough. Review the WORDS TO REMEMBER in the last ten lessons.

Check your work with the correct answers below.

1. temporaire
2. extraordinaire
3. le vocabulaire
4. la victoire
5. un laboratoire
6. la gloire
7. la distance
8. la coïncidence
9. l'importance
10. l'intelligence
11. Alice
12. le bureau
13. au bureau
14. au cinéma
15. demain
16. le bébé
17. sarcastique
18. où
19. chez Louise
20. chez le dentiste
21. mignon
22. la lettre
23. lundi
24. hier soir
25. le travail
26. le garçon
27. le journal
28. la maison
29. l'auto
30. un roman
31. un article
32. la revue

33. une histoire
34. une plaisanterie
35. intéressant
36. un livre intéressant
37. dans le journal
38. excellent
39. excellente
40. amusant
41. amusante
42. charmant
43. charmante
44. intéressante
45. une pièce
46. la lune
47. samedi
48. et
49. parfait
50. parfaite
51. après le dîner
52. une semaine
53. mais
54. beaucoup
55. dans le jardin
56. aujourd'hui
57. une ferme
58. un appartement
59. dernièrement
60. seulement

TEST II

This is an important test because it will show you how thoroughly you have learned the verbs. We hope that you will get a high score on this one.

Fill in the blanks with the French equivalent of the following English words. You should be able to complete this test in forty minutes.

1. I am going to buy. ____________
2. I am going to work. ____________
3. I am going to invite. ____________
4. I am going to have dinner (dine). ____________
5. Are you going to Paris? ____________
6. Are you going to work? ____________
7. Are you going to invite? ____________
8. Paul is. ____________
9. Paul is not. ____________
10. The baby is. ____________
11. The baby is not. ____________
12. The farm is. ____________
13. The farm is not. ____________
14. I am not going to work. ____________
15. I am not going to speak, talk. ____________

16. Are you going to speak, talk? ____________
17. I am going to help. ____________
18. I am not going to help. ____________
19. Are you going to help? ____________
20. I am going to finish. ____________
21. I am not going to finish. ____________
22. I finished. ____________
23. Did you finish? ____________
24. I bought. ____________
25. Have you bought? ____________
26. Are you going to buy? ____________
27. Are you going to finish? ____________
28. He is going to work. ____________
29. She is going to finish. ____________
30. Is Paul going to finish? ____________
31. I am going to read. ____________
32. Are you going to read? ____________
33. I am not going to read. ____________
34. I am going to sell. ____________
35. Are you going to sell? ____________
36. I am not going to sell. ____________
37. Is Paul going to read? ____________
38. Is Pauline going to sing? ____________
39. Is Paul going to work? ____________
40. How are you? ____________
41. How is Paul? ____________
42. He is going to read. ____________
43. Is he going to read? ____________
44. He is not going to read. ____________
45. She is going to sell. ____________
46. Is she going to sell? ____________
47. She is not going to sell. ____________
48. You are going to begin. ____________
49. Are you going to begin? ____________
50. You are not going to begin. ____________
51. I have worked. ____________
52. I have not worked. ____________
53. He has worked. ____________
54. He has not worked. ____________

55. I finished. ______
56. I did not finish. ______
57. I have read. ______
58. Did you read? ______
59. He has not read. ______
60. She has not read. ______
61. I sold. ______
62. Did you sell? ______
63. I did not sell. ______
64. He did not sell. ______
65. I heard. ______
66. I did not hear. ______
67. Did you hear? ______
68. Are you going to hear? ______
69. Did he read? ______
70. Did he sell? ______
71. I saw. ______
72. I did not see. ______
73. He saw. ______
74. Did he see? ______
75. I am going to see. ______
76. Are you going to see? ______
77. We saw. ______
78. They (masc.) saw. ______
79. They (fem.) worked. ______
80. We read (past). ______
81. They (masc.) read (past). ______
82. We finished. ______
83. We did not finish. ______
84. They (fem.) have finished. ______
85. I have finished. ______
86. Have you finished? ______
87. She has seen. ______
88. We have seen. ______
89. They (masc.) have finished. ______
90. We have prepared. ______
91. I have read. ______
92. Have you read? ______
93. Has he read? ______

94. We have prepared. ____________
95. They (masc.) have heard. ____________

This was a difficult test. If you have eighty or more correct answers you are doing extremely well. If you have no more than sixty-five correct answers, you had better review the verbs before you go on to the next lessons. Remember that the verbs are the backbone of the French language.

Check your verbs with the correct answers below.

1. Je vais acheter.
2. Je vais travailler.
3. Je vais inviter.
4. Je vais dîner.
5. Allez-vous à Paris?
6. Allez-vous travailler?
7. Allez-vous inviter?
8. Paul est.
9. Paul n'est pas.
10. Le bébé est.
11. Le bébé n'est pas.
12. La ferme est.
13. La ferme n'est pas.
14. Je ne vais pas travailler.
15. Je ne vais pas parler.
16. Allez-vous parler?
17. Je vais aider.
18. Je ne vais pas aider.
19. Allez-vous aider?
20. Je vais finir.
21. Je ne vais pas finir.
22. J'ai fini.
23. Avez-vous fini?
24. J'ai acheté.
25. Avez-vous acheté?
26. Allez-vous acheter?
27. Allez-vous finir?
28. Il va travailler.
29. Elle va finir.
30. Est-ce que Paul va finir?
31. Je vais lire.
32. Allez-vous lire?
33. Je ne vais pas lire.
34. Je vais vendre.
35. Allez-vous vendre?
36. Je ne vais pas vendre.
37. Est-ce que Paul va lire?
38. Est-ce que Pauline va chanter?
39. Est-ce que Paul va travailler?
40. Comment allez-vous?
41. Comment va Paul?
42. Il va lire.
43. Est-ce qu'il va lire?
44. Il ne va pas lire.
45. Elle va vendre.
46. Est-ce qu'elle va vendre?
47. Elle ne va pas vendre.
48. Vous allez commencer.
49. Allez-vous commencer?
50. Vous n'allez pas commencer.
51. J'ai travaillé.
52. Je n'ai pas travaillé.
53. Il a travaillé.
54. Il n'a pas travaillé.
55. J'ai fini.
56. Je n'ai pas fini.
57. J'ai lu.

58. Avez-vous lu?
59. Il n'a pas lu.
60. Elle n'a pas lu.
61. J'ai vendu.
62. Avez-vous vendu?
63. Je n'ai pas vendu.
64. Il n'a pas vendu.
65. J'ai entendu.
66. Je n'ai pas entendu.
67. Avez-vous entendu?
68. Allez-vous entendre?
69. Est-ce qu'il a lu?
70. Est-ce qu'il a vendu?
71. J'ai vu.
72. Je n'ai pas vu.
73. Il a vu.
74. Est-ce qu'il a vu?
75. Je vais voir.
76. Allez-vous voir?
77. Nous avons vu.
78. Ils ont vu.
79. Elles ont travaillé.
80. Nous avons lu.
81. Ils ont lu.
82. Nous avons fini.
83. Nous n'avons pas fini.
84. Elles ont fini.
85. J'ai fini.
86. Avez-vous fini?
87. Elle a vu.
88. Nous avons vu.
89. Ils ont fini.
90. Nous avons préparé.
91. J'ai lu.
92. Avez-vous lu?
93. Est-ce qu'il a lu?
94. Nous avons préparé.
95. Ils ont entendu.

TEST III

Now let us see how well you can form complete sentences. Translate the following English sentences into French.

1. Paul is at the office. ______
2. I am going to the movies tonight. ______
3. I am going to have dinner with Paul. ______
4. It is not important. ______
5. It is not good. ______
6. I am not going to work this morning. ______
7. I am not going to talk to Paul this evening. ______
8. I am going to Paris on Monday. ______
9. I am going to help Pauline. ______
10. Are you going to finish the work? ______

11. Did you finish the lesson? ______
12. I finished the letter. ______
13. Paul is going to sell the house. ______
14. I am going to read the newspaper. ______
15. She is not going to the office on Monday. ______
______
16. I read (past) an interesting article in the newspaper. ______
______
17. He read (past) a joke in the magazine. ______
18. Have you read the newspaper this morning? ______
______
19. I heard a joke at the office this morning. ______
______
20. I read (past) an interesting story last night. ______
______
21. I am going to see Paul tomorrow. ______
22. Are you going to see Louise tomorrow? ______
______
23. I saw an interesting play last night. ______
24. Did you see the moon tonight? ______
25. I have a piano. ______
26. Have you an apartment? ______
27. They (masc.) have a car. ______
28. We have worked a lot lately. ______
29. I have not written the letter. ______
30. Have you seen Paul lately? ______

If you made no more than five errors you are doing superior work. Read the next lessons at the same speed. Try to keep up the high caliber of your work. If you made ten errors or more, we highly recommend that you review the last ten lessons.

Check your sentences with the correct answers below:

1. Paul est au bureau.
2. Je vais au cinéma ce soir.
3. Je vais dîner avec Paul.
4. Ce n'est pas important.
5. Ce n'est pas bon.
6. Je ne vais pas travailler ce matin.
7. Je ne vais pas parler à Paul ce soir.

8. Je vais à Paris lundi.
9. Je vais aider Pauline.
10. Allez-vous finir le travail?
11. Avez-vous fini la leçon?
12. J'ai fini la lettre.
13. Paul va vendre la maison.
14. Je vais lire le journal.
15. Elle ne vas pas au bureau lundi.
16. J'ai lu un article intéressant dans le journal.
17. Il a lu une plaisanterie dans la revue.
18. Avez-vous lu le journal ce matin?
19. J'ai entendu une plaisanterie au bureau ce matin.
20. J'ai lu une histoire intéressante hier soir.
21. Je vais voir Paul demain.
22. Allez-vous voir Louise demain?
23. J'ai vu une pièce intéressante hier soir.
24. Avez-vous vu la lune ce soir?
25. J'ai un piano.
26. Avez-vous un appartement?
27. Ils ont une auto.
28. Nous avons beaucoup travaillé dernièrement.
29. Je n'ai pas écrit la lettre.
30. Avez-vous vu Paul dernièrement?

20
Leçon Numéro Vingt

"Je suis" means *"I am."*

"Êtes-vous" means "Are you." "Êtes" is pronounced "et" as in *"Et cetera."*

> Êtes-vous chez Louise? *Are you at Louise's house?*
> Je suis chez Louise. *I am at Louise's house.*
> Je ne suis pas chez Louise. *I am not at Louise's house.*

When "suis" is followed by a word that begins with a vowel the final "s" in "suis" is pronounced and also run together with the word that follows it. This letter "s" is pronounced as the *"z"* in *"zero."*

> Je suis‿au bureau. *I am at the office.*
> Je suis‿au cinéma. *I'm at the movies.*
> Je suis‿au restaurant. *I'm at the restaurant.*

Remember that when an adjective ends in a consonant, the final letter is not pronounced in the masculine form. The final letter *is* pronounced in the feminine form.

When an adjective ends in "e," the masculine and feminine forms are pronounced in exactly the same way. When an adjective ends in "é" (accented) or "ée" (accented) these masculine and feminine forms are pronounced the same way, to all intents and purposes. Hang onto the feminine "ée" a hair's-breadth longer.

WORDS TO REMEMBER

MASCULINE (for men)	FEMININE (for women)
Je suis surpris.	**Je suis surprise.**
I'm surprised.	*I'm surprised.*
Je suis prêt.	**Je suis prête.**
I'm ready.	*I'm ready.*
Je suis‿occupé.	**Je suis‿occupée.**
I'm busy.	*I'm busy.*
Je suis fatigué.	**Je suis fatiguée.**
I'm tired.	*I'm tired.*
Je suis pressé.	**Je suis pressée.**
I'm in a hurry (pressed for time).	*I'm in a hurry.*
Je suis malade.	**Je suis malade.**
I'm sick.	*I'm sick.*
Je ne suis pas stupide.	**Je ne suis pas stupide.**
I'm not stupid.	*I'm not stupid.*
Êtes-vous marié?	**Êtes-vous mariée?**
Are you married?	*Are you married?*
Il est riche.	**Elle est riche.**
He is rich.	*She is rich.*

mais, *but*
où, *where*
au, *to the, at the*
au cinéma, *to the movies, at the movies*
Louise va, *Louise is going*
trop, *too, too much*
trop fatigué(e), *too tired*
trop pressé(e), *too pressed, in too much of a hurry*

NOTE: The word "trop" is pronounced, "tro." The letter "*p*" is silent.

CONVERSATION

Êtes-vous stupide?
Oh non, je ne suis pas stupide. Je suis très, très‿intelligent(e).

Êtes-vous fatigué(e)?
Non, je suis surpris (surprise); j'ai beaucoup travaillé ce soir, mais je ne suis pas fatigué(e).

Êtes-vous malade?
Non, je ne suis pas malade.

Êtes-vous marié(e)?
Non, je ne suis pas marié(e).

Êtes-vous‿occupé(e)?
Oui, je suis très‿occupé(e) ce matin.

Êtes-vous riche?
Oh non, c'est‿absolument ridicule. Je ne suis pas riche.

Où êtes-vous?
Je suis‿au bureau.

Allez-vous‿au cinéma ce soir?
Non, je ne vais pas‿au cinéma ce soir. Je suis trop fatigué(e).

Allez-vous chez Paul?
Non, je ne vais pas chez Paul. Je suis trop pressé(e).

Où est Monsieur Dufrac?
Monsieur Dufrac est‿au théâtre.

Est-ce que Monsieur Dufrac est riche?
Oui, il est très riche.

Est-ce que Monsieur Dufrac est marié?
Oh non, Monsieur Dufrac n'est pas marié.

Est-ce que Louise va au cinéma?
Oui, Louise va au cinéma.

Est-ce que Louise est prête?
Oui, elle est prête.

Est-ce que Pierre va au cinéma?
Oui, Pierre va au cinéma.

Est-ce que Pierre est prêt?
Non, il n'est pas prêt.

Allez-vous‿étudier la leçon ce soir?
Oui, je vais‿étudier la leçon ce soir.

Est-ce que la leçon est difficile?
Non, la leçon n'est pas difficile.

Est-ce que la leçon est facile?
Oui, la leçon est très facile.

Read the following adjectives aloud. Remember that if an adjective ends in a consonant, this final consonant is not sounded in the masculine, but is sounded in the feminine.

MASCULINE	FEMININE
charmant, *charming*	charmante
intéressant, *interesting*	intéressante
prêt, *ready*	prête
surpris, *surprised*	surprise
amusant, *amusing*	amusante
important, *important*	importante
fatigué, *tired*	fatiguée
occupé, *busy*	occupée
marié, *married*	mariée
pressé, *in a hurry*	pressée
malade, *sick*	malade
stupide, *stupid*	stupide
riche, *rich*	riche
rouge, *red*	rouge
facile, *easy*	facile
difficile, *difficult*	difficile
timide, *timid*	timide
terrible, *terrible*	terrible
horrible, *horrible*	horrible
ridicule, *ridiculous*	ridicule
humide, *damp*	humide

PLURAL NOUNS

The plural of "le" (*"the,"* masc.) and "la" (*"the,"* fem.) is "les." In general, to form the plural of French nouns, add an "s" to the singular. This "s" is not pronounced.

SINGULAR	PLURAL
le train, *the train*	les trains, *the trains*
le film, *the film*	les films, *the films*
le contrat, *the contract*	les contrats, *the contracts*
le câble, *the cable*	les câbles, *the cables*
le chèque, *the check*	les chèques, *the checks*
le billet, *the ticket*	les billets, *the tickets*
le programme, *the program*	les programmes, *the programs*
la boîte, *the box*	les boîtes, *the boxes*
la forêt, *the forest*	les forêts, *the forests*
la maison, *the house*	les maisons, *the houses*
la banque, *the bank*	les banques, *the banks*
la gare, *the station*	les gares, *the stations*
la plage, *the beach*	les plages, *the beaches*
l'hôtel (masc.), *the hotel*	les‿hôtels, *the hotels*
l'enveloppe (fem.), *the envelope*	les‿enveloppes, *the envelopes*
l'avion (masc.), *the plane*	les‿avions, *the planes*
l'opéra (masc.), *the opera*	les‿opéras, *the operas*
l'église (fem.), *the church*	les‿églises, *the churches*
l'heure (fem.), *the hour*	les‿heures, *the hours*
l'été (masc.), *the summer*	les‿étés, *the summers*

POSITION OF ADJECTIVES

In French adjectives usually follow nouns.

le programme intéressant, *the interesting program*
la revue intéressante, *the interesting magazine*
le roman amusant, *the amusing novel*
la pièce amusante, *the amusing play*
la plage tranquille, *the quiet beach*
le discours politique, *the political speech*

AGREEMENT OF ADJECTIVES

If a noun is masculine, it is followed by a masculine adjective, and if a noun is feminine, it is followed by a feminine adjective. Boys don't mix with girls grammatically as they do in real life.

FEMININE SINGULAR

la lettre importante, *the important letter*
la revue intéressante, *the interesting magazine*
la robe élégante, *the elegant dress*
la leçon facile, *the easy lesson*
la plage tranquille, *the quiet beach*

MASCULINE SINGULAR

le télégramme important, *the important telegram*
le roman amusant, *the amusing novel*
le livre facile, *the easy book*
l'hôtel tranquille, *the quiet hotel*

If a noun is masculine *plural*, it is followed by a masculine plural adjective.

If a noun is a feminine *plural*, it is followed by a feminine plural adjective.

In other words, adjectives must agree with nouns in number and gender. Notice that the "s," which is added to the noun in order to make it plural, is also added to the adjective.

MASCULINE SINGULAR

le client important, *the important client*
le message urgent, *the urgent message*
le film intéressant, *the interesting film*
le programme politique, *the political program*
l'homme intelligent, *the intelligent man*

MASCULINE PLURAL

les clients‿importants, *the important clients*
les messages urgents, *the urgent messages*
les films intéressants, *the interesting films*
les programmes politiques, *the political programs*
les‿hommes intelligents, *the intelligent men*

FEMININE SINGULAR

la pièce intéressante, *the interesting play*
la comédie amusante, *the amusing comedy*
la plage tranquille, *the quiet beach*

la revue politique, *the political magazine*
la rose rouge, *the red rose*
la leçon facile, *the easy lesson*

FEMININE PLURAL

les pièces intéressantes, *the interesting plays*
les comédies‿amusantes, *the amusing comedies*
les plages tranquilles, *the quiet beaches*
les revues politiques, *the political magazines*
les roses rouges, *the red roses*
les leçons faciles, *the easy lessons*

SENTENCE-FORMING EXERCISE

	MASCULINE (for men)	FEMININE (for women)
Je suis (*I am*)	surpris (*surprised*)	surprise
Êtes-vous (*Are you*)	prêt	prête
Vous‿êtes (*You are*)	charmant	charmante
Il est	amusant	amusante
Elle est	occupé	occupée
Pierre est	fatigué	fatiguée
Marie est	pressé	pressée
Je ne suis pas	riche	riche
Vous n'êtes pas	malade	malade
Il n'est pas	stupide	stupide
Elle n'est pas	timide	timide
Pierre n'est pas	patient	patiente
Le docteur n'est pas	impatient	impatiente
La leçon est	facile	facile
	difficile	difficile

EXERCISE IN TRANSLATION

Translate the following sentences into French and check them with the correct translations below this exercise:

1. I (masc.) am not ready.
2. Susan is sick.
3. Is Paul married?

4. He isn't going to the movies this evening; we (masc.) are too tired. We are going to the movies tomorrow.
5. Philip is not at the office; he is at the doctor's.
6. They (masc.) are in too much of a hurry.
7. She is very busy.
8. Are you going to Paul's house? No, I am very tired (masc.).
9. Is dinner ready?
10. Are you (fem.) very busy?
11. They (fem.) are charming.
12. The play is very amusing.
13. Susan is timid.
14. The story is ridiculous.
15. The film is not amusing.
16. The doctor is very patient.
17. The lesson is easy.
18. The book is easy.
19. Louise is at the theater.
20. Are you (masc.) ready?
21. Are you (fem.) ready?
22. The film is ridiculous.
23. Where is Peter?
24. The doctor is very busy.
25. She is not sick.
26. Is the dress ready?
27. Peter is going to the theater.
28. She isn't going to the movies.

Check your sentences with the correct translations below. After you have checked each of your French sentences, read it aloud, again and again, so that the language is as familiar to your ear and your tongue as it is to your mind.

1. Je ne suis pas prêt.
2. Suzanne est malade.
3. Est-ce que Paul est marié?
4. Il ne va pas au cinéma ce soir; nous sommes trop fatigués. Nous allons au cinéma demain.
5. Philippe n'est pas au bureau; il est chez le docteur.
6. Ils sont trop pressés.
7. Elle est très occupée.

8. Allez-vous chez Paul? Non, je suis très fatigué.
9. Est-ce que le dîner est prêt?
10. Êtes-vous très occupée?
11. Elles sont charmantes.
12. La pièce est très amusante.
13. Suzanne est timide.
14. L'histoire est ridicule.
15. Le film n'est pas amusant.
16. Le docteur est très patient.
17. La leçon est facile.
18. Le livre est facile.
19. Louise est au théâtre.
20. Êtes-vous prêt?
21. Êtes-vous prête?
22. Le film est ridicule.
23. Où est Pierre?
24. Le docteur est très occupé.
25. Elle n'est pas malade.
26. Est-ce que la robe est prête?
27. Pierre va au théâtre.
28. Elle ne va pas au cinéma.

EXTRA WORDS

(THE COMPARATIVE AND THE SUPERLATIVE)

ADJECTIVE	COMPARATIVE	SUPERLATIVE
	plus, *more*	
grand	**plus grand**	**le plus grand**
big, tall	*bigger, taller*	*the biggest, tallest*
petit (masc.)	**plus petit**	**le plus petit**
small, little	*smaller, littler*	*the smallest, littlest*
petite (fem.)	**plus petite**	**la plus petite**
small, little	*smaller*	*smallest*
joli	**plus joli**	**le plus joli**
pretty	*prettier*	*the prettiest*
laid	**plus laid**	**le plus laid**
ugly	*uglier*	*ugliest*

An adjective that becomes an entirely different word in the comparative (in both French and English) is:

bon (masc.)	**meilleur**	**le meilleur**
good	*better*	*the best*
bonne (fem.)	**meilleure**	**la meilleure**
good	*better*	*the best*

EXAMPLES:

Ce chapeau est PLUS joli que l'autre.
This hat is prettier than the other.

Le chapeau rouge est le PLUS joli.
The red hat is the prettiest.

LE livre LE plus‿intéressant.
The most interesting book.

L'hôtel LE plus cher. *The most expensive hotel.*

LA pièce LA plus‿amusante.

Notice how the article is repeated in the last three sentences.

REMINDER CARD

MASCULINE	FEMININE
Je suis prêt.	Je suis prête.
Paul est surpris.	Louise est surprise.
Il est surpris.	Elle est surprise.
Je ne suis pas riche.	Je ne suis pas riche.
Il n'est pas malade.	Elle n'est pas malade.
Paul n'est pas malade.	Louise n'est pas malade.
Êtes-vous marié?	Êtes-vous mariée?
Êtes-vous pressé?	Êtes-vous pressée?

21
Leçon Numéro Vingt-et-un

In French you do not say "I arrived." You say instead, "*I am arrived*" (Je suis‿arrivé). There are many long, grammatical names and explanations for the word "arrivé," but I would like you to think of it as if it were a simple adjective, just like the other adjectives you have learned. Then it will not startle you to discover that "arrivé" has a masculine and a feminine form.

Je suis‿arrivé (masculine). *I arrived (I am arrived).*
Je suis‿arrivée (feminine). *I arrived (I am arrived).*
Il est‿arrivé. *He arrived (He is arrived).*
Elle est‿arrivée. *She arrived (She is arrived).*
Paul est‿arrivé. *Paul arrived (Paul is arrived).*
Marie est‿arrivée. *Mary arrived (Mary is arrived).*
Êtes-vous‿arrivé(e)? *Did you arrive? (Are you arrived)?*

In French you do not say "*I went.*" You say instead "*I am gone*" (Je suis‿allé).

"Allé" also has a masculine and a feminine form.

Je suis‿allé (masc.). *I went (I am gone).*
Je suis‿allée (fem.). *I went (I am gone).*
Il est‿allé. *He went (He is gone).*
Elle est‿allée. *She went (She is gone).*
Pierre est‿allé. *Peter went (Peter is gone).*
Pauline est‿allée. *Pauline went (Pauline is gone).*
Êtes-vous‿allé(e)? *Did you go (Are you gone)?*

If there is the slightest confusion about this in your mind, just relax and read on.

All you have to remember in this lesson is that:

1. **"Je suis‿allé(e)"** means *"I went."*
2. **"Êtes-vous‿allé(e)?"** means *"Did you go?"*

WORDS TO REMEMBER

la poste, *the post office*
la banque, *the bank*
la gare, *the station*
le coiffeur, *the hairdresser, the barber*
au, *to the, at the* (masc., contraction of "à le")
au concert, *to the concert*
à la, *to the, at the* (fem.)
à la poste, *to the post office.*

Je suis‿allé (allée). *I went.*
Je ne suis pas‿allé (allée). *I didn't go.*
Êtes-vous‿allé (allée)? *Did you go?*
Je suis‿allé(e) chez le dentiste. *I went to the dentist's.*
Je suis‿allé(e) chez le docteur. *I went to the doctor's.*
Je suis‿allé(e) chez le coiffeur. *I went to the hairdresser's. I went to the barber's.*

CONVERSATION

Êtes-vous‿allé (allée, fem.) au bureau ce matin? *Did you go to the office this morning?*
Oui, je suis‿allé (allée) au bureau ce matin. *Yes, I went to the office this morning.*

Êtes-vous‿allé(e) chez Louise?
Oui, je suis‿allé(e) chez Louise.

Êtes-vous‿allé(e) au cinéma?
Oui, je suis‿allé(e) au cinéma.

Êtes-vous‿allé(e) au concert?
Oui, je suis‿allé(e) au concert.

Êtes-vous‿allé(e) au ballet?
Oui, je suis‿allé(e) au ballet.

Êtes-vous‿allé(e) chez le dentiste ce matin?
Oui, je suis‿allé(e) chez le dentiste ce matin.

Êtes-vous‿allé(e) chez le docteur ce matin?
Non, je ne suis pas‿allé(e) chez le docteur ce matin.

Êtes-vous‿allé(e) chez le coiffeur hier matin?
Oui, je suis‿allé(e) chez le coiffeur hier matin.

Êtes-vous‿allé(e) à la poste?
Oui, je suis‿allé(e) à la poste.

Êtes-vous‿allé(e) à la banque?
Oui, je suis‿allé(e) à la banque.

Êtes-vous‿allé(e) à la gare?
Oui, je suis‿allé(e) à la gare.

Êtes-vous‿allé(e) au théâtre?
Oui, je suis‿allé(e) au théâtre ce soir. J'ai vu une pièce très‿ amusante.

SENTENCE-FORMING EXERCISES

A

1	2
Êtes-vous‿arrivé(e) (*Did you arrive*)	à la gare
Je suis‿arrivé(e) (*I arrived*)	avec Suzanne
Il est‿arrivé (*He arrived*)	après le dîner
Philippe est‿arrivé	aujourd'hui
Il n'est pas‿arrivé	chez Robert
Paul n'est pas‿arrivé	chez Suzanne
Elle est‿arrivée	ce matin
Louise est‿arrivée	hier
Elle n'est pas‿arrivée	hier soir

B

1	2	3
Êtes-vous‿allé(e) (*Did you go*)	à la poste	ce matin
	à la campagne	ce soir
Je suis‿allé(e) (*I went, I have gone*)	chez Louise	avec Paul
	au théâtre	hier soir
Il est‿allé	au ballet	avec Philippe
Le docteur est‿allé	chez le coiffeur	après le dîner
Paul est‿allé	au concert	dernièrement
Paul n'est pas‿allé	chez le dentiste	avec Robert
Louise est‿allée	à la banque	aujourd'hui
Elle est‿allée	à l'hôtel	avec Louise
Elle n'est pas‿allée	au restaurant	
	à la gare	
	au bureau	
	au cinéma	

EXERCISE IN TRANSLATION

Translate the following sentences into French and check them with the correct translations below this exercise.

1. Did you go (masc.) to the dentist's this morning?
2. I went (fem.) to the post office today.
3. Philip arrived last night.
4. I didn't go (masc.) to the office yesterday, but I went to the office today.
5. Did you go (fem.) to the doctor's with Susan?
6. He went to the country for the weekend.
7. She arrived this morning.
8. Paul went to the restaurant this evening.
9. Philip didn't go to the station with Louise.
10. He arrived today with Paul.
11. Did you go (masc.) to the barber's yesterday?
12. She went to Louise's today.
13. Susan arrived this morning.
14. Did you go (fem.) to the office this morning?
15. Louise went to the theater last night.
16. I arrived (fem.) this morning.
17. Paul didn't go to the bank.

18. Did you arrive (masc.) today?
19. Did you arrive (fem.) today?
20. I went (masc.) to the concert with Louise after dinner.
21. Did you arrive (fem.) last night?

Check your sentences with the correct translations below.

1. Êtes-vous allé chez le dentiste ce matin?
2. Je suis allée à la poste aujourd'hui.
3. Philippe est arrivé hier soir.
4. Je ne suis pas allé au bureau hier, mais je suis allé au bureau aujourd'hui.
5. Êtes-vous allée chez le docteur avec Suzanne?
6. Il est allé à la campagne pour le weekend.
7. Elle est arrivée ce matin.
8. Paul est allé au restaurant ce soir.
9. Philippe n'est pas allé à la gare avec Louise.
10. Il est arrivé aujourd'hui avec Paul.
11. Êtes-vous allé chez le coiffeur hier?
12. Elle est allée chez Louise aujourd'hui.
13. Suzanne est arrivée ce matin.
14. Êtes-vous allée au bureau ce matin?
15. Louise est allée au théâtre hier soir.
16. Je suis arrivée ce matin.
17. Paul n'est pas allé à la banque.
18. Êtes-vous arrivé aujourd'hui?
19. Êtes-vous arrivée aujourd'hui?
20. Je suis allé au concert avec Louise après le dîner.
21. Êtes-vous arrivée hier soir?

REMINDER CARD

Êtes-vous‿allé(e)	à la banque	avec Paul
Je suis‿allé(e)	chez le dentiste	avec Suzanne
Il est‿allé	à la poste	aujourd'hui
Elle est‿allée	chez le coiffeur	
Je ne suis pas‿allé(e)	au concert	après le dîner
Paul n'est pas‿allé	chez le pianiste	pour le weekend
Suzanne n'est pas‿allée	à la gare	hier matin

22
Leçon Numéro Vingt-deux

Remember that when "le" ("*the*," masc.) is followed by a word that begins with "h" or "a, e, i, o, u" it becomes "l'."

EXAMPLES:

l'hôpital, *the hospital*	l'avion, *the plane*
l'homme, *the man*	l'hôtel, *the hotel*

When "la" ("*the*," fem.) is followed by "h" or "a, e, i, o, u" it also becomes "l'."

EXAMPLES:

l'orange, *the orange*	l'église, *the church*
une orange, *an orange*	une église, *a church*

You also remember that if you put "Est-ce que" before a statement, the statement becomes a question.

1. Paul est‿allé à Paris. *Paul went to Paris* (*Paul is gone to Paris*).
2. Est-ce que Paul est‿allé à Paris? *Did Paul go to Paris?*
1. Pierre est‿allé au cinéma. *Peter went to the movies.*
2. Est-ce que Pierre est‿allé au cinéma? *Did Peter go to the* movies?
1. Louise est‿allée au bureau. *Louise went to the office.*
2. Est-ce que Louise est‿allée au bureau? *Did Louise go to the office?*

WORDS TO REMEMBER

en taxi, *in a taxi*
en train, *on a train, by train*
en‿avion, *on a plane, by plane*
l'hôtel, *the hotel*
l'hôpital, *the hospital*
l'église, *the church*
dimanche, *Sunday, on Sunday*
avec, *with*
heure, *hour*
heures, *hours*
trois, *three*
huit, *eight*
dix, *ten*
à trois heures, *at three o'clock (at three hours)*
à huit‿heures, *at eight o'clock*
à dix‿heures, *at ten o'clock*
à quelle heure? *at what time? (at what hour?)*
en retard, *late*
à l'heure, *on time (at the hour)*

Je suis allé(e). *I went.*
Je ne suis pas allé(e). *I didn't go.*
Êtes-vous‿allé(e)? *Did you go?*
Pierre est‿allé. *Peter went.*
Est-ce que Pierre est‿allé? *Did Peter go?*
Je suis‿arrivé(e). *I arrived, I got here, I got there.*
Êtes-vous‿arrivé(e)? *Did you arrive? Did you get here? Did you get there?*
Pierre est‿arrivé. *Peter arrived, Peter got here, got there.*
Est-ce que Pierre est‿arrivé? *Did Peter get here? Did Peter get there?*

CONVERSATION

Êtes-vous‿allé(e) au théâtre hier soir? *Did you go to the theater last night?*
Oui, je suis‿allé(e) au théâtre hier soir.

Êtes-vous‿allé(e) au théâtre avec Paul?
Oui, je suis‿allé(e) au théâtre avec Paul.

Êtes-vous‿allé(e) au théâtre en taxi?
Oui, je suis‿allé(e) au théâtre en taxi.

À quelle heure êtes-vous‿arrivé(e) au théâtre?
Je suis‿arrivé(e) au théâtre à huit‿heures.

Êtes-vous‿allé(e) au concert avec Louise samedi?
Oui, je suis‿allé(e) au concert avec Louise samedi.

Êtes-vous‿allé(e) au concert en taxi?
Oui, je suis‿allé(e) au concert en taxi.

À quelle heure êtes-vous‿allé(e) au concert?
Je suis‿allé(e) au concert à trois‿heures.

Êtes-vous‿allé(e) à l'église dimanche?
Oui, je suis‿allé(e) à l'église dimanche.

À quelle heure êtes-vous‿allé(e) à l'église?
Je suis‿allé(e) à l'église à dix‿heures.

Êtes-vous‿allé(e) à l'église en taxi?
Oui, je suis‿allé(e) à l'église en taxi.

Êtes-vous‿allé(e) à Paris pour le weekend?
Oui, je suis‿allé(e) à Paris pour le weekend.

Êtes-vous‿allé(e) à Paris en taxi?
Non, je ne suis pas‿allé(e) à Paris en taxi.

Êtes-vous‿allé(e) à Paris en‿avion?
Non, je ne suis pas‿allé(e) à Paris en‿avion.

Êtes-vous‿allé(e) à Paris en train?
Oui, je suis‿allé(e) à Paris en train.

À quelle heure êtes-vous‿arrivé(e) à Paris?
Je suis‿arrivé(e) à Paris à huit‿heures.

Êtes-vous‿allé(e) à l'hôtel en taxi?
Oui, je suis‿allé(e) à l'hôtel en taxi.

Êtes-vous‿allé(e) au cinéma?
Non, je ne suis pas‿allé(e) au cinéma.

Êtes-vous‿allé(e) à l'hôpital?
Non, je ne suis pas‿allé(e) à l'hôpital.

Est-ce que Paul est‿allé à Paris? *Did Paul go to Paris?*
Oui, Paul est‿allé à Paris dimanche.

Est-ce que Suzanne est‿allée au concert?
Oui, Suzanne est‿allée au concert.

Est-ce que le docteur est‿allé à l'hôpital?
Oui, le docteur est‿allé à l'hôpital.

Êtes-vous‿arrivé(e) en retard ce matin?
Oui, je suis‿arrivé(e) en retard ce matin.

Êtes-vous‿arrivé(e) en retard hier?
Non, je ne suis pas‿arrivé(e) en retard hier.

Êtes-vous‿arrivé(e) au bureau à l'heure?
Oui, je suis‿arrivé(e) au bureau à l'heure.

Est-ce que Pierre est‿arrivé en retard au bureau?
Oui, Pierre est‿arrivé en retard au bureau.

Est-ce que Monsieur Dufrac est‿allé au bureau?
Oh non, Monsieur Dufrac n'est pas‿allé au bureau.

Est-ce que Monsieur Dufrac est‿allé à Biarritz?
Oui, Monsieur Dufrac est‿allé à Biarritz.

Est-ce que Monsieur Dufrac est‿arrivé hier à Biarritz?
Oui, Monsieur Dufrac est‿arrivé hier à Biarritz.

SENTENCE-FORMING EXERCISES

For practice combine the words below to form as many sentences as you can.

A

1	2	3	4
Je suis‿	allé	à Paris	en‿avion
Êtes-vous‿	allée	au théâtre	en taxi
Il est‿	arrivé	au bureau	à huit‿heures
Elle est‿	arrivée	au concert	à trois‿heures
Pierre est‿		à l'église	dimanche
Est-ce que Pierre est‿		à l'hôtel	avec Paul
Est-ce que Louise est‿		à l'hôpital	à dix‿heures
		à la campagne	avec Louise
			en train
			en retard
			à l'heure (on time)

B

1	2	3
À quelle heure	êtes-vous‿allé(e)	au cinéma?
	êtes-vous‿arrivé(e)	à Paris?
	(*did you arrive, get*	au bureau?
	there, get here)	à l'hôtel?
		à l'église?
		à l'hôpital?
		à la campagne?

EXERCISE IN TRANSLATION

Translate the following sentences into French and check them with the correct translations below this exercise.

1. I went to Paris by plane.
2. I went to the theater in a taxi.
3. I went to church on Sunday.
4. Did you go to the concert with Paul?
5. He went to the office at eight o'clock.
6. She went to the office at ten o'clock.
7. I arrived on time this morning.
8. I arrived late yesterday.
9. Did you get to the theater on time?
10. Did Peter get to the office on time?
11. Peter got to the office late.
12. Did Louise go to the hospital?
13. I'm late.
14. He's late.
15. She's late.
16. He's on time.
17. She's on time.
18. At what time did you go to the movies?
19. At what time did you get to the hotel?
20. At what time did you go to church?
21. At what time did you get to the hospital?
22. At what time did you get to the office this morning?

Check your sentences with the translations below:

1. Je suis allé(e) à Paris en avion.
2. Je suis allé(e) au théâtre en taxi.
3. Je suis allé(e) à l'église dimanche.
4. Êtes-vous allé(e) au concert avec Paul?
5. Il est allé au bureau à huit heures.
6. Elle est allée au bureau à dix heures.
7. Je suis arrivé(e) à l'heure ce matin.
8. Je suis arrivé(e) en retard hier.
9. Êtes-vous arrivé(e) au théâtre à l'heure?
10. Est-ce que Pierre est arrivé au bureau à l'heure?
11. Pierre est arrivé en retard au bureau.
12. Est-ce que Louise est allée à l'hôpital?
13. Je suis en retard.
14. Il est en retard.
15. Elle est en retard.
16. Il est à l'heure.
17. Elle est à l'heure.
18. À quelle heure êtes-vous allé(e) au cinéma?
19. À quelle heure êtes-vous arrivé(e) à l'hôtel?
20. À quelle heure êtes-vous allé(e) à l'église?
21. À quelle heure êtes-vous arrivé(e) à l'hôpital?
22. À quelle heure êtes-vous arrivé(e) au bureau ce matin?

CATEGORY XII

You can convert most English words that end in "*sm*" into French words by adding the letter "e" to them. These words are masculine.

SM = SME

the optimism, l'optimisme

l'absentéisme (*absenteeism*)
l'altruisme
l'antagonisme
l'athéisme
le cataclysme
le catholicisme

le communisme
le criticisme
le despotisme
l'égotisme
l'enthousiasme (*enthusiasm*)
l'euphémisme
l'héroïsme

l'hypnotisme
l'idéalisme
l'impressionnisme (*impressionism*)
le journalisme
le lyrisme (*lyricism*)

le magnétisme
le maniérisme
(*mannerism*)
le métabolisme
le militarisme
le mysticisme
le nationalisme
l'optimisme

l'organisme
le pacifisme
le paroxysme
le patriotisme
le pessimisme
le puritanisme
le réalisme

le rhumatisme
(*rheumatism*)
le sarcasme
le scepticisme
(*skepticism*)
le socialisme
le spasme
le symbolisme

REMINDER CARD

Je suis‿arrivé(e)		à l'hôtel	en taxi
Êtes-vous‿arrivé(e)		à l'hôpital	à huit‿heures
Paul est‿arrivé		à l'église	à dix‿heures
Est-ce-que Paul est‿arrivé		en retard	dimanche
Est-ce que Louise estarrivée ‿		à l'heure	lundi
À quelle heure	êtes-vous‿arrivé(e)		à l'église?
	êtes-vous‿arrivé(e)		à l'hôpital?

23 Leçon Numéro Vingt-trois

You have learned that adjectives have masculine and feminine forms.

EXAMPLES:

Il est‿occupé. *He is busy.*
Elle est‿occupée. *She is busy.*
"Occupé" is masculine.
"Occupée" is feminine.

The plural is formed by adding the letter "s" to the masculine or to the feminine. This letter "s" is not pronounced.

SINGULAR	PLURAL
Masculine: **occupé**	Masculine: **occupés**
Feminine: **occupée**	Feminine: **occupées**

"Occupé, occupée, occupés," and "occupées" are all pronounced in the same way, to all intents and purposes. Hang onto the feminine "ée" a hair's-breadth longer.

Nous sommes. *We are.*
Ils sont (masc.). *They are.*
Elles sont (fem.). *They are.*

Repeat these sentences aloud:

Nous sommes‿occupés (masc.). *We are busy.*
Nous sommes‿occupées (fem.). *We are busy.*

Ils sont occupés (masc.). *They are busy.*
Elles sont occupées (fem.). *They are busy.*
Nous sommes pressés (masc.). *We are in a hurry* (We are pressed [for time]).
Ils sont pressés (masc.). *They are in a hurry.*
Elles sont pressées (fem.). *They are in a hurry.*
Nous sommes fatigués (masc.). *We are tired.*
Ils sont fatigués (masc.). *They are tired.*
Elles sont fatiguées (fem.). *They are tired.*

SINGULAR		PLURAL	
Masculine	*Feminine*	*Masculine*	*Feminine*
occupé, *busy*	occupée	occupés	occupées
fatigué, *tired*	fatiguée	fatigués	fatiguées
marié, *married*	mariée	mariés	mariées
pressé, *in a hurry*	pressée	pressés	pressées

Remember that when you speak of both a man and a woman you must use the masculine form: Ils sont fatigués (masc.). *They are tired* (a man and a woman).

"Arrivé, arrivée, arrivés," and "arrivées" are all pronounced in the same way, to all intents and purposes. Hang onto the feminine "ée" a hair's-breadth longer.

Il est arrivé. *He arrived* (*He is arrived*).
Elle est arrivée. *She arrived* (*She is arrived*).
Nous sommes arrivés (masc.). *We arrived* (*We are arrived*).
Nous sommes arrivées (fem.). *We arrived* (*We are arrived*).
Ils sont arrivés (masc.). *They arrived* (*They are arrived*).
Elles sont arrivées (fem.). *They arrived.*

"Allé, allée, allés," and "allées" are pronounced in the same way.

Je suis allé (masc.). *I went* (*I am gone*).
Elle est allée (fem.). *She went* (*She is gone*).
Nous sommes allés (masc.). *We went* (*We are gone*).
Ils sont allés (masc.). *They went.*
Elles sont allées (fem.). *They went.*
Êtes-vous allé (masc.)? *Did you go?*

Je suis venu (masc.). *I came* (*I am come*).
Il est venu (masc.). *He came* (*He is come*).

The word "venu" has masculine, feminine, singular, and plural forms.

"Venu, venue, venus," and "venues" are all pronounced in the same way: "Venu."

Read these sentences aloud:

Je suis venu (masc.). *I came (I am come).*
Je suis venue (fem.). *I came (I am come).*
Il est venu (masc.). *He came (He is come).*
Elle est venue (fem.). *She came.*
Nous sommes venus (masc.). *We came.*
Nous sommes venues (fem.). *We came.*
Ils sont venus (masc.). *They came.*
Elles sont venues (fem.). *They came.*

WORDS TO REMEMBER

avec, *with*
en taxi, *in a taxi*
à huit‿heures, *at eight o'clock*
samedi, *Saturday, on Saturday*
à bicyclette, *on a bicycle*
la voiture, the car
en voiture, *by car*
à la campagne, *to the country*
tard, *late*
à l'heure, *on time.*

Je suis‿allé(e). *I went.*
Il est‿allé. *He went.*
Elle est‿allée. *She went.*
Nous sommes‿allés (masc.). *We went.*
Nous sommes‿allées (fem.). *We went.*
Ils sont‿allés (masc.). *They went.*
Elles sont allées (fem.). *They went.*
Je suis‿arrivé (masc.). *I arrived, got there, got here.*
Nous sommes‿arrivés (masc.). *We arrived.*
Ils sont arrivés (masc.). *They arrived.*
Elles sont arrivées (fem.). *They arrived.*
Je suis venu (masc.). *I came (I am come).*
Il est venu. *He came (He is come).*
Elle est venue. *She came (She is come).*
Nous sommes venus (masc.). *We came (We are come).*
Ils sont venus (masc.). *They came (They are come).*
Elles sont venues (fem.). *They came (They are come).*

CONVERSATION

Êtes-vous venu(e) à Paris en‿avion?
Oui, je suis venu(e) à Paris en‿avion.

Êtes-vous venu(e) à Paris pour le weekend?
Oui, je suis venu(e) à Paris pour le weekend.

Êtes-vous venu(e) à Paris avec Louise?
Oui, je suis venu(e) à Paris avec Louise.

Êtes-vous venu(e) au théâtre à bicyclette ce soir?
Non, c'est ridicule, je ne suis pas venu(e) au théâtre à bicyclette ce soir.

Êtes-vous venu(e) au théâtre en taxi?
Oui, je suis venu(e) au théâtre en taxi.

À quelle heure êtes-vous‿arrivé(e)?
Je suis‿arrivé(e) à huit‿heures.

Est-ce que Monsieur Dufrac est venu au théâtre ce soir?
Oui, Monsieur Dufrac est venu au théâtre ce soir.

Est-ce que Monsieur Dufrac est venu au théâtre à bicyclette?
Oh non, c'est‿absolument ridicule. Monsieur Dufrac est venu au théâtre en voiture.

Est-ce que Monsieur Dufrac est venu au théâtre avec Mademoiselle Coquette?
Oui, Monsieur Dufrac est venu au théâtre avec Mademoiselle Coquette.

Now let's try some plural verbs.

Êtes-vous‿allés à la campagne samedi? *Did you (pl.) go to the country on Saturday?*
Oui, nous sommes‿allés à la campagne samedi. *Yes, we went to the country on Saturday.*

Êtes-vous‿allés en‿auto?
Oui, nous sommes‿allés en‿auto.

Êtes-vous‿allés chez Robert?
Oui, nous sommes‿allés chez Robert.

À quelle heure êtes-vous‿arrivés?
Nous sommes‿arrivés à huit‿heures.

Êtes-vous‿arrivés en retard?
Non, nous sommes‿arrivés à l'heure.

Êtes-vous‿allés au cinéma avec Robert?
Oui, nous sommes‿allés au cinéma avec Robert.

All you have learned about masculine, feminine, singular, and plural can be reduced to two simple rules:

1. Add "e" to form the feminine.
2. Add "s" to form the plural.

You might also remember that you combine these two and add "es" to form the feminine plural.

Notice how this applies to the words below.

SINGULAR		PLURAL	
Masculine	*Feminine*	*Masculine*	*Feminine*
venu	venue	venus	venues
allé	allée	allés	allées
arrivé	arrivée	arrivés	arrivées

SENTENCE-FORMING EXERCISES

For practice combine the words below to form as many sentences as you can.

A

1	2
Nous sommes (*We are*)	fatigués (ées)
Ils sont (*They are*, masc.)	occupés (ées)
Elles sont (*They are*, fem.)	pressés (ées)
Êtes-vous (*Are you*, pl.)	mariés (ées)

B

1	2	3
Nous sommes	arrivés (ées)	en retard
Ils sont	allés (ées)	à la campagne
Elles sont	venus (ues)	à la classe
Êtes-vous (pl.)		au bureau
		samedi
		à l'heure
		à huit heures
		au théâtre
		dimanche
		au cinéma
		à l'église

C

1	2	3
Je suis	allé (e)	hier soir
Êtes-vous (sing.)	arrivé (e)	chez Robert
Il est	venu (e)	en retard
Elle est		au théâtre
		à Paris
		pour le weekend
		à l'heure
		à l'église

EXERCISE IN TRANSLATION

Translate the following sentences into French and check them with the correct translations below this exercise.

1. We are tired. (When men say it.)
2. We are tired. (When women say it.)
3. We are tired. (When men and women say it.)
4. They are married. (A man and a woman.)
5. They are in a hurry. (Masc.)
6. They are busy. (Fem.)
7. We are in a hurry. (Masc.)
8. They are tired. (Fem.)
9. They are in a hurry. (Fem.)

10. We are busy. (Men and women.)
11. We got there late. (Masc.)
12. We got here on time. (Fem.)
13. They (masc.) went to the country on Saturday.
14. They (fem.) went to church on Sunday.
15. We went to the theater. (A man and a woman.)
16. They (fem.) came on Saturday.
17. They (masc.) came to the office on Saturday.
18. Did you (masc. pl.) go to the office in a taxi?
19. Did you (masc. pl.) get to the office on time?
20. They (masc.) came to Paris by plane.
21. I (fem.) went to Robert's house last night.
22. I (masc.) got there late.
23. He came to the theater in a taxi.
24. She came to the theater on time.
25. He came to Paris for the weekend.
26. I (fem.) went to the theater last night.
27. I (fem.) went to the movies with Paul.

Check your sentences with the translation below. After you have checked each of your French sentences, read it aloud, again and again, so that the language is as familiar to your ear and your tongue as it is to your mind.

1. Nous sommes fatigués.
2. Nous sommes fatiguées.
3. Nous sommes fatigués.
4. Ils sont mariés.
5. Ils sont pressés.
6. Elles sont occupées.
7. Nous sommes pressés.
8. Elles sont fatiguées.
9. Elles sont pressées.
10. Nous sommes occupés.
11. Nous sommes arrivés en retard.
12. Nous sommes arrivées à l'heure.
13. Ils sont allés à la campagne samedi.
14. Elles sont allées à l'église dimanche.
15. Nous sommes allés au théâtre.
16. Elles sont venues samedi.

17. Ils sont venus au bureau samedi.
18. Êtes-vous allés au bureau en taxi?
19. Êtes-vous arrivés au bureau à l'heure?
20. Ils sont venus à Paris en avion.
21. Je suis allée chez Robert hier soir.
22. Je suis arrivé en retard.
23. Il est venu au théâtre en taxi.
24. Elle est venue au théâtre à l'heure.
25. Il est venu à Paris pour le weekend.
26. Je suis allée au théâtre hier soir.
27. Je suis allée au cinéma avec Paul.

EXTRA WORDS

Exercise in Pronunciation of OI

Remember that "oi" is pronounced as the "*wa*" in "*wasp.*"

une histoire, *a story*
noir, *black*
un café noir, *a black coffee*
les mouchoirs, *the handkerchiefs*
Pourquoi? *Why?*
les croissants, *the rolls* (crescent-shaped)
le poisson, *the fish*
un pourboire, *a tip*
troisième, *third*
le soir, *the evening*
ce soir, *this evening, tonight*
le fumoir, *the smoking room*
un rasoir, *a razor*
un rasoir mécanique, *a safety razor*
une fois, *once, one time*
deux fois, *twice, two times*
trois fois, *three times*
trois fois par jour, *three times a day*

NOTE: The "ss" is pronounced as in "so." Repeat these words: poisson, croissant.

REMINDER CARD

Je suis	fatigué(e)	aujourd'hui
Êtes-vous	pressé(e)	ce matin
Il est	arrivé	à l'heure
Elle est	allée	au théâtre en taxi
Nous sommes	fatigués(ées)	ce soir
Êtes-vous	pressés(ées)	ce matin
Ils sont	arrivés	en retard
Elles sont	allées	à l'église

24
Leçon Numéro Vingt-quatre

You already know the singular of future action:

Je vais travailler. *I'm going to work.*
Allez-vous travailler? *Are you going to work?*
Il va travailler. *He is going to work.*
Elle va travailler. *She is going to work.*

This is the plural:

Nous‿allons travailler. *We are going to work.*
Allez-vous travailler? *Are you going to work?* (both singular and plural)
Ils vont travailler. *They* (masc.) *are going to work.*
Elles vont travailler. *They* (fem.) *are going to work.*

aller, *to go*

je vais *I'm going, I go*	**nous‿allons** *we are going, we go*
vous‿allez *you are going, you go*	**vous‿allez** *you are going, you go* (pl.)
il va *he is going, he goes* **elle va** *she is going, she goes*	**ils vont** *they* (masc.) *are going, they go* **elles vont** *they* (fem.) *are going, they go*

Learn to write the verb in chart form, as it is below:

aller, *to go*

je vais	**nous‿allons**
vous‿allez	**vous‿allez**
il va, elle va	**ils vont, elles vont**

In order to express future action, use the verb in the chart above in combination with any infinitive.

Repeat the following sentences aloud:

Nous‿allons finir. *We are going to finish.*
Ils vont‿envoyer le livre. *They are going to send the book.*
Elles vont‿aider Louise. *They are going to help Louise.*
Nous‿allons‿écrire la leçon. *We are going to write the lesson.*
Nous‿allons passer le weekend à la campagne. *We are going to spend the weekend in the country.*
Nous‿allons‿envoyer le paquet. *We are going to send the package.*
Ils vont vendre la maison. *They are going to sell the house.*
Elles vont lire l'article. *They are going to read the article.*
Nous allons voir Pierre ce soir. *We are going to see Peter this evening.*

WORDS TO REMEMBER

aujourd'hui, *today*
après le dîner, *after dinner*
avant, *before*
avant le dîner, *before dinner*
jouer au tennis, *to play tennis*
jouer au golf, *to play golf*
jouer au bridge, *to play bridge*
jouer au football, *to play football*
qui, *who*
l'après-midi, *the afternoon*
gagner, *to win, to gain*

votre, *your* (masc. and fem.)
mon, *my* (masc.)
ma, *my* (fem.)
mon père, *my father*
ma mère, *my mother*
pauvre, *poor* (sing.)
pauvres, *poor* (pl.)
Anne est malade. *Ann is sick.*
déjeuner, *to lunch, to have lunch*
le déjeuner, *the lunch*

Nous allons voir. *We are going to see.*
Ils vont voir. *They are going to see.*

Elles vont voir. *They are going to see.*
Nous‿allons dîner. *We are going to dine (have dinner).*
Ils vont dîner. *They are going to dine.*
Nous‿allons‿écrire. *We are going to write.*
Nous‿allons jouer. *We are going to play.*
Allez-vous jouer? *Are you going to play?* (sing. and pl.)
Nous n'allons pas jouer. *We aren't going to play.*
Qui va jouer? *Who is going to play?*
Nous‿allons gagner. *We are going to win.*
Nous n'allons pas gagner. *We aren't going to win.*
Qui va gagner? *Who is going to win?*
Nous‿allons déjeuner. *We are going to lunch (have lunch).*
Allez-vous déjeuner? *Are you going to lunch (have lunch)?*
Il va déjeuner. *He is going to have lunch.*

CONVERSATION

Allez-vous‿au cinéma ce soir? *Are you* (pl.) *going to the movies this evening?*
Oui, nous‿allons‿au cinéma ce soir.

Allez-vous voir un film amusant?
Oui, nous‿allons voir un film amusant.

Allez-vous‿au théâtre en taxi?
Oui, nous‿allons‿au théâtre en taxi.

Allez-vous‿au cinéma avec Suzanne?
Oui, nous‿allons‿au cinéma avec Suzanne.

Allez-vous préparer la leçon aujourd'hui?
Oui, nous‿allons préparer la leçon aujourd'hui.

Allez-vous‿étudier après le dîner?
Non, nous n'allons pas‿étudier après le dîner. Nous‿allons‿au concert après le dîner.

Allez-vous‿étudier avant le dîner?
Oui, nous‿allons‿étudier avant le dîner.

Allez-vous dîner après le cinéma?
Non, nous n'allons pas dîner après le cinéma.

Allez-vous dîner avant le cinéma?
Oui, nous‿allons dîner avant le cinéma.

Allez-vous‿écrire une lettre à votre père aujourd'hui?
Oui, je vais‿écrire une lettre à mon père aujourd'hui.

Allez-vous‿écrire une lettre à votre mère?
Oui, je vais‿écrire une lettre à ma mère aujourd'hui.

Allez-vous‿à la campagne samedi?
Oui, nous‿allons‿à la campagne samedi.

Allez-vous dîner à la campagne?
Oui, nous‿allons dîner à la campagne.

Allez-vous jouer au tennis?
Oui, nous‿allons jouer au tennis.

Allez-vous jouer au football dans le jardin?
Non, nous n'allons pas jouer au football dans le jardin. Pauvres fleurs!

Allez-vous jouer au golf dimanche?
Oui, nous‿allons jouer au golf dimanche.

Allez-vous jouer au bridge ce soir?
Oui, nous‿allons jouer au bridge ce soir.

Allez-vous gagner?
Non, je ne vais pas gagner. C'est‿impossible.

Qui va gagner?
Paul va gagner.

Allez-vous déjeuner à la campagne?
Oui, nous‿allons déjeuner à la campagne.

Est-ce que Paul et Louise vont passer le weekend à la campagne?
Oui, Paul et Louise vont passer le weekend à la campagne.

Est-ce que Paul et Louise vont déjeuner avec Pierre?
Oui, Paul et Louise vont déjeuner avec Pierre.

Est-ce que Paul et Louise vont jouer au tennis?
Oui, Paul et Louise vont jouer au tennis.

Est-ce que Paul et Louise vont voir Suzanne?
Oui, Paul et Louise vont voir Suzanne samedi.

Est-ce que Robert va passer le weekend à la campagne?
Oui, Robert va passer le weekend à la campagne.

Est-ce que Paul va acheter une auto?
Oui, Paul va acheter une auto.

Est-ce qu'Anne va à la campagne?
Non, Anne ne va pas‿à la campagne. Anne est malade. Pauvre Anne!

SENTENCE-FORMING EXERCISES

For practice combine the words below to form as many sentences as you can.

A

1	2	3
Nous‿allons	au cinéma	ce soir
Louise et Paul vont‿	au théâtre	avec Paul
Ils ne vont pas‿	à Paris	avec Louise
Louise et Marie ne vont pas‿	au bureau	samedi
	à New-York	avec Robert
Elles vont‿		

B

1	2	3
Nous‿allons	voir Pierre	avant le dîner
Louise et Paul vont	écrire	un livre
Ils ne vont pas	gagner	ce soir
Louise et Marie ne vont pas	envoyer	le paquet
	lire	l'article
Elles vont		

C

1	2	3
Il va	au bureau	samedi
Je ne vais pas	à Paris	avec mon père

1	2	3
Paul va	à la campagne	avec Louise
Louise ne va pas	au concert	dimanche après-midi
Je vais	jouer au tennis	avec Paul
Il va	jouer au football	samedi

D

1	2	3
Mon père va	gagner	ce soir
Ma mère va	jouer	au bridge
Paul ne va pas	travailler	samedi
Votre père ne va pas	déjeuner	avec nous (*with us*)
Votre mère va	jouer	au tennis
Qui va (*Who is going*)	jouer	au golf
Qui va	gagner	ce soir

EXERCISE IN TRANSLATION

Translate the following sentences into French and check them with the correct translations below this exercise.

1. We are going to read the newspaper.
2. They (masc.) are going to finish the book.
3. Are you going to sell your car?
4. We are not going to have dinner in the country.
5. They are not going to the movies after dinner. Paul is sick.
6. Are you going to play bridge before dinner?
7. Is your mother going to play bridge after lunch?
8. Who is going to win?
9. Robert and Louise are going to see my mother on Sunday.
10. Are you going to play football?
11. I am going to win.
12. Are they (masc.) going to play tennis in the country?
13. Are they (fem.) going to play tennis on Sunday?
14. Who is going to play with Louise?
15. Are they (masc.) going to write the letters?
16. Are they (fem.) going to buy a house?
17. Are they (masc. and fem.) going to Paris?

18. Paul and Louise are going to the movies.
19. We are not going to the club tonight.
20. We are going to the bank this morning.
21. Does your father go to the office on Saturday?
22. Is your mother going to the country?

Check your sentences with the translations below:

1. Nous allons lire le journal.
2. Ils vont finir le livre.
3. Est-ce que vous allez vendre votre voiture?
4. Nous n'allons pas dîner à la campagne.
5. Ils ne vont pas au cinéma après le dîner. Paul est malade.
6. Est-ce que vous allez jouer au bridge avant le dîner?
7. Est-ce que votre mère va jouer au bridge après le déjeuner?
8. Qui va gagner?
9. Robert et Louise vont voir ma mère dimanche.
10. Est-ce que vous allez jouer au football?
11. Je vais gagner.
12. Est-ce qu'ils vont jouer au tennis à la campagne?
13. Est-ce qu'elles vont jouer au tennis dimanche?
14. Qui va jouer avec Louise?
15. Est-ce qu'ils vont écrire les lettres?
16. Est-ce qu'elles vont acheter une maison?
17. Est-ce qu'ils vont à Paris?
18. Paul et Louise vont au cinéma.
19. Nous n'allons pas au club ce soir.
20. Nous allons à la banque ce matin.
21. Est-ce que votre père va au bureau samedi?
22. Est-ce que votre mère va à la campagne?

REMINDER CARD

Nous‿allons	à Paris
Vous‿allez	au bureau
Ils vont	au cinéma
Nous‿allons jouer	au bridge
Vous‿allez jouer	au golf
Ils vont lire	l'article
Elles vont‿envoyer	le paquet
Je vais	à Paris
Allez-vous	à New-York
Paul va jouer	au tennis

VERBS CONVERTED INTO NOUNS

When you drop the letter "r" from the French infinitives in the left-hand column, they become nouns (as in the right-hand column below). Notice that most of these nouns are feminine.

INFINITIVES	NOUNS
adresser, *to address*	une adresse, *an address*
aider, *to aid, to help*	une aide, *an aid, a help*
alarmer, *to alarm*	une alarme, *an alarm*
analyser, *to analyze*	une analyse, *an analysis*
annoncer, *to announce*	une annonce, *an announcement*
approcher, *to approach*	une approche, *an approach*
armer, *to arm*	une arme, *an arm (weapon)*
attaquer, *to attack*	une attaque, *an attack*
avancer, *to advance*	une avance, *an advance*
balancer, *to balance*	une balance, *a balance, scales*
blâmer, *to blame*	un blâme, *a blame*
brosser, *to brush*	une brosse, *a brush*
câbler, *to cable*	un câble, *a cable*
caresser, *to caress*	une caresse, *a caress*
commander, *to order*	une commande, *an order*
compter, *to count*	un compte, *an account, calculation*
copier, *to copy*	une copie, *a copy*
disputer, *to dispute*	une dispute, *a dispute*

INFINITIVES	NOUNS
divorcer, *to divorce*	un divorce, *a divorce*
douter, *to doubt*	un doute, *a doubt*
échanger, *to exchange*	un échange, *an exchange*
envelopper, *to envelop*	une enveloppe, *an envelope*
excuser, *to excuse*	une excuse, *an excuse*
fabriquer, *to manufacture*	une fabrique, *a factory*
former, *to form*	une forme, *a form*
guider, *to guide*	un guide, *a guide, a guidebook*
insulter, *to insult*	une insulte, *an insult*
limiter, *to limit*	une limite, *a limit*
marquer, *to mark*	une marque, *a mark*
menacer, *to menace*	une menace, *a menace*
murmurer, *to murmur*	un murmure, *a murmur*
noter, *to note*	une note, *a note, a bill*
offenser, *to offend*	une offense, *an offense*
penser, *to think* (add "e")	une pensée, *a thought*
placer, *to place*	une place, *a place*
récompenser, *to compensate, to reward*	une récompense, *a compensation, a reward*
remarquer, *to remark*	une remarque, *a remark*
rencontrer, *to meet, to encounter*	une rencontre, *a meeting, an encounter*
rêver, *to dream*	un rêve, *a dream*
ruiner, *to ruin*	une ruine, *a ruin*
téléphoner, *to telephone*	un téléphone, *a telephone*
tracer, *to trace*	une trace, *a trace*
triompher, *to triumph*	un triomphe, *a triumph*
visiter, *to visit*	une visite, *a visit*
voter, *to vote*	un vote, *a vote*
voyager, *to travel*	un voyage, *a voyage, a trip*

When you drop "er" from the infinitives in the left-hand column, they become nouns. Notice that these nouns are masculine.

INFINITIVES	NOUNS
accorder, *to accord*	un accord, *an accord (agreement)*
appeler, *to call*	un appel, *a call*

INFINITIVES	NOUNS
arrêter, *to stop*	un arrêt, *a stop*
calculer, *to calculate*	un calcul, *a calculation*
chanter, *to sing*	un chant, *a song*
complimenter, *to compliment*	un compliment, *a compliment*
conseiller, *to advise* (drop "ler")	un conseil, *advice*
décorer, *to decorate*	un décor, *a decoration*
défier, *to defy*	un défi, *a defiance*
désirer, *to desire*	un désir, *a desire*
dessiner, *to design, to draw*	un dessin, *a design, a drawing*
donner, *to give* (drop "ner")	un don, *a gift*
embarrasser, *to embarrass* (drop "ser")	un embarras, *an embarrassment, an obstacle*
fusiller, *to shoot* (drop "ler")	un fusil, *a gun*
parier, *to bet*	un pari, *a bet*
refuser, *to refuse*	un refus, *a refusal*
regarder, *to look at*	un regard, *a glance*
regretter, *to regret* (drop "ter")	un regret, *a regret*
reposer, *to rest*	un repos, *a rest*
retarder, *to retard, to delay*	un retard, *a delay*
réveiller, *to awake* (drop "ler")	un réveil, *an awakening*
sauter, *to jump*	un saut, *a jump*
signaler, *to signal*	un signal, *a signal*
souhaiter, *to wish*	un souhait, *a wish*
transporter, *to transport*	un transport, *a transport*
travailler, *to work* (drop "ler")	un travail, *a work*

CATEGORY XIII

Most words that end in "ure" are identical in English and in French. Most of these words are feminine.

URE = URE

the nature, la nature

l'agriculture	la caricature	la cure
l'allure	la censure	la denture
l'architecture	la coiffure	la figure (*face*)
l'aventure (*adventure*)	la conjecture	la fissure
la brochure	la créature	la fracture
	la culture	

future, fem.	(*measure*)	pure, fem.
(futur, masc.)	la mixture	(pur, masc.)
l'horticulture	la nature	la rupture
impure, fem.	obscure, fem.	la sculpture
(impur, masc.)	(obscur, masc.)	la signature
la littérature	l'ouverture	la stature
(*literature*)	(*overture, opening*)	la structure
la manufacture	la pâture	la température
la manicure	(*pasture*)	la texture
la miniature	la pédicure	la torture
la mesure	la posture	la verdure

EXTRA WORDS

Exercise in the Pronunciation of OI

Remember that "oi" in French is pronounced as the "*wa*" in "*wasp*."

une fois, *once, one time*
une autre fois, *another time, again*
quelquefois, *sometimes*
la première fois, *the first time*
la dernière fois, *the last time*
froid(e), *cold*
de l'eau froide, *cold water*
le mois, *month*
dans un mois, *in a month*
Le voilà. *There it* (m.) *is. There he is.*
La voilà. *There it* (f.) *is. There she is.*
J'ai soif. *I'm thirsty* (*I have thirst*).
au revoir, *good-by*
le poivre, *pepper*
le trottoir, *the sidewalk*
bonsoir, *good evening*
à droite, *to the right*

25
Leçon Numéro Vingt-cinq

PRESENT TENSE

The present tense (first person and third person) of "er" verbs is formed simply by dropping the letter "r" from the infinitive.

parler, *to speak*—**je parle** (pronounced, "parl"), *I speak*
il parle, *he speaks*
elle parle, *she speaks*

Repeat the following verbs aloud. The most important thing to remember about these verbs is that THE FINAL "E" IS SILENT.

je parle, *I speak*
il parle, *he speaks*
elle parle, *she speaks*
je danse, *I dance*
il danse, *he dances*
elle danse, *she dances*
je prépare, *I prepare*
il prépare, *he prepares*
elle prépare, *she prepares*

In order to form the second person of the present tense, drop the "er" from the infinitive and add "ez."

vous parlez (pronounced, "parlé"), *you speak*
parlez-vous? *do you speak?*
vous travaillez, *you work*
travaillez-vous? *do you work?*

WRITTEN EXERCISE

Following is a list of infinitives converted into the first person, present tense.

1. Cover up the two right-hand columns.
2. Write out the first person present of each verb as in the second column below (remove the letter "r" from the infinitive). Remember to say aloud the French words you write.
3. Translate, as in the third column below.
4. Check your columns with those below.

INFINITIVE	FIRST PERSON	TRANSLATION
préparer, *to prepare*	je prépare	*I prepare*
voter, *to vote*	je vote	*I vote*
travailler, *to work*	je travaille	*I work*
danser, *to dance*	je danse	*I dance*
parler, *to speak*	je parle	*I speak*
dîner, *to have dinner*	je dîne	*I have dinner, I dine*
câbler, *to cable*	je câble	*I cable*
réserver, *to reserve*	je réserve	*I reserve*
refuser, *to refuse*	je refuse	*I refuse*
chanter, *to sing*	je chante	*I sing*
demander, *to ask*	je demande	*I ask*
donner, *to give*	je donne	*I give*
marcher, *to walk*	je marche	*I walk*
passer, *to pass, spend* (time)	je passe	*I pass, spend* (time)
déposer, *to deposit*	je dépose	*I deposit*
changer, *to change*	je change	*I change*
gagner, *to win, earn*	je gagne	*I win*
commencer, *to begin*	je commence	*I begin*
jouer, *to play*	je joue	*I play*
louer, *to rent*	je loue	*I rent*
acheter, *to buy*	j'achète	*I buy*
aider, *to help*	j'aide	*I help*
inviter, *to invite*	j'invite	*I invite*
insister, *to insist*	j'insiste	*I insist*
importer, *to import*	j'importe	*I import*

INFINITIVE	FIRST PERSON	TRANSLATION
étudier, *to study*	j'étudie	*I study*
anticiper, *to anticipate*	j'anticipe	*I anticipate*
embrasser, *to kiss*	j'embrasse	*I kiss*

Following is a list of infinitives converted into the second person, present tense.

1. Cover up the two right-hand columns.
2. Write out the second person present of each verb as in the second column below (remove "er" from the infinitive and add "ez"). Remember to say aloud the French words you write.
3. Translate, as in the third column below.
4. Check your columns with those below.

INFINITIVE	SECOND PERSON	TRANSLATION
préparer, *to prepare*	vous préparez	*you prepare*
voter, *to vote*	vous votez	*you vote*
travailler, *to work*	vous travaillez	*you work*
danser, *to dance*	vous dansez	*you dance*
parler, *to speak*	vous parlez	*you speak*
dîner, *to have dinner*	vous dînez	*you dine*
câbler, *to cable*	vous câblez	*you cable*
louer, *to rent*	vous louez	*you rent*
réserver, *to reserve*	vous réservez	*you reserve*
refuser, *to refuse*	vous refusez	*you refuse*
chanter, *to sing*	vous chantez	*you sing*
demander, *to ask*	vous demandez	*you ask*
donner, *to give*	vous donnez	*you give*
marcher, *to walk*	vous marchez	*you walk*
passer, *to pass, spend* (time)	vous passez	*you pass, spend* (time)
déposer, *to deposit*	vous déposez	*you deposit*
changer, *to change*	vous changez	*you change*
gagner, *to win, earn*	vous gagnez	*you win, earn*
commencer, *to begin*	vous commencez	*you start*
jouer, *to play*	vous jouez	*you play*

INFINITIVE	SECOND PERSON	TRANSLATION
acheter, *to buy*	vous‿achetez	*you buy*
aider, *to help*	vous‿aidez	*you help*
inviter, *to invite*	vous‿invitez	*you invite*
insister, *to insist*	vous‿insistez	*you insist*
importer, *to import*	vous‿importez	*you import*
étudier, *to study*	vous‿étudiez	*you study*
anticiper, *to anticipate*	vous‿anticipez	*you anticipate*
embrasser, *to kiss*	vous‿embrassez	*you kiss*

WORDS TO REMEMBER

français, *French* (language)
anglais, *English* (language)
chez moi, *at my house, at home*
à la campagne, *in the country*
ma famille, *my family*
une maison, *a house*
un‿appartement, *an apartment*
tous les jours, *every day*
les‿oignons, *the onions*
le céleri, *the celery*
les radis, *the radishes*
les tomates, *the tomatoes*
les carottes, *the carrots*
seul, *alone* (masc.)
seule, *alone* (fem.)
chanter, *to sing*

Parlez-vous? *Do you speak?*
Je parle. *I speak.*
Je ne parle pas. *I don't speak.*
Chantez-vous? *Do you sing?*
Je chante. *I sing.*
Dansez-vous? *Do you dance?*
Je danse. *I dance.*
Aimez-vous? *Do you like? Do you love?*
J'aime. *I like, I love.*
Étudiez-vous? *Do you study?*
J'étudie. *I study.*
Jouez-vous? *Do you play?*
Je joue. *I play.*
Je ne loue pas. *I don't rent.*
Est-ce que Robert joue? *Does Robert play?*
Marchez-vous beaucoup? *Do you walk a lot?*

habiter, *to live in.*
J'habite un‿appartement. *I live (in) an apartment.*
NOTE: Don't use the word for *"in"* after *"habiter."*

CONVERSATION 1

Parlez-vous français?
Oui, je parle français.

Parlez-vous français en classe?
Oui, je parle français en classe.

Parlez-vous français chez vous?
Non, je ne parle pas français chez moi. Je parle anglais chez moi.

Parlez-vous beaucoup?
Non, je ne parle pas beaucoup.

Chantez-vous‿en classe?
Oui, je chante en classe.

Dansez-vous‿en classe?
Non, c'est‿absolument ridicule. Je ne danse pas‿en classe.

Aimez-vous la classe?
Oui, j'aime la classe.

Aimez-vous chanter en classe?
Oui, j'aime chanter en classe.

Aimez-vous voyager?
Oui, j'aime voyager.

Aimez-vous danser?
Oui, j'aime danser.

Aimez-vous jouer au tennis?
Oui, j'aime jouer au tennis.

Aimez-vous déjeuner à la campagne?
Oui, j'aime déjeuner à la campagne.

Aimez-vous les‿oignons?
Oui, j'aime les‿oignons.

Aimez-vous le céleri?
Oui, j'aime le céleri.

Aimez-vous les radis?
Oui, j'aime les radis.

Aimez-vous les tomates?
Oui, j'aime les tomates.

Aimez-vous les carottes?
Oui, j'aime les carottes.

Habitez-vous‿une maison?
Non, je n'habite pas‿une maison. J'habite un‿appartement.

Habitez-vous seul(e)?
Non, je n'habite pas seul(e). J'habite avec ma famille.

Marchez-vous beaucoup?
Oui, je marche beaucoup.

Étudiez-vous la leçon tous les jours?
Oui, j'étudie la leçon tous les jours.

Est-ce que Robert étudie la leçon?
Non, Robert n'étudie pas la leçon.

Est-ce que Robert travaille beaucoup?
Non, Robert ne travaille pas beaucoup.

Est-ce que Robert danse beaucoup?
Oh oui, Robert danse beaucoup.

Est-ce que Robert parle beaucoup?
Oui, Robert parle beaucoup.

Est-ce que Robert joue au tennis?
Oui, Robert joue au tennis.

Est-ce que Robert est charmant?
Oui, Robert est charmant.

NOTE: "Aimer" means both *"to like"* and *"to love."* "Je t'aime" means *"I love you"* (literally *"I love thee"*).

WORDS TO REMEMBER

avec plaisir, *with pleasure, gladly*
fumer, *to smoke*
louer, *to rent*
je loue, *I rent*
trois, *three*
le dimanche, *on Sundays*
l'été, *the summer*
pour l'été, *for the summer*
aussi, *also, too*
mais, *but*
voyager, *to travel*
Comment va votre père? *How is your father? (How goes your father?)*
toujours, *always*
naturellement, *naturally, of course*
votre invitation, *your invitation*
pendant, *during*
seulement, *only*
Il est très‿occupé. *He is very busy.*
les cigares, *the cigars*
passer, *to spend* (time) *to pass*
après le dîner, *after dinner*
Voulez-vous? *Would you like? Do you want?*
où, *where*
trop, *too much*

"Avec plaisir" (*with pleasure*) is a charming expression that is used very much in French. It is the answer to any honorable invitation.

CONVERSATION 2

Bonjour, Paul. Comment‿allez-vous?
Très bien, merci, et vous?
Bien, merci. Comment va votre père?
Il va très bien, merci.

Voulez-vous‿une cigarette?
Oui, avec plaisir.

Fumez-vous beaucoup?
Oui, je fume beaucoup.

Fumez-vous trop?
Oui, je fume trop.

Est-ce que vous fumez pendant le dîner?
Non, je ne fume pas pendant le dîner, mais je fume trois cigares après le dîner.

Est-ce que vous travaillez beaucoup?
Oui, je travaille trop.

Est-ce que vous travaillez le samedi?
Oui, je travaille le samedi pendant l'été.

Passez-vous le weekend à Paris?
Non, je ne passe pas le weekend à Paris; je passe le weekend à la campagne.

Où passez-vous le weekend?
Je passe le weekend à Fontainebleau.

Avez-vous‿une maison à Fontainebleau?
Non, je loue une maison à Fontainebleau.

Louez-vous‿une maison pour l'été?
Oui, je loue une maison pour l'été.

Louez-vous toujours une maison pour l'été?
Oui, je loue toujours une jolie maison avec un joli jardin pour l'été.

Est-ce que votre père passe l'été à la campagne?
Non, il est très‿occupé; il ne passe pas l'été à la campagne; il passe seulement le dimanche à la campagne.

Est-ce que votre mère passe l'été à la campagne?
Non, elle est‿aussi très‿occupée, mais elle passe toujours le weekend à la campagne.

Invitez-vous Monsieur Dufrac à la campagne?
Oui, j'invite toujours Monsieur Dufrac à la campagne. Il est très‿amusant.

Est-ce que vous‿invitez aussi Mademoiselle Coquette?
Naturellement, j'invite aussi Mademoiselle Coquette: elle est charmante.

Est-ce que Monsieur Dufrac refuse votre invitation?
Oh non, il accepte toujours l'invitation.

Est-ce que Mademoiselle Coquette accepte aussi votre invitation?
Naturellement, elle accepte aussi l'invitation.

EXERCISE

Fill in the dashes with the verb endings.

1. Dans—-vous la valse? Oui, je dans— la valse.
2. Est-ce que Paul refus— l'invitation?
3. Est-ce que Paul téléphon— à Louise? Oui, il téléphon— à Louise.

Check the verb endings and see if you have filled them in correctly.

1. Dansez-vous la valse? Oui, je danse la valse.
2. Est-ce que Paul refuse l'invitation?
3. Est-ce que Paul téléphone à Louise? Oui, il téléphone à Louise.

Remember that "Voulez-vous" (*Would you like? Do you want?*) is an expression that is used very much by French people.

Practice the following sentences:

Voulez-vous dîner avec moi demain?
Would you like to have dinner with me tomorrow?

Voulez-vous dîner avec moi samedi?
Would you like to have dinner with me on Saturday?

Voulez-vous déjeuner avec moi aujourd'hui?
Would you like to have lunch with me today?

This is the correct way to invite friends to lunch or dinner in French.

USES OF THE PRESENT TENSE

The present is another "two in one" tense. "Je prépare" means both "*I prepare*" and "*I am preparing.*" Peculiarly, the most difficult thing about this tense is to remember how easy it is. You will find yourself trying to figure out how to say, "*I am preparing.*" You will be inclined to forget that "Je prépare" means BOTH "*I prepare*" and "*I am preparing.*"

Translate the following verbs into French. Write out each verb in French.

1. I am preparing.
2. I am working.
3. You are working.
4. He is dancing.
5. I am having dinner (dining).
6. I am having lunch (lunching).
7. He is reserving.
8. She is singing.
9. He is playing.
10. I am studying.

Check your verbs with those below.

1. Je prépare.
2. Je travaille.
3. Vous travaillez.
4. Il danse.
5. Je dîne.
6. Je déjeune.
7. Il réserve.
8. Elle chante.
9. Il joue.
10. J'étudie.

Sometimes this tense is used to express future action in English. For example, "*I'm having dinner with Paul tonight*" really means "*I'm going to have dinner with Paul tonight.*" This tense is used in exactly the same way in French.

EXAMPLES:

1. Je dîne avec Robert ce soir.
   I am having dinner (dining) with Robert tonight.
   (I am going to have dinner with Robert tonight.)

2. Je déjeune avec Louise demain.
   I am having lunch (lunching) with Louise tomorrow.
   (I am going to have lunch with Louise tomorrow.)

NOTE: In French when you wish to say that you are in the act of doing something, you can use another expression: "Je suis‿en train de" (*I am in train of*). This expression is followed by the infinitive.

"Je suis‿en train de travailler."
(*I am in train of working.*)
I am working (*at this precise moment.*)

You use this expression when you can say that you are doing something "at this precise moment."

EXAMPLES:

Je suis‿en train d'étudier.
(*I am in train of studying.*)
I am studying (*at this precise moment*).

Je suis‿en train de préparer la leçon.
(*I am in train of preparing the lesson.*)
I am preparing the lesson (*at this precise moment.*)

If you do not understand the use of this expression, just relax and you will learn more about it later.

POSITION OF ADVERBS

Remember that most adverbs are placed immediately after the verb.

Il travaille trop. *He works too much.*
Je danse beaucoup. *I dance a lot.*
Elle parle bien. *She speaks well.*

SENTENCE-FORMING EXERCISES

For practice combine the words below in different ways to form as many sentences as you can.

A

1	2	3
Parlez-vous	français	chez vous
Je parle	anglais	chez moi
Est-ce que Paul parle	beaucoup	en classe
Aimez-vous	chanter	en classe
J'aime	les roses	rouges
Paul aime	jouer	au tennis
Est-ce que Robert aime	déjeuner	à la campagne
Marie aime	dîner	chez vous

1	2	3
Votre père aime	les carottes	ce soir
Il aime	les radis	demain
Elle aime	les oignons	pour l'été
Voulez-vous	dîner avec moi	à la campagne
(Would you like, do you want)	déjeuner avec moi	
	une cigarette	
Louez-vous	une maison	
Je loue	un appartement	

B

1	2	3
Je prépare	la leçon	ce matin
Je dîne	avec Robert	demain soir
Je parle	à Louise	aujourd'hui
Je travaille	avec Marie	le samedi
J'aide	Robert	le mardi
Je déjeune	avec Paul	aujourd'hui

EXERCISE IN TRANSLATION

Translate the following sentences into French.

1. Do you speak French at home (at your house)?
2. I speak English at home (at my house).
3. Does Paul talk a lot in class?
4. Do you like to sing?
5. I like the class.
6. Paul likes to play tennis.
7. I like to have lunch in the country.
8. Paul likes to have dinner at your house.
9. Your father likes onions.
10. Would you like a cigarette?
11. Would you like to have dinner with me tonight?
12. Would you like to have lunch with me tomorrow?
13. Do you rent a house for the summer?
14. Yes, I rent a house in the country for the summer.
15. I am preparing the lesson.
16. I am having dinner with Robert tomorrow.

17. I'm talking to Louise.
18. I'm working with Mary.
19. I'm helping Robert.
20. I'm having lunch with Paul today.

Check your sentences with the correct translation below.

1. Parlez-vous français chez vous?
2. Je parle anglais chez moi.
3. Est-ce que Paul parle beaucoup en classe?
4. Aimez-vous / Est-ce que vous aimez } chanter?
5. J'aime la classe.
6. Paul aime jouer au tennis.
7. J'aime déjeuner à la campagne.
8. Paul aime dîner chez vous.
9. Votre père aime les oignons.
10. Voulez-vous une cigarette?
11. Voulez-vous dîner avec moi ce soir?
12. Voulez-vous déjeuner avec moi demain?
13. Louez-vous une maison pour l'été?
14. Oui, je loue une maison à la campagne pour l'été.
15. Je prépare la leçon.
16. Je dîne avec Robert demain.
17. Je parle à Louise.
18. Je travaille avec Marie.
19. J'aide Robert.
20. Je déjeune avec Paul aujourd'hui.

REMINDER CARD

Voulez-vous	une cigarette
	dîner avec moi
	déjeuner avec moi
Parlez-vous	français
Je parle	anglais
Aimez-vous	les radis
J'aime	les‿oignons

26
Leçon Numéro Vingt-six

The first person plural of the present tense of "er" verbs is formed by dropping the "er" and adding "ons."

parler, *to speak* **nous parlons,** *we speak*
travailler, *to work* **nous travaillons,** *we work*
danser, *to dance* **nous dansons,** *we dance*

The third person plural of the present tense of "er" verbs is formed by dropping the "er" and adding "ent." However, the "ent" is silent; it is not pronounced at all.

Repeat the following verbs aloud. The most important thing to remember about these verbs is that THE FINAL "ENT" IS SILENT.

ils parlent, *they speak* (masc.)
elles parlent, *they speak* (fem.)
ils préparent, *they prepare* (masc.)
elles préparent, *they prepare* (fem.)

WRITTEN EXERCISE

Following is a list of infinitives converted into the first person plural of the present tense.

1. Cover up the two right-hand columns.
2. Write out the first person plural of the present of each verb as in the second column below (remove "er" from the infini-

tive and add "ons"). Read aloud the French words you write.

3. Translate, as in the third column below.
4. Check your columns with those below.

INFINITIVE	FIRST PERSON PLURAL	TRANSLATION
préparer, *to prepare*	nous préparons	*we prepare*
voter, *to vote*	nous votons	*we vote*
travailler, *to work*	nous travaillons	*we work*
danser, *to dance*	nous dansons	*we dance*
parler, *to speak*	nous parlons	*we speak*
câbler, *to cable*	nous câblons	*we cable*
réserver, *to reserve*	nous réservons	*we reserve*
refuser, *to refuse*	nous refusons	*we refuse*
chanter, *to sing*	nous chantons	*we sing*
demander, *to ask*	nous demandons	*we ask*
payer, *to pay*	nous payons	*we pay*
donner, *to give*	nous donnons	*we give*
marcher, *to walk*	nous marchons	*we walk*
passer, *to pass, spend* (time)	nous passons	*we pass, spend* (time)
gagner, *to win*	nous gagnons	*we win*
jouer, *to play*	nous jouons	*we play*
aider, *to help*	nous‿aidons	*we help*
inviter, *to invite*	nous‿invitons	*we invite*
insister, *to insist*	nous‿insistons	*we insist*
importer, *to import*	nous‿importons	*we import*
étudier, *to study*	nous‿étudions	*we study*
embrasser, *to kiss*	nous‿embrassons	*we kiss*
aimer, *to like*	nous‿aimons	*we like*

Following is a list of infinitives converted into the third person plural of the present tense.

1. Cover up the two right-hand columns.
2. Write out the third person plural of the present of each verb as in the second column below (remove "er" from the infinitive and add "ent"). Remember that the "ent" IS SILENT. Read aloud the French words you write.

3. Translate, as in the third column below.
4. Check your columns with those below.

INFINITIVE	THIRD PERSON PLURAL	TRANSLATION
chanter, *to sing*	ils chantent	*they sing* (masc.)
demander, *to ask*	ils demandent	*they ask*
donner, *to give*	ils donnent	*they give*
marcher, *to walk*	ils marchent	*they walk*
changer, *to change*	ils changent	*they change*
gagner, *to win, earn*	ils gagnent	*they win*
habiter, *to live*	ils‿habitent	*they live*
copier, *to copy*	ils copient	*they copy*
accepter, *to accept*	ils‿acceptent	*they accept*
déjeuner, *to have lunch*	ils déjeunent	*they have lunch*
persuader, *to persuade*	ils persuadent	*they persuade*
regretter, *to regret*	ils regrettent	*they regret*
risquer, *to risk*	ils risquent	*they risk*

PRESENT TENSE CHART

chanter, *to sing*

je chante *I sing*	**nous chantons** *we sing*
vous chantez *you sing*	**vous chantez** *you* (pl.) *sing*
il, elle chante *he, she sings*	**ils, elles chantent** *they* (masc., fem.) *sing*

PRESENT-TENSE ENDINGS OF "ER" VERBS

Remove the "er" from the infinitive and add:

e	**ons**
ez	**ez**
e	**ent**

Remember that only the endings "ons" and "ez" are pronounced. The other endings are silent.

WORDS TO REMEMBER

la capitale, *the capital*
une ville, *a city*
magnifique, *magnificent*
les Parisiens, *Parisians*
souvent, *often*
leurs‿amis, *their friends*
l'opéra, *the opera*
ou, *or*

interminablement, *interminably*
de, *of, about*
des, *of the, about the* (pl.)
la politique, *politics*
la musique, *music*
principalement, *principally, especially*
l'amour, *love*
Ils sont. *They are.*

The final ENT in the following verbs is SILENT.

ils dansent, *they dance*
ils déjeunent, *they lunch* (*have lunch*)
ils fument, *they smoke*
ils parlent, *they speak*
ils‿aiment, *they like, love*
ils dînent, *they dine, they have dinner*

CONVERSATION 1

Est-ce que Paris est la capitale de la France?
Oui, Paris est la capitale de la France.

Est-ce que Paris est‿une ville intéressante?
Oui, Paris est une ville très‿intéressante. Paris est magnifique. Paris est‿incomparable.

Est-ce que les Parisiens sont charmants?
Oui, les Parisiens sont charmants.

Est-ce que les Parisiens sont sociables?
Oui, les Parisiens sont très sociables. Ils‿invitent souvent leurs‿amis à l'Opéra, au cinéma, ou au restaurant. Au restaurant les Parisiens déjeunent, fument des cigarettes, et parlent interminablement.

Est-ce que la conversation des Parisiens est‿intéressante?
Oh oui, la conversation des Parisiens est très‿intéressante. Ils parlent de politique, de musique, de littérature, et principalement d'amour.

Est-ce que les Parisiens sont galants?
Oui, les Parisiens sont galants.

Est-ce que les Parisiens dansent beaucoup?
Oui, les Parisiens dansent beaucoup.

Est-ce que Paul et Louise sont‿à Paris?
Oui, ils sont‿à Paris.

Est-ce que Paul et Louise aiment Paris?
Oui, ils‿aiment beaucoup Paris.

Read these verbs aloud:

Ils‿importent. *They import, they are importing.*
Marie et Louise préparent. *Marie and Louise prepare, Marie and Louise are preparing.*
Marie et Paul ne parlent pas. *Marie and Paul don't talk, Marie and Paul are not talking.*
Est-ce que nous travaillons? *Do we work? Are we working?*
Nous n'invitons pas. *We don't invite, we are not inviting.*
Est-ce qu'ils travaillent? *Do they* (masc.) *work? Are they working?*
Est-ce qu'elles téléphonent? *Do they* (fem.) *phone? Are they phoning?*
Nous ne visitons pas. *We dont' visit, we are not visiting* (a place, not a person).
Ils louent. *They* (masc.) *rent. They are renting.*
Nous dînons. *We have dinner, we are having dinner.*

WORDS TO REMEMBER

seulement, *only*
aimer, *to love, to like*
le restaurant, *the restaurant*
au restaurant, *at the restaurant*
le samedi, *Saturdays*
le lundi, *Mondays*
jouer, *to play*
jouer au golf, *to play golf*
jouer au bridge, *to play bridge*
avec vous, *with you*
votre frère, *your brother*
votre soeur, *your sister*
à sept‿heures, *at seven o'clock*
à la maison, *at home*
gai, *gay*
triste, *sad*
naturellement, *naturally*
aussi, *also, too*

avec nous, *with us*
pendant, *during*
Dînez-vous? *Do you dine, are you dining, are you having dinner?*
toujours, *always*
à l'heure, *on time*
si, *if*
jeudi, *Thursday, on Thursday*
le jeudi, *Thursdays*

CONVERSATION 2

Aimez-vous la campagne?
Oui, nous‿aimons beaucoup la campagne.

Dansez-vous beaucoup pendant le weekend?
Oui, nous dansons beaucoup pendant le weekend. Nous ne dansons pas le samedi, mais nous dansons toujours le dimanche après le dîner, et le lundi je suis fatigué(e).

Jouez-vous‿au golf?
Oui, nous jouons toujours au golf, mais nous ne jouons pas le samedi. Nous jouons seulement le dimanche.

Est-ce que Monsieur Dufrac et Mademoiselle Coquette jouent aussi au golf?
Oui, ils jouent aussi au golf.

Est-ce qu'ils jouent avec vous?
Oui, ils jouent avec nous.

Est-ce que votre frère et votre soeur jouent au bridge?
Oui, ils jouent au bridge.

Dînez-vous au restaurant ce soir?
Oui, nous dînons au restaurant pendant le weekend.

Dînez-vous au restaurant avec Paul?
Non, nous ne dînons pas‿au restaurant avec Paul.

Dînez-vous avec votre canari?
Non, c'est ridicule, nous ne dînons pas‿avec le canari.

À quelle heure dînez-vous ce soir?
Nous dînons toujours à sept‿heures.

Dînez-vous toujours à l'heure?
Oui, nous dînons toujours à l'heure.

Est-ce que vous réservez‿une table?
Oui, nous réservons‿une table.

Est-ce que votre père et votre mère dînent aussi au restaurant?
Non, ils ne dînent pas‿au restaurant; ils dînent à la maison.

Est-ce que votre père et votre mère dînent toujours à la maison?
Oui, ils dînent toujours à la maison; ils n'aiment pas le restaurant.

Est-ce qu'ils préparent le dîner?
Oui, ils préparent toujours le dîner et le café à sept‿heures.

Est-ce que vous‿étudiez la leçon pendant le weekend?
Oui, nous‿étudions la leçon.

Est-ce que vous copiez la leçon?
Oui, nous copions la leçon.

Est-ce que vous téléphonez à votre bureau le samedi?
Oui, nous téléphonons toujours au bureau le samedi.

Est-ce que votre frère et votre soeur travaillent dans le jardin?
Oui, ils travaillent dans le jardin.

Allez-vous‿au cinéma pendant le weekend?
Oui, nous‿allons‿au cinéma pendant le weekend.

Aimez-vous le cinéma?
Nous‿aimons beaucoup les films gais, mais nous n'aimons pas les films tristes.

Est-ce que votre frère et votre soeur aiment aussi le cinéma?
Oh oui, ils‿aiment beaucoup le cinéma.

demander, *to ask, to ask for*

je demande (*I ask*)	**nous demandons** (*we ask*)
vous demandez (*you ask*)	**vous demandez** (*you* [pl.] *ask*)
il, elle demande (*he, she asks*)	**ils, elles demandent** (*they* [masc., fem.] *ask*)

Write out the present-tense charts of the following verbs:

1. **parler,** *to speak, to talk*
2. **travailler,** *to work*
3. **jouer,** *to play*
4. **louer,** *to rent*

Check your charts with those below.

parler, *to speak*

je parle (*I speak*)	**nous parlons** (*we speak*)
vous parlez (*you speak*)	**vous parlez** (*you* [pl.] *speak*)
il, elle parle (*he, she speaks*)	**ils, elles parlent** (*they* [masc., fem.] *speak*)

travailler, *to work*

je travaille (*I work*)	**nous travaillons** (*we work*)
vous travaillez (*you work*)	**vous travaillez** (*you* [pl.] *work*)
il, elle travaille (*he, she works*)	**ils, elles travaillent** (*they.* [masc., fem.] *work*)

jouer, *to play*

je joue (*I play*)	**nous jouons** (*we play*)
vous jouez (*you play*)	**vous jouez** (*you* [pl.] *play*)
il, elle joue (*he, she plays*)	**ils, elles jouent** (*they* [masc., fem.] *play*)

louer, *to rent*

je loue (*I rent*)	**nous louons** (*we rent*)
vous louez (*you rent*)	**vous louez** (*you* [pl.] *rent*)
il, elle loue (*he, she rents*)	**ils, elles louent** (*they* [masc., fem.] *rent*)

NOTE: "Demander" means *"to ask"* and also *"to ask for."*

EXAMPLES:

Je vais demander l'addition. *I'm going to ask for the check* (in the restaurant).

Je vais demander une table pour deux. *I'm going to ask for a table for two.*

Je vais demander à Pauline si elle a fini. *I'm going to ask Pauline if she has finished.*

"ER" VERB LIST

You already know hundreds and hundreds of verbs in English that are also French verbs if you change them very slightly.

Following is a list of verbs that you can learn virtually at a glance.

Add "er" to the following English verbs and they become French verbs.

ENGLISH	FRENCH	ENGLISH	FRENCH
to absorb	absorber	*to distill*	distiller
to accept	accepter	*to embarrass*	embarrasser
to accord	accorder	*to except*	excepter
to adapt	adapter	*to exist*	exister
to adopt	adopter	*to export*	exporter
to affect	affecter	*to form*	former
to affirm	affirmer	*to honor*	honorer
to aid, to help	aider	*to infect*	infecter
to alarm	alarmer	*to inform*	informer
to assign	assigner	*to install*	installer
to attest	attester	*to instill*	instiller
to augment, increase	augmenter	*to insult*	insulter
		to invent	inventer
to caress	caresser	*to limit*	limiter
to compliment	complimenter	*to murmur*	murmurer
to confess	confesser	*to pass*	passer
to consult	consulter	*to pay*	payer
to defer	déférer	*to persist*	persister
to detest	détester	*to present*	présenter
to discern	discerner	*to protest*	protester

ENGLISH	FRENCH	ENGLISH	FRENCH
to reprimand	réprimander	*to touch*	toucher
to respect	respecter	*to transport*	transporter
to retard	retarder	*to visit* (a place, not a person)	visiter
to ruin	ruiner		
to signal	signaler		

Add the letter "r" to the following English verbs and they become French verbs.

ENGLISH	FRENCH	ENGLISH	FRENCH
to accuse	accuser	*to dissuade*	dissuader
to admire	admirer	*to divorce*	divorcer
to adore	adorer	*to double*	doubler
to arrange	arranger	*to emerge*	émerger
to assure	assurer	*to encourage*	encourager
to balance	balancer	*to endure*	endurer
to blame	blâmer	*to engage*	engager
to cable	câbler	*to enrage*	enrager
to change	changer	*to examine*	examiner
to combine	combiner	*to excuse*	excuser
to commence, start	commencer	*to execute*	exécuter
		to explore	explorer
to compare	comparer	*to expose*	exposer
to compose	composer	*to force*	forcer
to console	consoler	*to guide*	guider
to conspire	conspirer	*to imagine*	imaginer
to consume	consumer	*to implore*	implorer
to continue	continuer	*to influence*	influencer
to date	dater	*to inhale*	inhaler
to decide	décider	*to inspire*	inspirer
to declare	déclarer	*to menace, threaten*	menacer
to degrade	dégrader		
to deplore	déplorer	*to observe*	observer
to determine	déterminer	*to place*	placer
to desire	désirer	*to prepare*	préparer
to destine	destiner	*to preserve*	préserver
to dine	dîner	*to preside*	présider
to discontinue	discontinuer	*to propose*	proposer

ENGLISH	FRENCH	ENGLISH	FRENCH
to redouble	redoubler	*to suppose*	supposer
to refuse	refuser	*to trace*	tracer
to reserve	réserver	*to traverse, cross*	traverser
to reside	résider		

You can convert many English verbs into French verbs by changing "*ate*" to "er."

Remove "*ate*" add "er."

ATE = ER

to anticipate, anticiper

ENGLISH	FRENCH	ENGLISH	FRENCH
to accelerate	accélérer	*to expiate*	expier
to accentuate	accentuer	*to facilitate*	faciliter
to accommodate	accommoder	*to fascinate*	fasciner
to accumulate	accumuler	*to humiliate*	humilier
to animate	animer	*to illustrate*	illustrer
to anticipate	anticiper	*to imitate*	imiter
to appreciate	apprécier	*to initiate*	initier
to assimilate	assimiler	*to insinuate*	insinuer
to associate	associer	*to irritate*	irriter
to capitulate	capituler	*to re-create*	recréer
to captivate	captiver	*to separate*	séparer
to consolidate	consolider	*to situate*	situer
to deliberate	délibérer	*to terminate*	terminer
to deviate	dévier		

You can convert many English verbs into French verbs by changing "*y*" to "*ier.*"

Y = IER

to copy, copier

ENGLISH	FRENCH	ENGLISH	FRENCH
to amplify	amplifier	*to copy*	copier
to certify	certifier	*to defy*	défier
to clarify	clarifier	*to falsify*	falsifier

ENGLISH	FRENCH	ENGLISH	FRENCH
to gratify	gratifier	*to purify*	purifier
to justify	justifier	*to qualify*	qualifier
to multiply	multiplier	*to specify*	spécifier
to notify	notifier		

SENTENCE-FORMING EXERCISE

For practice combine the words below in different ways to form as many sentences as you can.

Notice that the adverbs in Column 2 FOLLOW THE VERBS.

1	2	3
Nous‿aimons	beaucoup	la maison
Ils‿aiment	beaucoup	danser
Nous dansons	toujours	le samedi
Ils dansent	seulement	le samedi soir
Nous dînons	toujours	à l'heure
Ils dînent	souvent	chez Marie
Nous travaillons	souvent	le jeudi
Ils travaillent	toujours	le mardi
Nous‿invitons	toujours	Paul
Ils‿invitent	souvent	leurs‿amis
Nous louons	une maison	pour l'été
Ils louent	une maison	à la campagne

EXERCISE IN TRANSLATION

Translate the following sentences into French.

1. We like the house very much.
2. They (masc.) like to dance very much.
3. They (masc.) always work on Saturdays.
4. We always invite Paul to the country.
5. We always have dinner on time.
6. They dance only on Saturday nights.
7. We often dance on Saturdays.
8. They (fem.) often have dinner at Marie's house.
9. We often work on Saturday mornings.

10. They (masc.) work a lot on Saturdays.
11. They (fem.) rent a house for the summer.
12. We rent a house in the country.
13. We often have dinner in the country.
14. We often invite Paul.
15. They (masc., fem.) always invite their friends.

Check your sentences with the correct translations below, and repeat each sentence aloud as you write it. You will surely learn French faster if you say aloud all the French words and sentences in the book; in this way the language will become as familiar to your ear and your tongue as to your mind.

1. Nous aimons beaucoup la maison.
2. Ils aiment beaucoup danser.
3. Ils travaillent toujours le samedi.
4. Nous invitons toujours Paul à la campagne.
5. Nous dînons toujours à l'heure.
6. Ils dansent seulement le samedi soir.
7. Nous dansons souvent le samedi.
8. Elles dînent souvent chez Marie.
9. Nous travaillons souvent le samedi matin.
10. Ils travaillent beaucoup le samedi.
11. Elles louent une maison pour l'été.
12. Nous louons une maison à la campagne.
13. Nous dînons souvent à la campagne.
14. Nous invitons souvent Paul.
15. Ils invitent toujours leurs amis.

REMINDER CARD

Nous‿aimons beaucoup danser.
Ils‿aiment beaucoup la maison.
Nous travaillons souvent le samedi.
Ils travaillent seulement le samedi matin.
Ils‿invitent toujours leurs‿amis.
Nous louons‿une maison pour l'été.

27
Leçon Numéro Vingt-sept

PRESENT TENSE OF "RE" VERBS

The first person of the present tense of "re" verbs is formed by dropping the "re" and adding the letter "s."

Do not pronounce the final **"ds"** that appears in heavy type in the verbs below.

vendre, *to sell*	je ven**ds**, *I sell*
attendre, *to wait for*	j'atten**ds**, *I wait for*
répondre, *to answer*	je répon**ds**, *I answer*

Remember that you never pronounce the final **"ds"** in the first person of "re" verbs.

The second person (sing. and pl.) of the present tense of "re" verbs is formed by dropping the "re" and adding "ez."

vendre, *to sell*	vous vendez, *you sell* (sing, and pl.)
attendre, *to wait for*	vous‿attendez, *you wait for* (sing. and pl.)
répondre, *to answer, respond, reply*	vous répondez, *you answer* (sing. and pl.)

The third person of the present tense of "re" verbs is formed by removing the "re" and adding nothing.

Do not pronounce the final **"d"** that appears in heavy type in the verbs in this column.

vendre, *to sell*	il ven**d**, *he sells*
	elle ven**d**, *she sells*

attendre, *to wait for*	il atten**d**, *he waits for*
	elle atten**d**, *she waits for*
répondre, *to answer, respond, reply*	il répon**d**, *he answers*
	elle répon**d**, *she answers*

PLURAL

The plural endings of "re" verbs are just like the plural endings of "er" verbs. Remember that the most important thing is that the final "ent" of the third person plural of the present tense is silent. However, be sure to pronounce the letter before the "ent." Pronounce the "d" in "ils vendent" firmly.

nous vendons, *we sell*
vous vendez, *you sell* (sing. and pl.)
ils, elles vendent, *they sell*

vendre, *to sell*

je vends (*I sell*)	**nous vendons** (*we sell*)
vous vendez (*you sell*)	**vous vendez** (*you* [pl.] *sell*)
il, elle vend (*he, she sells*)	**ils, elles vendent** (*they sell* [masc., fem.])

PRESENT-TENSE ENDINGS OF "RE" VERBS

Remove the "re" from the infinitive and add:

s	**ons**
ez	**ez**
	ent

Remember that you add nothing in the third person singular.

WRITTEN EXERCISE

Following is a list of infinitives converted into the first, second, and third persons singular of the present tense.

1. Cover up all but the far left column.
2. Write out the first, second, and third persons of each verb, as in the second, third, and fourth columns below.
3. Write out the translation below the first, second, and third persons. Say aloud each French word you write.
4. Check your columns with those below.

REMEMBER: Never pronounce the final "ds" in the first person.
Never pronounce the final "d" in the third person.

INFINITIVE	FIRST PERSON	SECOND PERSON	THIRD PERSON
vendre	je vends	vous vendez	il, elle vend
to sell	*I sell*	*you sell*	*he, she sells*
attendre	j'attends	vous‿attendez	il, elle attend
to wait for	*I wait for*	*you wait for*	*he, she waits for*
entendre	j'entends	vous‿entendez	il, elle entend
to hear	*I hear*	*you hear*	*he, she hears*
défendre	je défends	vous défendez	il, elle défend
to forbid	*I forbid*	*you forbid*	*he, she forbids*
perdre	je perds	vous perdez	il, elle perd
to lose	*I lose*	*you lose*	*he, she loses*
suspendre	je suspends	vous suspendez	il, elle suspend
to hang up	*I hang up*	*you hang up*	*he, she hangs up*
prétendre	je prétends	vous prétendez	il, elle prétend
to pretend	*I pretend*	*you pretend*	*he, she pretends*
pendre	je pends	vous pendez	il, elle pend
to hang	*I hang*	*you hang*	*he, she hangs*
dépendre	je dépends	vous dépendez	il, elle dépend
to depend	*I depend*	*you depend*	*he, she depends*
rendre	je rends	vous rendez	il, elle rend
to return	*I return*	*you return*	*he, she returns*

NOTE: "Rendre" means "*to return*" only in the sense of returning an object or money. "Défendre" means "*to defend*" and "*to forbid.*"

Following is a list of infinitives converted into the first, second, and third persons plural of the present tense.

1. Cover up all but the far left column.
2. Write out the first, second, and third persons plural of each verb, as in the second, third, and fourth columns below.
3. Write out the translation below the first, second, and third persons. Say aloud each French word you write.
4. Check your columns with those below.

REMEMBER: Never pronounce the final "ent" in the third person plural.

INFINITIVE	FIRST PERSON	SECOND PERSON	THIRD PERSON
vendre	nous vendons	vous vendez	ils vendent
to sell	*we sell*	*you sell*	*they sell* (masc.)
attendre	nous‿attendons	vous‿attendez	ils‿attendent
to wait for	*we wait for*	*you wait for*	*they wait for*
entendre	nous‿entendons	vous‿entendez	ils‿entendent
to hear	*we hear*	*you hear*	*they hear*
défendre	nous défendons	vous défendez	ils défendent
to forbid	*we forbid*	*you forbid*	*they forbid*
perdre	nous perdons	vous perdez	ils perdent
to lose	*we lose*	*you lose*	*they lose*
suspendre	nous suspendons	vous suspendez	ils suspendent
to hang up	*we hang up*	*you hang up*	*they hang up*
prétendre	nous prétendons	vous prétendez	ils prétendent
to pretend	*we pretend*	*you pretend*	*they pretend*
pendre	nous pendons	vous pendez	ils pendent
to hang	*we hang*	*you hang*	*they hang*
dépendre	nous dépendons	vous dépendez	ils dépendent
to depend	*we depend*	*you depend*	*they depend*
rendre	nous rendons	vous rendez	ils rendent
to return	*we return*	*you return*	*they return*

PAST TENSE OF "RE" VERBS

The past tense of "re" verbs is formed by dropping the "re" and adding the letter "u."

vendre	j'ai vendu	*I sold*
attendre	j'ai attendu	*I waited for*
entendre	j'ai entendu	*I heard*

défendre	j'ai défendu	*I forbid*
perdre	j'ai perdu	*I lost*
suspendre	j'ai suspendu	*I hung up*
prétendre	j'ai prétendu	*I pretended*
pendre	j'ai pendu	*I hung*
dépendre	j'ai dépendu	*I depended*
rendre	j'ai rendu	*I returned* (a thing)

WORDS TO REMEMBER

l'élève, *the pupil*
les‿élèves, *the pupils*
le courrier, *the mail*
au bureau, *at the office*
C'est magnifique. *It's magnificent, it's wonderful.*
aux, *to the* (pl. masc. and fem.)
le train de sept‿heures, *the seven-o'clock train*
qui, *who*
aussi, *also, too*
chez vous, *at your house*
les bagages, *the baggage*
votre soeur, *your sister*
votre frère, *your brother*
si, *if*
Cela dépend. *It depends.*
cette semaine, *this week*
bien, *well*
pauvre, *poor*

C'est merveilleux. *It's marvelous* (fem., masc., sing. and pl.).
C'est merveilleux, n'est-ce pas? *It's marvelous, isn't it?*
Avez-vous vu? *Did you see, have you seen?*
Aimez-vous? *Do you like?*
Si vous‿aimez le ballet. *If you like the ballet.*
Je n'aime pas. *I don't like.*
Je déteste. *I detest, I hate.*
Attendez-vous? *Do you wait for, are you waiting for?*
Il attend. *He waits for, he is waiting for.*
Ils‿attendent. *They* (masc.) *wait for, they are waiting for.*

Note that the verb "répondre" is followed by "*to*" or "*to the.*"

au, *to the* (masc.)
à la, *to the* (fem.)
aux, *to the* (plural, masc. and fem.)
Je réponds au téléphone. *I answer* (*to the*) *telephone.*
Je réponds à la lettre. *I answer* (*to the*) *letter.*
Je réponds aux questions. *I answer* (*to the*) *questions.*

CONVERSATION

Qui répond au téléphone chez vous?
Je réponds au téléphone chez moi.

Aimez-vous répondre au téléphone?
Non, je n'aime pas répondre au téléphone. Je déteste répondre au téléphone.

Qui répond aux questions en classe?
Les‿élèves répondent aux questions en classe.

Est-ce que les‿élèves répondent toujours bien?
Non, c'est ridicule. Les‿élèves ne répondent pas toujours bien; c'est‿impossible.

Répondez-vous au courrier au bureau?
Non, je ne réponds pas au courrier au bureau.

Qui répond au courrier au bureau?
La secrétaire répond au courrier au bureau.

Qui répond au téléphone au bureau?
La secrétaire répond au téléphone au bureau, pauvre secrétaire.

Avez-vous vu les ballets cette semaine?
Oui, j'ai vu les ballets cette semaine.

C'est merveilleux, n'est-ce-pas?
Cela dépend. Si vous‿aimez le ballet classique, c'est magnifique; mais si vous‿aimez le ballet moderne, ce n'est pas‿extraordinaire.

Attendez-vous le train? *Are you waiting (for) the train?*
Oui, j'attends le train. *Yes, I am waiting (for) the train.*

Attendez-vous le train de Paris?
Oui, j'attends le train de Paris.

Attendez-vous le train de sept‿heures?
Oui, j'attends le train de sept‿heures.

Attendez-vous Paul?
Oui, j'attends Paul.

Est-ce que votre soeur attend Paul?
Non, elle n'attend pas Paul.

Est-ce que votre frère attend Paul?
Non, il n'attend pas Paul.

Est-ce que votre père et votre mère attendent aussi le train?
Oui, ils‿attendent aussi le train de Paris.

Attendez-vous‿un taxi?
Oui, j'attends‿un taxi.

Attendez-vous les bagages?
Oui, j'attends les bagages.

SENTENCE-FORMING EXERCISE

For practice combine the words below to form as many sentences as you can.

1	2	3
Qui répond	au téléphone	chez vous
Je réponds	aux lettres	au bureau
Paul répond	au courrier	au bureau
Les‿élèves répondent	aux questions	en classe
Nous répondons	au courrier	au bureau
Répondez-vous	au téléphone	de Paris
Attendez-vous	le train	de sept‿heures
Il attend	le train	Paul
Nous‿attendons	aussi	le train
J'attends	un taxi	
Votre soeur attend	aussi	
Votre frère attend	Robert	
Ils‿attendent	votre soeur	
Elles‿attendent	les bagages	

EXERCISE IN TRANSLATION

Translate the following sentences into French.

1. Who answers the telephone at your house?
2. The secretary answers the telephone at the office.

3. Paul answers the mail at the office.
4. Who answers the questions in the class?
5. We answer the questions in the class.
6. Do you answer the telephone at the office?
7. The students answer the questions in the class.
8. Do you answer the mail at the office?
9. Do you answer the letters too?
10. Are you waiting for the seven-o'clock train?
11. We are also waiting for Paul.
12. Your sister is waiting for the train.
13. They (masc.) are waiting for your brother.
14. He is waiting for your sister.
15. We are waiting for the baggage too.
16. Your sister is waiting for a taxi too.
17. Your brother is waiting for the six-o'clock train.
18. I am waiting for the train too.

Check your sentences with the correct translations below.

1. Qui répond au téléphone chez vous?
2. La secrétaire répond au téléphone au bureau.
3. Paul répond au courrier au bureau.
4. Qui répond aux questions en classe?
5. Nous répondons aux questions en classe.
6. Répondez-vous au téléphone au bureau?
7. Les élèves répondent aux questions en classe.
8. Répondez-vous au courrier au bureau?
9. Répondez-vous aussi aux lettres?
10. Attendez-vous le train de sept heures?
11. Nous attendons aussi Paul.
12. Votre soeur attend le train.
13. Ils attendent votre frère.
14. Il attend votre soeur.
15. Nous attendons aussi les bagages.
16. Votre soeur attend aussi un taxi.
17. Votre frère attend le train de six heures.
18. J'attends aussi le train.

Add the letters "re" to the following English verbs and they become French verbs.

to correspond	correspondre	*to distend*	détendre
to defend	défendre	*to pretend*	prétendre
to depend	dépendre	*to suspend*	suspendre

"Défendre" means both *"to defend"* and *"to forbid."*

REMINDER CARD

Je réponds	au téléphone
Il répond	au courrier
Répondez-vous	aux lettres
Les‿élèves répondent	aux questions
Nous répondons	au courrier
J'attends	le train
Il attend‿aussi	les bagages
Attendez-vous	votre soeur
Nous‿attendons	votre frère
Ils‿attendent	un taxi

CATEGORY XIV

Many English words that end in *"al"* are identical in French and English. These words are masculine.

AL = AL

le canal, *the canal*
local, *local*

brutal
le canal
le capital
(*amount of money*)
cardinal
central
colonial
colossal
commercial
communal
le confessional
conjugal
continental
cordial
le cristal
(*crystal*)
décimal
dictatorial
éditorial
électoral
épiscopal
expérimental
diagonal
facial
fatal
fédéral
filial
fiscal
floral
fondamental
(*fundamental*)
général
global

grammatical	médicinal	pénal
guttural	marginal	phénoménal
l'hôpital	marital	postal
(*hospital*)	martial	principal
horizontal	médical	proverbial
idéal	le métal	provincial
illégal	minéral	radical
immoral	monumental	rival
impartial	moral	royal
impérial	municipal	rural
inaugural	mural	sentimental
infernal	musical	le signal
initial	nasal	social
intégral	national	spécial
international	normal	total
intestinal	nuptial	territorial
jovial	oral	trivial
légal	oriental	tropical
libéral	original	vassal
littéral	ornemental	verbal
(*literal*)	(*ornamental*)	vertical
local	oval	vital
matrimonial	pastoral	vocal

To form the plural of masculine words that end in "al," change the **"al"** to **"aux."**

les canaux, *the canals*
centraux, *central* (pl.)

To form the plural of feminine words of this category, simply add the letter **"s."**

locale (sing.)
locales (pl.)

CATEGORY XV

You can convert many other English words that end in "*al*" into French words by changing "*al*" to "el" for the masculine form and to "elle" for the feminine form.

AL = EL (masc. form)
ELLE (fem. form)

annual, annuel (masc.)
annuelle (fem.)

accidentel (masc.)
additionnel
(*additional*)
annuel
artificiel
conditionnel
(*conditional*)
confidentiel
constitutionnel
(*constitutional*)
continuel
conventionnel
(*conventional*)
criminel
culturel
essentiel
éternel
exceptionnel
(*exceptional*)
formel
fraternel
graduel
habituel
immortel
impersonnel
(*impersonal*)
individuel
intellectuel
intentionnel
(*intentional*)
irrationnel
(*irrational*)
manuel
maternel
mortel
mutuel
naturel
officiel
partiel
paternel
perpétuel
personnel
(*personal*)
ponctuel
(*punctual*)
professionnel
(*professional*)
proportionnel
(*proportional*)
providentiel
rationnel
(*rational*)
réel
(*real*)
résidentiel
sensationnel
(*sensational*)
sensuel
superficiel
temporel
traditionnel
(*traditional*)
universel
usuel
visuel

28
Leçon Numéro Vingt-huit

The first person of the present tense of "ir" verbs is formed by dropping the "ir" and adding "is." The final "s" is silent in these verbs. Do not pronounce the final **"s"** that appears in heavy type in the verbs below.

finir, *to finish* — je fini**s**, *I finish*
choisir, *to choose* — je choisi**s**, *I choose*
polir, *to polish* — je poli**s**, *I polish*
applaudir, *to applaud* — j'applaudi**s**, *I applaud*
obéir, *to obey* — j'obéi**s**, *I obey*
accomplir, *to accomplish* — j'accompli**s**, *I accomplish*

The second person (sing. and pl.) of "ir" verbs is formed by dropping the "ir" and adding "issez."

finir, *to finish* — vous finissez, *you finish*
choisir, *to choose* — vous choisissez, *you choose*
polir, *to polish* — vous polissez, *you polish*
applaudir, *to applaud* — vous‿applaudissez, you applaud
obéir, *to obey* — vous‿obéissez, *you obey*
accomplir, *to accomplish* — vous‿accomplissez, *you accomplish*

The third person of "ir" verbs is formed by dropping the "ir" and adding "it." The final "t" is silent in these verbs. Do not pronounce the final **"t"** that appears in heavy type in the verbs below.

finir, *to finish* — il fini**t**, *he finishes*
choisir, *to choose* — il choisi**t**, *he chooses*
polir, *to polish* — il poli**t**, *he polishes*

applaudir, *to applaud*	elle applaudi**t**, *she applauds*
obéir, *to obey*	elle obéi**t**, *she obeys*
accomplir, *to accomplish*	il accompli**t**, *he accomplishes*

The plural endings of "ir" verbs are like the plural endings of "er" and "re" verbs except for the fact that they are preceded by "iss." The endings are: "issons, issez" and "issent."

nous finissons, *we finish*
vous finissez, *you finish*
ils finissent, *they finish*

PRESENT-TENSE ENDINGS OF "IR" VERBS

Remove the "ir" from the infinitive and add:

is	**issons**
issez	**issez**
it	**issent**

Write out the present-tense chart of the following "ir" verbs:

1. **finir,** *to finish*
2. **choisir,** *to choose*
3. **punir,** *to punish*
4. **obéir,** *to obey*
5. **accomplir,** *to accomplish*
6. **grandir,** *to grow*

Check your charts with those below.

finir, *to finish*

je finis (*I finish*)	**nous finissons** (*we finish*)
vous finissez (*you finish*)	**vous finissez** (*you* [pl.] *finish*)
il, elle finit (*he, she finishes*)	**ils, elles finissent** (*they* [masc., fem.] *finish*)

choisir, *to choose*

je choisis (*I choose*)	**nous choisissons** (*we choose*)
vous choisissez (*you choose*)	**vous choisissez** (*you* [pl.] *choose*)
il, elle choisit (*he, she chooses*)	**ils, elles choisissent** (*they* [masc., fem.] *choose*)

punir, *to punish*

je punis (*I punish*)	**nous punissons** (*we punish*)
vous punissez (*you punish*)	**vous punissez** (*you* [pl.] *punish*)
il, elle punit (*he, she punishes*)	**ils, elles punissent** (*they* [masc., fem.] *punish*)

obéir, *to obey*

j'obéis (*I obey*)	**nous‿obéissons** (*we obey*)
vous‿obéissez (*you obey*)	**vous‿obéissez** (*you* [pl]. *obey*)
il, elle obéit (*he, she obeys*)	**ils, elles‿obéissent** (*they* [masc., fem.] *obey*)

accomplir, *to accomplish*

j'accomplis (*I accomplish*)	**nous‿accomplissons** (*we accomplish*)
vous‿accomplissez (*you accomplish*)	**vous‿accomplissez** (*you* [pl.] *accomplish*)
il, elle accomplit (*he, she accomplishes*)	**ils, elles‿accomplissent** (*they* [masc., fem.] *accomplish*)

grandir, *to grow*

je grandis (*I grow*)	**nous grandissons** (*we grow*)
vous grandissez (*you grow*)	**vous grandissez** (*you* [pl.] *grow*)
il, elle grandit (*he, she grows*)	**ils, elles grandissent** (*they* [masc., fem.] *grow*)

REVIEW OF THE PRESENT TENSE OF REGULAR VERBS

You have learned how to form the present tense of all the regular French verbs. It is quite an accomplishment. Now you must master these verbs so that you will be able to use them correctly whenever you want, without hesitation.

The following charts will give you the present tense of all

regular verbs in a nutshell. Copy the charts and the sample verbs under them on a card. Carry the card with you and when you have a spare moment, repeat the six forms of one of the verbs to yourself. Get very well acquainted with the endings, the pronunciation, and the rhythm and swing of these verbs. This will put you in complete command of the present tense.

The letters that appear in heavy type are not pronounced. They are absolutely silent.

REMINDER CARD

PRESENT-TENSE ENDINGS

The letters in heavy type are SILENT.

ER		RE		IR	
e	ons	**s**	ons	**is**	isso**ns**
ez	**ez**	**ez**	**ez**	isse**z**	isse**z**
e	**ent**		**ent**	**it**	iss**ent**

ER	RE	IR
parler	vendre	finir
travailler	attendre	choisir
louer	perdre	polir
chanter	entendre	applaudir
demander	prétendre	obéir
marcher	pendre	accomplir
déjeuner	dépendre	grandir *(to grow)*
jouer	rendre *(to return a thing)*	punir
donner	défendre *(to defend, forbid)*	établir *(to establish)*
aider		
embrasser		

WORDS TO REMEMBER

jamais, *never* — **toujours,** *always*
souvent, *often* — **aussi,** *also, too*

Voulez-vous? *Would you like, will you have, do you want?*
trop, *too much*
Jean, *John*
si, *if*

WRITTEN REVIEW

Translate the following sentences into French. After you have written out all the sentences, check them with the correct translation below this exercise.

1. Do you speak French?
2. I am having dinner with Paul tomorrow.
3. Do you like to play tennis?
4. He smokes too much.
5. Where do you spend the weekend?
6. I always prepare the lesson.
7. She plays tennis very well.
8. He doesn't speak English.
9. Do you like to have lunch in the country?
10. Do you like to travel?
11. I like onions.
12. Do you talk a lot in the class?
13. I don't like tomatoes.
14. I live in an apartment.
15. Does Louise travel a lot?
16. Will you have a cigarette?
17. Would you like to have dinner with me on Saturday?
18. Would you like to have lunch with me today?
19. She is singing.
20. He is working.
21. I am having dinner.
22. He is playing tennis.
23. We are having lunch with Paul tomorrow.
24. We rent a house for the summer.
25. They (masc.) often work on Saturdays.
26. He always works on Saturdays.
27. We sing in the class.
28. He often has dinner at Mary's house.
29. He's reserving a table.

30. I always help Pauline.
31. I always answer the telephone at home.
32. We are waiting for a taxi too.
33. They (fem.) are waiting for your sister.
34. I finish the lesson at eight o'clock.
35. At what time do you finish?
36. She never punishes John.
37. John always obeys.
38. The students answer the questions in the class.
39. Your brother is waiting for Pauline.
40. We finish the lesson at seven o'clock.

Check your sentences with the correct translations below.

1. Parlez-vous français?
2. Je dîne avec Paul demain.
3. Aimez-vous jouer au tennis?
4. Il fume trop.
5. Où passez-vous le weekend?
6. Je prépare toujours la leçon.
7. Elle joue très bien au tennis.
8. Il ne parle pas anglais.
9. Aimez-vous déjeuner à la campagne?
10. Aimez-vous voyager?
11. J'aime les oignons.
12. Parlez-vous beaucoup en classe?
13. Je n'aime pas les tomates.
14. J'habite un appartement.
15. Est-ce que Louise voyage beaucoup?
16. Voulez-vous une cigarette?
17. Voulez-vous dîner avec moi samedi?
18. Voulez-vous déjeuner avec moi aujourd'hui?
19. Elle chante (elle est en train de chanter).
20. Il travaille (il est en train de travailler).
21. Je dîne (je suis en train de dîner).
22. Il joue au tennis (il est en train de jouer au tennis).
23. Nous déjeunons avec Paul demain.

24. Nous louons une maison pour l'été.
25. Ils travaillent souvent le samedi.
26. Il travaille toujours le samedi.
27. Nous chantons en classe.
28. Il dîne souvent chez Marie.
29. Il réserve une table.
30. J'aide toujours Pauline.
31. Je réponds toujours au téléphone chez moi.
32. Nous attendons aussi un taxi.
33. Elles attendent votre soeur.
34. Je finis la leçon à huit heures.
35. À quelle heure finissez-vous?
36. Elle ne punit jamais Jean.
37. Jean obéit toujours.
38. Les élèves répondent aux questions en classe.
39. Votre frère attend Pauline.
40. Nous finissons la leçon à sept heures.

LIST OF "IR" VERBS

abolir, *to abolish*
accomplir, *to accomplish*
chérir, *to cherish*
démolir, *to demolish*
embellir, *to embellish*
établir, *to establish*
finir, *to finish*
fournir, *to furnish*
acquérir, *to acquire*
choisir, *to choose*
définir, *to define*
désobéir, *to disobey*
élargir, *to enlarge*
ennoblir, *to ennoble*
applaudir, *to applaud*
réfléchir, *to reflect, think over*
réussir, *to succeed*
vieillir, *to grow old*
assortir, *to match one thing with another*
garnir, *to garnish*
nourrir, *to nourish*
périr, *to perish*
polir, *to polish*
punir, *to punish*
ravir, *to ravish, delight*
rétablir, *to re-establish*
garantir, *to guarantee*
obéir, *to obey*
pâlir, *to grow pale*
saisir, *to seize*
convertir, *to convert*
divertir, *to divert, amuse*
enrichir, *to enrich*
rôtir, *to roast*

TEST YOUR PROGRESS

Now that you have completed twenty-eight lessons, let's try another test to see how well you are grasping the French language. You should complete this test in ten minutes.

TEST I

Fill in the blanks below with the plural of the following words.

1. marié ____________________
2. pressée ____________________
3. pauvre ____________________
4. le billet ____________________
5. la boîte ____________________
6. la maison ____________________
7. la revue ____________________
8. l'avion ____________________
9. l'heure ____________________
10. le câble urgent ____________________
11. le roman amusant ____________________
12. le bébé ____________________
13. la pièce intéressante ____________________
14. la plage tranquille ____________________
15. la lettre importante ____________________
16. l'opéra ____________________
17. le film amusant ____________________
18. le télégramme important ____________________
19. le docteur fatigué ____________________
20. l'histoire ridicule ____________________
21. la revue intéressante ____________________
22. l'été humide ____________________
23. le livre rouge ____________________
24. la robe élégante ____________________
25. arrivé ____________________
26. allée ____________________
27. venu ____________________
28. arrivée ____________________
29. allé ____________________
30. venue ____________________

Check your translations with the answers below. If you have five or less errors, you are doing very well. If you have ten or more errors, review the plurals.

1. mariés
2. pressées
3. pauvres
4. les billets
5. les boîtes
6. les maisons
7. les revues
8. les avions
9. les heures
10. les câbles urgents
11. les romans amusants
12. les bébés
13. les pièces intéressantes
14. les plages tranquilles
15. les lettres importantes
16. les opéras
17. les films amusants
18. les télégrammes importants
19. les docteurs fatigués
20. les histoires ridicules
21. les revues intéressantes
22. les étés humides
23. les livres rouges
24. les robes élégantes
25. arrivés
26. allées
27. venus
28. arrivées
29. allés
30. venues

TEST II

Fill in the blanks with the feminine form of the following words. You should complete this test in eight minutes.

1. occupé ____________________
2. pressé ____________________
3. marié ____________________
4. prêt ____________________
5. surpris ____________________
6. important ____________________
7. timide ____________________
8. occupés ____________________
9. fatigués ____________________
10. allés ____________________
11. venu ____________________
12. venus ____________________
13. seul ____________________
14. tranquille ____________________
15. rouge ____________________

16. riche ____________________
17. arrivé ____________________
18. arrivés ____________________
19. amusant ____________________
20. charmant ____________________

Check your answers with the words below. If you have no more than three errors, you are doing very well. If you have six or more errors, review the feminine adjectives.

1. occupée
2. pressée
3. mariée
4. prête
5. surprise
6. importante
7. timide
8. occupées
9. fatiguées
10. allées
11. venue
12. venues
13. seule
14. tranquille
15. rouge
16. riche
17. arrivée
18. arrivées
19. amusante
20. charmante

TEST III

This is an important verb test. I hope that you will come through it with flying colors. Fill in the blanks below with the French equivalents of the following verbs. You should be able to complete this test in fifteen minutes.

1. I speak ____________________
2. They (masc.) speak ____________________
3. I go ____________________
4. We are going ____________________
5. I am ____________________
6. Are you? ____________________
7. Do you work? ____________________
8. He speaks ____________________
9. We work ____________________
10. They (fem.) prepare ____________________
11. Do you like? ____________________
12. I don't work ____________________
13. We speak ____________________
14. I ask ____________________
15. They (fem.) like ____________________

16. He sells ______
17. I wait ______
18. We sell ______
19. I sell ______
20. I answer ______
21. I finish ______
22. They (masc.) finish ______
23. We are ______
24. They (masc.) came ______
25. He finishes ______
26. They (fem.) came ______
27. He arrived ______
28. She went ______
29. Did you (masc.) go? ______
30. We (fem.) went ______

Check your translations with the correct answers below. If you have twenty-five correct answers, your work is very good. If you have less than fifteen correct answers, review the verbs.

1. Je parle
2. Ils parlent
3. Je vais
4. Nous allons
5. Je suis
6. Êtes-vous?
7. Travaillez-vous?
8. Il parle
9. Nous travaillons
10. Elles préparent
11. Aimez-vous?
12. Je ne travaille pas
13. Nous parlons
14. Je demande
15. Elles aiment
16. Il vend
17. J'attends
18. Nous vendons
19. Je vends
20. Je réponds
21. Je finis
22. Ils finissent
23. Nous sommes
24. Ils sont venus
25. Il finit
26. Elles sont venues
27. Il est arrivé
28. Elle est allée
29. Êtes-vous allé?
30. Nous sommes allées

TEST IV

Translate the following sentences into French. You should complete this test in forty minutes.

1. Did you (masc.) go to the office? ______
2. I (fem.) went to the theater. ______
3. I (fem.) arrived this morning. ______
4. Did you (fem.) go to the office? ______
5. Paul didn't go to the bank today. ______
6. She went to the concert. ______
7. He arrived last night. ______
8. Did you (fem.) arrive last night? ______
9. Susan didn't go to the bank. ______
10. Did Peter go to the movies? ______
11. He's on time. ______
12. She's late. ______
13. At what time did you (fem.) get to the hotel? ______
______
14. They (masc.) arrived. ______
15. We (fem.) arrived. ______
16. They (fem.) arrived. ______
17. I (masc.) came. ______
18. We (masc.) came. ______
19. They (fem.) came. ______
20. They (masc.) came. ______
21. He came for the weekend. ______
22. I (fem.) came with Louise. ______
23. We (masc.) arrived late. ______
24. They (masc.) are going to sell the house. ______
______
25. We are going to send the package. ______
______
26. They (fem.) are going to read the article. ______
______
27. Are you going to play? ______
28. He is going to have lunch. ______
29. Do you speak French at home? ______
30. Does Paul talk a lot in class? ______
31. I (fem.) am surprised. ______
32. I (masc.) am ready. ______
33. Are you (masc.) married? ______
34. She is sick. ______
35. Paul likes to play tennis. ______

36. Would you like a cigarette? ____________
37. I am working. ____________
38. Would you like to have dinner with me? ____________
____
39. They (masc.) always work on Saturday. ____________
____
40. They (masc.) invite their friends. ____________
____
41. We are waiting for Paul. ____________
42. He is waiting for your sister. ____________
43. I am waiting for the train. ____________
44. I am having dinner with Paul tomorrow. ____________
____
45. He smokes too much. ____________
46. I live in an apartment. ____________
47. She sings very well. ____________
48. At what time do you finish? ____________

Check your sentences with the correct answers below. If you have forty or more correct answers, you are doing superior work. If you have no more than thirty correct answers, review the last nine lessons.

1. Êtes-vous allé au bureau?
2. Je suis allée au théâtre.
3. Je suis arrivée ce matin.
4. Êtes-vous allée au bureau?
5. Paul n'est pas allé à la banque aujourd'hui.
6. Elle est allée au concert.
7. Il est arrivé hier soir.
8. Êtes-vous arrivée hier soir?
9. Suzanne n'est pas allée à la banque.
10. Est-ce que Pierre est allé au cinéma?
11. Il est à l'heure.
12. Elle est en retard.
13. À quelle heure êtes-vous arrivée à l'hôtel?
14. Ils sont arrivés.
15. Nous sommes arrivées.
16. Elles sont arrivées.
17. Je suis venu.

18. Nous sommes venus.
19. Elles sont venues.
20. Ils sont venus.
21. Il est venu pour le weekend.
22. Je suis venue avec Louise.
23. Nous sommes arrivés en retard.
24. Ils vont vendre la maison.
25. Nous allons envoyer le paquet.
26. Elles vont lire l'article.
27. Allez-vous jouer?
28. Il va déjeuner.
29. Parlez-vous français chez vous?
30. Est-ce que Paul parle beaucoup en classe?
31. Je suis surprise.
32. Je suis prêt.
33. Êtes-vous marié?
34. Elle est malade.
35. Paul aime jouer au tennis.
36. Voulez-vous une cigarette?
37. Je travaille.
38. Voulez-vous dîner avec moi?
39. Ils travaillent toujours le samedi.
40. Ils invitent leurs amis.
41. Nous attendons Paul.
42. Il attend votre soeur.
43. J'attends le train.
44. Je dîne avec Paul demain.
45. Il fume trop.
46. J'habite un appartement.
47. Elle chante très bien.
48. À quelle heure finissez-vous?

29
Leçon Numéro Vingt-neuf

"Du" is a contraction of "de le," which means "*of the, from the*" (masc., sing.).

EXAMPLES:

du président, *of the president, from the president*
du dentiste, *of the dentist, from the dentist*

"Des" is a contraction of "de les"—"*of the, from the.*"

EXAMPLES:

des programmes (masc.), *of the, from the programs*
des fleurs (fem.), *of the, from the flowers*

Remember:

du, *of the, from the* (masc. sing.)
de la, *of the, from the* (fem. sing.)
des, *of the, from the* (masc. and fem. pl.)

"Du, de la, des" also mean "*some.*"

EXAMPLES:

Masculine singular	J'ai acheté **du café.** *I bought some coffee.*
Feminine singular	J'ai acheté **de la farine.** *I bought some flour.*

Masculine plural	J'ai acheté **des fruits.**
	I bought some fruits.
Feminine plural	J'ai acheté **des roses.**
	I bought some roses.

Notice that the masculine and feminine are alike in the plural; both are "des."

When the word "*some*" is omitted in English, you still must use "du, de la, des" in French.

Here are some sentences that illustrate this point. Notice that, although "*some*" is omitted in English, it is NOT OMITTED in French.

Masculine singular	*I bought coffee.*
	J'ai acheté du café.
Feminine singular	*I bought flour.*
	J'ai acheté de la farine.
Masculine plural	*I bought fruits.*
	J'ai acheté des fruits.
Feminine plural	*I bought roses.*
	J'ai acheté des roses.

Whenever you omit the word "*some*" in English, you must use "du, de la, des" in French. Furthermore, whenever the word "*some*" could be used in English, you must use "du, de la, des" in French.

If you do not understand this completely, don't worry, it will come to you gently and in its own way as you progress through the lessons.

IRREGULAR VERBS

You already know several irregular verbs in the past.

voir, *to see*

j'ai vu (*I saw*)	**nous‿avons vu** (*we saw*)
vous‿avez vu (*you saw*)	**vous‿avez vu** (*you* [pl.] *saw*)
il, elle a vu (*he, she saw*)	**ils, elles‿ont vu** (*they* [masc., fem.] *saw*)

écrire, *to write*

j'ai écrit (*I wrote*)	**nous‿avons‿écrit** (*we wrote*)
vous‿avez‿écrit (*you wrote*)	**vous‿avez‿écrit** (*you* [pl.] *wrote*)
il, elle a écrit (*he, she wrote*)	**ils, elles‿ont‿écrit** (*they* [masc., fem.] *wrote*)

You already know that the past is formed by combining the auxiliary verb "avoir" (*to have*) with any past participle such as "vu, écrit, acheté, parlé," etc. Since the auxiliary verb "avoir" is so important, let's get it well in mind again.

avoir, *to have*

j'ai (*I have*)	**nous‿avons** (*we have*)
vous‿avez (*you have*)	**vous‿avez** (*you* [pl.] *have*)
il, elle a (*he, she has*)	**ils, elles‿ont** (*they* [masc., fem.] *have*)

Keep this simplified chart in mind:

avoir, *to have*

j'ai	**nous‿avons**
vous‿avez	**vous‿avez**
il, elle a	**ils, elles‿ont**

Now let's learn two more verbs:

prendre, *to take* — **j'ai pris,** *I took*
faire, *to do, to make* — **j'ai fait,** *I did, I made*

Write out the past of "prendre" and "faire" in chart form and compare your charts with those below.

prendre, *to take*

j'ai pris	**nous‿avons pris**
vous‿avez pris	**vous‿avez pris**
il, elle a pris	**ils, elles‿ont pris**

faire, *to make, to do*

j'ai fait	**nous‿avons fait**
vous‿avez fait	**vous‿avez fait**
il, elle a fait	**ils, elles‿ont fait**

Below there is a list of useful irregular verbs. They will be presented in future lessons. They are used here only to show you that irregular verbs are not the devils they are generally thought to be.

voir, *to see*	j'ai vu, *I saw, I have seen*
lire, *to read*	j'ai lu, *I read, I have read*
boire, *to drink*	j'ai bu, *I drank, I have drunk*
recevoir, *to receive*	j'ai reçu, *I received, I have received*
vouloir, *to want*	j'ai voulu, *I wanted, I have wanted*
dire, *to say*	j'ai dit, *I said, I have said*
écrire, *to write*	j'ai écrit, *I wrote, I have written*
dormir, *to sleep*	j'ai dormi, *I slept, I have slept*
avoir, *to have*	j'ai eu, *I had, I have had*
prendre, *to take*	j'ai pris, *I took, I have taken*
apprendre, *to learn*	j'ai appris, *I learned, I have learned*
comprendre, *to understand*	j'ai compris, *I understood, I have understood*
mettre, *to put*	j'ai mis, *I put, I have put*

WORDS TO REMEMBER

une chose, *a thing*
beaucoup de choses, *many things*
beaucoup de fleurs, *many flowers*
mes‿amis, *my friends*
ravissant, *lovely* (*ravishing*)
le mouchoir, *the handkerchief*
chez l'épicier, *at the grocery store*
chez le boucher, *at the butcher shop*
chez le boulanger, *at the bakery*
chez la crémière, *at the dairy*
le pain, *the bread*
les petits pains, *the rolls*
le gâteau, *the cake*
le fromage, *the cheese*
le métro, *the subway*
les musées, *the museums*
les gants, *the gloves*
le parfum, *the perfume*
le manteau, *the coat*
le tailleur, *the suit* (woman's)
le marché, *the marketing, market*
le sucre, *sugar*

la marmelade, *the marmalade*
le sel, *the salt*
le poivre, *the pepper*
la viande, *the meat*
le lait, *the milk*
le beurre, *butter*
les‿oeufs (do not pronounce the final "fs"), *the eggs*
du café, *some coffee*
des photographies, *some photographs, snapshots*
en septembre, *in September*
en‿octobre, *in October*
le lit, *the bed*
ou, *or*
où, *where*

Note: "Beaucoup" must be followed by "de" when it appears before a noun. Examples: beaucoup de café, *much coffee*; beaucoup de fromage, *much cheese*; beaucoup de fleurs, *many flowers.*

Je suis‿allé(e). *I went.*
Êtes-vous‿allé(e)? *Did you go?*
J'ai acheté. *I bought, I have bought.*
J'ai visité. *I visited* (a place, not a person).
J'ai fait. *I did, I have done, I made, I have made.*
Avez-vous fait? *Did you do? Have you done?*
J'ai fait le marché. *I did the marketing.*
J'ai pris. *I took, I have taken.*
Avez-vous pris? *Did you take, have you taken?*
Nous‿avons pris. *We took, we have taken.*
Qu'est-ce que vous‿avez fait? *What did you do (What is it that you have done)?*

CONVERSATION

Êtes-vous‿allé(e) à Paris en septembre ou en‿octobre?
Je suis‿allé(e) à Paris en septembre.

Avez-vous fait beaucoup de choses intéressantes à Paris?
Oui, j'ai fait beaucoup de choses intéressantes à Paris.

Qu'est-ce que vous‿avez fait?
J'ai fait beaucoup de choses. Je suis‿allé(e) au théâtre avec mes‿amis, j'ai visité les musées, et j'ai acheté beaucoup de choses.

Qu'est-ce que vous‿avez‿acheté?
J'ai acheté des robes, des gants, et du parfum.

Avez-vous‿acheté un chapeau?
Oui, j'ai acheté un chapeau ravissant.

Avez-vous‿acheté des mouchoirs?
Oui, j'ai acheté des mouchoirs.

Avez-vous‿acheté un manteau à Paris?
Oui, j'ai acheté un manteau à Paris.

Avez-vous‿aussi acheté un tailleur?
Oui, j'ai acheté un tailleur.

Avez-vous pris des photographies à Paris?
Oui, j'ai pris des photographies à Paris.

Qu'est-ce que vous‿avez fait ce matin?
Ce matin j'ai fait le marché.

Êtes-vous‿allé(e) chez l'épicier?
Oui, je suis‿allé(e) chez l'épicier.

Qu'est-ce que vous‿avez‿acheté chez l'épicier?
J'ai acheté du café, du sucre, de la marmelade, du sel, et du poivre.

Êtes-vous‿allé(e) chez le boulanger hier matin?
Oui, je suis‿allé(e) chez le boulanger hier matin.

Qu'est-ce que vous‿avez‿acheté chez le boulanger?
J'ai acheté du pain, des petits pains, et un gâteau délicieux.

Êtes-vous‿allé(e) chez le boucher?
Oui, je suis‿allé(e) chez le boucher.

Qu'est-ce que vous‿avez‿acheté chez le boucher?
J'ai acheté de la viande chez le boucher.

Êtes-vous‿allé(e) chez la crémière lundi après-midi?
Oui, je suis‿allé(e) chez la crémière lundi après-midi.

Qu'est-ce que vous‿avez‿acheté chez la crémière?
Chez la crémière j'ai acheté du lait, du beurre, du fromage, et des‿oeufs.

Avez-vous pris un taxi ce matin?
Oui, j'ai pris un taxi ce matin.

Avez-vous pris le train?
Non, je n'ai pas pris le train.

Avez-vous pris le métro?
Non, je n'ai pas pris le métro.

Avez-vous pris l'avion?
Non, je n'ai pas pris l'avion.

There are two ways to say the names of shops. Both are used. Why not learn them?

chez le boucher (*at the butcher's, at the butcher shop*)	à la boucherie (*at the butcher shop*)
chez l'épicier (*at the grocer's, at the grocery store*)	à l'épicerie (*at the grocery store*)
chez le boulanger (*at the baker's, at the bakery*)	à la boulangerie (*at the bakery*)
chez la crémière (*at the "creamer's," at the dairy*)	à la crémerie (*at the dairy*)

The feminine "la crémière" is generally used. In the masculine form it would be "le crémier."

You have learned that "du, de la, des" mean "*some*."

EXAMPLES:

J'ai des disques. *I have some records.*
J'ai acheté du sucre. *I bought some sugar.*
J'ai acheté de la viande. *I bought some meat.*

"De" means "*any*" when the word "*any*" is used in a negative sentence.

EXAMPLE:

I haven't ANY records.
Je n'ai pas DE disques.

REMEMBER:

In the affirmative use "du, de la, des" (some).
In the negative always use "de" (*any*). "De" is used for the

masculine and feminine, singular and plural. This "de" that means "*any*" is never, never followed by an article.

EXAMPLES:

Affirmative	*I bought SOME sugar.*
	J'ai acheté DU sucre.
Negative	*I didn't buy ANY sugar.*
	Je n'ai pas‿acheté DE sucre.
Affirmative	*I bought SOME meat.*
	J'ai acheté DE LA viande.
Negative	*I didn't buy ANY meat.*
	Je n'ai pas acheté DE viande (not "de la viande," as this "de" is never followed by an article).
Affirmative	*I have SOME records.*
	J'ai DES disques.
Negative	*I haven't ANY records.*
	Je n'ai pas DE disques.

Read these sentences aloud.

Avez-vous‿acheté DU beurre?
Non, je n'ai pas‿acheté DE beurre.

Avez-vous‿acheté DU pain?
Non, je n'ai pas‿acheté DE pain.

Avez-vous‿acheté DU fromage?
Oui, j'ai acheté DU fromage.

Avez-vous‿acheté DES gants?
Non, je n'ai pas‿acheté DE gants.

Avez-vous‿acheté DE LA VIANDE?
Non, je n'ai pas‿acheté DE viande.

Notice that you use "DE" in all the negative sentences above. If you are wildly enthusiastic about grammar, perhaps you would like to know that all this "du, de la, des" business has a grammatical name: the partitive. ("*Some*" denotes PART of a quantity or number.)

SENTENCE-FORMING EXERCISE

For practice combine the words below to form as many sentences as you can. Remember to say aloud all the French words in this book.

1	2	3
J'ai fait	beaucoup de choses	intéressantes
Avez-vous fait	du café	pour ce soir
Elle a fait	le lit (the bed)	ce matin
Nous‿avons fait	le marché	samedi matin
Qu'est-ce que	vous‿avez fait	hier soir
Qu'est-ce que	vous‿avez‿acheté	aujourd'hui
J'ai acheté	des robes	à Paris
Elle a acheté	des gants	mercredi matin
Il a acheté	du sucre	chez l'épicier
Nous‿avons‿acheté	du sel	à l'épicerie
Ils‿ont‿acheté	du pain	chez le boulanger
Avez-vous‿acheté	un gâteau	à la boulangerie
Je n'ai pas‿acheté	de sel	chez l'épicier
Il n'a pas‿acheté	de gants	jeudi matin
Elle n'a pas‿acheté	de viande	chez le boucher
Ils‿ont‿acheté	de la viande	à la boucherie
Ils n'ont pas‿acheté	de beurre	à la crémerie
Nous‿avons‿acheté	du beurre	chez la crémière
J'ai pris	des photographies	à Paris
Il n'a pas pris	de photographies	à Paris
Nous‿avons pris	le métro	à six‿heures
Elles‿ont pris	l'avion	mardi après-midi

EXERCISE IN TRANSLATION

Write out the following sentences in French and check them with the correct translations below this exercise.

1. He did many interesting things in Paris.
2. Did you make some coffee?
3. She made the bed this morning.

4. We did the marketing this morning.
5. What did you do yesterday?
6. What did she do today?
7. I bought some dresses in Paris.
8. She bought some gloves this morning.
9. We bought salt at the grocery store.
10. Did you buy sugar today?
11. He bought a delicious cake at the bakery.
12. He didn't buy bread.
13. I didn't buy (any) meat today.
14. They (fem.) didn't buy (any) butter.
15. I bought meat, butter, and bread.
16. She didn't buy meat at the butcher shop.
17. I took some pictures this morning.
18. She didn't take any pictures in Paris.
19. We took the subway.
20. They (fem.) took the plane.

Check your sentences with the correct translations below:

1. Il a fait beaucoup de choses intéressantes à Paris.
2. Avez-vous fait du café?
3. Elle a fait le lit ce matin.
4. Nous avons fait le marché ce matin.
5. Qu'est-ce que vous avez fait hier?
6. Qu'est-ce qu'elle a fait aujourd'hui?
7. J'ai acheté des robes à Paris.
8. Elle a acheté des gants ce matin.
9. Nous avons acheté du sel à l'épicerie.
10. Avez-vous acheté du sucre aujourd'hui?
11. Il a acheté un gâteau délicieux à la boulangerie.
12. Il n'a pas acheté de pain.
13. Je n'ai pas acheté de viande aujourd'hui.
14. Elles n'ont pas acheté de beurre.
15. J'ai acheté de la viande, du beurre, et du pain.
16. Elle n'a pas acheté de viande à la boucherie.
17. J'ai pris des photographies ce matin.
18. Elle n'a pas pris de photographies à Paris.
19. Nous avons pris le métro.
20. Elles ont pris l'avion.

REMINDER CARD

J'ai fait	beaucoup de choses	intéressantes
Elle a fait	le lit *(the bed)*	ce matin
Qu'est-ce que	vous‿avez fait	hier
J'ai acheté	du pain	chez le boulanger
Avez-vous‿acheté	de la viande	
Je n'ai pas‿acheté	de pain	
Nous n'avons pas‿acheté	de viande	
J'ai pris	le métro	
Nous‿avons pris	des photographies	
Ils‿ont pris	l'avion	

30
Leçon Numéro Trente

THE IRREGULAR PAST

WORDS TO REMEMBER

le petit déjeuner, *breakfast*
la confiture, *the jam*
sur, *on*
sur la table, *on the table*
une tasse de café, *a cup of coffee*
à quelle heure, *at what time*
à dix‿heures et demie, *at ten-thirty* (*at ten hours and a half*)
jusque, *until*
jusqu'à dix‿heures, *until ten o'clock*
chez le coiffeur, *at the hairdresser's*
des courses, *errands, shopping*
avant, *before*
après, *after*
le courrier, *the mail*
ensuite, *afterward*
la fenêtre, *the window*
le lit, *the bed*
mes, *my* (masc. and fem. pl.)
mes‿amis, *my friends*
vos, *your* (masc. and fem. pl.)
vos parents, *your parents*
tard, *late*
les parents, *the parents, relatives*
le vase, *the vase*
le ménage, *the housework*

J'ai déjeuné. *I had lunch, I had breakfast.*
J'ai lu. *I read* (past).
J'ai dit. *I said.*
J'ai fait. *I did, I made.*
J'ai reçu. *I received.*
J'ai ouvert. *I opened.*
J'ai dormi. *I slept.*
J'ai pris. *I took.*
J'ai mis. *I put, put on.*

J'ai mis le couvert. *I set the table.*
J'ai fait le ménage. *I did the housework.*
J'ai fait des courses. *I did some errands.*
J'ai pris rendez-vous. *I made an appointment (I took an appointment).*
Qu'est-ce que vous‿avez fait? *What did you do (What is it that you have done)?*

In French the verb "*to take*" is used to express eating and drinking. We say "J'ai pris une tasse de café" (*I took a cup of coffee*) instead of "*I had a cup of coffee.*" We say "J'ai pris du rosbif" (*I took roast beef*) instead of "*I had roast beef.*"

CONVERSATION

Avez-vous dormi tard ce matin?
Oui, j'ai dormi tard ce matin. J'ai dormi jusqu'à dix‿heures.

Avez-vous bien dormi?
Oui, j'ai bien dormi.

À quelle heure avez-vous déjeuné?
J'ai déjeuné à dix‿heures et demie.

Qu'est-ce que vous‿avez pris?
J'ai pris des fruits, une tasse de café, et un petit pain avec du beurre et de la confiture.

Avez-vous‿ouvert le courrier avant le petit déjeuner?
Non, je n'ai pas‿ouvert le courrier avant le petit déjeuner. J'ai ouvert le courrier après le petit déjeuner.

Avez-vous reçu beaucoup de lettres ce matin?
Oui, j'ai reçu beaucoup de lettres ce matin.

Avez-vous lu les lettres?
Oui, j'ai lu les lettres.

Qu'est-ce que vous‿avez fait‿ensuite?
Ensuite j'ai téléphoné à mes‿amis.

Avez-vous téléphoné à vos parents?
Oui, j'ai téléphoné à mes parents.

Avez-vous pris rendez-vous avec votre mère?
J'ai pris rendez-vous avec ma mère.

Avez-vous pris rendez-vous chez le coiffeur?
Oui, j'ai pris rendez-vous chez le coiffeur.

Qu'est-ce que vous‿avez fait‿ensuite?
Ensuite j'ai fait le ménage. J'ai ouvert les fenêtres et j'ai mis des fleurs dans les vases.

Avez-vous fait des courses ce matin?
Oui, j'ai fait des courses ce matin.

Qu'est-ce que vous‿avez fait‿ensuite?
Ensuite j'ai fait le déjeuner.

Avez-vous mis le couvert?
Oui, j'ai mis le couvert.

Avez-vous mis le beurre sur la table?
Oui, j'ai mis le beurre sur la table.

Avez-vous mis le pain sur la table?
Oui, j'ai mis le pain sur la table.

Remember: "J'ai mis" means "*I put, I put on, I set.*" Practice the following sentences:

J'ai mis le livre sur la table. *I put the book on the table.*
J'ai mis les billets dans mon sac. *I put the tickets in my purse.*
Est-ce qu'il a mis son chapeau? *Did he put on his hat?*
J'ai mis mon tailleur gris. *I put on my gray suit* (woman's).
Où avez-vous mis mon manteau? *Where did you put my coat?*
Où avez-vous mis les bagages? *Where did you put the baggage?*
J'ai mis mes gants. *I put on my gloves.*
Où avez-vous mis les mouchoirs? *Where did you put the handkerchiefs?*

Remember: "Jusque" means "*until.*" In French we say "*until at two o'clock,*" "jusqu'à deux‿heures."

Jusqu'à huit‿heures. *Until eight o'clock.*
Jusqu'à trois‿heures. *Until three o'clock.*
Jusqu'à quatre heures et demie. *Until four-thirty.*

Write the past of the following verbs in chart form. Check your charts with those below.

dire, *to say*
recevoir, *to receive*
ouvrir, *to open*
dormir, *to sleep*
mettre, *to put, put on, set*
faire, *to do, to make*

dire, *to say*

j'ai dit (*I said*)	**nous‿avons dit** (*we said*)
vous‿avez dit (*you said*)	**vous‿avez dit** (*you* [pl.] *said*)
il, elle a dit (*he, she said*)	**ils, elles‿ont dit** (*they* [masc., fem.] *said*)

recevoir, *to receive*

j'ai reçu (*I received*)	**nous‿avons reçu** (*we received*)
vous‿avez reçu (*you received*)	**vous‿avez reçu** (*you* [pl.] *received*)
il, elle a reçu (*he, she received*)	**ils, elles‿ont reçu** (*they* [masc., fem.] *received*)

ouvrir, *to open*

j'ai ouvert (*I opened*)	**nous‿avons‿ouvert** (*we opened*)
vous‿avez‿ouvert (*you opened*)	**vous‿avez‿ouvert** (*you* [pl.] *opened*)
il, elle a ouvert (*he, she opened*)	**ils, elles‿ont‿ouvert** (*they* [masc., fem.] *opened*)

dormir, *to sleep*

j'ai dormi (*I slept*)	**nous‿avons dormi** (*we slept*)
vous‿avez dormi (*you slept*)	**vous‿avez dormi** (*you* [pl.] *slept*)
il, elle a dormi (*he, she slept*)	**ils, elles‿ont dormi** (*they* [masc., fem.] *slept*)

mettre, *to put, put on, set* (table)

j'ai mis (*I put*)	**nous‿avons mis** (*we put*)
vous‿avez mis (*you put*)	**vous‿avez mis** (*you* [pl.] *put*)
il, elle a mis (*he, she put*)	**ils, elles‿ont mis** (*they* [masc., fem.] *put*)

faire, *to do, to make*

j'ai fait (*I did*)	**nous‿avons fait** (*we did*)
vous‿avez fait (*you did*)	**vous‿avez fait** (*you* [pl.] *did*)
il, elle a fait (*he, she did*)	**ils, elles‿ont fait** (*they* [masc., fem.] *did*)

SENTENCE-FORMING EXERCISE

For practice combine the words below to form as many sentences as you can.

1	2	3
J'ai fait	le déjeuner	aujourd'hui
Elle a fait	le ménage	ce matin
Ils‿ont fait	des courses	hier
Nous‿avons pris	un taxi	ce soir
Il a pris	une tasse	de café
J'ai pris	un petit pain	avec du beurre
Elle a pris	rendez-vous	chez le coiffeur
Avez-vous dormi	tard	ce matin
Il a dormi	jusqu'à dix‿heures	ce matin
Ils‿ont	bien	dormi
J'ai lu	les lettres	avant le déjeuner
Il a dit	beaucoup de choses	intéressantes
Avez-vous reçu	beaucoup de lettres	aujourd'hui
J'ai téléphoné	à mes parents	ce soir
J'ai ouvert	le courrier	au bureau
Il a ouvert	les fenêtres	ce matin
J'ai mis	la confiture	sur la table

1	2	3
Est-ce qu'il a mis	les lettres	sur la table
J'ai mis	mon tailleur	gris
Où avez-vous mis	mon manteau	
Où avez-vous mis	les bagages	
Elle a mis	le couvert	

EXERCISE IN TRANSLATION

Translate the following sentences into French.

1. She did the housework this morning.
2. They (fem.) did some errands this morning.
3. We took a taxi to the office (to go to the office).
4. I had a cup of coffee.
5. They (masc.) slept well.
6. He slept late this morning.
7. I slept till ten o'clock this morning.
8. She had a roll with butter.
9. She made (an) appointment at the hairdresser's.
10. I read the letters before lunch.
11. Did you sleep well?
12. Did you receive many letters today?
13. I opened the mail at the office.
14. I called up my parents this evening.
15. I put the jam on the table.
16. I opened the windows.
17. Did he put the letters on the table?
18. Where did you put the baggage?
19. I put on my coat.
20. She set the table.
21. I put on my gray suit (woman's suit).
22. Where did you put my coat?

Check your sentences with the correct translations below.

1. Elle a fait le ménage ce matin.
2. Elles ont fait des courses ce matin.
3. Nous avons pris un taxi pour aller au bureau.
4. J'ai pris une tasse de café.

5. Ils ont bien dormi.
6. Il a dormi tard ce matin.
7. J'ai dormi jusqu'à dix heures ce matin.
8. Elle a pris un petit pain avec du beurre.
9. Elle a pris rendez-vous chez le coiffeur.
10. J'ai lu les lettres avant le déjeuner.
11. Avez-vous bien dormi?
12. Avez-vous reçu beaucoup de lettres aujourd'hui?
13. J'ai ouvert le courrier au bureau.
14. J'ai téléphoné à mes parents ce soir.
15. J'ai mis la confiture sur la table.
16. J'ai ouvert les fenêtres.
17 Est-ce qu'il a mis les lettres sur la table?
18. Où avez-vous mis les bagages?
19. J'ai mis mon manteau.
20. Elle a mis le couvert.
21. J'ai mis mon tailleur gris.
22. Où avez-vous mis mon manteau?

In this lesson you have learned several irregular verbs in the past. The irregular past is very easy to learn. When you learn one word (the past participle) you know the whole past of a verb. For example, when you learned "dit," you learned the entire past of "dire." Here is what you learned·

dire, *to say*

j'ai dit (*I said*)	**nous‿avons dit** (*we said*)
vous‿avez dit (*you said*)	**vous avez dit** (*you* [pl.] *said*)
il, elle a dit (*he, she said*)	**ils, elles‿ont dit** (*they* [masc., fem.] *said*)

LIST OF PAST PARTICIPLES FOR PRACTICE AND FOR FUN

INFINITIVE	PAST
être, *to be*	j'ai **été,** *I was, I have been*
dormir, *to sleep*	j'ai **dormi,** *I slept*

INFINITIVE	PAST
rire, *to laugh*	j'ai **ri,** *I laughed*
sourire, *to smile*	j'ai **souri,** *I smiled*
suivre, *to follow*	j'ai **suivi,** *I followed*
écrire, *to write*	j'ai **écrit,** *I wrote*
décrire, *to describe*	j'ai **décrit,** *I described*
mettre, *to put*	j'ai **mis,** *I put*
promettre, *to promise*	j'ai **promis,** *I promised*
prendre, *to take*	j'ai **pris,** *I took*
apprendre, *to learn*	j'ai **appris,** *I learned*
comprendre, *to understand*	j'ai **compris,** *I understood*
surprendre, *to surprise*	j'ai **surpris,** *I surprised*
offrir, *to offer*	j'ai **offert,** *I offered*
ouvrir, *to open*	j'ai **ouvert,** *I opened*
souffrir, *to suffer*	j'ai **souffert,** *I suffered*
avoir, *to have*	j'ai **eu,** *I had*
recevoir, *to receive*	j'ai **reçu,** *I received*
décevoir, *to deceive*	j'ai **déçu,** *I deceived*
concevoir, *to conceive*	j'ai **conçu,** *I conceived*
connaître, *to know*	j'ai **connu,** *I knew* (a person)
reconnaître, *to recognize*	j'ai **reconnu,** *I recognized*
lire, *to read*	j'ai **lu,** *I read*
courir, *to run*	j'ai **couru,** *I ran*
tenir, *to hold*	j'ai **tenu,** *I held*
appartenir, *to belong*	j'ai **appartenu,** *I belonged*
entretenir, *to entertain*	j'ai **entretenu,** *I entertained*
maintenir, *to maintain*	j'ai **maintenu,** *I maintained*
obtenir, *to obtain*	j'ai **obtenu,** *I obtained*
retenir, *to retain*	j'ai **retenu,** *I retained*
soutenir, *to sustain*	j'ai **soutenu,** *I sustained*
voir, *to see*	j'ai **vu,** *I saw*
savoir, *to know*	j'ai **su,** *I knew* (a fact)
pouvoir, *to be able*	j'ai **pu,** *I could*

Form as many sentences as you can with the above words.

EXAMPLES:

1. J'ai reçu la letter. *I received the letter.*
2. J'ai été à Paris. *I was in Paris.*

3. J'ai bien dormi. *I slept well.*
4. J'ai beaucoup ri. *I laughed a lot.*
5. J'ai suivi votre auto. *I followed your car.*
6. J'ai écrit la lettre. *I wrote the letter.*
7. J'ai promis à mon père. *I promised my father.*
8. J'ai appris ma leçon. *I learned my lesson.*
9. J'ai ouvert la porte. *I opened the door.*
10. J'ai reçu une lettre. *I received a letter.*
11. J'ai su ma leçon. *I knew my lesson.*

REMINDER CARD

Il a dit	"Bonjour"
J'ai fait	le ménage
Ils‿ont fait	des courses
Il a ouvert	les fenêtres
J'ai reçu	un câble
Ils‿ont dormi	tard
Elle a dormi	jusqu'à dix‿heures
Elle a mis	le couvert
J'ai mis	mes gants
Il a mis	le livre sur la table
J'ai pris	un taxi
Elle a pris	rendez-vous

CATEGORY XVI

Most words that end in "et" are identical in English and in French. These words are masculine.

ET = ET

a secret, un secret

un alphabet	un bouquet	un menuet
un ballet	un chalet	(*minuet*)
un banquet	le cricket	un pamphlet
un béret	un jet	un regret

un bracelet	un crochet	un secret
un budget	(*needle, knitting*)	un sobriquet
un buffet	un duet	un sorbet
un cabaret	un gourmet	(*sherbet*)
un cadet		

Some English words that end in "*et*" are converted into French words by changing "*et*" to "ette" or "ète."

ET = ETTE
ÈTE

an amulet, une amulette
a planet, une planète

une amulette	une côtelette	un poète
une castagnette	(*cutlet, chop*)	une raquette
(*castanet*)	une facette	(*tennis racket*)
une clarinette	une omelette	un prophète
une comète	une planète	une tablette

31
Leçon Numéro Trente-et-un

THE DIRECT-OBJECT PRONOUNS

In the third person, the direct-object pronouns are just like the articles "le, la, les."

"Le" means *"him."*
"La" means *"her."*
"Les" means *"them."*

These pronouns come before the verb.

Je le paye. *I pay him.*
Je la paye. *I pay her.*
Je les paye. *I pay them.*

You already know "vous."

Je vous paye. *I pay you.*

"Me" means *"me."* **Il me paye.** *He pays me.*
"Nous" means *"us."* **Il nous paye.** *He pays us.*

DIRECT-OBJECT PRONOUNS

me (*me*)	**nous** (*us*)
vous (*you*)	**vous** (*you* [*pl.*])
le (*him, it* [masc.]) **la** (*her, it* [fem.])	**les** (*them*)

"Me" becomes "m'" when it appears before a vowel.

Il m'aide. *He helps me.*

"Le, la" become "l'" when they appear before a vowel.

Robert l'aide. *Robert helps him. Robert helps her.*

DIRECT-OBJECT PRONOUNS IN COMBINATION WITH THE PAST

When you use direct-object pronouns in combination with the past, the past participle has masculine and feminine singular and plural endings (the same as when you use "je suis").

Je l'ai vu. *I saw him.*
Je l'ai vue. *I saw her.*
Je les‿ai vus. *I saw them* (masc. pl.).
Je les‿ai vues. *I saw them* (fem. pl.).

"Vu, vue, vus, vues" are all pronounced alike.

Je l'ai invité. *I invited him.*
Je l'ai invitée. *I invited her.*
Je les‿ai invités. *I invited them* (masc. pl.).
Je les‿ai invitées. *I invited them* (fem. pl.).

"Invité, invitée, invités, invitées" are all pronounced alike to all intents and purposes.

Notice that the verb "inviter" agrees in number and gender with the person you invited. If you invited a man, you must use the masculine "invité"; if you invited a woman, you must use the feminine "invitée." If you invited men use "invités," if you invited women use "invitées."

You already know that you always use the masculine plural when speaking of men and women together.

Je les‿ai invités. *I invited them* (men and women).

You have to learn the masculine, feminine, singular and plural of these verbs only for writing. In speaking they all have the same pronunciation.

The most important thing to remember is that the verb agrees with the pronoun ONLY in the PAST.

PRESENT	PAST
Verb does not agree with pronoun	Verb must agree with pronoun
Je l'invite.	Je l'ai invité.
I invite him (or her).	*I invited him.*
Je l'invite.	Je l'ai invitée.
I invite her (or him).	*I invited her.*
Je les‿invite.	Je les‿ai invités.
I invite them (masc. or fem.).	*I invited them* (masc.).
	Je les‿ai invitées.
	I invited them (fem.).

All of these explanations and examples can be boiled down to three simple points:

1. The direct-object pronouns are:

me	**nous**
vous	**vous**
le, la	**les**

2. These pronouns appear before the verbs.
3. In the past, and ONLY in the past, the verbs agree with the pronouns in number and gender.

If you don't understand this completely, relax. You will understand it automatically later.

WORDS TO REMEMBER

midi, *noon*
après-midi, *afternoon*
cet, *this* (masc. of "ce" before vowel)
cet‿après-midi, *this afternoon*
chez lui, *at his house*
mon grand-père, *my grandfather*
ma grand-mère, *my grandmother*
avec grand plaisir, *with much pleasure*
qui, *who*
mais, *but*
où, *where*
ou, *or*
cousin, *cousin* (masc.)
cousine, *cousin* (fem.)
gentil, *nice* (masc.)
gentille, *nice* (fem.)
emmener, *to take a person to a place*
la semaine, *the week*
cette semaine, *this week*

J'ai passé le weekend. *I spent the weekend.*
J'ai vu. *I saw.*
Je l'ai vu. *I saw him.*
Je l'ai vue. *I saw her.*
J'ai invité. *I invited.*
Je l'ai invité. *I invited him.*
Je l'ai invitée. *I invited her.*
Il a invité. *He invited.*
Il m'a invité. *He invited me* (masc.).
Il m'a invitée. *He invited me* (fem.).
Je les‿ai invités. *I invited them.*
Est-ce que Paul les‿a invités? *Did Paul invite them?*
Paul l'a embrassée. *Paul kissed her.*
Je ne l'ai pas vu. *I didn't see him.*
Je ne l'ai pas‿invité. *I didn't invite him.*
Je l'ai emmené au cinéma. *I took him to the movies.*
L'avez-vous‿emmené au cinéma? *Did you take him to the movies?*
Je ne l'ai pas‿emmené. *I didn't take him.*
Inviter à dîner. *To invite to dine* (*to have dinner*).

NOTE: The word "à" is used between "inviter" and "dîner."

CONVERSATION

Avez-vous vu Robert ce matin?
Oui, je l'ai vu au bureau.

Avez-vous vu Marie?
Oui, je l'ai vue cet‿après-midi.

Avez-vous vu Paul cet‿après-midi?
Oui, je l'ai vu.

Où l'avez-vous vu?
Je l'ai vu au bureau.

L'avez-vous‿invité à passer le weekend à la campagne?
Oui, je l'ai invité à passer le weekend à la campagne.

Avez-vous vu Philippe cet‿après-midi?
Oui, je l'ai vu.

L'avez-vous‿invité à dîner?
Oui, je l'ai invité à dîner.

Est-ce qu'il a accepté l'invitation?
Non, il n'a pas‿accepté l'invitation, mais il m'a invité chez lui.

Qui a invité Paul à dîner?
Louise l'a invité.

Avez-vous vu Jean et Marie cet‿après-midi?
Oui, je les‿ai vus.

Est-ce que Paul les‿a invités à dîner?
Oui, Paul les‿a invités à dîner.

Est-ce que Paul a embrassé Louise?
Oui, Paul l'a embrassée.

Avez-vous vu mon grand-père cet‿après-midi?
Non, je ne l'ai pas vu cet‿après-midi. Je l'ai vu ce matin.

Où l'avez-vous vu?
Je l'ai vu au bureau.

L'avez-vous‿invité à dîner?
Oui, je l'ai invité à dîner.

Est-ce qu'il a accepté l'invitation?
Oui, il a accepté l'invitation avec grand plaisir. Il est très gentil.

Avez-vous‿emmené votre grand-mère au cinéma hier soir?
Oui, je l'ai emmenée au cinéma hier soir.

Avez-vous‿emmené votre cousin au ballet?
Oui, je l'ai emmené au ballet.

Avez-vous‿emmené votre cousine au cinéma?
Oui, je l'ai emmenée au cinéma.

L'avez-vous‿emmenée à la campagne?
Oui, je l'ai emmenée à la campagne.

Avez-vous‿emmené votre grand-mère à la campagne?
Oui, je l'ai emmenée à la campagne.

L'avez-vous‿emmenée en‿auto?
Oui, je l'ai emmenée en‿auto.

L'avez-vous‿emmenée chez Robert?
Oui, je l'ai emmenée chez Robert.

L'avez-vous‿emmenée chez Louise?
Non, je ne l'ai pas‿emmenée chez Louise.

Est-ce que Paul vous‿a invité au théâtre?
Oui, Paul m'a invité au théâtre.

Est-ce que Paul vous‿a invités au ballet?
Oui, Paul nous‿a invités au ballet.

Read the following sentences aloud:

J'ai vu.
I saw.

Je l'ai vu.
I saw him.

Vous‿avez vu.
You saw.

Vous l'avez vu.
You saw him.

Il a vu.
He saw.

Il l'a vu.
He saw him.

Nous‿avons vu.
We saw.

Nous l'avons vu.
We saw him.

Ils‿ont vu.
They saw.

Ils l'ont vu.
They saw him.

J'ai invité.
I invited.

Je les‿ai invités.
I invited them.

Vous‿avez invité.
You invited.

Vous les‿avez‿invités.
You invited them.

Il a invité.
He invited.

Il les‿a invités.
He invited them.

Nous‿avons invité.
We invited.

Nous les‿avons invités.
We invited them.

Ils‿ont invité.
They invited.

Ils les‿ont invités.
They invited them.

Don't forget that the pronoun precedes the verb.

Read these sentences aloud.

Il m'a invité. *He invited me* (masc.).
Ils m'ont‿invité. *They invited me* (masc.).
Vous m'avez‿invité. *You invited me* (masc.).
Je vous‿ai invité. *I invited you* (masc.).
Il vous‿a invité. *He invited you* (masc.).
Nous vous‿avons‿invité. *We invited you* (masc.).
Ils vous‿ont‿invité. *They invited you* (masc.).
Je l'ai vu. *I saw him.*
Je ne l'ai pas vu. *I didn't see him.*
Je l'ai invité. *I invited him.*
Je ne l'ai pas‿invité. *I didn't invite him.*
Nous l'avons vu. *We saw him.*
Nous ne l'avons pas vu. *We didn't see him.*
Nous ne l'avons pas‿invité. *We didn't invite him.*
L'avez-vous vu? *Did you see him?*
L'avez-vous‿invité? *Did you invite him?*

The most important thing to remember is that the pronoun comes BEFORE the verb. In the past it comes before the auxiliary verb.

SENTENCE-FORMING EXERCISE

Remember to say aloud every French word or sentence in this book.

1	2
Je l'ai vu	cet‿après-midi
Je l'ai vue	ce matin
Je les‿ai vus	la semaine dernière
Je les‿ai vues	au bureau
Je ne l'ai pas vu	hier
L'avez-vous vu	cette semaine
L'avez-vous‿invité	au cinéma
L'avez-vous‿emmené	à la campagne
Je l'ai emmené	au bureau
Je ne l'ai pas‿emmenée	au théâtre
Je l'ai invité	au ballet

1	2
Je l'ai invitée	au club
Je les‿ai invités	à dîner
Il nous‿a emmenés	à la campagne
Nous l'avons‿emmené	au cinéma
Il nous‿a invités	chez lui
Paul nous‿a invités	chez lui
Il vous‿a vu	hier soir
Je vous‿ai vu	cet‿après-midi
Je ne vous‿ai pas vu	hier
Je ne les‿ai pas‿invitées	à dîner

EXERCISE IN TRANSLATION

Translate the following sentences into French and check them with the correct translation below this exercise.

1. I saw her last week.
2. Did you see him this afternoon?
3. I didn't see him yesterday.
4. I saw him this morning.
5. Did you invite him to the movies?
6. I saw her at his house.
7. I saw them (fem.) last night.
8. Did you see him this week?
9. I took her to the movies.
10. Did you take him to the office?
11. I didn't take her to the office.
12. I invited him to have dinner.
13. He took us (masc.) to the country.
14. I invited her to have dinner last night.
15. I invited them (masc.) to the country this week.
16. He took us (masc.) to his house.
17. We took him to the movies this afternoon.
18. I didn't invite them (masc.) to have dinner last night.
19. I didn't see you (fem.) at the theater last night.
20. Paul invited us (masc.) to his house.
21. He saw you (fem.) at the club this afternoon.
22. He took us (fem.) to dinner at the club last night.

23. I saw you (fem.) at the theater this afternoon.
24. He took us (masc.) to the country last week.
25. I didn't invite them (fem.) to the country this week.

Check your sentences with the correct translations below. After you have checked each of your French sentences, read it aloud, again and again, so that the language is as familiar to your ear and your tongue as it is to your mind.

1. Je l'ai vue la semaine dernière.
2. L'avez-vous vu cet après-midi?
3. Je ne l'ai pas vu hier.
4. Je l'ai vu ce matin.
5. L'avez-vous invité au cinéma?
6. Je l'ai vue chez lui.
7. Je les ai vues hier soir.
8. L'avez-vous vu cette semaine?
9. Je l'ai emmenée au cinéma.
10. L'avez-vous emmené au bureau?
11. Je ne l'ai pas emmenée au bureau.
12. Je l'ai invité à dîner.
13. Il nous a emmenés à la campagne.
14. Je l'ai invitée à dîner hier soir.
15. Je les ai invités à la campagne cette semaine.
16. Il nous a emmenés chez lui.
17. Nous l'avons emmené au cinéma cet après-midi.
18. Je ne les ai pas invités à dîner hier soir.
19. Je ne vous ai pas vue au théâtre hier soir.
20. Paul nous a invités chez lui.
21. Il vous a vue au club cet après-midi.
22. Il nous a emmenées dîner au club hier soir.
23. Je vous ai vue au théâtre cet après-midi.
24. Il nous a emmenés à la campagne la semaine dernière.
25. Je ne les ai pas invitées à la campagne cette semaine.

CATEGORY XVII

Most words that end in "um" are identical in French and English. These words are masculine.

UM = UM

an album, un album

l'album	le linoléum	le planétarium
l'aquarium	le maximum	le sanatorium
le curriculum	le mémorandum	le sérum
le décorum	le minimum	le solarium
le factotum	l'opium	l'ultimatum
le géranium	l'opossum	
l'harmonium	le pandémonium	

Also most metallic elements:

le baryum (*barium*)	l'hélium	le radium
	l'iridium	le rhodium
le cadmium	le magnésium	l'uranium

REMINDER CARD

Je l'ai vu (masc.)
Je l'ai vue (fem.)
Il m'a vue (fem.)
Il nous‿a vus (masc.)
Nous l'avons‿emmené
Il nous‿a invités
Il nous‿a emmenés
L'avez-vous vu?
L'avez-vous‿invité?
L'avez-vous‿emmené?
Je ne l'ai pas vu
Je ne l'ai pas‿emmené
Je ne l'ai pas‿invité

32
Leçon Numéro Trente-deux

THE DIRECT-OBJECT PRONOUNS

When you express the future, the direct-object pronoun precedes the infinitive.

EXAMPLES:

Je vais le voir. *I am going to see him.*
Il va les voir. *He is going to see them.*
Je vais vous voir. *I am going to see you.*
Allez-vous le voir? *Are you going to see him?*
Il va m'inviter. *He is going to invite me.*
Il va nous‿emmener au cinéma. *He is going to take us to the movies.*
Nous‿allons la voir. *We are going to see her.*
Ils vont la voir. *They are going to see her.*

Le also means **it** (masc.).
La also means **it** (fem.).
If **"it"** refers to a masculine word, use **le.**
If **"it"** refers to a feminine word, use **la.**

EXAMPLES:

1. **LE livre est‿intéressant. Je vais LE lire.**
The book is interesting. I'm going to read it.

Since *"it"* refers to *"book,"* which is a masculine word in French (le livre), you must use the masculine pronoun for "*it*," **le.** Notice that the article "le" (*the*) and the pronoun "le" (*it*) are identical.

2. **LA leçon est difficile. Je vais LA préparer.**
The lesson is difficult. I'm going to prepare it.

Since "*it*" refers to "*lesson*," which is a feminine word in French (la leçon), you must use the feminine word for "*it*," **la.**

Notice that the article "la" (*the*) and the pronoun "la" (*it*) are identical.

Les means **them** (both masculine and feminine persons and things).

LES blouses sont jolies. Je vais LES‿acheter.
The blouses are pretty. I'm going to buy them.

Masculine singular: **LE** means both **"it"** and **"the."**
Feminine singular: **LA** means both **"it"** and **"the."**
Masc. and fem. plural: **LES** means both **"them"** and **"the."**

WORDS TO REMEMBER

vendredi, *Friday, on Friday*
pour demain, *for tomorrow*
pour aujourd'hui, *for today*
les‿enfants, *the children*
au parc, *to the park*
répéter, *to repeat*
comprendre, *to understand*
la phrase, *the sentence*
les phrases, *the sentences*
le mot, *the word*
les mots, *the words*
tous, *all* (masc.)
tous les mots, *all the words*
apprendre, *to learn*

Je vais répéter. *I'm going to repeat.*
Je l'ai lu. *I read it* (masc.).
Je l'ai lue. *I read it* (fem.).
Je vais le voir. *I'm going to see it* (masc.).
Je vais la voir. *I'm going to see it* (fem.).
Je vais les voir. *I'm going to see them.*
Je ne les‿ai pas vus. *I didn't see them.*
Je ne l'ai pas vu. *I didn't see him.*
Je ne l'ai pas vue. *I didn't see her.*
Je les‿ai emmenés. *I took them* (masc.).

Je l'ai emmené. *I took him.*
Je vais les‿emmener. *I'm going to take them.*
Je vais comprendre. *I'm going to understand.*
Je vais‿apprendre. *I'm going to learn.*

"Apprendre" and "comprendre" are irregular verbs.

Je l'ai appris (masc.). *I learned it* (the "s" in "appris" is silent).

Je l'ai compris (masc.). *I understood it* (the "s" in "compris" is silent).

Je l'ai apprise (fem.). *I learned it* (the "s" in "apprise" is pronounced as the "*z*" in "*zebra*").

Je l'ai comprise (fem.). *I understood it* (the "s" in "comprise" is pronounced as the "*z*" in "*zebra*").

THE THREE BROTHERS

	masc., S is silent	*fem., S is Z*
1. **prendre,** *to take* (a thing)	je l'ai pris	je l'ai prise
2. **comprendre,** *to understand*	je l'ai compris	je l'ai comprise
3. **apprendre,** *to learn*	je l'ai appris	je l'ai apprise

REMEMBER: The past participle agrees in gender and number with the direct-object pronouns.

Je l'ai invité. *I invited him.*
Je l'ai invitée. *I invited her.*
Je les‿ai invités. *I invited them* (masc.).
Je les‿ai invitées. *I invited them* (fem.).

CONVERSATION

Avez-vous vu Charles ce matin?
Non, je n'ai pas vu Charles ce matin. Je vais le voir vendredi.

Avez-vous vu Pauline cet‿après-midi?
Non, je n'ai pas vu Pauline cet‿après-midi. Je vais la voir ce soir.

Avez-vous vu vos parents cet‿après-midi?
Non, je ne les‿ai pas vus cet‿après-midi, mais je vais les voir ce soir.

Avez-vous‿emmené les‿enfants au parc ce matin?
Oui, je les‿ai emmenés au parc ce matin.

Avez-vous‿emmené les‿enfants au cinéma cet‿après-midi?
Non, je ne les‿ai pas‿emmenés au cinéma cet‿après-midi, mais je vais les‿emmener ce soir.

Avez-vous‿emmené votre mère à la campagne hier?
Non, je ne l'ai pas‿emmenée à la campagne hier, mais je vais l'emmener vendredi.

Avez-vous‿invité Charles à dîner dimanche?
Non, je ne l'ai pas‿invité à dîner dimanche. Je l'ai invité à dîner ce soir.

Allez-vous préparer la leçon pour vendredi matin?
Oui, je vais la préparer.

Avez-vous préparé la leçon pour aujourd'hui?
Oui, je l'ai préparée.

Avez-vous lu les phrases?
Oui, je les‿ai lues.

Avez-vous compris la leçon?
Oui, je l'ai comprise.

Avez-vous compris tous les mots?
Oui, je les‿ai compris.

Avez-vous‿appris tous les mots?
Oui, je les‿ai appris.

Avez-vous répété les mots?
Oui, je les‿ai répétés.

Avez-vous fini la leçon?
Oui, je l'ai finie.

You have studied the verbs "aller" (*to go*) and "avoir" (*to have*), and you probably know them quite well. But "quite well" is not enough. You must MASTER these verbs so that you will have split-second reaction on any of their forms. Repeat the following verbs over and over until you can say them without the slightest hesitation.

AVOIR, *to have*

j'ai, *I have*
vous‿avez, *you have*
avez-vous? *have you?*
il a, *he has*
elle a, *she has*
nous‿avons, *we have*
vous‿avez, *you have*
ils‿ont, *they* (masc.) *have*
elles‿ont, *they* (fem.) *have*

je n'ai pas, *I haven't*
vous n'avez pas, *you haven't*
n'avez-vous pas? *haven't you?*
il n'a pas, *he hasn't*
elle n'a pas, *she hasn't*
nous n'avons pas, *we haven't*
vous n'avez pas, *you haven't*
ils n'ont pas, *they* (masc.) *haven't*
elles n'ont pas, *they* (fem.) *haven't*

WITH PRONOUN

je l'ai vu, *I saw him*
vous l'avez vu, *you saw him*
l'avez-vous vu? *did you see him?*
il l'a vu, *he saw him*
elle l'a vu, *she saw him*

nous l'avons vu, *we saw him*
vous l'avez vu, *you saw him*
ils l'ont vu, *they* (masc.) *saw him*
elles l'ont vu, *they* (fem.) *saw him*

NEGATIVE WITH PRONOUN

je ne l'ai pas vu, *I didn't see him*
vous ne l'avez pas vu, *you didn't see him*
ne l'avez-vous pas vu? *didn't you see him?*
il ne l'a pas vu, *he didn't see him*
elle ne l'a pas vu, *she didn't see him*
nous ne l'avons pas vu, *we didn't see him*
vous ne l'avez pas vu, *you didn't see him*
ils ne l'ont pas vu, *they* (masc.) *didn't see him*
elles ne l'ont pas vu, *they* (fem.) *didn't see him*

Repeat the following verbs over and over until you can say them without the slightest hesitation.

ALLER, *to go*

je vais
I'm going, I go

je ne vais pas
I'm not going

vous‿allez
you are going, you go

il va
he's going, he goes

elle va
she's going, she goes

nous‿allons
we are going, we go

vous‿allez
you are going, you go

ils vont
they (masc.) *are going, they go*

elles vont
they (fem.) *are going, they go*

vous n'allez pas
you aren't going

il ne va pas
he isn't going

elle ne va pas
she isn't going

nous n'allons pas
we aren't going

vous n'allez pas
you aren't going

ils ne vont pas
they (masc.) *aren't going*

elles ne vont pas
they (fem.) *aren't going*

WITH PRONOUN

je vais le voir
I'm going to see him

vous‿allez le voir
you are going to see him

il va le voir
he is going to see him

elle va le voir
she is going to see him

nous‿allons le voir
we are going to see him

ils vont le voir
they (masc.) *are going to see him*

elles vont le voir
they (fem.) *are going to see him*

je ne vais pas le voir
I'm not going to see him

vous n'allez pas le voir
you aren't going to see him

il ne va pas le voir
he isn't going to see him

elle ne va pas le voir
she isn't going to see him

nous n'allons pas le voir
we aren't going to see him

ils ne vont pas le voir
they (masc.) *aren't going to see him*

elles ne vont pas le voir
they (fem.) *aren't going to see him*

SENTENCE-FORMING EXERCISES

Combine the words below to form as many sentences as you can.

A

1	2	3
Je vais	le voir	cet‿après-midi
Il va	la voir	ce soir
Nous‿allons	les voir	ce matin
Allez-vous	l'inviter	demain
Ils vont	les‿inviter	à dîner
Ils ne vont pas	l'apprendre	en classe
Elle va	le lire	cette semaine
Je ne vais pas	les‿emmener	à la campagne
Il ne va pas	l'emmener	au cinéma
Nous n'allons pas	l'emmener	au théâtre
Elle ne va pas	la préparer	ce soir

B

1	2
Je l'ai vu	cet‿après-midi
Je l'ai vue	ce matin
Je les‿ai vus	au bureau
Je les‿ai vues	hier
Je l'ai lu	en classe
Je les‿ai lus	ce soir
Je l'ai emmené	à la campagne
Je l'ai emmenée	au cinéma
Je ne l'ai pas vue	au club
Il ne l'a pas vue	hier soir
Il ne l'a pas‿emmenée	au théâtre
Nous ne l'avons pas vu	aujourd'hui
Ils ne l'ont pas vue	lundi (on Monday)
L'avez-vous vu	dimanche
Nous ne l'avons pas lu	en classe
Je ne l'ai pas	compris
Il ne l'a pas	comprise

1	2
Nous ne l'avons pas	appris
Ils ne l'ont pas	apprise
Nous l'avons	pris
Ils l'ont	prise

EXERCISE IN TRANSLATION

Translate the following sentences into French and check them with the correct translations below this exercise.

1. We are going to see them tomorrow.
2. I am going to see them this afternoon.
3. He is going to see her this evening.
4. Are you going to invite her to dinner?
5. They (masc.) are going to invite him to the movies.
6. They (masc.) are not going to learn it (fem.) this morning.
7. She is going to read it (masc.) this week.
8. He is not going to take them to the country.
9. We are not going to take them to the movies.
10. She is not going to prepare it (fem.) today.
11. He is going to see it (fem.) tomorrow.
12. I am going to see it (masc.) tonight.
13. Are you going to see her today?
14. We are not going to see it (fem.) today.
15. We are going to learn it (fem.) tomorrow.
16. I saw her this morning.
17. I saw them (masc.) at the office.
18. I saw it (masc.) this afternoon.
19. I saw it (fem.) in the country.
20. I saw them (fem.) today.
21. I read them (masc.) in class.
22. I took him to the country.
23. I didn't see it (fem.) at the club.
24. He didn't see it (fem.) last night.
25. He didn't take her to the theater.
26. We didn't see it (masc.) today.
27. They didn't see it (fem.) on Sunday.
28. Did you see him on Monday?

29. We didn't read it (masc.) in class.
30. I didn't learn it (fem.).
31. I didn't understand it (masc.).
32. We didn't understand it (masc.).
33. They didn't learn it (fem.).
34. They learned it (masc.).
35. We understood it (masc.).

Check your sentences with the correct translations below.

1. Nous allons les voir demain.
2. Je vais les voir cet après-midi.
3. Il va la voir ce soir.
4. Allez-vous l'inviter à dîner?
5. Ils vont l'inviter au cinéma.
6. Ils ne vont pas l'apprendre ce matin.
7. Elle va le lire cette semaine.
8. Il ne va pas les emmener à la campagne.
9. Nous n'allons pas les emmener au cinéma.
10. Elle ne va pas la préparer aujourd'hui.
11. Il va la voir demain.
12. Je vais le voir ce soir.
13. Allez-vous la voir aujourd'hui?
14. Nous n'allons pas la voir aujourd'hui.
15. Nous allons l'apprendre demain.
16. Je l'ai vue ce matin.
17. Je les ai vus au bureau.
18. Je l'ai vu cet après-midi.
19. Je l'ai vue à la campagne.
20. Je les ai vues aujourd'hui.
21. Je les ai lus en classe.
22. Je l'ai emmené à la campagne.
23. Je ne l'ai pas vue au club.
24. Il ne l'a pas vue hier soir.
25. Il ne l'a pas emmenée au théâtre.
26. Nous ne l'avons pas vu aujourd'hui.
27. Ils ne l'ont pas vue dimanche.
28. L'avez-vous vu lundi?
29. Nous ne l'avons pas lu en classe.
30. Je ne l'ai pas apprise.

31. Je ne l'ai pas compris.
32. Nous ne l'avons pas compris.
33. Ils ne l'ont pas apprise.
34. Ils l'ont appris.
35. Nous l'avons compris.

REMINDER CARDS

Je vais	le voir
Il va	la voir
Elle va	nous voir
Nous‿allons	vous voir
Ils vont	les voir
Je ne vais pas	l'emmener
Il ne va pas	les‿emmener
Nous n'allons pas	l'apprendre
Ils ne vont pas	le lire
Allez-vous	la préparer

Je l'ai	vu, vue
Je les‿ai	vus, vues
Je ne l'ai pas	lu, lue
Je ne les‿ai pas	lus, lues
L'avez-vous	appris, apprise
Les‿avez-vous	appris, apprises
Nous l'avons	compris, comprise
Nous ne l'avons pas	invité, invitée
Ils l'ont	emmené, emmenée
Ils ne les‿ont pas	emmenés, emmenées

33
Leçon Numéro Trente-trois

THE INDIRECT-OBJECT PRONOUNS

me *to me*	**nous** *to us*
vous *to you*	**vous** *to you* (pl.)
lui *to him, to her*	**leur** *to them*

Simplified chart:

me	**nous**
vous	**vous** (pl.)
lui	**leur**

Notice that these pronouns are like the direct-object pronouns except for the third-person pronouns **"lui"** and **"leur."**

Je vais lui parler. *I am going to speak to him* (*to her*).
Je vais lui écrire. *I am going to write to him* (*to her*).

Verbs that require the indirect-object pronouns are as easy as pie to spot. If you can say the word *"to"* after the verb in English, it takes **"lui"** in French.

EXAMPLES:

I'm going to speak TO him. **Je vais LUI parler.**
I'm going to write TO her. **Je vais LUI écrire.**
I'm going to sing TO them. **Je vais LEUR chanter.**

But it sounds wrong to say:

I am going to thank TO him.
I am going to see TO her.

So these verbs do not take **"lui."** They take the direct-object pronouns **"le"** or **"la."**

Je vais LE remercier. *I'm going to thank him.*
Je vais LA voir. *I'm going to see her.*

Your ear is your best friend in learning French. You will find that after hearing certain word combinations a few times your ear will lead you unerringly into the same correct combinations. That is why it is so important to read all the lessons aloud. After you have read a lesson or a series of lessons that cover a subject, things begin to sound right or wrong to you. Sometimes you can "let your conscience be your guide," but in learning French you must let your ear be your guide.

This lesson takes advantage of your English ear, that is, what sounds right or wrong to you in English: "*kissed to him*" sounds wrong; "*spoke to him*" sounds right.

There is only one thing to remember in this lesson, but that one thing is of vital importance: Verbs must be tested IN ENGLISH to determine whether they take **"lui"** or **"le."** We call this the acid test.

Following is an exercise that shows you how to give verbs the acid test. In the far left column there is a list of verbs in English.

1. Copy the English verbs to form the first column.
2. If you can say "*to him*" after the verb and it sounds correct, write "*to him*" in the second column. If you cannot say "*to him*" after the verb, write "*no*" in the second column.
3. The third column is the result of the acid test. If you have "*to him*" in the second column, write "lui" in the third column. If you have "*no*" in the second column, write "le, la" in the third column.

VERBS	THE ACID TEST	CORRECT PRONOUNS
wrote	to him	lui
talked	to him	lui
bothered	no	le, la
kissed	no	le, la
explained	to him	lui
insulted	no	le, la
examined	no	le, la
sold	to him	lui
gave	to him	lui
sent	to him	lui
worried	no	le, la
offered	to him	lui
lent	to him	lui
saw	no	le, la
sang	to him	lui

Two verbs that are followed by "*for*" take "lui":

acheter (*to buy for*), **demander** (*to ask for*)

Je vais lui acheter une blouse.
I'm going to buy her a blouse.

Je vais lui demander une rose.
I'm going to ask him for a rose.

All these exercises, examples, and explanations can be reduced to a simple formula:

TO, FOR = LUI, LEUR

Read these sentences aloud:

Je vais lui donner un livre.
I'm going to give him (her) a book.

Je vais leur donner un livre.
I'm going to give them a book.

Je lui ai donné un disque.
I gave him (her) a record.

Je leur ai donné une boîte de chocolats.
I gave them a box of chocolates.

Je lui ai parlé.
I talked to him (to her).

Je vais lui parler.
I'm going to talk to him (to her).

Notice that the past participle does not agree in gender and number with the indirect-object pronouns. The past participle agrees in gender and number ONLY with the direct-object pronouns, as explained in the two previous lessons.

In French you cannot say, "*I gave Robert a record.*" You must say, "*I gave a record to Robert.*" J'ai donné un disque à Robert.

In French you cannot say, "Did you give Robert a record?" You must say, "*Did you give a record to Robert?*" Avez-vous donné un disque à Robert?

WORDS TO REMEMBER

parce que, *because*
parce qu'il est, *because he is*
son‿anniversaire, *his birthday*
pour Noël, *for Christmas*
un appareil photographique, *a camera*
paresseux, *lazy* (masc.)
mon Dieu, *my God*
du parfum, *some perfume*
un‿avion, *an airplane*
la semaine, *the week*
cette semaine, *this week*
la semaine dernière, *last week*
un disque, *a record*
une pipe, *a pipe*
une T.S.F., *a radio*
un tracteur, *a tractor*
aux, *to the* (pl.)
une boîte, *a box*
une boîte de chocolats, *a box of chocolates*
une chemise, *a shirt*
le lait, *the milk*
une bouteille, *a bottle*
une bouteille de lait, *a bottle of milk*

Je vais donner. *I'm going to give.*
Je vais lui donner. *I'm going to give to him (her).*
J'ai donné. *I gave.*
Je lui ai donné. *I gave to him (her).*
Il lui a donné. *He gave to him (her).*

Nous lui avons donné. *We gave to him (her).*
Ils lui ont donné. *They gave to him (her).*
Je ne lui ai pas donné. *I didn't give to him (her).*
Vous ne lui avez pas donné. *You didn't give to him (her).*
Il ne lui a pas donné. *He didn't give to him (her).*
Nous ne lui avons pas donné. *We didn't give to him (her).*
Ils ne lui ont pas donné. *They didn't give to him (her).*

REMEMBER: "De" means "*any*" when the word "*any*" is used or could be used in a negative sentence.

EXAMPLES:

Je lui ai donné DES bonbons. *I gave him SOME candy.*
Je ne lui ai pas donné DE bonbons. *I didn't give him ANY candy.*

CONVERSATION

Avez-vous donné un disque à Robert?
Oui, je lui ai donné un disque pour son‿anniversaire.

Avez-vous donné une blouse à votre cousine?
Oui, je lui ai donné une blouse pour son‿anniversaire.

Avez-vous donné une pipe à votre grand-père?
Oui, je lui ai donné une pipe pour son‿anniversaire.

Avez-vous donné un sweater à votre cousin?
Oui, je lui ai donné un sweater pour Noël.

Avez-vous donné une T.S.F. à votre mère?
Oui, je lui ai donné une T.S.F. pour Noël.

Avez-vous donné une chemise à votre frère?
Oui, je lui ai donné une chemise pour son‿anniversaire.

Avez-vous donné un appareil photographique à votre soeur?
Oui, je lui ai donné un appareil photographique pour son‿anniversaire.

Avez-vous donné une cravate à votre père pour Noël?
Oui, je lui ai donné une cravate pour Noël.

Avez-vous donné un tracteur à Louise pour Noël?
Mon Dieu, c'est ridicule. Je ne lui ai pas donné de tracteur pour Noël, mais je lui ai donné une boîte de chocolats.

Avez-vous donné une auto à Paul pour Noël?
Non, je ne lui ai pas donné d'auto pour Noël, mais je lui ai donné une cravate.

Avez-vous donné un‿avion à Joséphine?
Mon Dieu, c'est ridicule. Je ne lui ai pas donné d'avion, mais je lui ai donné du parfum.

Avez-vous donné une bouteille de lait à Annette pour Noël?
Oh non! Je lui ai donné du parfum.

Avez-vous donné un sofa à Robert?
Oui, je lui ai donné un sofa parce qu'il est très paresseux.

Avez-vous donné une boîte de chocolats aux‿enfants?
Oui, je leur ai donné une boîte de chocolats.

Avez-vous donné des disques à vos parents?
Oui, je leur ai donné des disques.

Est-ce que Paul a donné des disques à vos parents?
Oui, Paul leur a donné des disques.

Allez-vous donner une pipe à votre père pour Noël?
Oui, je vais lui donner une pipe.

Allez-vous donner un appareil photographique a vos parents pour Noël?
Oui, je vais leur donner un appareil photographique pour Noël.

Est-ce que Paul va vous donner un sweater pour Noël?
Oui, Paul va me donner un sweater pour Noël.

THE DIRECT- AND INDIRECT-OBJECT PRONOUNS COMBINED

"Me le" means *"it to me."*
Il va me le donner. *He is going to give it to me.*
"Vous le" means *"it to you."*
Il va vous le donner. *He is going to give it to you.*

"Nous le" means *"it to us."*

Il va nous le donner. *He is going to give it to us.*

The best way to learn these pronouns is to recite them over and over as you would a poem.

Repeat many times:

"Me le, vous le, nous le."

Read the following sentences aloud for practice:

Il va me le prêter. *He is going to lend it to me.*
Je vais vous le prêter. *I'm going to lend it to you.*
Il va nous le prêter. *He is going to lend it to us.*
Il me l'a prêté. *He lent it to me.*
Je vous l'ai prêté. *I lent it to you.*
Il nous l'a prêté. *He lent it to us.*
Je vais vous l'envoyer. *I'm going to send it to you.*
Il va me l'envoyer. *He is going to send it to me.*
Il me l'a envoyé. *He sent it to me.*
Je vous l'ai envoyé. *I sent it to you.*

"Le lui" means *"it to him, to her."*
"Le leur" means *"it to them."*

Notice that in the third person the direct-object pronoun, LE, comes before the indirect-object pronouns, LE and LEUR.

me LE (*it to me*)	**nous LE** (*it to us*)
vous LE (*it to you*)	**vous LE** (*it to you* [pl.])
LE lui (*it to him, her*)	**LE leur** (*it to them*)

Remember: "Le lui" means *"it to him, to her."* "Le leur" means *"it to them."*

Repeat over and over:

Le lui, le leur.

Repeat the following sentences for practice.

Je vais le lui donner. *I'm going to give it to him (to her).*
Il va le leur donner. *He is going to give it to them.*

Nous‿allons le lui donner. *We are going to give it to him (to her).*

Nous‿allons le leur donner. *We are going to give it to them.*

Ils vont le lui donner. *They are going to give it to him (to her).*

Il le lui a donné. *He gave it to him (to her).*

Je le leur ai donné. *I gave it to them.*

Il le leur a donné. *He gave it to them.*

Remember:

le, *him, it* (masc.)	**lui,** *to him, to her*
la, *her, it* (fem.)	**leur,** *to them*
les, *them*	

When *"it"* stands for a feminine thing you do not say "me le"; you say, "me la."

LA rose est jolie. Il va me LA donner.
The rose is pretty. He is going to give it to me.
LES roses sont jolies. Il va me LES donner.
The roses are pretty. He is going to give them to me.

When the word **IT** is masculine

me LE (*it to me*)	**nous LE** (*it to us*)
vous LE (*it to you*)	**vous LE** (*it to you* [pl.])
LE lui (*it to him, her*)	**LE leur** (*it to them*)

When the word **IT** is feminine

me LA (*it to me*)	**nous LA** (*it to us*)
vous LA (*it to you*)	**vous LA** (*it to you* [pl.])
LA lui (*it to him, her*)	**LA leur** (*it to them*)

THEM

me LES (*them to me*)	**nous LES** (*them to us*)
vous LES (*them to you*)	**vous LES** (*them to you* [pl.])
LES lui (*them to him, her*)	**LES leur** (*them to them*)

Recite over and over:

me le, vous le, nous le
me la, vous la, nous la
me les, vous les, nous les

Practice these pronouns in sentences.

Recite over and over:

le lui, le leur
la lui, la leur
les lui, les leur

Practice these pronouns in sentences.

The past participle always agrees with the direct-object pronoun whether the direct-object pronoun stands alone or is used in combination with the indirect-object pronoun.

SENTENCE-FORMING EXERCISES

Combine the words below to form as many sentences as you can. Remember to say aloud every French word or sentence in this book.

A

1	2	3
Je vais	lui donner	un disque
Il va	me donner	un sweater
Nous‿allons	vous donner	une T.S.F.
Vous‿allez	nous donner	des cigarettes
Ils vont	leur donner	des fleurs
Je ne vais pas	lui écrire	cette semaine

1	2	3
Il ne va pas	nous‿écrire	samedi
Nous n'allons pas	lui envoyer	le contrat
Ils ne vont pas	lui prêter	l'auto
Allez-vous	me prêter	l'auto

B

Je lui	ai prêté	un disque
Il	m'a prêté	de l'argent (*some money*)
Vous nous	avez prêté	une T.S.F.
Nous lui	avons prêté	le livre
Ils lui	ont donné	une cravate
Je vous	ai donné	du parfum
Il lui	a donné	une blouse
Vous lui	avez donné	une chemise
Nous lui	avons‿envoyé	le livre
Je lui	ai écrit	cette semaine
Elle lui	a écrit	hier
Ils m'	ont‿écrit	samedi
Il m'	a écrit	la semaine dernière (*last week*)

C

Je vais	vous le	donner
Il va	me le	prêter
Elle va	nous le	vendre
Nous‿allons	le lui	acheter
Ils vont	le leur	expliquer
Je ne vais pas	vous l'	envoyer
Il ne va pas	me la	donner
Nous n'allons pas	vous les	acheter
Ils ne	me l'ont pas	donné(e) (masc. or fem.)

D

Il	me l'a	prêté(e)
Je	vous l'ai	donné(e)
Elle	vous l'a	expliqué(e)

1	2	3
Nous	vous l'avons	acheté(e)
Ils	vous l'ont	envoyé(e)
Vous	me l'avez	vendu(e)

EXERCISE IN TRANSLATION

Translate the following sentences into French and check them with the correct translations below this exercise.

1. I'm going to give him a record.
2. He is going to give me a radio.
3. We are going to give them a box of chocolates.
4. He is going to give you a sweater.
5. They (masc.) are going to give her some flowers.
6. You are going to lend her the car.
7. They (masc.) are going to write to her this week.
8. We are going to send him the contract.
9. They (masc.) are going to give us a radio.
10. We are going to give them some flowers.
11. I'm not going to write to him this week.
12. We are not going to send him the contract.
13. They (masc.) aren't going to lend him the car.
14. Are you going to write to her?
15. I lent him a record.
16. He lent me some money.
17. You lent us the book.
18. We lent you some money.
19. They (masc.) gave him a radio for Christmas.
20. He gave her some perfume for her birthday.
21. I gave him a shirt for Christmas.
22. He wrote to me last week.
23. They (masc.) gave her a blouse.
24. She gave him a shirt.
25. I wrote to him this week.
26. She wrote to him yesterday.

27. We lent you the car.
28. We sent him some money.
29. They (masc.) wrote to me last week.
30. I'm going to give it (fem.) to you.
31. He's going to lend it (masc.) to me.
32. She's going to buy it (masc.) for them.
33. I'm not going to send it (fem.) to you.
34. We are going to explain it (fem.) to them.
35. I am going to sell it (masc.) to them.
36. I am going to buy it (masc.) for them.
37. They (masc.) are not going to send them to me.
38. He is not going to give it (fem.) to me.
39. We are going to send them to you.
40. He lent it (fem.) to me.
41. I gave it (masc.) to you.
42. He explained it (masc.) to you.
43. We bought it (masc.) for you.
44. They sent it (fem.) to us.
45. You sold it (fem.) to me.
46. She bought it (fem.) for you.
47. They sold it (fem.) to us.
48. They bought it (masc.) for us.

Check your sentences with the correct translations below. After you have checked each of your French sentences, read it aloud, so that the language is as familiar to your ear and your tongue as to your mind.

1. Je vais lui donner un disque.
2. Il va me donner une T.S.F.
3. Nous allons leur donner une boîte de chocolats.
4. Il va vous donner un sweater.
5. Ils vont lui donner des fleurs.
6. Vous allez lui prêter l'auto.
7. Ils vont lui écrire cette semaine.
8. Nous allons lui envoyer le contrat.
9. Ils vont nous donner une T.S.F.

10. Nous allons leur donner des fleurs.
11. Je ne vais pas lui écrire cette semaine.
12. Nous n'allons pas lui envoyer le contrat.
13. Ils ne vont pas lui prêter l'auto.
14. Allez-vous lui écrire?
15. Je lui ai prêté un disque.
16. Il m'a prêté de l'argent.
17. Vous nous avez prêté le livre.
18. Nous vous avons prêté de l'argent.
19. Ils lui ont donné une T.S.F. pour Noël.
20. Il lui a donné du parfum pour son anniversaire.
21. Je lui ai donné une chemise pour Noël.
22. Il m'a écrit la semaine dernière.
23. Ils lui ont donné une blouse.
24. Elle lui a donné une chemise.
25. Je lui ai écrit cette semaine.
26. Elle lui a écrit hier.
27. Nous vous avons prêté l'auto.
28. Nous lui avons envoyé de l'argent.
29. Ils m'ont écrit la semaine dernière.
30. Je vais vous la donner.
31. Il va me le prêter.
32. Elle va le leur acheter.
33. Je ne vais pas vous l'envoyer.
34. Nous allons la leur expliquer.
35. Je vais le leur vendre.
36. Je vais le leur acheter.
37. Ils ne vont pas me les envoyer.
38. Il ne va pas me la donner.
39. Nous allons vous les envoyer.
40. Il me l'a prêtée.
41. Je vous l'ai donné.
42. Il vous l'a expliqué.
43. Nous vous l'avons acheté.
44. Ils nous l'ont envoyée.
45. Vous me l'avez vendue.
46. Elle vous l'a achetée.
47. Ils nous l'ont vendue.
48. Ils nous l'ont acheté.

REMINDER CARDS

Je vais	lui donner	un disque
Il va	me donner	du parfum
Nous‿allons	vous donner	des fleurs
Ils vont	nous donner	des disques
Vous‿allez	leur donner	une T.S.F.
Il va	m'écrire	demain
Elle va	leur écrire	cette semaine

Je	lui ai prêté	de l'argent
Il	m'a prêté	l'auto
Il	m'a donné	du parfum
Vous	nous avez prêté	le livre
Nous	lui avons prêté	l'auto

Je vais	vous le	donner
Il va	me le	prêter
Elle va	nous le	vendre
Je vais	le lui	expliquer
Nous‿allons	le leur	envoyer
Je ne vais pas	vous l'	acheter

Il	me l'a	prêté(e)
Je	vous l'ai	donné(e)
Nous	vous l'avons	acheté(e)
Ils	nous l'ont	envoyé(e)

Repeat:

me le, nous le, vous le **me la, nous la, vous la**
le lui, le leur **la lui, la leur**

34
Leçon Numéro Trente-quatre

WORDS TO REMEMBER

combien? *how much? how many?*
combien de minutes? *how many minutes?*
il y a, *there is, there are*
il n'y a pas, *there isn't, there aren't*
y a-t-il? *is there? are there?*
une demi-heure, *a half hour*
soixante, *sixty*
trente, *thirty*
une seconde, *a second*
un magasin, *a store*
un grand magasin, *a department store*
une blanchisserie, *a laundry*
une pharmacie, *a drugstore, pharmacy*
une librairie, *a bookstore*
une épicerie, *a grocery store*
une boulangerie, *a bakery*
un bon restaurant, *a good restaurant*
voici, *here, here it is, here they are*
dans la chambre, *in the room*
chez moi, *at my house*
les gens, *the people*
une piscine, *a swimming pool*
ici, *here*
près de, *close to, near*
près d'ici, *near here*
loin, *far*
une église, *a church*
au coin, *on the corner*
au coin de la rue, *on the street corner*
quel genre? *what kind?*
le métro, *the subway*
l'eau chaude, *the hot water*
un message, *a message*
un garage, *a garage*

There are two ways to say, *"is there"* and *"are there"* in French:

y a-t-il? *is there, are there?*
est-ce qu'il y a? *is there, are there?*

Use whichever you wish.

NOTE: In French you do not say, *"How much is the hat?"* You say instead, *"How much does the hat cost?"* Combien coûte le chapeau?

CONVERSATION

Combien de minutes y a-t-il dans‿une heure?
Dans‿une heure il y a soixante minutes.

Combien de minutes y a-t-il dans‿une demi-heure?
Dans‿une demi-heure il y a trente minutes.

Combien de secondes y a-t-il dans‿une minute?
Dans‿une minute il y a soixante secondes.

Y a-t-il un garage près de chez vous?
Oui, il y a un garage près de chez moi.

Y a-t-il un parc près de chez vous?
Oui, il y a un parc près de chez moi.

Y a-t-il des magasins près de chez vous?
Oui, il y a des magasins près de chez moi.

Quel genre de magasins y a-t-il près de chez vous?
Près de chez moi il y a une pharmacie, une librairie, une épicerie, et une blanchisserie.

Y a-t-il une boulangerie près de chez vous?
Non, il n'y a pas de boulangerie près de chez moi.

Y a-t-il un bon restaurant près du bureau?
Oui, il y a un bon restaurant près du bureau.

Est-ce qu'il y a une piscine au club?
Oui, il y a une piscine au club.

Est-ce qu'il y a beaucoup de gens intéressants au club?
Oui, il y a beaucoup de gens intéressants au club.

Est-ce qu'il y a un jardin?
Non, il n'y a pas de jardin.

Est-ce qu'il y a une piscine près de l'hôtel?
Non, il n'y a pas de piscine près de l'hôtel.

Est-ce qu'il y a un garage près de l'hôtel?
Oui, il y a un garage près de l'hôtel.

Est-ce qu'il y a un téléphone dans la chambre?
Oui, il y a un téléphone dans la chambre.

Est-ce qu'il y a de l'eau chaude?
Oui, il y a de l'eau chaude.

Y a-t-il une pharmacie près d'ici?
Oui, il y a une pharmacie près d'ici.

Est-ce que l'épicerie est loin?
Non, l'épicerie n'est pas loin. Elle est près d'ici.

Est-ce que l'église est près d'ici?
Non, l'église est très loin.

Où y a-t-il une pharmacie?
Il y a une pharmacie au coin de la rue.

Est-ce qu'il y a un métro près d'ici?
Non, il n'y a pas de métro près d'ici.

Y a-t-il du courrier pour mon père?
Oui, Madame (Monsieur), voici.

Y a-t-il un message pour ma mère?
Oui, Monsieur (Madame), voici.

Y a-t-il un grand magasin près d'ici?
Oui, il y a un grand magasin près d'ici. Il y a un grand magasin au coin de la rue.

EXPRESSIONS WITH "IL Y A"

Qu'est-ce qu'il y a? *What is the matter?* (*What is there?*)
Qu'y a-t-il? *What is the matter?* (*What is there?*)

Qu'est-ce qu'il y a de nouveau? *What's new?*
Il n'y a personne. *There's no one here.*

"Il y a" also means "*ago.*"

Il y a deux‿heures. *Two hours ago.*
Il y a cinq minutes. *Five minutes ago.*
Il y a huit jours. *A week ago (eight days ago).*
Il y a quinze jours. *Two weeks ago (fifteen days ago).*
Il y a un mois. *A month ago.*
Il y a un an. *A year ago.*
Il y a longtemps. *A long time ago.*

When someone says, "Merci" (*Thank you*) to you, there are two ways to answer: 1. "Il n'y a pas de quoi." *You are welcome* (*There is not for what*). 2. "De rien." *You are welcome* (*Of nothing*). This is the more used form.

THE NUMBERS

1	un, une	21	vingt-et-un
2	deux	22	vingt-deux
3	trois	23	vingt-trois, etc.
4	quatre	29	vingt-neuf
5	cinq	30	trente
6	six	31	trente-et-un
7	sept	32	trente-deux, etc.
8	huit	40	quarante
9	neuf	41	quarante-et-un, etc.
10	dix	50	cinquante
11	onze	51	cinquante-et-un, etc.
12	douze	60	soixante
13	treize	61	soixante-et-un
14	quatorze	62	soixante-deux
15	quinze	63	soixante-trois
16	seize	64	soixante-quatre
17	dix-sept	65	soixante-cinq
18	dix-huit	66	soixante-six
19	dix-neuf	67	soixante-sept
20	vingt	68	soixante-huit

69	soixante-neuf	88	quatre-vingt-huit
70	soixante-dix	89	quatre-vingt-neuf
71	soixante-et-onze	90	quatre-vingt-dix
72	soixante-douze	91	quatre-vingt-onze
73	soixante-treize	92	quatre-vingt-douze
74	soixante-quatorze	93	quatre-vingt-treize
75	soixante quinze	94	quatre-vingt-quatorze
76	soixante-seize	95	quatre-vingt-quinze
77	soixante dix-sept	96	quatre-vingt-seize
78	soixante dix-huit	97	quatre-vingt-dix-sept
79	soixante dix-neuf	98	quatre-vingt-dix‿huit
80	quatre-vingts	99	quatre-vingt-dix-neuf
81	quatre-vingt-un	100	cent
82	quatre-vingt-deux	101	cent-un etc.
83	quatre-vingt-trois	200	deux cents, etc.
84	quatre-vingt-quatre	1000	mille, etc.
85	quatre-vingt-cinq	2000	deux mille
86	quatre-vingt-six	1,000,000	un million
87	quatre-vingt-sept	1,000,000,000	un milliard (one billion)

NOTE: "Et" is used only in: 21, 31, 41, 51, 61, 71.
It is not used in: 22, 23, 24, etc.
32, 33, 34, etc.
81, 91, 101, etc.
201, etc.

THE TIME, *L'HEURE*

Quelle heure est‿il? *What time is it?*
Il est‿une heure. *It's one o'clock.*
Il est trois‿heures. *It's 3 o'clock.*
À quelle heure? *At what time?*
À trois‿heures. *At 3 o'clock.*

3:00	trois‿heures
3:05	trois heures cinq
3:10	trois heures dix
3:15	trois heures quinze
3:20	trois heures vingt
3:25	trois heures vingt-cinq
3:30	trois heures trente

3:35 trois heures trente-cinq
3:40 trois heures quarante
3:45 trois heures quarante-cinq
3:50 trois heures cinquante
3:55 trois heures cinquante-cinq

1. In English you can say, *"It is 5 o'clock,"* or just *"It is five."* In French you can NEVER omit "heures" except with "midi" (*noon*) and "minuit" (*midnight*). "Il est trois‿heures." "Il est midi." "Il est minuit."
2. In English you can say, *"It is 5:25"* or *"25 minutes past 5."* In French NEVER add the word "minutes." Do not say, "Il est trois‿heures quinze minutes." Say, **"Il est trois‿heures quinze."**
3. NEVER add "et" after "heures." Never say, "Il est cinq‿heures et cinq." Say, **"Il est cinq‿heures cinq."**

3:15–trois‿heures et quart (*three hours and a quarter*)
3:30–trois‿heures et demie (*three hours and a half*)
3:35–quatre heures moins vingt-cinq (*four hours less twenty-five*)
3:40–quatre heures moins vingt (*four hours less twenty*)
3:45–quatre heures moins le quart (*four hours less the quarter; a quarter to four*)
3:50–quatre heures moins dix (*four hours less ten*)
3:55–quatre heures moins cinq (*four hours less five*)

dans cinq minutes, *in five minutes*
dans dix minutes, *in ten minutes*

SENTENCE-FORMING EXERCISES

For practice combine the words below to form as many sentences as you can.

A

1	2	3
Il y a	un garage	près de l'hôtel
Y a-t‿il	des magasins	près d'ici
Est-ce qu'il y a	des magasins	près de chez moi
	un parc	près de chez vous
	une piscine	au club

B

1	2	3
Où est-ce qu'il y a	un bon restaurant	près d'ici
(*Where is there*)	un message	pour votre mère
Voici	un téléphone	dans la chambre
	de l'eau chaude	ici
	une pharmacie	mais loin d'ici
	une église	près d'ici
	du courrier	pour mon père
	un jardin	au club
	un grand magasin	près de chez moi

C

Il y a	une heure
	deux‿heures
	trois‿heures
	un‿an
	huit jours
	quinze jours
	cinq minutes
	longtemps

D

Il est	une heure
	trois‿heures
	neuf‿heures
	sept‿heures
	huit‿heures
	six‿heures
	six‿heures cinq
	six‿heures quinze
	huit‿heures vingt
	neuf‿heures trente
	trois‿heures et quart
	six‿heures et demie

E

Il n'y a pas (*There is no, There are no*)	de garage
	de magasins
	de parc
	de piscine
	de bon restaurant
	de message
	de téléphone
	d'eau chaude
	de pharmacie
	de grand magasin

EXERCISE IN TRANSLATION

Translate the following sentences into French and check them with the correct translations below this exercise.

1. There is a garage near the hotel.
2. There aren't any stores close to my house.
3. There are a lot of interesting people at the hotel.
4. Where is there a good restaurant near here?
5. Is there a park near your house?
6. Are there a lot of amusing people at the hotel?
7. Is there a telephone in the room?
8. There isn't any hot water in the room.
9. There is a drugstore, but far from here.
10. There isn't a drugstore near here.
11. Is there a church near here?
12. Is there a message for my father?
13. Is there mail for my mother?
14. Yes, sir, here it is.
15. Is there a department store near here?
16. Where is there a drugstore near here?
17. There are many interesting people at the club.
18. Are there many amusing people here?
19. Here is a message for your father.
20. There is hot water here.
21. Are there many interesting people at the hotel?
22. There aren't many interesting people at the hotel.
23. An hour ago.

24. A week ago.
25. Two weeks ago.
26. Five minutes ago.
27. A long time ago.
28. A year ago.
29. It is one o'clock.
30. It is seven o'clock.
31. It's eight-twenty.
32. It's nine-thirty.
33. It's a quarter-past three.
34. It's half-past six.

Check your sentences with the correct translations below:

1. Il y a un garage près de l'hôtel.
2. Il n'y a pas de magasins près de chez moi.
3. Il y a beaucoup de gens intéressants à l'hôtel.
4. Où est-ce qu'il y a un bon restaurant près d'ici?
5. Y a-t-il un parc près de chez vous?
6. Y a-t-il beaucoup de gens amusants à l'hôtel?
7. Y a-t-il un téléphone dans la chambre?
8. Il n'y a pas d'eau chaude dans la chambre.
9. Il y a une pharmacie, mais loin d'ici.
10. Il n'y a pas de pharmacie près d'ici.
11. Est-ce qu'il y a une église près d'ici?
12. Y a-t-il un message pour mon père?
13. Y a-t-il du courrier pour ma mère?
14. Oui, Monsieur, voici.
15. Y a-t-il un grand magasin près d'ici?
16. Où est-ce qu'il y a une pharmacie près d'ici?
17. Il y a beaucoup de gens intéressants au club.
18. Y a-t-il beaucoup de gens amusants ici?
19. Voici un message pour votre père.
20. Il y a de l'eau chaude ici.
21. Y a-t-il beaucoup de gens intéressants à l'hôtel?
22. Il n'y a pas beaucoup de gens intéressants à l'hôtel.
23. Il y a une heure.
24. Il y a une semaine.
25. Il y a quinze jours.
26. Il y a cinq minutes.

27. Il y a longtemps.
28. Il y a un an.
29. Il est une heure.
30. Il est sept heures.
31. Il est huit heures vingt.
32. Il est neuf heures et demie.
33. Il est trois heures et quart.
34. Il est six heures et demie.

CATEGORY XVIII

Many words that end in "ine" or "in" are identical in French and in English.

INE = INE

the machine, la machine

These words are feminine.

la benzine	féminine	la machine	la quarantaine
la caféine	la gabardine	la margarine	(*quarantine*)
(*caffeine*)	la gélatine	la marine	la quinine
la cocaïne	la grenadine	(*navy*)	la routine
la codéine	l'hermine	la mine	la saccharine
la crinoline	(*ermine*)	la morphine	la sardine
la cuisine	l'héroïne	la nicotine	la strychnine
la discipline	l'histamine	la parafine	la turbine
la famine		(*paraffin*)	la Vaseline

IN = IN

the cousin, le cousin

These words are masculine.

l'assassin	le dédain	le jasmin	le quatrain
le bassin	(*disdain*)	le latin	le satin
(*basin*)	le drain	le mandarin	le train
le bulletin	le gain	le pingouin	vain
certain	(*gain, profit*)	(*penguin*)	le zeppelin
le cousin	le grain		

You can convert some other English words that end in "*ine*" or "*in*" into French words by dropping the letter "*e*":

INE = IN

or by adding the letter "*e*":

IN = INE

INE = IN

the vaccine, le vaccin

These words are masculine.

canin (*canine*)	divin (*divine*)	masculin (*masculine*)	le sous-marin (*submarine*)
clandestin (*clandestine*)	félin (*feline*)	le pin (*pine*)	le tambourin (*tambourine*)
cristallin (*crystalline*)	féminin (*feminine*)	le ravin (*ravine*)	le vaccin (*vaccine*)
le déclin (*decline*)		le Rhin (*Rhine*)	

IN = INE

the cabin, la cabine

These words are feminine.

l'adrénaline	la chaîne	la lanoline	la ruine
l'albumine	la glycérine	la mandoline	la veine
l'aspirine	la graine (*grain, berry*)	la naphtaline (*naphthalene*)	la vermine
l'auréomycine	l'hémoglobine	l'origine	la vitamine
la cabine (*cabin, stateroom*)	l'insuline	la pénicilline	
		la protéine	

REMINDER CARD

Il y a	une église	près d'ici
Y a-t-il	un bon restaurant	près du bureau
Est-ce qu'il y a	une piscine	près de chez vous
Il n'y a pas	beaucoup de gens	à l'hôtel
Où est-ce qu'il y a	une pharmacie	près d'ici
Voici	un message	
Il n'y a pas	de restaurant	

35
Leçon Numéro Trente-cinq

Do you remember the verb "être?"

être, *to be*

je suis (*I am*)	**nous sommes** (*we are*)
vous‿êtes (*you are*)	**vous‿êtes** (*you* [*pl.*] *are*)
il, elle est (*he, she is*)	**ils, elles sont** (*they* [masc., fem.] *are*)

"Être" is used to form the past of three verbs you have learned.

Je suis‿arrivé. *I arrived* (*I am arrived*).
Je suis‿allé. *I went* (*I am gone*).
Je suis venu. *I came* (*I am come*).

Remember that these verbs have masculine and feminine, singular and plural endings.

aller, *to go*

Je suis‿allé (masc.). *I went.*
Je suis‿allée (fem.). *I went.*
Nous sommes‿allés (masc.). *We went.*
Nous sommes‿allées (fem.). *We went.*

"Être" is used to form the past of other verbs.

sortir, *to go out*

Je suis sorti (masc.). *I went out.*

Elle est sortie (fem.). *She went out.*
Nous sommes sortis (masc.). *We went out.*
Elles sont sorties (fem.). *They went out.*

rester, *to stay, remain*
Je suis resté (masc.). *I stayed.*
Elle est restée (fem.). *She stayed.*
Nous sommes restés (masc.). *We stayed.*
Nous sommes restées (fem.). *We stayed.*

entrer, *to go in, come in*
Il est‿entré. *He came in.*
Elle est‿entrée. *She came in.*
Ils sont‿entrés. *They came in.*
Elles sont‿entrées. *They came in.*

rentrer, *to return home, go back home, get back home, come home*
Je suis rentré (masc.). *I came back home.*
Je suis rentrée (fem.). *I came back home.*
Nous sommes rentrés (masc.) *We came back home.*
Nous sommes rentrées (fem.) *We came back home.*

partir, *to go away, leave*
Il est parti. *He went away, left.*
Elle est partie. *She went away, left.*
Ils sont partis. *They went away, left.*
Elles sont parties. *They went away, left.*

revenir, *to come back, return, get back*
Je suis revenu (masc.). *I came back.*
Je suis revenue (fem.). *I came back.*
Nous sommes revenus (masc.). *We came back.*
Elles sont revenues (fem.). *They came back.*

It's easy to remember this group of verbs because they are motion verbs in the sense of arriving and departing. It might help you to think of them as "door verbs" because they deal with going out and coming in through doors.

When you see them all together, they very definitely seem to be "door verbs." Here they are:

Je suis‿allé. *I went.*
Je suis‿arrivé. *I arrived, got here, got there.*
Je suis venu. *I came.*
Je suis sorti. *I went out.*
Je suis parti. *I went away, left.*
Je suis rentré. *I returned home, got home.*
Je suis‿entré. *I came in.*
Je suis revenu. *I got back, returned.*
Je suis resté. *I stayed.*

WORDS TO REMEMBER

encore, *yet, still*
C'est‿affreux. *It's awful.*
là, *there*
Il est là. *He is there (He is in).*
à quatre heures, *at four o'clock*
à neuf‿heures, *at nine o'clock*
à deux‿heures du matin, *at two o'clock in the morning*

trois jours, *three days*
toute la journée, *all day*
combien? *how much, how many?*
combien de temps? *how long?*
le premier juin, *the first of June*
chercher, *to look for, pick up, get*
nous chercher, *to pick us up*
venir chercher, *to come and get*
cet‿été, *this summer*

tard, *late*
un paquet, *a package*
l'ascenseur, *the elevator*
le parapluie, *the umbrella*
puis, *then*
quand, *when*
à la maison, *at home*
de bonne heure, *early*
souvent, *often*
pourquoi, *why*
parce qu'il est, *because he is*
le mois, *the month*
le mois dernier, *last month*
vendredi, *Friday, on Friday*
vendredi soir, *Friday night*
quelques, *a few*
quelques minutes, *a few minutes*
au salon, *in the living room*

Je suis‿allé (masc.). *I went.*
Il est‿arrivé. *He arrived, got there, got here.*
Êtes-vous sorti (masc.)? *Did you go out?*
Nous sommes partis (masc.). *We went away, left.*
Ils sont venus. *They came.*
Elle est rentrée (fem.). *She came back home, got home.*
Elles sont‿entrées. *They came in.*

Elle est revenue. *She got back, returned.*
Je suis restée (fem.). *I stayed.*

NOTE: When "quand" is followed by a word that begins with a vowel, the letter "d" is pronounced as if it were "t" and is also run together with the word that follows it.

EXAMPLE:

"Quand est-ce que" is pronounced as if it were written, "Quant‿est-ce que."

NOTE: For convenience the masculine form of the verbs will be used in this lesson unless otherwise indicated; that is, unless a feminine subject is mentioned.

CONVERSATION

Êtes-vous sorti de bonne heure ce matin?
Oui, je suis sorti de bonne heure. Je suis sorti à neuf‿heures.

Êtes-vous sorti avec Pauline hier soir?
Non, je ne suis pas sorti avec Pauline hier soir.

Êtes-vous sorti avant le dîner?
Non, je ne suis pas sorti avant le dîner.

Êtes-vous beaucoup sorti cette semaine?
Non, je ne suis pas beaucoup sorti cette semaine.

Êtes-vous sorti vendredi soir?
Oui, je suis sorti vendredi soir. Je suis‿allé au cinéma avec Paul.

Êtes-vous sorti cet‿après-midi?
Oui, je suis sorti cet‿après-midi.

Êtes-vous rentré de bonne heure?
Oui, je suis rentré de bonne heure.

À quelle heure êtes-vous rentré?
Je suis rentré à quatre heures.

Est-ce que Paul est là?
Non, il n'est pas‿encore rentré. Il va rentrer à sept‿heures.

À quelle heure est-ce que Robert est rentré hier soir?
Robert est rentré très tard. Il est rentré à deux‿heures du matin. C'est‿affreux.

Est-ce que Paul et Louise sont venus vous voir hier soir?
Oui, Paul et Louise sont venus me voir hier soir.

Est-ce que Philippe est venu hier soir?
Oui, Philippe est venu nous chercher pour aller au cinéma.

Est-ce que Pierre est venu vous voir ce soir?
Non, Pierre n'est pas venu me voir ce soir.

Pourquoi n'est-‿il pas venu ce soir?
Il n'est pas venu ce soir parce qu'il est très‿occupé.

Est-ce que Monsieur Dufrac est venu cet‿après-midi?
Oui, il est venu chercher un paquet.

Est-ce qu'il est‿entré?
Oui, il est‿entré. Il est resté quelques minutes.

Est-ce que Marie est restée à la maison cet‿après-midi?
Non, Marie n'est pas restée à la maison cet‿après-midi. Marie est‿allée chez le coiffeur.

Combien de temps est-‿elle restée chez le coiffeur?
Elle est restée deux‿heures chez le coiffeur.

Êtes-vous‿allé en France cet‿été?
Oui, je suis‿allé en France cet‿été.

Quand‿êtes-vous parti?
Je suis parti le premier juin.

Combien de temps êtes-vous resté en France?
Je suis resté deux mois en France. Je suis resté un mois à Paris et j'ai passé un mois à la campagne.

Quand‿êtes-vous revenu?
Je suis revenu le mois dernier.

Êtes-vous sorti cette après-midi?
Oui, je suis sorti à quatre heures, puis je suis revenu pour chercher mon parapluie.

Êtes-vous‿allé à la campagne pour le weekend?
Oui, je suis‿allé à la campagne pour le weekend.

Quand‿êtes-vous parti?
Je suis parti vendredi après-midi.

Quand‿est-ce que Paul est parti?
Paul est parti samedi matin.

Combien de temps êtes-vous resté à la campagne?
Je suis resté trois jours.

Quand‿êtes-vous revenu?
Je suis revenu ce matin.

Êtes-vous resté à la maison toute la journée?
Non, je ne suis pas resté à la maison toute la journée. Je suis sorti ce matin et aussi cet‿après-midi.

> NOTE: In French you cannot say "ce été"; you must say "cet‿été." When "ce" precedes a word that begins with a vowel, it becomes "cet."

You have learned that "être" is used to form the past of verbs of arrival and departure. This includes the verbs of arrival and departure from life!

Je suis né (masc.). *I was born (I am born).*
Il est mort. *He died (He is dead).*

naître, *to be born*

Je suis né (masc.). *I was born.*
Je suis née (fem.). *I was born.*
Où êtes-vous né (masc.)? *Where were you born?*
Il est né. *He was born.*
Elle est née. *She was born.*

mourir, *to die*

Il est mort. *He died (He is dead).*
Elle est morte. *She died (She is dead).*
Ils sont morts. *They died (They are dead).*

"**Être**" is used to form the past of a few more verbs:

monter, *to go up, go upstairs*
descendre, *to go down, go downstairs, get off a plane, train, etc.*
tomber, *to fall down, fall*
devenir, *to become*
retourner, *to return to a country or city*

Read the following sentences aloud:

Je suis monté en‿ascenseur.
I went up on the elevator.
Je suis monté pour chercher un mouchoir.
I went upstairs to get a handkerchief.
Il est monté à cheval ce matin.
He went horseback riding this morning.
Je suis descendu en ascenseur.
I went downstairs in the elevator.
Je suis descendu pour chercher le courrier.
I went downstairs to get the mail.
Je suis tombé ce matin.
I fell down this morning.
Le livre est tombé de la table.
The book fell off the table.
Il est retourné en France la semaine dernière.
He went back to France last week.

QUELQUES (*A FEW, SOME*)

"Quelques" is used very much in French. Practice the following expressions.

quelques livres, *a few books, some books*
quelques‿amis, *a few friends, some friends*
quelque chose, *something*
quelque part, *somewhere* (*some part*)
quelqu'un, *someone, somebody*
quelquefois, *sometimes*

THE DAYS OF THE WEEK (LES JOURS DE LA SEMAINE)

lundi, *Monday*
mardi, *Tuesday*
mercredi, *Wednesday*
jeudi, *Thursday*
vendredi, *Friday*
samedi, *Saturday*
dimanche, *Sunday*

mercredi matin, *Wednesday morning*
mercredi après-midi, *Wednesday afternoon*
mercredi soir, *Wednesday evening*
mercredi prochain, *next Wednesday*
mercredi dernier, *last Wednesday*

THE MONTHS OF THE YEAR (LES MOIS DE L'ANNÉE)

janvier, *January*
février, *February*
mars, *March*
avril, *April*
mai, *May*
juin, *June*

juillet, *July*
août, *August*
septembre, *September*
octobre, *October*
novembre, *November*
décembre, *December*

THE SEASONS (LES SAISONS)

le printemps, *the spring*
l'été, *the summer*
l'automne, *the fall, autumn*
l'hiver, *the winter*

au printemps, *in the spring*
en‿été, *in the summer*
en‿automne, *in the fall*
en‿hiver, *in the winter*

Printemps, été, automne, and hiver are all masculine words.

Generally speaking you use the words "jour" (*day*) and "an" (*year*) when they are preceded by numbers.

un jour — un‿an
deux jours — cinq‿ans
huit jours — dix‿ans

When these words are not preceded by numbers, they most always become "journée" and "année." This as a rule refers to a whole period of time such as a whole day, or a whole year, or a whole evening (soirée). They become feminine words.

toute la journée, *all day*
pendant la journée, *during the day*
C'est‿une belle journée. *It's a nice day.*

l'année dernière, *last year*
l'année prochaine, *next year*
toute l'année, *all year*

SENTENCE-FORMING EXERCISE

For practice combine the words below to form as many sentences as you can.

1	2	3
Je suis	sorti	avant le dîner
Elle est	sortie	de bonne heure
Nous sommes	sortis	avec Paul
Elles sont	sorties	vendredi soir
Il est	venu	à six‿heures
Elle n'est pas	venue	dîner
Ils ne sont pas	venus	vous voir
Elles ne sont pas	venues	me voir
Il n'est pas	rentré	de bonne heure
À quelle heure est‿elle	rentrée	hier soir
Nous sommes	rentrés	tard
Elles sont	rentrées	à minuit
Il est	parti	mercredi soir
Quand‿êtes-vous	partie	
Ils sont	partis	la semaine dernière
Elles sont	parties	le premier juillet
Je suis	resté	chez Louise
Elle est	restée	chez le coiffeur
Ils sont	restés	deux‿ans en France
Elles sont	restées	toute la journée
Vous‿êtes	revenu, revenue	le mois dernier
Nous sommes	revenus, revenues	hier
Il est	monté	en‿ascenseur
Elle est	descendue	en‿ascenseur
Je suis	descendue	avec Paul
Il est	mort	hier soir
Elle est	morte	samedi
Je suis	né	en France
Elle est	née	à Paris

EXERCISE IN TRANSLATION

Translate the following sentences into French and check them with the correct translations below:

1. He went out before dinner.
2. I (fem.) went out with Paul.
3. We (fem.) came back (home) late.
4. I (masc.) went out Friday night.
5. He came to dinner (to have dinner)
6. They (masc.) came to see us.
7. He didn't come to see you.
8. He didn't come back (home) early.
9. At what time did he come?
10. We (masc.) came back (home) late.
11. At what time did she come in (home) last night?
12. They (fem.) left on the first of July.
13. We (masc.) went out with Paul.
14. They (masc.) left last week.
15. They (masc.) came to see me.
16. They (masc.) came back (home) at midnight.
17. I (fem.) stayed at Louise's house.
18. She stayed at the hairdresser's.
19. I (masc.) didn't go out last night.
20. They (fem.) came back last month.
21. He came back yesterday.
22. She went out with Paul last night.
23. He left on Wednesday evening.
24. At what time did she leave?
25. At what time did she come back?
26. They (masc.) stayed in France two years.
27. He went up in the elevator.
28. I (fem.) was born in Paris.

Check your sentences with the correct translations below. After you have checked each of your French sentences, read it aloud, so that the language is as familiar to your ear and your tongue as to your mind.

1. Il est sorti avant le dîner.
2. Je suis sortie avec Paul.
3. Nous sommes rentrées tard.
4. Je suis sorti vendredi soir.
5. Il est venu dîner.
6. Ils sont venus nous voir.
7. Il n'est pas venu vous voir.
8. Il n'est pas rentré de bonne heure.
9. À quelle heure est-il venu?
10. Nous sommes rentrés tard.
11. À quelle heure est-elle rentrée hier soir?
12. Elles sont parties le premier juillet.
13. Nous sommes sortis avec Paul.
14. Ils sont partis la semaine dernière.
15. Ils sont venus me voir.
16. Ils sont rentrés à minuit.
17. Je suis restée chez Louise.
18. Elle est restée chez le coiffeur.
19. Je ne suis pas sorti hier soir.
20. Elles sont revenues le mois dernier.
21. Il est revenu hier.
22. Elle est sortie avec Paul hier soir.
23. Il est parti mercredi soir.
24. À quelle heure est-elle partie?
25. À quelle heure est-elle revenue?
26. Ils sont restés deux ans en France.
27. Il est monté en ascenseur.
28. Je suis née à Paris.

CATEGORY XIX

You can convert many English words that end in "*a*" into French words by changing the "*a*" into "e."

A = E

the banana, la banane

l'algèbre	l'anémie	une antenne
l'amnésie	une anesthésie	une arène

un arôme
l'asthme
un azalée
une ballerine
une banane
une cantate
une cornée
une coupole
(*cupola*)
un dilemme
la diphtérie
un diplôme
un dogme
un drame
la dyspepsie
une encyclopédie
une énigme
une ère
une gondole
un gorille
une hernie
une hyène
l'hystérie
une idée
l'insomnie
la lave
une madone
(*madonna*)
la magnésie
une manie
la mélancolie
(*melancholy*)
le mélodrame
la nausée
la névralgie
(*neuralgia*)
la nostalgie
une opérette
un orchestre
une pagode
une péninsule
une phobie
la pneumonie
la propagande
une rotonde
(*rotunda*)
la sieste
la sonate
la sonatine
la spatule
la tarantule
une utopie
la vanille
la viole
le zèbre

REMINDER CARD

Je suis	sorti, sortie	hier soir
Nous sommes	sortis, sorties	avec Paul
Il est	venu	à six‿heures
Je suis	rentré, rentrée	de bonne heure
Nous sommes	rentrés, rentrées	à minuit
Je suis	parti, partie	mercredi
Nous sommes	partis, parties	le premier juin
Je suis	resté, restée	toute la journée
Nous sommes	restés, restées	deux‿ans
Il est	descendu	en‿ascenseur
Elle est	née	à Paris
Il est	mort	en‿octobre

36
Leçon Numéro Trente-six

PRESENT TENSE OF IRREGULAR VERBS—SINGULAR

We call the irregular verbs the non-conformists because they don't conform to the rules and frequently go off half cocked in different directions.

The non-conformist verbs have a sort of club in which they accept only peculiar verbs as a member of their society. If a verb has an outstanding idiosyncrasy, it can belong to the non-conformist club. If it dares to be regular, the non-conformists will have nothing to do with it, tagging it as "too common."

"Aller" (*to go*) is the president of the non-conformist club because it is so completely irregular that you can't even recognize its different tenses unless you know them, which you do.

The non-conformist club consists of several important members and a few hangers on.

You already know the present-tense endings of regular verbs.

PRESENT-TENSE ENDINGS OF REGULAR VERBS

ER		RE		IR	
e	ons	s	ons	is	issons
ez	ez	ez	ez	issez	issez
e	ent		ent	it	issent

When the endings of a verb do not conform to the charts above, they are irregular.

PRESENT TENSE OF IRREGULAR VERBS

GROUP I

The following "re" verbs end in "s" in the first person singular (regular, see above chart) and in "t" in the third person singular (irregular).

Remove "re" from the infinitive, and add "s" for the first person and "t" for the third person. Both the "s" and the "t" are silent.

diRE	JE DIS	IL, ELLE DIT
to say, tell	*I say*	*he, she says*
liRE	JE LIS	IL, ELLE LIT
to read	*I read* (present)	*he, she reads*
riRE	JE RIS	IL, ELLE RIT
to laugh	*I laugh*	*he, she laughs*
écriRE	J'ÉCRIS	IL, ELLE ÉCRIT
to write	*I write*	*he, she writes*
faiRE	JE FAIS	IL, ELLE FAIT
to do, make	*I do, I make*	he, she does, makes
croiRE	JE CROIS	IL, ELLE CROIT
to think (opinion)	*I think*	*he, she thinks*

"Croire" means "*to think*" only in the sense of expressing an opinion, such as "*I think it's interesting.*" "Croire" also means "*to believe.*"

The best way to learn the verbs above is to repeat them several times. Say them out loud and learn them just as you would learn a poem.

je dis	il dit	j'écris	il écrit
je lis	il lit	je fais	il fait
je ris	il rit	je crois	il croit

Remove "ir" from "courir" (*to run*) and add "s" for the first person and "t" for the third person. Both the "s" and the "t" are silent.

courIR	JE COURS	IL, ELLE COURT
to run	*I run*	*he, she runs*

GROUP II

Remove the ending ("ir" or "re") and also the letter before the ending. Then add "s" for the first person and "t" for the third person. Both the "s" and the "t" are silent.

The letters that must be removed in the infinitive are printed in capital letters for your convenience.

dorMIR	JE DORS	IL, ELLE DORT
to sleep	*I sleep*	*he, she sleeps*
sorTIR	JE SORS	IL, ELLE SORT
to go out	*I go out*	*he, she goes out*
parTIR	JE PARS	IL, ELLE PART
to depart, leave	*I leave*	*he, she leaves*
connaîTRE	JE CONNAIS	IL, ELLE CONNAÎT
to know (a person, a place)	*I know*	*he, she knows*
metTRE	JE METS	IL, ELLE MET
to put, put on	*I put, put on*	*he, she puts on*
peinDRE	JE PEINS	IL, ELLE PEINT
to paint	*I paint*	*he, she paints*

The "ts" is silent in "je mets." The "t" is silent in "il met." You do not add a "t" to "il met" because it already has one.

Say these verbs out loud and learn them just as you would learn a poem.

je dors	il dort	je connais	il connaît
je sors	il sort	je mets	il met
je pars	il part	je peins	il peint

GROUP III

Drop ONLY the letter "r" and then add "s" for the first person and "t" for the third person.

voiR	JE VOIS	IL, ELLE VOIT
to see	*I see*	*he, she sees*
fuiR	JE FUIS	IL, ELLE FUIT
to flee	*I flee*	*he, she flees*

GROUP IV

Drop "ir" from the infinitive and then add "s" for the first person and "t" for the third person. However, there is another irregularity in these verbs: the E in the infinitive becomes IE in the first and third persons. Remember: E = IE.

These verbs are brothers and learning one will help you learn the other.

tenIR	JE TIENS	IL, ELLE TIENT
to hold	*I hold*	*he, she holds*
venIR	JE VIENS	IL, ELLE VIENT
to come	*I come*	*he, she comes*

It is very important to remember that you add "s" for the first person and "t" for the third person to all the verbs in Groups I, II, III, and IV.

GROUP V

Two verbs are completely irregular, but they are brothers and learning one will help you learn the other.

POUVOIR	JE PEUX	IL, ELLE PEUT
to be able	*I can*	*he, she can*
VOULOIR	JE VEUX	IL, ELLE VEUT
to wish, want	*I wish, I want*	*he, she wishes, wants*

"Devoir" (*to have to, to owe*) is so eccentric that it stands alone.

DEVOIR	JE DOIS	IL, ELLE DOIT
to have to, to owe	*I have to, I owe, must*	*he, she has to, owes, must*

POUVOIR (*to be able*), VOULOIR (*to wish, to want*), and DEVOIR (*to have* [*to*], *to owe*) are very important verbs because you can use them in combination with infinitives.

je peux‿étudier. *I can study.*
je veux‿étudier. *I want to study.*
je dois‿étudier. *I have to study.*

The final "x" in the words above is pronounced as the "z" in "*zero,*" when it is run into the word that follows it.

Write the following verbs several times and then repeat them over and over:

je peux	il peut
je veux	il veut
je dois	il doit

GROUP VI

"Recevoir" (*to receive*) does some fancy somersaults.

RECEVOIR	JE REÇOIS	IL, ELLE REÇOIT
to receive	*I receive*	*he, she receives*

Remember that "ç" is pronounced "s."

"Savoir" means "*to know*" only in the sense of knowing facts, not in the sense of knowing persons, or places. "Savoir" goes completely crazy. Nothing will help here but patience.

SAVOIR	JE SAIS	IL, ELLE SAIT
to know (facts)	*I know*	*he, she knows*

VERBS YOU HAVE LEARNED IN THIS LESSON

GROUP I

dire, *to say*	je dis	il dit
lire, *to read*	je lis	il lit
rire, *to laugh*	je ris	il rit
écrire, *to write*	j'écris	il écrit
faire, *to do, make*	je fais	il fait
croire, *to believe*	je crois	il croit
courir, *to run*	je cours	il court

GROUP II

dormir, *to sleep*	je dors	il dort
sortir, *to go out*	je sors	il sort
partir, *to depart*	je pars	il part

connaître, *to know*	je connais	il connaît
mettre, *to put, put on*	je mets	il met
peindre, *to paint*	je peins	il peint

GROUP III

voir, *to see*	je vois	il voit
fuir, *to flee*	je fuis	il fuit

GROUP IV

tenir, *to hold*	je tiens	il tient
venir, *to come*	je viens	il vient

GROUP V

pouvoir, *to be able*	je peux	il peut
vouloir, *to want*	je veux	il veut
devoir, *to have to*	je dois	il doit

GROUP VI

recevoir, *to receive*	je reçois	il reçoit
savoir, *to know* (a fact)	je sais	il sait

GROUP VII

There are three irregular verbs you have learned in previous lessons:

être, *to be*	je suis	il est
aller, *to go*	je vais	il va
avoir, *to have*	j'ai	il a

WORDS TO REMEMBER

le bureau, *the desk, the office*
l'ascenseur, *the elevator*

sur le bureau, *on the desk*
tous les matins, *every morning*
quand‿il arrive, *when he arrives*
la semaine prochaine, *next week*
beaucoup de choses, *many things*
C'est‿une question ridicule. *It's a ridiculous question.*
jusqu'à dix‿heures, *until ten o'clock*
si, *if*
ici, *here*
sa, *his, her* (use before feminine nouns)
sa secrétaire, *his secretary, her secretary*
d'habitude, *usually*
sortir, *to go out*
chez‿eux (masc.), *at their house*
tout de suite, *immediately, at once*
déjeuner, *to have lunch or breakfast*
les Français, Frenchmen

je lis, *I read* (present)	**il lit,** *he reads*
je dis, *I say*	**il dit,** *he says*
je dors, *I sleep*	**il dort,** *he sleeps*
je sors, *I go out*	**il sort,** *he goes out*
je fais, *I do, make*	**il fait,** *he does, makes*
je sais, *I know*	**il sait,** *he knows*
je crois, *I think* (opinion)	**il croit,** *he thinks*
je vois, *I see*	**il voit,** *he sees*
je viens, *I come*	**il vient,** *he comes*
je connais, *I know*	**il connaît,** *he knows*
je mets, *I put, put on*	**il met,** *he puts, puts on*
je reçois, *I receive*	**il reçoit,** *he receives*
je pars, *I leave, depart*	**il part,** *he leaves, departs*
je peux, *I can, am able*	**il peut,** *he can, is able*
je veux, *I want*	**il veut,** *he wants*
je dois, *I have* (to), *must*	**il doit,** *he has* (to), *must*

Je veux voir. *I want to see.*
Je peux‿aller. *I can go.*
Je dois travailler. *I have to work.*
Il doit voir. *He has to see.*
Je crois qu'il doit voir. *I think that he has to see.*

Je ne peux pas. *I can't.*
Il ne peut pas. *He can't.*
Je ne veux pas. *I don't want to.*
Il ne veut pas. *He doesn't want to.*
Je ne sais pas. *I don't know.*
Il ne sait pas. *He doesn't know.*
Je vais. *I go. I am going.*
Il va. *He goes. He is going.*
Est-ce que Paul va? *Does Paul go, is Paul going?*

The final "d" in "quand" is pronounced as the "*t*" in "*two*" when it is run into the word that follows. Example: "quand‿il" is pronounced "canteel."

CONVERSATION

Est-ce que Paul dort tard?
Oui, il dort tard.

Est-ce que Paul sort avant le petit déjeuner?
Oui, il sort avant le petit déjeuner pour acheter le journal.

Est-ce que Paul lit le journal tous les matins?
Oui, il lit le journal tous les matins après le petit déjeuner.

Est-ce que Paul va au bureau tous les matins?
Oui, il va au bureau tous les matins.

Est-ce-que Paul voit sa secrétaire tous les jours?
Oh oui, naturellement, il voit sa secrétaire tous les jours.

Est-ce que Paul connaît sa secrétaire?
Oh, Madame, c'est‿une question ridicule. Il connaît très bien sa secrétaire.

Qu'est-ce que Paul dit‿à sa secrétaire quand‿il arrive au bureau?
Il dit, "Bonjour, Mademoiselle."

Que fait la secrétaire au bureau?
Elle fait beaucoup de choses.

Est-ce que la secrétaire met le courrier sur le bureau de Paul?
Oui, elle met le courrier sur le bureau de Paul.

Est-ce que Paul reçoit beaucoup de lettres?
Oui, il reçoit beaucoup de lettres.

Est-ce que Paul lit le courrier tout de suite?
Oui, il lit le courrier tout de suite.

Est-ce que la secrétaire écrit beaucoup de lettres?
Oui, elle écrit beaucoup de lettres.

Est-ce que Paul va à Paris?
Je ne sais pas, mais je crois qu'il doit voir un client à Paris la semaine prochaine.

Pourquoi est-ce que le client ne vient pas‿ici?
Parce qu'il ne peut pas venir.

Est-ce que la secrétaire sait quand Paul part?
Oui, elle dit que Paul part vendredi.

Est-ce que Paul déjeune d'habitude au bureau?
Non, il ne déjeune pas‿au bureau. Les Français déjeunent chez‿ eux.

Allez-vous‿au bureau tous les jours?
Oui, je vais‿au bureau tous les jours.

Allez-vous‿au bureau cet‿après-midi?
Non, je ne peux pas sortir aujourd'hui.

Allez-vous‿au cinéma ce soir?
Oui, je vais au cinéma ce soir. Je veux voir un film amusant.

Allez-vous chez Pierre cet‿après-midi?
Non, je ne vais pas chez Pierre cet‿après-midi parce que je dois travailler.

Est-ce que Pierre vient‿ici?
Je ne sais pas si Pierre vient parce qu'il est très‿occupé.

Practice these expressions:

Je crois. *I think* (opinion).
Je crois que oui. *I think so.*
Je crois que non. *I don't think so, I don't believe so.*
Je ne crois pas. *I don't think so.*

Je crois que le film est‿amusant. *I think that the film is interesting.*

In English you sometimes use the present tense instead of the future: "*He leaves on Friday.*" In French the present tense is also used sometimes instead of the future:

Il part vendredi. *He leaves on Friday.*
Il vient demain. *He comes tomorrow* (*He is coming tomorrow*).
Quand‿est-ce qu'il vient? *When does he come* (*When is he coming*)?
Je ne sais pas si ma mère vient demain. *I don't know if my mother comes tomorrow* (*I don't know if my mother is coming tomorrow*).
Je ne sais pas si elle part demain. *I don't know if she leaves tomorrow* (*I don't know if she's leaving tomorrow*).

SENTENCE-FORMING EXERCISES

Combine the words below in different ways to form as many sentences as you can.

A

1	2	3
Je lis	le journal	tous les matins
Je ne lis pas	le courrier	au bureau
Je vois	Pierre	tous les soirs
Je ne vois pas	ma mère	tous les jours
Je vais	au bureau	tous les jours
Je ne vais pas	au cinéma	tous les soirs
Je connais	très bien	Pierre
Je reçois	beaucoup de paquets	au bureau
J'écris	beaucoup de lettres	au bureau
Je n'écris pas	beaucoup de lettres	à la maison
Je sais	très bien	la leçon
Je ne sais pas	si Paul	vient
Je dis	"Bonjour"	à la secrétaire
Je dors	tard	tous les matins
Je pars (*I'm leaving*)	jeudi	pour Paris

1	2	3
Je peux	aller	à la campagne
Je ne peux pas	travailler	cet‿après-midi
Je veux	finir	mon travail
Je ne veux pas	travailler	samedi
Je dois	finir	demain
Je ne dois pas	rester (*to stay*)	à la maison
Je veux	voir	Paul
Je crois	que le film	est‿amusant
Je crois	qu'il doit voir	un client
Je mets	mon chapeau	
Je mets	mon manteau	
Je ne mets pas	mes gants	

B

1	2	3
Il lit	le journal	avant le dîner
Elle lit	le courrier	au bureau
Elle ne lit pas	le journal	tous les jours
Elle voit	Paul	tous les soirs
Il ne voit pas	sa mère	tous les jours
Il va	chez Pauline	tous les soirs
Il ne va pas	au théâtre	tous les soirs
Il connaît	très bien	Louise
Elle reçoit	beaucoup de lettres	tous les jours
Il sait	très bien	la leçon
Elle ne sait pas	si Paul	vient
Il dort	jusqu'à	dix‿heures
Il part	vendredi	pour Paris
Elle ne peut pas	aller	à la campagne
Il peut	travailler	samedi
Elle veut	aller	au cinéma
Il ne veut pas	rester	à la maison
Il veut	voir	Pauline
Il croit	que le film	est‿amusant
Elle doit	travailler	ce matin
Elle ne doit pas	travailler	cet‿après-midi
Il met	ses gants	
Elle met	son manteau	

WRITTEN EXERCISE

Translate the following sentences into French. Check your sentences with the correct translations below this exercise.

1. I read the newspaper every morning.
2. I don't read the mail at the office.
3. I know Peter very well.
4. I don't go to the movies every night.
5. I go to the office every day.
6. I don't see my mother every day.
7. I see Peter every day.
8. I receive a lot of packages at the office.
9. I know the lesson very well.
10. I write a lot of letters at the office.
11. I don't know if Paul is coming.
12. I sleep late every morning.
13. I'm going to finish my work.
14. I'm leaving on Thursday.
15. I can go to the country on Saturday.
16. I can't work this afternoon.
17. I want to finish my work tomorrow.
18. I don't want to go to the office tomorrow.
19. I don't want to work on Saturday.
20. I have to finish tomorrow.
21. I don't have to stay at home this afternoon.
22. I want to see Paul.
23. I think that he has to see a client.
24. I think that the film is amusing.
25. He reads the newspaper before dinner.
26. She reads the mail at the office.
27. He knows Louise very well.
28. He goes to Pauline's house every evening.
29. He doesn't see his mother every day.
30. She receives a lot of letters.
31. She doesn't know if Paul is coming.
32. He knows the lesson very well.
33. He sleeps until ten o'clock.
34. She leaves for Paris on Friday.

35. She can't go to the country.
36. He can work on Saturday.
37. She wants to go to the movies.
38. She doesn't want to stay home.
39. He wants to see Pauline.

Check your sentences with the correct translations below.

1. Je lis le journal tous les matins.
2. Je ne lis pas le courrier au bureau.
3. Je connais très bien Pierre.
4. Je ne vais pas au cinéma tous les soirs.
5. Je vais au bureau tous les jours.
6. Je ne vois pas ma mère tous les jours.
7. Je vois Pierre tous les jours.
8. Je reçois beaucoup de paquets au bureau.
9. Je sais très bien la leçon.
10. J'écris beaucoup de lettres au bureau.
11. Je ne sais pas si Paul vient.
12. Je dors tard tous les matins.
13. Je vais finir mon travail.
14. Je pars jeudi.
15. Je peux aller à la campagne samedi.
16. Je ne peux pas travailler cet après-midi.
17. Je veux finir mon travail demain.
18. Je ne veux pas aller au bureau demain.
19. Je ne veux pas travailler samedi.
20. Je dois finir demain.
21. Je ne dois pas rester à la maison cet après-midi.
22. Je veux voir Paul.
23. Je crois qu'il doit voir un client
24. Je crois que le film est amusant.
25. Il lit le journal avant le dîner.
26. Elle lit le courrier au bureau.
27. Il connaît très bien Louise.
28. Il va chez Pauline tous les soirs.
29. Il ne voit pas sa mère tous les jours.
30. Elle reçoit beaucoup de lettres.
31. Elle ne sait pas si Paul vient.
32. Il sait très bien la leçon.

33. Il dort jusqu'à dix heures.
34. Elle part vendredi pour Paris.
35. Elle ne peut pas aller à la campagne.
36. Il peut travailler samedi.
37. Elle veut aller au cinéma.
38. Elle ne veut pas rester à la maison.
39. Il veut voir Pauline.

"DEPUIS" USED WITH THE PRESENT TENSE

"Depuis" means *"since."*

In French you do not say, *"I have been walking for two hours."* You say instead, *"I walk since two hours."* (Je marche depuis deux‿heures.)

Examples that use "depuis":

Depuis quand travaillez-vous? *Since when do you work? (How long have you been working?)*

Je travaille depuis‿une heure. *I work since an hour. (I have been working for an hour.)*

J'habite New York depuis deux‿ans. *I live in New York since two years. (I have been living in New York for two years.)*

"IL Y A" USED WITH THE PRESENT TENSE

"Il y a" means *"there is, there are."*

In French you do not say, *"I have been here for a year."* You say instead, *"There is a year that I am here"* (Il y a un an que je suis‿ici).

Examples using "il y a":

Il y a deux‿ans que j'étudie à l'université. *There are two years that I study at the university. (I have been studying at the university for two years.)*

Il y a cinq minutes que j'étudie. *There are five minutes that I study. (I have been studying for five minutes.)*

You have learned that "je peux" means *"I can."* "Est-ce que je peux?" means *"Can I? May I?"* There is another expression that means *"May I? Can I?"*: **"Puis-je** fumer?" (*May I smoke?*). The verb that follows must be an infinitive.

"IR" VERBS WITH "ER" ENDINGS

PRESENT-TENSE ENDINGS OF REGULAR "ER" VERBS

ER	
e	**ons**
ez	**ez**
e	**ent**

There is a group of "ir" verbs that cannot stand to be regular, so they all make believe that they are "er" verbs (in the present tense).

To form the present tense of the following "ir" verbs, remove the "ir" and add the endings for the regular "er" verbs. See chart above.

couvrir, *to cover* **ouvrir,** *to open* **cueillir,** *to gather*
offrir, *to offer* **souffrir,** *to suffer*

Make a present-tense chart of each one of the above verbs.

SAMPLE CHART

offrir, *to offer*

j'offre (*I offer*)	**nous‿offrons** (*we offer*)
vous‿offrez (*you offer*)	**vous‿offrez** (*you* [pl.] *offer*)
il, elle offre (*he, she offers*)	**ils, elles‿offrent** (*they offer*)

ADDITIONAL IRREGULAR VERBS

GROUP I

Remove "re" from the infinitive and add "s" for the first person and "t" for the third person. Both the "s" and the "t" are silent.

rompre *to break*	je romps *I break*	il rompt *he breaks*

interrompre	j'interromps	il interrompt
to interrupt	*I interrupt*	*he interrupts*
boire	je bois	il boit
to drink	*I drink*	*he drinks*
cuire	je cuis	il cuit
to cook	*I cook*	*he cooks*
plaire	je plais	il plaît
to please	*I please*	*he pleases*
conduire	je conduis	il conduit
to drive, conduct	*I drive*	*he drives*
traduire	je traduis	il traduit
to translate	*I translate*	*he translates*
produire	je produis	il produit
to produce	*I produce*	*he produces*
construire	je construis	il construit
to build, construct	*I build*	*he builds*
détruire	je détruis	il détruit
to destroy	*I destroy*	*he destroys*
nuire	je nuis	il nuit
to harm	*I harm*	*he harms*
conclure	je conclus	il conclut
to conclude	*I conclude*	*he concludes*
exclure	j'exclus	il exclut
to exclude	*I exclude*	*he excludes*
inclure	j'inclus	il inclut
to include	*I include*	*he includes*

GROUP II

Remove the ending ("ir" or "re") and also the letter before the ending. Then add "s" for the first person and "t" for the third person. Both the "s" and the "t" are silent.

mentir	je mens	il ment
to lie	*I lie*	*he lies*
sentir	je sens	il sent
to feel	*I feel*	*he feels*
servir	je sers	il sert

to serve	*I serve*	*he serves*
vivre	je vis	il vit
to live	*I live*	*he lives*
suivre	je suis	il suit
to follow	*I follow*	*he follows*
craindre	je crains	il craint
to fear	*I fear*	*he fears*
joindre	je joins	il joint
to join	*I join*	*he joins*

Since "*to die*" comes last, we have left it for the last.

mourir	je meurs	il, elle meurt
to die	*I die*	*he, she dies*

As you see, it is quite irregular.

CATEGORY XX

Many English words that end in "*ous*" can be converted into French words by changing the "*ous*" to "e," to "u," or by dropping "*ous*" or "*ious*."

OUS = E or É

anonymous, anonyme
ferocious, féroce

analogue	loquace	sacrilège
(*analogous*)	magnanime	sagace
anonyme	monogame	sonore
autonome	monotone	synonyme
crédule	perfide	tenace
efficace	polygame	timoré
féroce	posthume	unanime
frivole	précoce	vivace
idolâtre	pusillanime	vorace
incrédule	rebelle	
infâme	ridicule	

REMINDER CARDS

je dis, *I say*	il dit, *he says*
je lis, *I read*	il lit, *he reads*
je ris, *I laugh*	il rit, *he laughs*
je fais, *I do, make*	il fait, *he does, makes*
je crois, *I think*	il croit, *he thinks*
je sors, *I go out*	il sort, *he goes out*
je connais, *I know*	il connaît, *he knows*
je mets, *I put*	il met, *he puts*
je vois, *I see*	il voit, *he sees*
je viens, *I come*	il vient, *he comes*
je sais, *I know* (a fact)	il sait, *he knows*

je peux *(I can)*	aller	à la campagne
je veux *(I want)*	voir	Paul
je dois *(I have [to])*	travailler	samedi
je crois *(I think)*	qu'il vient	demain
	que le film	est‿amusant
	que oui	
	que non	

37
Leçon Numéro Trente-sept

PRESENT TENSE OF IRREGULAR VERBS—PLURAL

You already know that the plural endings of the present tense of "er" and "re" verbs are:

ONS (*we*)—**nous parlons,** *we speak*
EZ (*you*)—**vous parlez,** *you speak*
ENT (*they*)—**ils parlent,** *they speak*

GROUP I

The following "re" verbs are regular in the plural. Remove the "re" and add "ons" for the first person, "ez" for the second person, and "ent" for the third person plural. Remember that the "ent" is SILENT.

rire, *to laugh*

nous rions	vous riez	ils rient
we laugh	*you laugh*	*they laugh*

rompre, *to break*

nous rompons	vous rompez	ils rompent
we break	*you break*	*they break*

interrompre, *to interrupt*

nous‿interrompons	vous‿interrompez	ils‿interrompent
we interrupt	*you interrupt*	*they interrupt*

conclure, *to conclude*

nous concluons	vous concluez	ils concluent
we conclude	*you conclude*	*they conclude*

inclure, *to include*

nous‿incluons	vous‿incluez	ils‿incluent
we include	*you include*	*they include*

mettre, *to put, put on*

nous mettons	vous mettez	ils mettent
we put, put on	*you put*	*they put*

vivre, *to live*

nous vivons	vous vivez	ils vivent
we live	*you live*	*they live*

suivre, *to follow*

nous suivons	vous suivez	ils suivent
we follow	*you follow*	*they follow*

GROUP II

The following "ir" verbs make believe that they are "re" verbs in the plural. Remove the "ir" and add "ons" for the first person, "ez" for the second person, and "ent" for the third person plural.

Remember that the "ent" is silent.

courir	nous courons	vous courez	ils courent
to run	*we run*	*you run*	*they run*
dormir	nous dormons	vous dormez	ils dorment
to sleep	*we sleep*	*you sleep*	*they sleep*
mentir	nous mentons	vous mentez	ils mentent
to lie	*we lie*	*you lie*	*they lie*
sortir	nous sortons	vous sortez	ils sortent
to go out	we go out	*you go out*	*they go out*
partir	nous partons	vous partez	ils partent
to depart, leave	*we leave*	*you leave*	*they leave*
sentir	nous sentons	vous sentez	ils sentent
to feel	*we feel*	*you feel*	*they feel*
servir	nous servons	vous servez	ils servent
to serve	*we serve*	*you serve*	*they serve*

savOIR	nous savons	vous savez	ils savent
to know (a fact)	*we know*	*you know*	*they know*

Notice that in the last verb, "savoir," you remove "oir" and then add "ons, ez, ent."

GROUP III

There is a group of verbs in which you must add the letter "s" before you add the endings.

In effect the endings become "sons" for the first person, "sez" for the second person, and "sent" for the third person plural.

Remove the "re" and add "sons, sez, sent." The letter "s" before the "ent" is pronounced as the "z" in "*zero*." Remember that the "ent" is silent.

conduire	nous conduisons	vous conduisez	ils conduisent
to drive, conduct	*we drive*	*you drive*	*they drive*
produire	nous produisons	vous produisez	ils produisent
to produce	*we produce*	*you produce*	*they produce*
traduire	nous traduisons	vous traduisez	ils traduisent
to translate	*we translate*	*you translate*	*they translate*
construire	nous construisons	vous construisez	ils construisent
to build	*we build*	*you build*	*they build*
détruire	nous détruisons	vous détruisez	ils détruisent
to destroy	*we destroy*	*you destroy*	*they destroy*
nuire	nous nuisons	vous nuisez	ils nuisent
to harm	*we harm*	*you harm*	*they harm*
lire	nous lisons	vous lisez	ils lisent
to read	*we read*	*you read*	*they read*
plaire	nous plaisons	vous plaisez	ils plaisent
to please	*we please*	*you please*	*they please*
couDRE	nous cousons	vous cousez	ils cousent
to sew	*we sew*	*you sew*	*they sew*

Notice that in the last verb, "coudre," you remove "dre" and then add "sons, sez, sent."

GROUP IV

Group IV is quite exotic. In these verbs you remove "DRE" and also insert the letters "GN" before you add the usual endings.

peinDRE	nous peiGNons	vous peiGNez	ils peiGNent
to paint	*we paint*	*you paint*	*they paint*
craindDRE	nous craiGNons	vous craiGNez	ils craiGNent
to fear	*we fear*	*you fear*	*they fear*
joinDRE	nous joiGNons	vous joiGNez	ils joiGNent
to join	*we join*	*you join*	*they join*

GROUP V

THE BLACK SHEEP

These verbs are the most eccentric. Each one has its own individual peculiarities. The capital letters point out the eccentricities.

écriRE	nous‿écriVons	vous‿écriVez	ils‿écriVent
to write	*we write*	*you write*	*they write*
connaîTRE	nous connaiSSons	vous connaiSSez	ils connaiSSent
to know	*we know*	*you know*	*they know*
diRE	nous diSons	vous diTES	ils diSent
to say	*we say*	*you say*	*they say*
boiRE	nous bUVons	vous bUVez	ils bOIVent
to drink	*we drink*	*you drink*	*they drink*
faiRE	nous faiSons	vous faiTES	ils FONT
to do, make	*we make*	*you make*	*they make*

GROUP VI

In these verbs the letter "i" changes to "y" in the first and second person plural.

voir	nous voYons	vous voYez	ils voient
to see	*we see*	*you see*	*they see*
croire	nous croYons	vous croYez	ils croient
to think	*we think*	*you think*	*they think*

GROUP VII

There are some verbs in which the third person plural is reminiscent of the singular form. The irregularities are in capital letters.

venir, *to come*

je VIENS (*I come*)	nous venons (*we come*)
vous venez (*you come*)	vous venez (*you come*)
il, elle VIENT (*he, she comes*)	ils, elles VIENNENT (*they come*)

tenir, *to hold*

je TIENS (*I hold*)	nous tenons (*we hold*)
vous tenez (*you hold*)	vous tenez (*you hold*)
il, elle TIENT (*he, she holds*)	ils, elles TIENNENT (*they hold*)

devoir, *to have to, to owe*

je DOIS (*I have to*)	nous devons (*we have to*)
vous devez (*you have to*)	vous devez (*you have to*)
il, elle DOIT (*he, she has to*)	ils, elles DOIVENT (*they have to*)

recevoir, *to receive*

je REÇOIS (*I receive*)	nous recevons (*we receive*)
vous recevez (*you receive*)	vous recevez (*you receive*)
il, elle REÇOIT (*he, she receives*)	ils, elles REÇOIVENT (*they receive*)

pouvoir, *to be able*

je PEUX *(I can)*	nous pouvons *(we can)*
vous pouvez *(you can)*	vous pouvez *(you can)*
il, elle PEUT *(he, she can)*	ils, elles PEUVENT *(they can)*

vouloir, *to want*

je VEUX *(I want)*	nous voulons *(we want)*
vous voulez *(you want)*	vous voulez *(you want)*
il, elle VEUT *(he, she wants)*	ils, elles VEULENT *(they want)*

GROUP VIII

Two verbs are regular only in the first and third person singular. The irregularities are printed in capital letters.

prendre, to take

je prends *(I take)*	nous PRENONS *(we take)*
vous PRENEZ *(you take)*	vous PRENEZ *(you take)*
il, elle prend *(he, she takes)*	ils, elles PRENNENT *(they take)*

coudre, *to sew*

je couds *(I sew)*	nous COUSONS *(we sew)*
vous COUSEZ *(you sew)*	vous COUSEZ *(you sew)*
il, elle coud *(he, she sews)*	ils, elles COUSENT *(they sew)*

WORDS TO REMEMBER

la voiture, *the car*
en voiture, *by car*
en train, *by train*
le chemin, *the road (the way)*
jusqu'à lundi, *until Monday*
dans ce cas, *in this case*
C'est‿impossible. *It's impossible*
un sweater, *a sweater*
tôt, *early*
leurs leçons, *their lessons*
excellente (fem.), *excellent*
frais (masc.), *fresh*
toute la matinée, *all morning*
à cette époque de l'année, *at this time of the year*
quelquefois, *sometimes*
Il fait trop froid. *It's too cold (It makes too much cold).*
vos, *your* (masc. and fem. pl.)
vos‿enfants, *your children*

emmener, *to take a person someplace*
Qui va conduire? *Who is going to drive?*
Pierre va conduire. *Peter is going to drive.*
Partez-vous? *Do you leave, are you leaving?*
Nous partons. *We leave, we are leaving.*
Est-ce que Pierre connaît le chemin? *Does Peter know the way?*
Il ne connaît pas le chemin. *He doesn't know the way.*
Nous‿allons suivre. *We are going to follow.*
Pouvez-vous rester? *Can you stay?*
Nous ne pouvons pas rester. *We can't stay.*
Pouvez-vous venir dîner? *Can you come to dinner?*
Nous pouvons venir dîner. *We can come to dinner.*
Nous devons. *We have to.*
Nous devons rentrer. *We have to go home.*
Nous voulons. *We want.*
Nous voulons rester. *We want to stay.*
Ils savent. *They know.*
Ils ne savent pas leurs leçons. *They don't know their lessons.*
adorer, *to adore*
Ils‿adorent. *They adore.*
Ils font. *They do.*
Que font‿ils? *What do they do?*
Qu'est-ce que Pierre et Robert font? *What do Peter and Robert do, what are Peter and Robert doing?*
Ils boivent. *They drink.*
Prenez-vous? *Do you take?*

Nous prenons. *We take.*
Ils prennent de l'exercice. *They do exercise* (*they take exercise*).
Ils sortent. *They go out.*
Ils sortent tôt. *They go out early.*
pour sortir, *in order to go out*
Ils courent. *They run.*
Ils mettent. *They put, they put on.*
Ils lisent. *They read.*
Ils‿écrivent. *They write.*
Ils traduisent. *They translate.*
Ils disent. *They say.*

CONVERSATION

Allez-vous‿à la campagne cet‿après-midi?
Oui, nous‿allons à la campagne cet‿après-midi.

Allez-vous‿en train?
Non, nous‿allons en voiture.

Est-ce que Pierre va conduire la voiture?
Oui, Pierre va conduire la voiture.

À quelle heure partez-vous?
Nous partons‿à quatre heures.

Est-ce que Pierre connaît le chemin?
Non, il ne connaît pas le chemin, mais nous‿allons suivre la voiture de Robert.

Pouvez-vous rester à la campagne jusqu'à lundi soir?
Non, nous ne pouvons pas rester à la campagne jusqu'à lundi soir; nous devons rentrer lundi matin.

Dans ce cas, pouvez-vous venir dîner à la maison lundi soir?
Oui, nous pouvons venir dîner chez vous lundi soir.

Est-ce que vous‿emmenez les‿enfants à la campagne?
Oui, nous les‿emmenons toujours.

Que font‿-ils à la campagne?
La campagne est‿excellente pour les‿enfants. Ils dorment beaucoup, boivent du lait frais, et prennent beaucoup d'exercice. Ils

sortent tôt; ils jouent et courent dans le jardin pendant toute la matinée.

Est-ce que vos‿enfants aiment la campagne?
Oui, ils‿adorent la campagne.

Est-ce qu'il ne fait pas trop froid à cette époque de l'année?
Non, il ne fait pas trop froid à la campagne à cette époque de l'année; nous mettons toujours un sweater pour sortir.

Qu'est-ce que Pierre et Robert font‿à la campagne?
Ils dorment beaucoup, ils lisent et écrivent des lettres. Quelquefois, quand‿ils ne savent pas bien leurs leçons, ils‿étudient. Ils traduisent aussi les phrases pour la leçon. Ils disent que les phrases sont très difficiles.

NOTE: "Devoir" (*to have to*) has several uses.

"Je dois travailler" means:
I have to work.
I must work.
I'm supposed to work.

"Je dois‿être au bureau" means:
I have to be at the office.
I must be at the office.
I'm supposed to be at the office.

SENTENCE-FORMING EXERCISES

Combine the words below in different ways to form as many sentences as you can. Just be sure to use words from each of the columns in every sentence you form. Remember to say aloud all French words and sentences in this book.

A

1	2	3
Nous mettons	les fleurs	sur la table
Mettez-vous	un chapeau	pour faire des courses
Ils mettent	un sweater	pour sortir
Nous savons	très bien	l'anglais
Vous savez	bien	la leçon
Ils ne savent pas	bien	le français
Nous traduisons	la lettre	en‿anglais

1	2	3
Vous traduisez	le livre	en français
Ils traduisent	l'article	en‿anglais
Nous n'écrivons pas	beaucoup	de lettres
Écrivez-vous	souvent	à Louise
Ils‿écrivent	tous les jours	à leurs parents
Nous connaissons	la mère	de Paul
Connaissez-vous	mon ami	Pierre
Ils ne connaissent pas	bien	la France
Ils disent	que la pièce	est‿intéressante
Ils disent	que la campagne	est très jolie
Je bois	du lait	frais
Buvez-vous	beaucoup	de café
Ils boivent	toujours	du vin rouge (*red wine*)
Nous faisons	une promenade	après le dîner
Faites-vous	de la soupe	pour le dîner
Elles font	le ménage	tous les jours
Venez-vous (*Are you coming*)	me voir (*to see me*)	demain
Ils viennent (*They are coming*)	dîner (*to have dinner*)	lundi

B

1	2	3
Nous ne pouvons pas	sortir	demain
Pouvez-vous	venir	avant le déjeuner
Ils ne peuvent pas	aller	au cinéma
Nous voulons	inviter Louise	à dîner
Voulez-vous	dîner avec nous	demain
Ils veulent	aller	à la campagne
Ils ne veulent pas	travailler	dimanche
Nous devons (*We owe*)	mille francs	à Louise
Devez-vous (*Must you*)	partir	tout de suite
Devez-vous	aller	à Chicago
Ils doivent	être à Chicago (*be in Chicago*)	dimanche

EXERCISE IN TRANSLATION

Translate the following sentences into French. Write out each sentence in French, using the columns above as a guide. Check your sentences with the correct translations below this exercise.

1. Do you write to Louise often?
2. Do you drink a lot of coffee?
3. You know your lesson well.
4. We put (present) the flowers on the table.
5. Do you know my friend Peter?
6. We know Paul's mother.
7. We want to invite Louise to dinner (have dinner).
8. They don't want to work on Sunday.
9. Must you go to Chicago?
10. We can't go out tomorrow.
11. We take a walk after dinner.
12. They say the show is interesting.
13. He is translating the book into French.
14. They write to their parents every day.
15. They put on a sweater to go out.
16. We know English very well.
17. I am drinking fresh milk.
18. We owe Louise a thousand francs.
19. They can't go to the movies.
20. Are you making soup for dinner?
21. Are you coming to see me tomorrow?
22. They (masc.) are translating the article into English.
23. They (masc.) have to be in Chicago on Sunday.
24. They (masc.) must be in Chicago on Sunday.
25. They (masc.) are supposed to be in Chicago on Sunday.
26. They (masc.) want to go to the country.

Check your sentences with the translations below.

1. Écrivez-vous souvent à Louise?
2. Buvez-vous beaucoup de café?
3. Vous savez bien votre leçon.
4. Nous mettons les fleurs sur la table.
5. Connaissez-vous mon ami Pierre?

6. Nous connaissons la mère de Paul.
7. Nous voulons inviter Louise à dîner.
8. Ils ne veulent pas travailler dimanche.
9. Devez-vous aller à Chicago?
10. Nous ne pouvons pas sortir demain.
11. Nous faisons une promenade après le dîner.
12. Ils disent que le spectacle est intéressant.
13. Il traduit le livre en français.
14. Ils écrivent tous les jours à leurs parents.
15. Ils mettent un sweater pour sortir.
16. Nous savons très bien l'anglais.
17. Je bois du lait frais.
18. Nous devons mille francs à Louise.
19. Ils ne peuvent pas aller au cinéma.
20. Faites-vous de la soupe pour le dîner?
21. Venez-vous me voir demain?
22. Ils traduisent l'article en anglais.
23. Ils doivent être à Chicago dimanche.
24. Ils doivent être à Chicago dimanche.
25. Ils doivent être à Chicago dimanche.
26. Ils veulent aller à la campagne.

REMINDER CARDS

nous disons *(we say)*	vous dites *(you say)*	ils disent *(they say)*
nous lisons *(we read)*	vous lisez *(you read)*	ils lisent *(they read)*
nous rions *(we laugh)*	vous riez *(you laugh)*	ils rient *(they laugh)*
nous faisons *(we do, make)*	vous faites *(you do, make)*	ils font *(they do, make)*
nous croyons *(we think)*	vous croyez *(you think)*	ils croient *(they think)*
nous sortons *(we go out)*	vous sortez *(you go out)*	ils sortent *(they go out)*
nous connaissons *(we know)*	vous connaissez *(you know)*	ils connaissent *(they know)*

nous mettons *(we put, put on)*	vous mettez *(you put)*	ils mettent *(they put)*
nous voyons *(we see)*	vous voyez *(you see)*	ils voient *(they see)*
nous venons *(we come)*	vous venez *(you come)*	ils viennent *(they come)*
nous savons *(we know)*	vous savez *(you know)*	ils savent *(they know)*

Nous pouvons *(We can)*	aller	à la campagne
Voulez-vous *(Do you want)*	voir	Paul
Ils peuvent *(They can)*	venir	demain
Nous devons *(We have to)*	travailler	samedi
Nous croyons *(We think)*	qu'il vient	demain
	que Pierre connaît	le chemin

ACCENTS ON PRESENT-TENSE VERBS

In French there are accents that make the pronunciation of certain verbs more comfortable. If you are interested in learning to write French correctly, with all of its proper accents and double letters, study the next two sections well. However, if you are not interested in writing French well, learn only the lists of verbs.

The following charts show you exactly where to place the accents.

EXAMPLES:

acheter, *to buy*

j'achète (*I buy*)	**nous‿achetons** (*we buy*)
vous‿achetez (*you buy*)	**vous‿achetez** (*you buy*)
il achète (*he buys*)	**ils‿achètent** (*they* [masc.] *buy*)

espérer, *to hope*

j'espère (*I hope*)	**nous‿espérons** (*we hope*)
vous‿espérez (*you hope*)	**vous‿espérez** (*you hope*)
il espère (*he hopes*)	**ils‿espèrent** (*they* [masc.] *hope*)

The following verbs have accents as indicated in the charts above. The "E" that receives the accent is printed as a capital letter for your convenience.

List of verbs in Group I

achEter, *to buy*
achEver, *to finish*
amEner, *to bring*
élEver, *to raise*
emmEner, *to take*
enlEver, *to carry off*
gEler, *to freeze*
lEver, *to raise*
mEner, *to take*
pEser, *to weigh*
ramEner, *to bring back*
relEver, *to raise again*
sEmer, *to sow*
soulEver, *to lift*

List of verbs in Group II

accélÉrer, *to accelerate*
célÉbrer, *to celebrate*
complÉter, *to complete*
considÉrer, *to consider*
désespÉrer, *to despair*
espÉrer, *to hope*
exagÉrer, *to exaggerate*
inquiÉter, *to worry*
pénÉtrer, *to penetrate*
persévÉrer, *to persevere*
possÉder, *to possess*
précÉder, *to precede*
préfÉrer, *to prefer*
procÉder, *to proceed*
prospÉrer, *to prosper*
protÉger, *to protect*
reflÉter, *to reflect*
rÉgler, *to regulate*

List of verbs in Group I	**List of verbs in Group II**
	rÉgner, *to reign*
	répÉter, *to repeat*
	révÉler, *to reveal*
	succÉder, *to follow*
	suggÉrer, *to suggest*

If you have any enthusiasm for this, write a chart of each of the verbs in the lists. That way you would not only learn accents once and for all, but you would also learn a great number of verbs.

LETTERS THAT ARE DOUBLED IN THE PRESENT TENSE

In French some letters are doubled to make the pronunciation of certain verbs more comfortable. The double letters are used instead of accents and correspond in position to Group I accents.

Compare the charts below and you will see that the double letter corresponds exactly to the accents in Group I.

Group I accents

`	
`	`

Double letters

ll	
ll	ll

There are only two of these verbs for you to learn.

jeter, *to throw*

je jeTTe (*I throw*)	nous jetons (*we throw*)
vous jetez (*you throw*)	vous jetez (*you throw*)
il jeTTe (*he throws*)	ils jeTTent (*they* [masc.] *throw*)

appeler, *to call*

j'appeLLe (*I call*)	nous‿appelons (*we call*)
vous‿appelez (*you call*)	vous‿appelez (*you call*)
il appeLLe (*he calls*)	ils‿appeLLent (*they* [masc.] *call*)

CATEGORY XXI

Many English words that end in a consonant and the letter "y" can be converted into French words by changing the "*y*" to "ie." These words are feminine.

Y = IE

dy = die	hy = hie	my = mie
ry = rie	vy = vie	gy = gie
ly = lie	ny = nie	sy = sie

the comedy, la comédie

l'agonie
l'analogie
l'anarchie
l'anthologie
l'apathie
l'archéologie
l'artillerie
l'astronomie
l'autobiographie
la batterie
la bibliographie
la biographie
la biologie
la calomnie
(*calumny*)
la catégorie
la cavalerie
(*cavalry*)
la chancellerie
la chronologie
la colonie
la comédie
la compagnie
(*company*)
la copie
la courtoisie
(*courtesy*)

l'économie
l'énergie
l'envie
la fantaisie
(*fantasy*)
la flatterie
la furie
la galerie
(*gallery*)
la géographie
la géologie
la géométrie
la graphologie
l'harmonie
l'hypocrisie
l'idéologie
l'industrie
l'Italie
la librairie
(*bookstore*)
la loterie
(*lottery*)
la mélancolie
(*melancholy*)
la mélodie
la météorologie

la monotonie
la mythologie
la Normandie
l'orgie
la pathologie
la parodie
la pédagogie
la perfidie
la philosophie
la photographie
la physiologie
la psychologie
la rapsodie
(*rhapsody*)
la sociologie
la sténographie
la symétrie
(*symmetry*)
la sympathie
la symphonie
la technologie
la théologie
la tragédie
la trigonométrie
la zoologie

TEST YOUR PROGRESS

Now that you have completed thirty-seven lessons, it is time to check your progress again. Fill in the blanks below with the French equivalents of the English verbs. You should complete this test in an hour.

TEST I

1. I saw ______
2. He wrote ______
3. We took ______
4. Did you read? ______
5. I said ______
6. There is ______
7. There are ______
8. Is there? ______
9. Are there? ______
10. I am going to see ______
11. I (masc.) went out ______
12. I (fem.) went out ______
13. We (masc.) stayed ______
14. I had lunch ______
15. I did ______
16. I opened ______
17. Did you sleep? ______
18. Did you take a taxi? ______
19. You received ______
20. Did you make? ______
21. We (fem.) went out ______
22. We (masc.) went ______
23. He came in ______
24. She came in ______
25. He left yesterday ______
26. They (masc.) left on Saturday ______
27. I (fem.) came back ______
28. We (masc.) came back ______
29. We (masc.) came back home ______
30. I say ______

31. He says ______
32. I read (present) ______
33. He reads ______
34. I laugh ______
35. She laughs ______
36. I write ______
37. He writes ______
38. I do ______
39. She does ______
40. I think, I believe ______
41. He believes ______
42. I sleep ______
43. He goes out ______
44. I know (a person) ______
45. I can ______
46. He can ______
47. I want ______
48. He wants ______
49. I have to ______
50. He has to study ______
51. I know the lesson ______
52. He cannot ______
53. We go out ______
54. Do you sleep? ______
55. Do you read? ______
56. They (masc.) read (present) ______
57. We write ______
58. They (fem.) know Paul ______
59. We say ______
60. We do ______
61. I come ______
62. They (masc.) come ______
63. We have to ______
64. We can ______
65. We want ______
66. They (masc.) want ______
67. I saw him ______
68. I saw her ______
69. I invited him ______

70. I invited her ______________________
71. I am going to see him ______________________
72. He is going to see them ______________________
73. I am going to speak to him ______________________
74. I am going to write to them ______________________
75. I am going to give it (masc.) to him______________________
76. I am going to give it to them ______________________
77. He gave it to her ______________________

This test is extremely difficult. We have put it here to show you that you should review the past nine lessons. If you want to speak French well, you should make no more than seven errors. If you made more than fifteen errors, by all means review.

1. J'ai vu
2. Il a écrit
3. Nous avons pris
4. Avez-vous lu?
5. J'ai dit
6. Il y a
7. Il y a
8. Y a-t-il? or "Est-ce qu'il y a?"
9. Y a-t-il? or "Est-ce qu'il y a?"
10. Je vais voir
11. Je suis sorti
12. Je suis sortie
13. Nous sommes restés
14. J'ai déjeuné
15. J'ai fait
16. J'ai ouvert
17. Avez-vous dormi?
18. Avez-vous pris un taxi?
19. Vous avez reçu
20. Avez-vous fait?
21. Nous sommes sorties
22. Nous sommes allés
23. Il est entré
24. Elle est entrée
25. Il est parti hier
26. Ils sont partis samedi
27. Je suis revenue
28. Nous sommes revenus
29. Nous sommes rentrés
30. Je dis
31. Il dit
32. Je lis
33. Il lit
34. Je ris
35. Elle rit
36. J'écris
37. Il écrit
38. Je fais
39. Elle fait
40. Je crois
41. Il croit
42. Je dors
43. Il sort
44. Je connais
45. Je peux
46. Il peut
47. Je veux
48. Il veut
49. Je dois
50. Il doit étudier
51. Je sais la leçon
52. Il ne peut pas

53. Nous sortons
54. Dormez-vous?
55. Lisez-vous?
56. Ils lisent
57. Nous écrivons
58. Elles connaissent Paul
59. Nous disons
60. Nous faisons
61. Je viens
62. Ils viennent
63. Nous devons
64. Nous pouvons
65. Nous voulons
66. Ils veulent
67. Je l'ai vu
68. Je l'ai vue
69. Je l'ai invité
70. Je l'ai invitée
71. Je vais le voir
72. Il va les voir
73. Je vais lui parler
74. Je vais leur écrire
75. Je vais le lui donner
76. Je vais le leur donner
77. Il le lui a donné

TEST II

Translate the following sentences into French. You should complete this test in eighty minutes.

1. I bought (some) coffee. ______________
2. I bought (some) fruits. ______________
3. I bought (some) roses. ______________
4. I bought (some) flour. ______________
5. I didn't buy any sugar. ______________
6. I bought (some) sugar. ______________
7. I haven't any records. ______________
8. I bought (some) meat. ______________
9. I have (some) records. ______________
10. I didn't buy any meat. ______________
11. He did many interesting things in Paris. ______________
____
12. We bought salt. ______________
13. He bought a cake. ______________
14. I didn't buy (any) meat today. ______________
15. I bought many flowers last night. ______________
16. He bought a lot of cheese yesterday. ______________
____
17. Did you buy gloves? ______________
18. I didn't buy any gloves. ______________

19. I took some pictures this morning. ____________
20. She didn't take any pictures in Paris. ____________
____
21. We took a taxi to the office (to go to the office). ____________
____
22. He slept late this morning. ____________
23. I read the letters before lunch. ____________
24. Did you sleep well? ____________
25. I put (past) the jam on the table. ____________
26. Where did you put the baggage? ____________
27. Where did you put my coat (woman's)? ____________
____
28. I saw her last week. ____________
29. Did you see him this afternoon? ____________
30. I took her to the movies. ____________
31. I invited them (masc.) to the country this week. ____________
____
32. He took us (masc.) to the country last week. ____________
____
33. We are going to see them tomorrow. ____________
34. He is going to see her this evening. ____________
35. She is going to read it (masc.) this week. ____________
____
36. I am going to see it (masc.) this evening. ____________
____
37. I saw them (fem.) today. ____________
38. We didn't understand it (masc.). ____________
39. I'm going to give him a record. ____________
40. We are going to give them (some) flowers. ____________
____
41. He lent me (some) money. ____________
42. We lent you the car. ____________
43. They (masc.) wrote to me last week. ____________
44. He's going to lend it (masc.) to me. ____________
45. She's going to buy it (masc.) for them. ____________
____
46. I'm not going to send it to you. ____________
47. I'm going to sell it (masc.) to them. ____________
48. I'm going to buy it (masc.) for them. ____________

49. They (masc.) are not going to send them to me. ______
______
50. I gave it (masc.) to you. ______
51. We bought it (masc.) for you. ______
52. They (masc.) sent it (fem.) to us. ______
53. There is a garage near the hotel. ______
54. Is there mail for my mother? ______
55. Yes, sir, here it is. ______
56. Is there a department store near here? ______
______
57. An hour ago. ______
58. Two weeks ago. ______
59. A long time ago. ______
60. A year ago. ______
61. It's one o'clock. ______
62. It's eight-twenty. ______
63. It's nine-thirty. ______
64. It's a quarter past three. ______
65. He went out before dinner. ______
66. I (fem.) went out with Paul. ______
67. He came to dinner (to have dinner). ______
68. He didn't come back (home) early. ______
69. We (masc.) came back (home) late. ______
70. They (masc.) came to see me. ______
71. I (fem.) stayed at Louise's house. ______
72. He went up on the elevator. ______
73. I (fem.) was born in Paris. ______
74. I read (present) the newspaper every morning. ______
______
75. I know Peter very well. ______
76. I don't go to the movies every night. ______
77. I know the lesson very well. ______
78. I sleep late every morning. ______
79. I'm leaving on Thursday. ______
80. I can go to the country on Saturday. ______
81. I have to finish tomorrow. ______
82. I want to see Paul. ______
83. I think that he has to see a client. ______
84. I think that the film is amusing. ______

85. He knows Louise very well. ____________
86. She doesn't know if Paul is coming. ____________
87. He sleeps until ten o'clock. ____________
88. She doesn't want to work this afternoon. ____________
89. He doesn't want to stay home. ____________
90. Do you know my friend Peter? ____________
91. We know Paul's mother. ____________
92. We want to invite Louise to dinner. ____________
93. They don't want to work on Sunday. ____________
____
94. Must you go to Chicago? ____________
95. We can't go out tomorrow. ____________
96. They (masc.) say the show is interesting. ____________
97. They (masc.) can't go to the movies. ____________
98. Are you making soup for dinner? ____________
99. Are you coming to see me tomorrow? ____________
____
100. They (masc.) must be in Chicago on Sunday. ____________
____

Check your sentences with the correct answers below. This is a very difficult test. If you have made no more than fifteen errors your work is certainly good. If you have made more than twenty-five errors, you should review the last nine lessons.

1. J'ai acheté du café.
2. J'ai acheté des fruits.
3. J'ai acheté des roses.
4. J'ai acheté de la farine.
5. Je n'ai pas acheté de sucre.
6. J'ai acheté du sucre.
7. Je n'ai pas de disques.
8. J'ai acheté de la viande.
9. J'ai des disques.
10. Je n'ai pas acheté de viande.
11. Il a fait beaucoup de choses intéressantes à Paris.
12. Nous avons acheté du sel.
13. Il a acheté un gâteau.
14. Je n'ai pas acheté de viande aujourd'hui.
15. J'ai acheté beaucoup de fleurs hier soir.

16. Il a acheté beaucoup de fromage hier.
17. Avez-vous acheté des gants?
18. Je n'ai pas acheté de gants.
19. J'ai pris des photographies ce matin.
20. Elle n'a pas pris de photographies à Paris.
21. Nous avons pris un taxi pour aller au bureau.
22. Il a dormi tard ce matin.
23. J'ai lu les lettres avant le déjeuner.
24. Avez-vous bien dormi?
25. J'ai mis la confiture sur la table.
26. Où avez-vous mis les bagages?
27. Où avez-vous mis mon manteau?
28. Je l'ai vue la semaine dernière.
29. L'avez-vous vu cet après-midi?
30. Je l'ai emmenée au cinéma.
31. Je les ai invités à la campagne cette semaine.
32. Il nous a emmenés à la campagne la semaine dernière.
33. Nous allons les voir demain.
34. Il va la voir ce soir.
35. Elle va le lire cette semaine.
36. Je vais le voir ce soir.
37. Je les ai vues aujourd'hui.
38. Nous ne l'avons pas compris.
39. Je vais lui donner un disque.
40. Nous allons leur donner des fleurs.
41. Il m'a prêté de l'argent.
42. Nous vous avons prêté l'auto.
43. Ils m'ont écrit la semaine dernière.
44. Il va me le prêter.
45. Elle va le leur acheter.
46. Je ne vais pas vous l'envoyer.
47. Je vais le leur vendre.
48. Je vais le leur acheter.
49. Ils ne vont pas me les envoyer.
50. Je vous l'ai donné.
51. Nous vous l'avons acheté.
52. Ils nous l'ont envoyée.
53. Il y a un garage près de l'hôtel.
54. Y a-t-il du courrier pour ma mère?

55. Oui, Monsieur, voici.
56. Y a-t-il un grand magasin près d'ici?
57. Il y a une heure.
58. Il y a quinze jours.
59. Il y a longtemps.
60. Il y a un an.
61. Il est une heure.
62. Il est huit heures vingt.
63. Il est neuf heures et demie.
64. Il est trois heures et quart.
65. Il est sorti avant le dîner.
66. Je suis sortie avec Paul.
67. Il est venu dîner.
68. Il n'est pas rentré de bonne heure.
69. Nous sommes rentrés tard.
70. Ils sont venus me voir.
71. Je suis restée chez Louise.
72. Il est monté en ascenseur.
73. Je suis née à Paris.
74. Je lis le journal tous les matins.
75. Je connais très bien Pierre.
76. Je ne vais pas au cinéma tous les soirs.
77. Je sais très bien la leçon.
78. Je dors tard tous les matins.
79. Je pars jeudi.
80. Je peux aller à la campagne samedi.
81. Je dois finir demain.
82. Je veux voir Paul.
83. Je crois qu'il doit voir un client.
84. Je crois que le film est amusant.
85. Il connaît très bien Louise.
86. Elle ne sait pas si Paul vient.
87. Il dort jusqu'à dix heures.
88. Elle ne veut pas travailler cet après-midi.
89. Il ne veut pas rester à la maison.
90. Connaissez-vous mon ami Pierre?
91. Nous connaissons la mère de Paul.
92. Nous voulons inviter Louise à dîner.
93. Ils ne veulent pas travailler dimanche.

94. Devez-vous aller à Chicago?
95. Nous ne pouvons pas sortir demain.
96. Ils disent que le spectacle est intéressant.
97. Ils ne peuvent pas aller au cinéma.
98. Faites-vous de la soupe pour le dîner?
99. Venez-vous me voir demain?
100. Ils doivent être à Chicago dimanche.

38
Leçon Numéro Trente-huit

REFLEXIVE VERBS

me (*myself*)	**nous** (*ourselves*)
vous (*yourself*)	**vous** (*yourselves*)
se (*himself, herself, itself*)	**se** (*themselves*)

Learn this simplified chart:

me	**nous**
vous	**vous**
se	**se**

se laver, *to wash oneself*

PRESENT

je me lave (*I wash myself*)	**nous nous lavons** (*we wash ourselves*)
vous vous lavez (*you wash yourself*)	**vous vous lavez** (*you wash yourselves*)
il, elle se lave (*he washes himself, she washes herself*)	**ils, elles se lavent** (*they wash themselves*)

FUTURE

je vais me laver (*I am going to wash myself*)	**nous‿allons nous laver** (*we are going to wash ourselves*)
vous‿allez vous laver (*you are going to wash yourself*)	**vous‿allez vous laver** (*you are going to wash yourselves*)
il, elle va se laver (*he is going to wash himself, she is going to wash herself*)	**ils, elles vont se laver** (*they are going to wash themselves*)

The past of ALL reflexive verbs is formed with "être" (*to be*). The past participles of most reflexive verbs have masculine and feminine, singular and plural endings: lavé, lavée, lavés, lavées.

Je me suis lavé (masc.). *I washed myself.*
Je me suis lavée (fem.). *I washed myself.*
Vous vous‿êtes lavé (masc. sing.). *You washed yourself.*
Il s'est lavé. *He washed himself.*
Elle s'est lavée. *She washed herself.*
Nous nous sommes lavés (masc. pl.). *We washed ourselves.*
Vous vous‿êtes lavés (masc. pl.). You washed yourselves.
Ils se sont lavés (masc. pl.). *They washed themselves.*
Elles se sont lavées (fem. pl.). *They washed themselves.*

Verbs that are followed by "myself" are known as reflexive verbs. Reflexive verbs are verbs in which action is directed back upon the subject.

There are many more reflexive verbs in French than there are in English. It is helpful to remember that many of the reflexive verbs that are commonly used in French refer to a PHYSICAL action that is directed back upon the subject.

Many of these physical verbs actually involve touching some part of your body.

EXAMPLES:

se baigner, *to bathe oneself*
se laver, *to wash oneself*

se peigner, *to comb oneself*
se sécher, *to dry oneself*
se raser, *to shave oneself*
se lever, *to get (oneself) up*
se coucher, *to go to bed, put oneself to bed*
s'habiller, *to dress oneself*
se déshabiller, *to undress oneself*
s'arrêter, *to stop*
s'asseoir, *to sit (oneself) down*
se brosser, *to brush oneself*
se cacher, *to hide oneself*
se changer, *to change one's clothes*
se coiffer, *to do one's hair*
se dépêcher, *to hurry (oneself)*
s'endormir, *to go to sleep*
s'enrhumer, *to catch cold*
se maquiller, *to make up (one's face)*
se peser, *to weigh oneself*
se poudrer, *to powder oneself*
se reposer, *to rest oneself*
se réveiller, *to wake (oneself) up*
se taire, *to be silent, keep oneself silent*
se baisser, *to stoop*
se noyer, *to drown oneself*
se promener, *to promenade oneself, go for a walk*

A pupil once said, "It's easy for me to remember reflexive verbs because they are things I do when I am getting ready to go to a party, such as bathe myself, dry myself, shave myself, comb myself, dress myself, and so forth."

SOMETIMES THE FRENCH REFLEXIVE IS EQUIVALENT TO THE ENGLISH WORD "GET."

EXAMPLES:

s'approcher, *to approach, get close* (related to "l'approche," *the approach*)
s'échapper, *to get away, escape*
s'effrayer, *to get frightened*
s'enivrer, *to get drunk*

s'ennuyer, *to get bored* (related to "l'ennui," *the ennui*)
s'enthousiasmer, *to get enthusiastic* (related to "l'enthousiasme," *the enthusiasm*)
s'inquiéter, *to get uneasy* (related to "inquiet," *uneasy*), *to worry*
s'exaspérer, *to get exasperated* (related to "l'exaspération," *the exasperation*)
se fâcher (contre), *to get angry* (*against someone*)
se fatiguer, *to get tired* (related to "la fatigue," *the fatigue*)
se fiancer, *to get engaged* (related to "le fiancé," *the fiancé*)
se marier, *to get married* (related to "le mariage," *the marriage*)
se préparer (à), *to get ready* (*to*)
se débarrasser (de), *to get rid of, take off*

Read the following sentences aloud:

Je me lave les mains.
I wash my (*the*) *hands.*
Je me sèche la figure.
I dry my (*the*) *face.*
Je me brosse les dents.
I brush my (*the*) *teeth.*

Notice that in the above sentences you do not say "*my hands*" or "*my face*," but "*the hands*" and "*the face*." YOU DO NOT USE POSSESSIVE ADJECTIVES AFTER REFLEXIVE VERBS.

We have covered four points in this lesson.

1. Physical verbs such as "*bathe*," "*get up*," "*shave*," and "*wash*" are reflexive.
2. Reflexive verbs often are equivalent to the word "*get*" in English.
3. Possessive adjectives are not used after reflexive verbs.
4. The past of reflexive verbs is formed with "être." (Je me suis lavé [masc.] *I washed myself*.)

REFLEXIVE VERB EXERCISE

SAMPLE VERB

se baigner, *to bathe oneself*

PRESENT

je me baigne	**nous nous baignons**
vous vous baignez	**vous vous baignez**
il, elle se baigne	**ils, elles se baignent**

FUTURE

je vais me baigner	**nous‿allons nous baigner**
vous‿allez vous baigner	**vous‿allez vous baigner**
il, elle va se baigner	**ils, elles vont se baigner**

PAST

je me suis baigné (masc.)	**nous nous sommes baignés** (masc.)
vous vous‿êtes baigné (masc.)	**vous vous‿êtes baignés** (masc.)
il s'est baigné **elle s'est baignée**	**ils se sont baignés** **elles se sont baignées**

Write out the following reflexive verbs in the present, future, and past, using the samples above as a guide.

se coucher, *to go to bed*
se brosser, *to brush oneself*
se raser, *to shave*
se réveiller, *to wake up*
se peser, *to weigh oneself*
se promener, *to go for a walk*
s'habiller, *to dress*
se reposer, *to rest*

WORDS TO REMEMBER

une serviette, *a towel, a napkin*
j'espère, *I hope*
d'habitude, *generally, usually*
parce que, *because*
à quelle heure, *at what time*
le mois dernier, *last month*
tout l'après-midi, *all afternoon*
à onze heures, *at eleven o'clock*
avec quoi, *with what*
la figure, *the face*
les dents, *the teeth*
même, *even, same*
une réception, *a party*
à minuit, *at midnight*
tard, *late*
les mains, *the hands*
un peigne, *a comb*
les cheveux, *the hair*
le matin, *the morning, in the morning*

NOTE: For convenience the masculine form of the verbs will be used in this lesson unless otherwise indicated; that is, unless a feminine subject is mentioned.

Vous réveillez-vous? *Do you wake up?*
Vous reposez-vous? *Do you rest?*
Vous‿amusez-vous? *Do you have a good time?*
Je me réveille. *I wake up.*
Je me repose. *I rest.*
Je m'amuse. *I have a good time.*
Allez-vous vous lever? *Are you going to get up?*
Allez-vous vous coucher? *Are you going to go to bed?*
Allez-vous vous raser? *Are you going to shave?*
Allez-vous vous‿habiller? *Are you going to dress?*
Je vais me lever. *I'm going to get up.*
Je vais me coucher. *I'm going to go to bed.*
Je vais m'habiller. *I'm going to dress.*
Je vais me peigner. *I'm going to comb* (my hair).
Vous‿êtes-vous levé? *Did you get up?*
Vous‿êtes-vous couché? *Did you go to bed?*
Vous‿êtes-vous rasé? *Did you shave?*
Vous‿êtes-vous‿habillé? *Did you dress?*
Vous‿êtes-vous‿enrhumé? *Did you catch cold?*
Vous‿êtes-vous dépêché? *Did you hurry?*
Je me suis lavé. *I washed (myself).*
Je me suis couché. *I went to bed.*
Je me suis rasé. *I shaved.*
Je me suis‿habillé. *I dressed.*
Je me suis‿enrhumé. *I caught cold.*
Je me suis dépêché. *I hurried.*
Je me suis‿amusé. *I had a good time.*
Je me suis bien‿amusé. *I had a very good time.*
Je me suis même endormi. *I even went to sleep.*
Philippe s'est marié. *Philip got married.*
Pauline s'est mariée. *Pauline got married.*
Comment s'appelle son mari? *What is her husband's name? What is her husband called?*
Comment vous‿appelez-vous? *What's your name? What are you called?*

CONVERSATION

À quelle heure vous réveillez-vous le matin?
Je me réveille à huit‿heures.

À quelle heure allez-vous vous lever demain?
Je vais me lever tard parce que c'est samedi et je ne travaille pas. Je vais me lever à dix‿heures, j'espère.

À quelle heure vous‿êtes-vous levé ce matin?
Je me suis levé à huit‿heures ce matin.

À quelle heure vous couchez-vous d'habitude?
Je me couche d'habitude à onze heures.

À quelle heure vous‿êtes-vous couché hier soir?
Je me suis couché à minuit.

À quelle heure allez-vous vous coucher ce soir?
Je vais me coucher tard parce que je vais‿au théâtre.

Vous‿êtes-vous lavé les mains avant le dîner?
Oui, je me suis lavé les mains avant le dîner.

Vous‿êtes-vous séché les mains avec une serviette?
Oui, je me suis séché les mains avec une serviette.

Vous‿êtes-vous lavé les cheveux ce matin?
Oui, je me suis lavé les cheveux ce matin.

Vous‿êtes vous peigné?
Oui, je me suis peigné.

Avec quoi vous‿êtes-vous peigné?
Je me suis peigné avec un peigne.

Vous‿êtes-vous lavé la figure?
Oui, je me suis lavé la figure.

Vous‿êtes-vous rasé ce matin?
Oui, je me suis rasé ce matin.

Vous‿êtes-vous‿habillé?
Oui, je me suis‿habillé.

Vous‿êtes-vous brossé les dents?
Oui, je me suis brossé les dents.

Vous‿êtes-vous dépêché?
Oui, je me suis dépêché.

Vous‿êtes-vous‿enrhumé?
Non, je ne me suis pas‿enrhumé.

Vous‿êtes-vous reposé cet‿après-midi?
Oui, je me suis reposé cet‿après-midi. Je me suis reposé tout l'après-midi. Je me suis même endormi.

Vous‿êtes-vous promené au parc?
Oui, je me suis promené au parc.

Quand‿est-ce que Philipe s'est marié?
Il s'est marié la semaine dernière.

Quand‿est-ce que Louise s'est mariée?
Elle s'est mariée le mois dernier.

Comment s'appelle son mari?
Il s'appelle Pierre.

Êtes-vous‿allé à la réception de Mademoiselle Coquette?
Oui, je suis‿allé à la réception de Mademoiselle Coquette.

Vous‿êtes-vous‿amusé?
Oui, je me suis bien‿amusé.

NOTE: When you say that someone married, you use the verb "épouser."

EXAMPLES:

J'ai épousé Paul. *I married Paul.*
Je me suis marié (masc.). *I got married.*

NOTE: You have learned that the past participle of reflexive verbs has masculine and feminine, singular and plural endings.

EXAMPLES:

Je me suis couché (masc.). *I went to bed.*
Je me suis couchée (fem.).
Nous nous sommes couchés (masc.).
Nous nous sommes couchées (fem.).

When a reflexive verb is followed by an object, the past participle does NOT CHANGE. It always remains masculine singular.

EXAMPLES:

Il s'est lavé les mains.
He washed his hands.
Elle s'est lavé les mains (past participle is not feminine).
She washed her hands.
Ils se sont lavé les mains (past participle is not plural).
They washed their hands.

USES OF REFLEXIVE VERBS

1. "Se mettre à" means "*to start to.*" It is used with the infinitive.
   Elle s'est mise à pleurer. *She started to cry.*
   Ils se sont mis‿à travailler. *They started to work.*

2. The reflexive is also used in what we call reciprocal action, that is, when people do things to each other.
   Ils se sont embrassés. *They kissed each other.*
   Ils se ressemblent. *They look like each other. They resemble each other.*
   Ils ne se parlent pas. *They don't speak to each other.*
   Nous nous comprenons. *We understand each other.*
   Nous nous voyons souvent. *We see each other often.*

3. You have learned that "*I'm going to the theater*" is "Je vais‿au théâtre" and "*He's going to the movies*" is "Il va au cinéma."
   When you don't say where you're going, you use the expression "s'en‿aller," *to go away.*

s'en aller, *to go away*

je m'en vais (*I go away, I'm going away*)	**nous nous‿en‿allons** (*we go away, we're going away*)
vous vous‿en‿allez (*you go away, are going away*)	**vous vous‿en‿allez** (*you go away, are going away*)
il, elle s'en va (*he, she goes away, is going away*)	**ils, elles s'en vont** (*they* [masc., fem.] *go away, are going away*)

je ne m'en vais pas (*I'm not going away*)	**nous ne nous‿en‿allons pas** (*we are not going away*)
vous ne vous‿en‿allez pas (*you are not going away*)	**vous ne vous‿en‿allez pas** (*you are not going away*)
il, elle ne s'en va pas (*he, she is not going away*)	**ils, elles ne s'en vont pas** (*they* [masc., fem.] *are not going away*)

Je m'en vais tout de suite. *I'm leaving right away.*
Il s'en va tout de suite. *He's leaving right away.*

NOTE:

Ça means "*it*" or "*that.*"
Ça se fait. *It is done. It is good form.*
Ça s'appelle. *It is called.*
Ça se voit. *It is visible. It is seen.*

SENTENCE-FORMING EXERCISES

Combine the words below in different ways to form as many sentences as you can.

A

1	2
À quelle heure	vous réveillez-vous?
Quand	vous levez-vous?
À quelle heure	vous couchez-vous?
À quelle heure	vous promenez-vous?
Comment	vous‿appelez-vous?

B

1	2
Je me réveille	à huit‿heures
Je me couche	à onze heures
Je me lève	tôt
Je me promène toujours	après le dîner
Je m'appelle	Annette

C

1	2	3
À quelle heure	allez-vous vous coucher	ce soir?
À quelle heure	allez-vous vous lever	demain?
Quand‿	allez-vous vous marier?	

D

1	2	3
Je vais	me coucher	à minuit
Il va	se lever	tôt
Nous‿allons	nous lever	tard demain
Ils vont	se marier	en juin

E

1	2
Vous‿êtes-vous levé (masc.)	tôt?
Vous‿êtes-vous couché (masc.)	tard?
Vous‿êtes-vous‿amusée (fem.)	à la réception?
Vous‿êtes-vous‿enrhumé (masc.)	hier soir?
Vous‿êtes-vous mariée (fem.)	en‿août?

F

1	2	3
Je me suis	levé (masc.)	tôt
Vous vous‿êtes	levée (fem.)	à neuf‿heures
Ils se sont	levés (masc.)	tard
Elles se sont	levées (fem.)	à sept‿heures
Il s'est	couché (masc.)	à onze heures
Elle s'est	couchée (fem.)	à minuit
Nous nous sommes	réveillés (masc.)	à six‿heures
Il s'est	amusé (masc.)	à la réception
Je me suis	endormie (fem.)	cet‿après-midi
Ils se sont	mariés (masc.)	le mois dernier
Il s'est	rasé (masc.)	avant le petit déjeuner
Il s'est	bien‿amusé	au cocktail
Nous nous sommes	bien‿amusés (masc.)	à la réception

EXERCISE IN TRANSLATION

Translate the following sentences into French. Write out each sentence in French, using the columns above as a guide. Check your sentences with the correct translations below this exercise.

1. At what time do you get up?
2. I get up at eight o'clock.
3. At what time do you go to bed?
4. I wake up early.
5. What's your name?
6. My name is ———.
7. I go to bed at eleven o'clock.
8. I get up early.
9. I always take a walk after dinner.
10. At what time are you going to bed tonight?
11. They are going to get married in June.
12. At what time are you going to get up tomorrow?
13. When are you going to get married?
14. He is going to get up early.
15. We are going to get up late tomorrow.
16. Did you (masc.) get up early this morning?
17. Did you (masc.) go to bed late last night?
18. Did you (fem.) have a good time at the party?
19. Did you (fem.) get married in August?
20. Did you (masc.) catch cold last night?
21. I (masc.) got up early this morning.
22. They (fem.) got up at nine o'clock.
23. They (masc.) got up late this morning.
24. He went to bed at eleven o'clock.
25. She went to bed at midnight.
26. We (masc.) woke up at six o'clock.
27. He had a good time at the party.
28. I (fem.) went to sleep this afternoon.
29. They (masc.) got married last month.
30. He had a very good time at the cocktail party.
31. He shaved before breakfast.
32. We (masc.) had a very good time at the party.

Check your sentences with the translations below.

1. À quelle heure vous levez-vous?
2. Je me lève à huit heures.
3. À quelle heure vous couchez-vous?
4. Je me réveille tôt.
5. Comment vous appelez-vous?
6. Je m'appelle ———.
7. Je me couche à onze heures.
8. Je me lève tôt.
9. Je me promène toujours après le dîner.
10. À quelle heure allez-vous vous coucher ce soir?
11. Ils vont se marier en juin.
12. À quelle heure allez-vous vous lever demain?
13. Quand allez-vous vous marier?
14. Il va se lever tôt.
15. Nous allons nous lever tard demain.
16. Vous êtes-vous levé tôt ce matin?
17. Vous êtes-vous couché tard hier soir?
18. Vous êtes-vous bien amusée à la réception?
19. Vous êtes-vous mariée en août?
20. Vous êtes-vous enrhumé hier soir?
21. Je me suis levé tôt ce matin.
22. Elles se sont levées à neuf heures.
23. Ils se sont levés tard ce matin.
24. Il s'est couché à onze heures.
25. Elle s'est couchée à minuit.
26. Nous nous sommes réveillés à six heures.
27. Il s'est bien amusé à la réception.
28. Je me suis endormie cet après-midi.
29. Ils se sont mariés le mois dernier.
30. Il s'est bien amusé au cocktail.
31. Il s'est rasé avant le petit déjeuner.
32. Nous nous sommes bien amusés à la réception.

WORDS TO REMEMBER

facilement, *easily*
C'est vrai. *It's true.*
le dos, *the back*
le doigt, *the finger*

en ville, *in the city* **un siège,** *a seat*
la voiture, *the car* **un fauteuil,** *an armchair*
la main, *the hand* **une chaise,** *a chair*

Paul travaille trop. *Paul works too hard (too much).*
pendant votre absence, *during your absence*

LIST OF REFLEXIVE VERBS

S'AMUSER, *to enjoy oneself, have fun*

Est-ce que vous vous‿êtes bien‿amusé (masc.)? *Did you enjoy yourself? Did you have fun?*

Je me suis très bien‿amusée (fem.). *I had a lot of fun.*

Nous nous sommes très bien‿amusés (masc. pl.). *We had a lot of fun.*

Je m'amuse. *I am enjoying myself.*

S'APPELER, *to be called*

Je m'appelle Hélène. *I'm called Helen (My name is Helen).*

Comment vous‿appelez-vous? *How are you called (What's your name)?*

Il s'appelle Charles. *He's called Charles (His name is Charles).*

"Appeler" means *"to call"* when it isn't reflexive and *"to be called"* when it is reflexive.

S'ASSEOIR, *to sit down*

Je m'assieds sur le sofa. *I sit on the sofa.*

Il s'est‿assis sur le siège. *He sat down on the seat.*

Il s'est‿assis dans le fauteuil. *He sat down on the armchair.*

Ils se sont‿assis sur les chaises. *They sat down on the chairs.*

SE BATTRE, *to fight*

Les‿enfants se battent dans la rue. *The children are fighting in the street.*

Les‿enfants se sont battus dans la rue. *The children fought in the street.*

"Battre" means *"to beat"* when it's not reflexive.

SE BROSSER, *to brush*

Je me suis brossé les dents. *I brushed my teeth.*

Il s'est brossé les cheveux. *He brushed his hair.*

SE BRÛLER, *to burn oneself*

Vous‿allez vous brûler. *You are going to burn yourself.*

Je me suis brûlé. *I burned myself.*

SE CONDUIRE, *to behave*

Il se conduit bien. *He behaves well.*

Il se conduit mal. *He misbehaves.*

"Conduire" means "*to drive*" or "*to take*" someone someplace when it isn't reflexive and "*to behave*" when it is reflexive.

SE COUPER, *to cut oneself*

Je me suis coupé le doigt. *I cut my finger.*

SE DÉBARRASSER, *to get rid of, take off*

Je me suis débarrassé du sofa. *I got rid of the sofa.*

SE DÉPÊCHER, *to hurry*

Je me dépêche. *I am hurrying.*

Je me suis beaucoup dépêché (masc.). *I hurried a great deal.*

SE DISPUTER, *to quarrel*

Je me suis disputé (masc.) avec Louise. *I quarreled with Louise.*

S'ÉNERVER, *to get nervous, get excited*

Il s'énerve facilement. *He gets nervous easily. He gets excited easily.*

S'ENNUYER, *to be bored*

Je me suis‿ennuyé (masc.) au théâtre. *I was bored at the theater.*

Je me suis beaucoup‿ennuyé au théâtre. *I was very bored at the theater.*

Je m'ennuie. *I am bored.*

Je m'ennuie beaucoup. *I am very bored.*

S'ÉVANOUIR, *to faint*

Louise s'est‿évanouie hier. *Louise fainted yesterday.*

SE FÂCHER, *to get angry*

Je me suis fâché (masc.). *I got angry.*

S'INQUIÉTER, *to worry*

Je me suis‿inquiété (masc.) pendant votre absence. *I worried during your absence.*

SE METTRE À, *to start to, get into*

Nous nous sommes mis‿à table à sept‿heures. *We started dinner at seven o'clock (We put ourselves at the table at seven o'clock).*

Il s'est mis‿en colère contre Robert. *Paul got mad at Robert.*

"Mettre" means "*to put, put on*" when it is not reflexive.

SE PERDRE, *to get lost*

Je me suis perdu. *I got lost.*

SE PLAINDRE, *to complain*

Robert s'est plaint. *Robert complained.*

Louise s'est plainte. *Louise complained.*

"Plaindre" means "*to pity*" when it is not reflexive and "*to complain*" when it is reflexive.

The past participle of "plaindre" is "plaint" (masc.).

SE PROMENER, *to take a walk*

Je me promène tous les matins. *I take a walk every morning.*

Paul s'est promené au parc. *Paul took a walk in the park.*

Nous‿allons nous promener cet‿après-midi. *We are going to take a walk this afternoon.*

SE RÉJOUIR (DE), *to be glad, be delighted*

Nous nous réjouissons de vous voir. *We are very glad to see you. We are delighted to see you.*

SE SERVIR (DE), *to use*

Nous ne nous servons pas de la voiture en ville. *We don't use the car in the city.*

"Servir" means "*to serve*" when it is not reflexive.

SE SOUVENIR (DE), *to remember*

Je m'en souviens. *I remember it.*

SE TROMPER, *to make a mistake, be mistaken*

Je me suis trompé (masc.). *I made a mistake.*

Si je ne me trompe. *If I am not mistaken.*

When not used reflexively "tromper" means to "*deceive.*"

SE VENGER, *to get even, revenge oneself*

Je vais me venger. *I am going to get even.*

NOTE: The past participles of the following verbs always remain masculine singular.

SE DEMANDER, *to wonder*

Je me demande si c'est vrai. *I wonder if it's true.*

"Demander" means *"to ask for"* when it isn't reflexive.

SE FAIRE (plus infinitive), *to have something made for oneself*

Il se fait construire une maison. *He is having a house built.*

Je me fais faire une robe. *I am having a dress made.*

Elle se fait faire une blouse. *She is having a blouse made.*

SE FAIRE MAL, *to hurt oneself*

Je me suis fait mal à la main. *I have hurt my hand.*

Robert s'est fait mal au dos. *Robert hurt his back.*

Vous‿allez vous faire mal. *You are going to hurt yourself.*

SE MOQUER (DE), *to make fun of, ridicule, mock*

Paul s'est moqué de lui. *Paul made fun of him.*

SE PLAIRE, *to be happy, to like* (it somewhere)

Je me plais beaucoup à Paris. *I am very happy in Paris. I like it very much in Paris.*

Il se plaît‿en France. *He is happy in France. He likes it in France.*

"Plaire" means *"to please"* when it isn't reflexive.

SE RAPPELER, *to remember* (irregular spelling)

Je me rappelle. *I remember.*

Je ne me rappelle pas. *I don't remember.*

Vous rappelez-vous? *Do you remember?*

Est-ce que vous vous rappelez? *Do you remember?*

CATEGORY XXII

Most adjectives that end in "ive" in French and English are identical, but the French word is the feminine form of the adjective, which you use with feminine nouns. You can convert these words into masculine adjectives by changing "ive" to "if."

IVE = IVE (feminine form)
IF (masculine form)

active = active (feminine)
actif (masculine)

actif (masc.)	affirmatif	alternatif	captif
active (fem.)	agressif	appréhensif	collectif
administratif	(*aggressive*)	attentif	comparatif

consécutif
constructif
consultatif
corrosif
cumulatif
curatif
décisif
décoratif
défensif
démonstratif
descriptif
destructif
digestif
évasif
éruptif
excessif
expansif
explosif
expressif
extensif
fugitif
furtif
imaginatif
impératif
impulsif
inactif
inattentif
incisif
instinctif
instructif
intensif
interrogatif
intuitif
inventif
législatif
massif
négatif
objectif
obstructif
offensif
oppressif
passif
pensif
perceptif
persuasif
positif
possessif
primitif
productif
progressif
prohibitif
relatif
représentatif
reproductif
répulsif
respectif
restrictif
rétroactif
spéculatif
subjectif
subversif
successif
suggestif

REMINDER CARD

Je m'amuse	Je vais m'amuser
I have a good time	*I'm going to have a good time*
Vous vous‿amusez	Vous‿allez vous‿amuser
Il s'amuse	Il va s'amuser
Nous nous‿amusons	Nous‿allons nous‿amuser
Ils s'amusent	Ils vont s'amuser

Je me suis‿amusé(e)
I had a good time
Vous vous‿êtes‿amusé(e)
Il s'est‿amusé
Nous nous sommes‿amusé(e)s
Vous vous‿êtes‿amusé(e)s
Ils se sont‿amusés
Je me suis lavé les mains
I washed my hands

39
Leçon Numéro Trente-neuf

THE COMMAND (IMPERATIVE)

You already know the command in French since it is identical to the second person of the present tense. "Vous‿entrez" means "*You come in*" (present). "Entrez" means "*Come in*" (command).

REGULAR VERBS

INFINITIVE	PRESENT Second Person	COMMAND
parler, *to speak*	vous parlez, *you speak*	parlez, *speak*
finir, *to finish*	vous finissez, *you finish*	finissez, *finish*
vendre, *to sell*	vous vendez, *you sell*	vendez, *sell*

IRREGULAR VERBS

aller, *to go*	vous‿allez, *you go*	allez, *go*
lire, *to read*	vous lisez, *you read*	lisez, *read*
venir, *to come*	vous venez, *to come*	venez, *come*
dire, *to tell, say*	vous dites, *you tell, say*	dites, *tell, say*
ouvrir, *to open*	vous‿ouvrez, *you open*	ouvrez, *open*
recevoir, *to receive*	vous recevez, *you receive*	recevez, *receive*

If you associate the command with the second person, present tense, you can't go wrong.

Read the following sentences aloud:

Achetez du savon, s'il vous plaît. *Buy some soap, please.*

Achetez des serviettes. *Buy some towels.*

Achetez‿une demi-douzaine d'oranges. *Buy a half-dozen oranges.*

Ne venez pas‿au bureau. *Don't come to the office.*

Venez‿au bureau, s'il vous plaît. *Come to the office, please.*

Allez chez le docteur. *Go to the doctor's.*

N'allez pas chez Paul demain. *Don't go to Paul's house tomorrow.*

Allez‿à la banque tout de suite. *Go to the bank right away.*

WRITTEN EXERCISE

1. Cover up all but the left-hand column.
2. Write the second person of the present tense (as in Column 2 below).
3. Write the command (as in Column 3 below).
4. Check your columns with those below.

1 INFINITIVE	2 PRESENT	3 COMMAND
parler, *to speak*	vous parlez, *you speak*	parlez, *speak*
travailler, *to work*	vous travaillez, *you work*	travaillez, *work*
entrer, *to come in*	vous‿entrez, *you come in*	entrez, *come in*
passer, *to pass*	vous passez, *you pass*	passez, *pass*
fermer, *to close*	vous fermez, *you close*	fermez, *close*
livrer, *to deliver*	vous livrez, *you deliver*	livrez, *deliver*
chercher, *to look for, to get*	vous cherchez, *you look for*	cherchez, *look for*
frapper, *to knock*	vous frappez, *you knock*	frappez, *knock*
réparer, *to repair*	vous réparez, *you repair*	réparez, *repair*
sonner, *to ring*	vous sonnez, *you ring*	sonnez, *ring*
expédier, *to send, to mail*	vous‿expédiez, *you send*	expédiez, *send*
laver, *to wash*	vous lavez, *you wash*	lavez, *wash*
raccommoder, *to mend*	vous raccommodez, *you mend*	raccommodez, *mend*
garder, *to keep*	vous gardez, *you keep*	gardez, *keep*

1 INFINITIVE	2 PRESENT	3 COMMAND
monter, *to go upstairs*	vous montez, *you go upstairs*	montez, *go upstairs*
finir, *to finish*	vous finissez, *you finish*	finissez, *finish*
choisir, *to choose*	vous choisissez, *you choose*	choisissez, *choose*
obéir, *to obey*	vous‿obéissez, *you obey*	obéissez, *obey*
attendre, *to wait for*	vous‿attendez, *you wait for*	attendez, *wait for*
entendre, *to hear*	vous‿entendez, *you hear*	entendez, *hear*
rendre, *to return* (an object)	vous rendez, *you return*	rendez, *return* (an object)
répondre, *to answer*	vous répondez, *you answer*	répondez, *answer*

The irregular verbs have the same irregularities in the command form as they have in the second person plural of the present tense. The only exceptions are "avoir" and "être," which we will cover later.

INFINITIVE	PRESENT	COMMAND	COMMON EXPRESSIONS
dire	vous dites	dites	Dites-moi.
to say, tell	*you say, you tell*	*say, tell*	*Tell me.*
lire	vous lisez	lisez	Lisez-le moi.
to read	*you read*	*read*	*Read it to me.*
rire	vous riez	riez	Ne riez pas.
to laugh	*you laugh*	*laugh*	*Don't laugh.*
écrire	vous‿écrivez	écrivez	Écrivez-moi.
to write	*you write*	*write*	*Write to me.*
faire	vous faites	faites	Faites‿attention
to do, to make	*you do, make*	*do, make*	(*Make attention*). *Be careful.*
croire	vous croyez	croyez	Croyez-moi.
to believe	*you believe*	*believe*	*Believe me.*
dormir	vous dormez	dormez	Dormez bien.
to sleep	*you sleep*	*sleep*	*Sleep well.*

INFINITIVE	PRESENT	COMMAND	COMMON EXPRESSIONS
sortir	vous sortez	sortez	Sortez‿immédiatement.
to go out	*you go out*	*go out, get out*	*Go out immediately, get out.*
partir	vous partez	partez	Ne partez pas.
to leave	*you leave*	*leave*	*Don't leave.*
mettre	vous mettez	mettez	Mettez vos gants.
to put, put on	*you put, put on*	*put, put on*	*Put on your gloves.*
voir	vous voyez	voyez	Voyez page dix.
to see	*you see*	*see*	*See page ten.*
fuir	vous fuyez	fuyez	Ne fuyez pas.
to flee	*you flee*	*flee*	*Don't flee.*
tenir	vous tenez	tenez	Tenez la porte.
to hold	*you hold*	*hold*	*Hold the door.*
venir	vous venez	venez	Venez‿ici.
to come	*you come*	*come*	*Come here.*
aller	vous‿allez	allez	Allez‿y.
to go	*you go*	*go*	*Go ahead, go there.*
			Allez-vous‿en.
			Go away.
ouvrir	vous‿ouvrez	ouvrez	Ouvrez la fenêtre.
to open	*you open*	*open*	*Open the window.*
coudre	vous cousez	cousez	Cousez ce bouton.
to sew	*you sew*	*sew*	*Sew this button.*
craindre	vous craignez	craignez	Ne craignez rien.
to fear, be afraid	*you fear, you are afraid*	*fear, be afraid*	*Don't be afraid of anything.*
promettre	vous promettez	promettez	Promettez-moi.
to promise	*you promise*	*promise*	*Promise me.*
prendre	vous prenez	prenez	Prenez le train.
to take	*you take*	*take*	*Take the train.*
suivre	vous suivez	suivez	Suivez-moi.
to follow	*you follow*	*follow*	*Follow me.*
recevoir	vous recevez	recevez	
to receive	*you receive*	*receive*	

IRREGULAR COMMAND

INFINITIVE	COMMAND	COMMON EXPRESSIONS
être, *to be*	soyez, *be*	Soyez tranquille.
		Don't worry (Be at ease).
		Soyez‿à l'heure.
		Be on time.
		Ne soyez pas‿en retard.
		Don't be late.
		Soyez raisonnable.
		Be reasonable.
		Ne soyez pas‿indiscret.
		Don't be indiscreet.
	soyons, *let's be*	Ne soyons pas‿indiscrets.
		Let's not be indiscreet.
		Soyons patients.
		Let's be patient.
avoir, *to have*	ayez, *have*	Ayez confiance.
		Have confidence.
	ayons, *let's have*	Ayons confiance.
		Let's have confidence.

Remember that the negative command is also like the negative second person of the present.

Vous ne frappez pas. *You don't knock.*
Ne frappez pas. *Don't knock.*
Vous n'attendez pas. *You don't wait.*
N'attendez pas. *Don't wait.*

USE OF "S'IL VOUS PLAÎT" ("Please")

In French you say "*please*" much more than you do in English. When you give a command in French, say "*please*" if it is at all possible. Put "*please*" AFTER the command.

EXAMPLES:

Please buy some salt. Achetez du sel, s'il vous plaît.
Please sit down. Asseyez-vous, s'il vous plaît.
Give it to me. Donnez-le moi, s'il vous plaît.

WORDS TO REMEMBER

du savon, *some soap*
des serviettes, *some towels*
une douzaine d'oeufs, *a dozen eggs*
une demi-douzaine d'oranges, *a half-dozen oranges*
une livre de sucre, *a pound of sugar*
du sel, *some salt*
du poivre, *some pepper*
les gants, *the gloves*
cette table, *this table*
des revues, *some magazines*
un cadeau, *a present*
dix francs, *ten francs*
la boîte, *the box*
la main, *the hand*
maintenant, *now*
bientôt, *soon*
trop tard, *too late*
un verre d'eau, *a glass of water*
mille francs, *a thousand francs*
une aspirine, *an aspirin*
un cendrier, *an ash tray*
sur le canapé, *on the sofa*
dans le fauteuil, *in the armchair*
à côté de moi, *by my side, next to me*
au premier rang, *in the first row*
au deuxième rang, *in the second row*
la porte, *the door*
la fenêtre, *the window*
ce qu'il veut, *what he wants*
ce qu'elle veut, *what she wants*
que, *that, what, than*
en bas, *downstairs*
vite, *quickly*

SENTENCE-FORMING EXERCISES

Combine the words below in different ways to form as many sentences as you can. Be sure to use words from each of the columns in every sentence you form.

A

1	2
Achetez	du savon (*soap*)
	des serviettes (*some towels*)
	une douzaine d'oeufs (*a dozen eggs*)
	une demi-douzaine d'oranges (*a half-dozen oranges*)
	une livre de sucre (*a pound of sugar*)
	du sel (*some salt*)
	du poivre (*some pepper*)

B

1	2
Venez (*Come*)	chez moi ce soir
Ne venez pas (*Don't come*)	au club
	au théâtre
	ce soir
	me voir
	nous voir
	tout de suite

C

1	2
Allez (*Go*)	voir Louise
N'allez pas (*Don't go*)	chez Paul
	au bureau
	à la poste
	à la banque
	chez le docteur
	tout de suite

EXERCISE IN TRANSLATION

Translate the following sentences into French. Write out each sentence in French, using the columns above as a guide. Check your sentences with the translations below this exercise.

1. Buy some soap, please.
2. Please buy some towels.
3. Please buy a dozen eggs.
4. Please buy a half-dozen oranges.
5. Please buy a pound of sugar.
6. Please buy some pepper.
7. Please buy some salt.
8. Come to my house tonight.
9. Come to see me tonight.
10. Come to see us soon.
11. Don't come to the club tonight.
12. Go to see Louise.

13. Don't go to Paul's house.
14. Please go to the bank.
15. Go to the doctor's right away.

Check your sentences with the correct translations below.

1. Achetez du savon, s'il vous plaît.
2. Achetez des serviettes, s'il vous plaît.
3. Achetez une douzaine d'oeufs, s'il vous plaît.
4. Achetez une demi-douzaine d'oranges, s'il vous plaît.
5. Achetez une livre de sucre, s'il vous plaît.
6. Achetez du poivre, s'il vous plaît.
7. Achetez du sel, s'il vous plaît.
8. Venez chez moi ce soir.
9. Venez me voir ce soir.
10. Venez nous voir bientôt.
11. Ne venez pas au club ce soir.
12. Allez voir Louise.
13. N'allez pas chez Paul.
14. Allez à la banque, s'il vous plaît.
15. Allez tout de suite chez le docteur.

REFLEXIVE VERBS IN THE COMMAND

Reflexive pronouns follow reflexive verbs in the command.

Levez-vous. *Get up.*
Dépêchez-vous. *Hurry up.*
Habillez-vous. *Get dressed.*
Amusez-vous. *Have fun.*
Réveillez-vous. *Wake up.*
Reposez-vous. *Rest.*
Asseyez-vous, s'il vous plaît. *Sit down, please.*
Endormez-vous. *Go to sleep.*
Pesez-vous. *Weigh yourself.*

SENTENCE-FORMING EXERCISES

Combine the words below in different ways to form as many sentences as you can.

A

1	2
Levez-vous	tôt
Couchez-vous	après le dîner
Réveillez-vous	à huit‿heures
Endormez-vous	tout de suite
Habillez-vous	vite (*quickly*)
Promenez-vous	avec Paul
Reposez-vous	avant le déjeuner
Amusez-vous	bien
Pesez-vous	avant le petit déjeuner

B

1	2
Asseyez-vous (*Sit down, sit*)	sur le canapé (*on the sofa*), s'il vous plaît
	dans le fauteuil (*in the armchair*) s'il vous plaît
	à côté de moi (*next to me*)
	au premier rang (*in the first row*)
	au deuxième rang (*in the second row*)
	confortablement (*comfortably*)
	ici (*here*)

EXERCISE IN TRANSLATION

Translate the following sentences into French. Check your sentences with the translations below this exercise.

1. Get up early.
2. Go to bed after dinner.
3. Go to sleep right away.
4. Get dressed quickly.
5. Take a walk with Paul.
6. Rest before lunch.
7. Have a good time.
8. Weigh yourself before breakfast.
9. Sit down on the sofa, please.
10. Sit down in the armchair, please.
11. Sit down next to me, please.

12. Sit on the first row.
13. Sit on the second row.
14. Sit down here, please.

Check your sentences with the correct translations below.

1. Levez-vous tôt.
2. Couchez-vous après le dîner.
3. Endormez-vous tout de suite.
4. Habillez-vous vite.
5. Promenez-vous avec Paul.
6. Reposez-vous avant le déjeuner.
7. Amusez-vous bien.
8. Pesez-vous avant le petit déjeuner.
9. Asseyez-vous sur le canapé, s'il vous plaît.
10. Asseyez-vous dans le fauteuil, s'il vous plaît.
11. Asseyez-vous à côté de moi, s'il vous plaît.
12. Asseyez-vous au premier rang.
13. Asseyez-vous au deuxième rang.
14. Asseyez-vous ici, s'il vous plaît.

OBJECT PRONOUNS WITH THE COMMAND

I. THE COMMAND WITH THE DIRECT-OBJECT PRONOUN

You have already learned the direct-object pronouns:

ME (*me*)	**NOUS** (*us*)
VOUS (*you*)	**VOUS** (*you*)
LE (*him, it* [masc.]) **LA** (*her, it* [fem.])	**LES** (*them*)

"ME" becomes "MOI" when it is used with the command (affirmative). The other pronouns do not change.

DIRECT-OBJECT PRONOUNS USED WITH THE COMMAND:

MOI	**NOUS**
VOUS	**VOUS**
LE, LA	**LES**

Read the following commands aloud:

Aidez-moi. *Help me.*
Aidez-le. *Help him.*
Aidez-la. *Help her.*
Aidez-nous. *Help us.*
Aidez-les. *Help them.*
Regardez-moi. *Look at me.*
Regardez-le. *Look at him.*
Regardez-la. *Look at her.*
Regardez-le. *Look at it* (masc.).
Regardez-la. *Look at it* (fem.).
Regardez-les. *Look at them* (people or things).
Suivez-moi. *Follow me.*
Suivez-le. *Follow him.*
Suivez-la. *Follow her.*
Suivez-nous. *Follow us.*
Suivez-les. *Follow them.*
Réveillez-moi à huit‿heures. *Wake me up at eight o'clock.*
Réveillez-le. *Wake him up.*
Réveillez-la. *Wake her up.*
Invitez-le. *Invite him.*
Invitez-la. *Invite her.*
Invitez-les. *Invite them.*
Emmenez-la au cinéma. *Take her to the movies.*
Emmenez-le au parc. *Take him to the park.*

Notice that you use a hyphen between the pronoun and the verb in the command (affirmative).

You have learned that when a verb can be followed by "*to*" or "*for*" it does not take a direct-object pronoun. The three following verbs are exceptions to the rule.

These verbs require a direct-object pronoun.

1. Cherchez-la. *Look for her.*
2. Attendez-la. *Wait for her.*
3. Écoutez-la. *Listen to her.*

Read the following commands aloud:

Attendez-moi. *Wait for me.*
Attendez-le. *Wait for him.*

Attendez-nous. *Wait for us.*
Attendez-les. *Wait for them.*
Écoutez-moi. *Listen to me.*
Écoutez-la. *Listen to her.*
Écoutez-le. *Listen to him.*
Cherchez-la. *Look for her.*
Cherchez-la. *Look for it* (fem.).
Cherchez-le. *Look for it* (masc.).
Cherchez-les. *Look for them.*

Remember that "le" (*it*) stands for a masculine noun and "la" (*it*) stands for a feminine noun.

LA table est jolie. Regardez-LA.
The table is pretty. Look at it.
LE chapeau est joli. Regardez-LE.
The hat is pretty. Look at it.

NOTE: "Aidez-moi à finir," *Help me to finish.* When the verb "aider" is followed by an infinitive, you must put "à" between "aider" and the infinitive.

II. THE COMMAND WITH THE INDIRECT-OBJECT PRONOUN

You have already learned the indirect-object pronouns:

ME (*to me*)	**NOUS** (*to us*)
VOUS (*to you*)	**VOUS** (*to you*)
LUI (*to him, to her*)	**LEUR** (*to them*)

"ME" becomes "MOI" when it is used with the command (affirmative). The other pronouns do not change.

INDIRECT-OBJECT PRONOUNS USED WITH THE COMMAND:

MOI	**NOUS**
VOUS	**VOUS**
LUI	**LEUR**

Read the following commands aloud:

Écrivez-moi. *Write to me.*
Écrivez-lui. *Write to him, to her.*

Écrivez-nous. *Write to us.*
Écrivez-leur. *Write to them.*
Parlez-moi. *Speak to me.*
Parlez-lui. *Speak to him, to her.*
Parlez-nous. *Speak to us.*
Parlez-leur. *Speak to them.*
Lisez-moi. *Read to me.*
Lisez-lui. *Read to him, to her.*
Lisez-nous. *Read to us.*
Lisez-leur. *Read to them.*

Communication verbs like *"to phone, to cable, to telegraph, to say"* take the indirect-object pronouns.

Read these commands aloud:

Téléphonez-moi demain. *Phone me tomorrow. Call me up tomorrow.*
Téléphonez-lui. *Phone him, her.*
Téléphonez-leur. *Call them up.*
Téléphonez-nous. *Call us up.*
Câblez-lui. *Cable him. Send him a cable.*
Câblez-leur. *Cable them. Send them a cable.*
Télégraphiez-moi. *Wire me. Send me a telegram.*
Télégraphiez-leur. *Wire them. Send them a telegram.*
Dites-moi. *Tell me.*
Dites-lui. *Tell him, her.*
Dites-nous. *Tell us.*
Dites-leur. *Tell them.*

III. THE COMMAND WITH THE DIRECT- AND INDIRECT-OBJECT PRONOUNS COMBINED

When the direct and indirect-object pronouns (combined) are used with the command, the order of the pronouns and the verb is exactly as it is in English. That is, the word "le" (*it*) ALWAYS comes first.

LE moi, *it to me*
LE lui, *it to him, it to her*
LE nous, *it to us*
LE leur, *it to them*

Read the following commands aloud:

Donnez-le moi. *Give it to me.*
Donnez-le lui. *Give it to him, to her.*
Donnez-le nous. *Give it to us.*
Donnez-le leur. *Give it to them.*
Apportez-le moi. *Bring it to me.*
Apportez-le lui. *Bring it to him, to her.*
Apportez-le nous. *Bring it to us.*
Apportez-le leur. *Bring it to them.*
Envoyez-le moi. *Send it to me.*
Envoyez-le lui. *Send it to him, to her.*
Envoyez-le nous. *Send it to us.*
Envoyez-le leur. *Send it to them.*
Montrez-le moi. *Show it to me.*
Montrez-le lui. *Show it to him, to her.*
Montrez-le nous. *Show it to us.*
Montrez-le leur. *Show it to them.*

You already know that "le" is the masculine word for "*it*" and "la" is the feminine word for "*it.*"

"La" (*it*) stands for a feminine noun.

Où est LA robe? Montrez-LA moi.
Where is the dress? Show it to me.

Since "*it*" stands for "*the dress*" (la robe), which is feminine, you must use "la," the feminine word for "*it,*" and not "le," the masculine for "*it.*"

LE moi, *it* (masc.) *to me*
LA moi, *it* (fem.) *to me*
LES moi, *them* (masc., fem.) *to me*

Où est LE livre? Apportez-LE moi.
Where is the book? Bring it to me.
Où est LA table? Montrez-LA moi.
Where is the table? Show it to me.
Où sont LES roses? Montrez-LES moi.
Where are the roses? Show them to me.

Notice that the articles and the pronouns are identical (in capital letters above).

MASCULINE IT: *LE*

LE moi, *it to me*
LE lui, *it to him, to her*
LE nous, *it to us*
LE leur, *it to them*

FEMININE IT: *LA*

LA moi, *it to me*
LA lui, *it to him, to her*
LA nous, *it to us*
LA leur, *it to them*

MASCULINE AND FEMININE THEM: *LES*

LES moi, *them to me*
LES lui, *them to him, to her*
LES nous, *them to us*
LES leur, *them to them*

Read the following sentences aloud:

Où est le journal? Apportez-le moi.
Where is the newspaper? Bring it to me.
Où est la blouse? Montrez-la lui.
Where is the blouse? Show it to her, to him.
Où sont les cigarettes? Apportez-les lui.
Where are the cigarettes? Bring them to him, to her.
Où est la lettre? Apportez-la nous.
Where is the letter? Bring it to us.
Où sont les cigarettes? Apportez-les leur.
Where are the cigarettes? Bring them to them.
Où est le livre? Apportez-le leur.
Where is the book? Bring it to them.
Où est le cendrier? Apportez-le nous.
Where is the ash tray? Bring it to us.
Je voudrais lire ce livre. Envoyez-le moi.
I would like to read this book. Send it to me.

SENTENCE-FORMING EXERCISES

Combine the words below in different ways to form as many sentences as you can.

A

1	2	3
Aidez-moi	à finir	le travail
Aidez-le	à étudier	la leçon
Aidez-la	à chercher	le livre
Aidez-nous	à porter	les valises
Aidez-les	à changer	le pneu (*the tire*)
	à préparer	le dîner
	à mettre	la table
	à faire	le lit

B

1	2
Réveillez-le	à huit‿heures
Réveillez-moi	à sept‿heures
Emmenez-la	au cinéma
Invitez-les	au théâtre
Attendez-la	en bas (*downstairs*)
Attendez-moi	à l'hôtel
Cherchez-le	sur la table

C

1	2
Apportez-lui	un verre d'eau
Apportez-moi	de l'argent (*some money*)
Apportez-leur	des bonbons (*some candy*)
Apportez-nous	la boîte (*the box*)
Donnez-lui	une aspirine
Donnez-moi	un cendrier (*an ash tray*)
Donnez-leur	mille francs
Donnez-lui	ce qu'il veut (*what he wants*)
Écrivez-moi	la semaine prochaine

1	2
Écrivez-lui	tout de suite
Écrivez-leur	demain
Téléphonez-moi	cet‿après-midi
Téléphonez-lui	au bureau
Téléphonez-leur	ce soir
Câblez-lui	tout de suite
Dites-moi	si c'est possible
Dites-lui	qu'il est très tard
Dites-leur	que ce n'est pas possible

D

1	2
Donnez-le moi	ce soir
Donnez-le lui	au bureau
Donnez-le leur	tout de suite
Donnez-le nous	demain
Apportez-le moi	cet‿après-midi
Envoyez-le lui	au bureau
Envoyez-le leur	chez Louise
Envoyez-le nous	à l'hôtel
Envoyez-le moi	demain
Montrez-la lui	ce soir
Montrez-les nous	tout de suite
Montrez-la moi	samedi
Apportez-les leur	tout de suite

EXERCISE IN TRANSLATION

Translate the following sentences into French. Check your sentences with the correct translations below this exercise.

1. Please help me to finish the work.
2. Help him to study the lesson.
3. Please help her to find the book.
4. Please help us to carry the bags.
5. Please help him to change the tire.
6. Please help her to set the table.
7. Please help her to make the bed.

8. Wake me up at eight o'clock, please.
9. Wake him up at seven o'clock, please.
10. Take her to the movies tonight.
11. Wait for her downstairs, please.
12. Wait for me at the hotel.
13. Look for it (masc.) on the table.
14. Bring him a glass of water, please.
15. Bring them some candy.
16. Give her the box, please.
17. Bring her an aspirin, please.
18. Bring him an ash tray, please.
19. Please give them a thousand francs.
20. Write to him right away.
21. Write to them tomorrow.
22. Call him up this afternoon.
23. Call her up at the office.
24. Call them up tonight.
25. Telegraph him right away.
26. Tell me if it's possible.
27. Tell him that it is very late.
28. Tell them that it isn't possible.
29. Give it (masc.) to me tonight.
30. Give it (masc.) to him at the office.
31. Give it (masc.) to them right away.
32. Give it (masc.) to us tomorrow.
33. Bring it (masc.) to me this afternoon.
34. Send it (masc.) to him at the office.
35. Send it (masc.) to them tomorrow.
36. Show it (fem.) to her tonight.
37. Show it (fem.) to me on Saturday.
38. Bring it (masc.) to me right away.
39. Bring them to them right away.

Check your sentences with the correct translations below.

1. Aidez-moi à finir le travail, s'il vous plaît.
2. Aidez-le à étudier la leçon.
3. Aidez-la à trouver le livre, s'il vous plaît.
4. Aidez-nous à porter les valises, s'il vous plaît.
5. Aidez-le à changer le pneu, s'il vous plaît.

6. Aidez-la à mettre le couvert, s'il vous plaît.
7. Aidez-la à faire le lit.
8. Réveillez-moi à huit heures, s'il vous plaît.
9. Réveillez-le à sept heures, s'il vous plaît.
10. Emmenez-la au cinéma ce soir.
11. Attendez-la en bas, s'il vous plaît.
12. Attendez-moi à l'hôtel.
13. Cherchez-le sur la table.
14. Apportez-lui un verre d'eau, s'il vous plaît.
15. Apportez-leur des bonbons.
16. Donnez-lui la boîte, s'il vous plaît.
17. Apportez-lui une aspirine, s'il vous plaît.
18. Apportez-lui un cendrier, s'il vous plaît.
19. Donnez-leur mille francs, s'il vous plaît.
20. Écrivez-lui tout de suite.
21. Écrivez-leur demain.
22. Téléphonez-lui cet après-midi.
23. Téléphonez-lui au bureau.
24. Téléphonez-leur ce soir.
25. Télégraphiez-lui tout de suite.
26. Dites-moi si c'est possible.
27. Dites-lui qu'il est très tard.
28. Dites-leur que ce n'est pas possible.
29. Donnez-le moi ce soir.
30. Donnez-le lui au bureau.
31. Donnez-le leur tout de suite.
32. Donnez-le nous demain.
33. Apportez-le moi cet après-midi.
34. Envoyez-le lui au bureau.
35. Envoyez-le leur demain.
36. Montrez-la lui ce soir.
37. Montrez-la moi samedi.
38. Apportez-le moi tout de suite.
39. Apportez-les leur tout de suite.

PRONOUNS WITH THE NEGATIVE COMMAND

Pronouns are used in the negative command exactly as they are in the present tense.

I. DIRECT-OBJECT PRONOUNS WITH THE NEGATIVE COMMAND

Remove the "VOUS" in the left-hand column below and it gives you the command, as in the right-hand column.

NEGATIVE PRESENT (second person)	NEGATIVE COMMAND
VOUS ne le donnez pas.	Ne le donnez pas.
You don't give it.	*Don't give it.*
VOUS ne la finissez pas.	Ne la finissez pas.
You don't finish it.	*Don't finish it.*
VOUS ne les vendez pas.	Ne les vendez pas.
You don't sell them.	*Don't sell them.*

Pronounce the following words aloud. They have a certain ring to them that makes them pleasant to pronounce. Learn these words as you would learn a poem. Pronounce them vigorously and you will see that it is enjoyable to say them.

NEGATIVE COMMAND

Ne le dites pas. *Don't say it.*
Ne le faites pas. *Don't do it.*
Ne la donnez pas. *Don't give it.*
Ne la montrez pas. *Don't show it.*
Ne les mettez pas. *Don't put them.*
Ne les prêtez pas. *Don't lend them.*

II. INDIRECT-OBJECT PRONOUNS WITH THE NEGATIVE COMMAND

Remove the "VOUS" in the left-hand column and you have the command, as in the right-hand column.

PRESENT	COMMAND
VOUS ne **leur** parlez pas.	Ne **leur** parlez pas.
You don't speak to them.	*Don't speak to them.*
VOUS ne **leur** dites pas.	Ne **leur** dites pas.
You don't tell them.	*Don't tell them.*
VOUS ne **leur** répondez pas.	Ne **leur** répondez pas.
You don't answer them.	*Don't answer them.*

III. THE COMMAND WITH DIRECT- AND INDIRECT-OBJECT PRONOUNS COMBINED

Remember: **me LE,** *it to me*
vous LE, *it to you*
nous LE, *it to us*
LE lui, *it to him, to her*
LE leur, *it to them*

Remove the "VOUS" in the left-hand column below and you have the command, as in the right-hand column.

PRESENT TENSE	COMMAND
VOUS ne **ME LE** donnez pas.	Ne **ME LE** donnez pas.
You don't give it to me.	*Don't give it to me.*
VOUS ne **le leur** donnez pas.	Ne **le leur** donnez pas.
You don't give it to them.	*Don't give it to them.*
VOUS ne **le leur** vendez pas.	Ne **le leur** vendez pas.
You don't sell it to them.	*Don't sell it to them.*
VOUS ne **le leur** prêtez pas.	Ne **le leur** prêtez pas.
You don't lend it to them.	*Don't lend it to them.*
VOUS ne **le leur** dites pas.	Ne **le leur** dites pas.
You don't say it to them.	*Don't say it to them.*
VOUS ne **le leur** montrez pas.	Ne **le leur** montrez pas.
You don't show it to them.	*Don't show it to them.*

Read the following sentences aloud:

Ne lui apportez pas les livres. *Don't bring him (her) the books.*
Ne leur apportez pas les livres. *Don't bring them the books.*
Ne lui donnez pas l'argent. *Don't give him the money.*
Ne leur apportez pas le courrier. *Don't bring them the mail.*
Ne leur dites pas son‿âge. *Don't tell them his age (how old he is).*
Ne les‿invitez pas‿à la soirée. *Don't invite them to the party.*
Ne l'emmenez pas‿au cinéma. *Don't take her to the movies.*
Ne m'apportez pas de cadeaux. *Don't bring me any presents.*

Remember:

In the affirmative command the word order is just as it is in English: "Donnez-le moi," *Give it to me.*

In the negative command the word order is just as it is in the present tense.

Take the second person of the present tense of a verb:
Vous ne me le donnez pas. *You do not give it to me.*

Remove the "VOUS" and you have the command:

Ne me le donnez pas. *Don't give it to me.*

AFFIRMATIVE: **Donnez-le moi.** *Give it to me.*
NEGATIVE: **Ne me le donnez pas.** *Don't give it to me.*

Read the following commands:

AFFIRMATIVE (word order as in English)	NEGATIVE (word order as in the second person, present tense)
Regardez-le. *Look at him.*	Ne le regardez pas. *Don't look at him.*
Suivez-la. *Follow her.*	Ne la suivez pas. *Don't follow her.*
Réveillez-nous. *Wake us up.*	Ne nous réveillez pas. *Don't wake us up.*
Attendez-la. *Wait for her.*	Ne l'attendez pas. *Don't wait for her.*
Cherchez-le. *Look for it* (masc.).	Ne le cherchez pas. *Don't look for it.*
Écrivez-lui. *Write to him, to her.*	Ne lui écrivez pas. *Don't write to him, to her.*
Écrivez-leur. *Write to them.*	Ne leur écrivez pas. *Don't write to them.*
Donnez-le moi. *Give it to me.*	Ne me le donnez pas. *Don't give it to me.*

AFFIRMATIVE	NEGATIVE
Prêtez-le leur. *Lend it to them.*	Ne le leur prêtez pas. *Don't lend it to them.*
Montrez-le lui. *Show it to him, to her.*	Ne le lui montrez pas. *Don't show it to him, to her.*
Apportez-le lui. *Take it to him.*	Ne le lui apportez pas. *Don't take it to him.*

PLURAL COMMAND

In English the plural command is expressed with "*let us*" or "*let's.*"

EXAMPLE:

Let's dance, let's go, let's wait.

In French the plural command is identical to the first person plural of the present tense (without "nous").

EXAMPLES:

Dansons. *Let's dance.*
Restons. *Let's stay.*
Rentrons. *Let's go home.*

Remove the "NOUS" in the middle column below and you have the plural command, as in the right-hand column.

INFINITIVE	PRESENT (first person plural)	COMMAND
danser	NOUS dansons	dansons
to dance	*we dance*	*let's dance*
partir	NOUS partons	partons
to leave	*we leave*	*let's leave*
rentrer	NOUS rentrons	rentrons
to go home	*we're going home*	*let's go home*
attendre	NOUS‿attendons	attendons
to wait for	*we're waiting for*	*let's wait*
dîner	NOUS dînons	dînons
to have dinner	*we have dinner*	*let's have dinner*
aller	NOUS‿allons	allons‿au bureau
to go	*we go, we are going*	*let's go to the office*

PRONOUNS WITH THE PLURAL COMMAND

The position of pronouns in the plural command is identical to the position of pronouns in the singular command.

Reflexive:

Levons-nous. *Let's get up.*
Dépêchons-nous. *Let's hurry up.*

Direct-Object Pronoun:

Aidons-la. *Let's help her.*
Invitons-les. *Let's invite them.*

Indirect-Object Pronoun:

Écrivons-lui. *Let's write to him, to her.*
Parlons-leur. *Let's talk to them.*

Direct- and Indirect-Object Pronouns Combined:

Donnons-le lui. *Let's give it to him.*
Envoyons-le leur. *Let's send it to them.*

Negative:

Ne le finissons pas. *Let's not finish it.*
Ne leur disons pas. *Let's not tell them.*

SENTENCE-FORMING EXERCISES

Combine the words below in different ways to form as many sentences as you can. Be sure to use words from each of the columns in every sentence you form.

A

1	2
Ne m'apportez pas (*Don't bring me*)	les livres
	le paquet
Ne lui apportez pas (*Don't bring him, her*)	le courrier
Ne leur apportez pas (*Don't bring them*)	les fleurs

1	2
Ne me donnez pas (*Don't give me*)	son chapeau
Ne lui donnez pas (*Don't give him, her*)	les gants (*the gloves*)
Ne leur donnez pas (*Don't give them*)	cette table
	cette chambre
	l'argent
	les revues
	le billet
	le cadeau
	dix francs
	la boîte

B

1	2
Ne vous levez pas (*Don't get up*)	tôt
Ne vous levez pas	tard
Ne vous couchez pas (*Don't go to bed*)	tout de suite
Ne vous reposez pas (*Don't rest*)	maintenant (*now*)
Ne vous coupez pas (*Don't cut*)	la main (*the [your] hand*)
Ne vous battez pas (*Don't fight*)	avec Paul
Ne vous‿endormez pas (*Don't go to sleep*)	trop tard

C

1	2
Réveillez-nous	à huit‿heures
Ne nous réveillez pas	à sept‿heures
Attendez-la	à l'hôtel
Ne l'attendez pas	ce soir
Écrivez-lui	tout de suite
Ne lui écrivez pas	aujourd'hui
Donnez-le moi	ce soir
Ne me le donnez pas	ce matin
Prêtez-le leur	s'il vous plaît
Ne le leur prêtez pas	s'il vous plaît
Montrez-le lui	ce matin
Ne le lui montrez pas	cet‿après-midi

D

1	2
Attendons	jusqu'à sept‿heures
Rentrons	tout de suite
Dînons	avec Paul ce soir
Allons	au bureau demain
Partons	avant huit‿heures
Levons-nous	tôt demain
Aidons-la	à finir
Invitons-le	à la campagne
Écrivons-lui	aujourd'hui
Donnons-le lui	demain
Envoyons-le leur	tout de suite
Ne le finissons pas	ce matin

EXERCISE IN TRANSLATION

Translate the following sentences into French. Check your sentences with the correct translations below this exercise.

1. Let's get up at eight o'clock.
2. Let's not get up at seven o'clock.
3. Wait for her at the hotel.
4. Don't wait for her tonight.
5. Write to him right away.
6. Don't write to him today.
7. Give it (masc.) to me tonight.
8. Don't give it (masc.) to me this morning.
9. Please lend it (masc.) to them.
10. Please don't lend it (masc.) to them.
11. Let's wait till seven o'clock.
12. Let's go home right away.
13. Let's have dinner with Paul tonight.
14. Let's go to the office tomorrow.
15. Let's get up early tomorrow.
16. Let's help her to finish.
17. Let's give it (masc.) to him tomorrow.
18. Let's write to him today.
19. Let's send it (masc.) to him right away.

Check your sentences with the correct translations below.

1. Levons-nous à huit heures.
2. Ne nous levons pas à sept heures.
3. Attendez-la à l'hôtel.
4. Ne l'attendez pas ce soir.
5. Écrivez-lui tout de suite.
6. Ne lui écrivez pas aujourd'hui.
7. Donnez-le moi ce soir.
8. Ne me le donnez pas ce matin.
9. Prêtez-le leur, s'il vous plaît.
10. Ne le leur prêtez pas, s'il vous plaît.
11. Attendons jusqu'à sept heures.
12. Rentrons tout de suite.
13. Dînons avec Paul ce soir.
14. Allons au bureau demain.
15. Levons-nous tôt demain.
16. Aidons-la à finir.
17. Donnons-le lui demain.
18. Écrivons-lui aujourd'hui.
19. Envoyons-le lui tout de suite.

"DE" BEFORE THE INFINITIVE

When you form a command with the following verbs and an infinitive, you must put the word "DE" before the infinitive.

EXAMPLES:

Dites-lui DE venir.
Tell him (her) to come.

Demandez-lui DE monter.
Ask him (her) to come up.

Dites-leur DE revenir à sept‿heures.
Tell them to come back at seven o'clock.

Demandez-lui DE me téléphoner.
Ask him (her) to call me up.

In the negative of these verbs the words "NE PAS" remain together and precede the infinitive.

Dites‿à Louise DE NE PAS‿envoyer mon chapeau.
Tell Louise not to send my hat.

Dites‿à Paul DE NE PAS téléphoner demain.
Tell Paul not to call up tomorrow.

40
Leçon Numéro Quarante

THE IMPERFECT

In French there are two past tenses that are equivalent to the English past: the imperfect and the compound past.

The compound past is used to express a single completed action in the past. In this lesson the compound past is represented by a dot: • You know this tense very well.

COMPOUND PAST

(single completed action, represented by a dot)

•

J'ai écrit une lettre.	*I wrote a letter.*
J'ai lu un livre.	*I read a book.*
J'ai acheté une maison	*I bought a house.*
J'ai appris ma leçon.	*I learned my lesson.*

IMPERFECT

(1. continuous action, represented by a line)

____

J'avais‿une voiture.	*I had a car* (over a period of time).
Il aimait son père.	*He loved his father.*

(2. repeated action, represented by dashes)

- - - - - - - - - - -

Mon cousin dînait toujours dans le même restaurant.
My cousin always used to have dinner at the same restaurant.

Mon cousin achetait le journal tous les matins.
My cousin bought (used to buy) the newspaper every morning.

To form the imperfect, drop "ons" from the first person plural of the present tense and add the following endings:

ais	**ions**
iez	**iez**
ait	**aient**

EXAMPLES:

parler, *to speak*

je parlais (*I spoke, used to speak, was speaking*)	**nous parlions** (*we spoke, used to speak, were speaking*)
vous parliez (*you spoke, used to speak, were speaking*)	**vous parliez** (*you spoke, used to speak, were speaking*)
il, elle parlait (*he, she spoke, used to speak, was speaking*)	**ils, elles parlaient** (*they spoke, used to speak, were speaking*)

"Je parlais, il parlait," and "ils parlaient" are all pronounced alike. The first person singular and the third person singular and plural are pronounced alike in all regular and irregular verbs.

finir, *to finish*

je finissais (*I finished, used to finish, was finishing*)	**nous finissions** (*we finished, used to finish, were finishing*)
vous finissiez (*you finished, used to finish, were finishing*)	**vous finissiez** (*you finished, used to finish, were finishing*)
il, elle finissait (*he, she finished, used to finish, was finishing*)	**ils, elles finissaient** (*they finished, used to finish, were finishing*)

vendre, *to sell*

je vendais (*I sold, used to sell, was selling*)	**nous vendions** (*we sold, used to sell, were selling*)
vous vendiez (*you sold, used to sell, were selling*)	**vous vendiez** (*you sold, used to sell, were selling*)
il, elle vendait (*he, she sold, used to sell, was selling*)	**ils, elles vendaient** (*they sold, used to sell, were selling*)

WRITTEN EXERCISE

Following is a list of infinitives converted into the compound past and the imperfect tenses.

1. Cover up the two right-hand columns.
2. Remove ER, RE, or IR from the infinitives in the left-hand column.
3. Add É to ER verbs, U to RE verbs, and I to IR verbs (as in the second column below). This forms the compound past.
4. Drop ONS from the first person plural of the present tense.
5. Add the letters AIS (as in the third column below). This forms the imperfect.
6. Check your columns with the columns below.

INFINITIVES	COMPOUND PAST	IMPERFECT
étudier, *to study*	j'ai étudié, *I studied*	j'étudiais, *I used to study, was studying*
acheter, *to buy*	j'ai acheté, *I bought*	j'achetais, *I used to buy, was buying*
parler, *to speak*	j'ai parlé, *I spoke*	je parlais, *I used to speak, was speaking*
vendre, *to sell*	j'ai vendu, *I sold*	je vendais, *I used to sell, was selling*
attendre, *to wait*	j'ai attendu, *I waited*	j'attendais, *I used to wait, was waiting*
perdre, *to lose*	j'ai perdu, *I lost*	je perdais, *I used to lose, was losing*

INFINITIVES	COMPOUND PAST	IMPERFECT
finir, *to finish*	j'ai fini, *I finished*	je finissais, *I used to finish, was finishing*
punir, *to punish*	j'ai puni, *I punished*	je punissais, *I used to punish, was punishing*
choisir, *to choose*	j'ai choisi, *I chose*	je choisissais, *I used to choose, was choosing*

The only verb that is not formed from the first person plural of the present tense is "être" (*to be*). To form the imperfect of "être" remove the RE and add the regular imperfect endings.

J'étais fatigué(e). *I was tired.*
Étiez-vous à Paris? *Were you in Paris?*
J'étais‿à Paris au printemps. *I was in Paris in the spring.*
J'étais‿à la maison. *I was at home.*
Où étiez-vous? *Where were you?*
Il était fatigué. *He was tired.*
Nous‿étions pressé(e)s. *We* (masc. [fem.] pl.) *were in a hurry.*
Elles‿étaient malades. *They* (fem.) *were sick.*

que c'était, *that it was*
qu'il était, *that he was*
qu'elle était, *that she was*

1. Albert a dit que c'était splendide. *Albert said that it was marvelous.*
2. Louise a dit que c'était‿amusant. *Louise said that it was funny (amusing).*
3. Ma soeur a dit que c'était‿impossible. *My sister said that it was impossible.*

WRITTEN EXERCISE

1. Cover up the right-hand column.
2. Translate the verbs in the left-hand column.
3. Check your translations with those in the right-hand column.

I had, used to have, was having	j'avais
I wanted, used to want	je voulais
I knew, used to know	je connaissais
we sold, used to sell, were selling	nous vendions
we had, used to have, were having	nous‿avions
we sang, used to sing, were singing	nous chantions
we did, used to do, were doing	nous faisions
we worked, used to work, were working	nous travaillions
we bought, used to buy, were buying	nous achetions
he made, used to make, was making	il faisait
she could, used to be able	elle pouvait
you went out, used to go out, were going out	vous sortiez
he said, used to say, was saying	il disait
we went, used to go, were going	nous‿allions
he went, used to go, was going	il allait
we took, used to take, were taking	nous prenions
we danced, used to dance, were dancing	nous dansions
we wrote, used to write, were writing	nous‿écrivions
they (masc.) *came, used to come, were coming*	ils venaient
they (masc.) *spoke, used to speak, were speaking*	ils parlaient
we spoke, used to speak, were speaking	nous parlions
she prepared, used to prepare, was preparing	elle préparait
I thought, used to think, was thinking	je pensais
they (fem.) *said, used to say, were saying*	elles disaient
we imported, used to import, were importing	nous‿importions
she described, used to describe, was describing	elle décrivait
I read, used to read, was reading	je lisais
she learned, used to learn, was learning	elle apprenait
I hoped, used to hope, was hoping	j'espérais
we deposited, used to deposit, were depositing	nous déposions
you ate, used to eat, were eating	vous mangiez
we walked, used to walk, were walking	nous marchions

I helped, used to help, was helping	j'aidais
he won, used to win, was winning	il gagnait
she played, used to play, was playing	elle jouait
we copied, used to copy, were copying	nous copiions
we studied, used to study, were studying	nous‿étudiions

Following are examples of the use of the compound past as compared to the imperfect. Remember that the compound past is used for a single completed action and is represented by a dot. The imperfect is used to express continuous or repeated action and is represented by a long line or a series of dashes.

COMPOUND PAST	Marie a pris un taxi ce matin.
•	*Mary took a taxi this morning.*
IMPERFECT	Marie prenait‿un taxi tous les matins.
----	*Mary used to take a taxi every morning.*
COMPOUND PAST	Marthe a acheté le pain ce matin.
•	*Martha bought the bread this morning.*
IMPERFECT	Marthe achetait toujours le pain.
----	*Martha always bought the bread.*
COMPOUND PAST	Louis a préparé la leçon hier soir.
•	*Louis prepared the lesson last night.*
IMPERFECT	Louis préparait toujours la leçon.
----	*Louis always prepared the lesson.*
COMPOUND PAST	Édouard est venu à la réception.
•	*Edward came to the party.*
IMPERFECT	Édouard venait chez moi tous les‿après-midi.
----	*Edward used to come to my house every afternoon.*
COMPOUND PAST	Jean a écrit un article.
•	*John wrote an article.*
IMPERFECT	Jean écrivait‿un article tous les jours.
----	*John wrote (used to write) an article every day.*
COMPOUND PAST	Mon‿oncle a payé la note.
•	*My uncle paid the bill.*
IMPERFECT	Mon‿oncle payait toujours les notes.
----	*My uncle always paid the bills.*
COMPOUND PAST	Charles a joué au tennis ce matin.
•	*Charles played tennis this morning.*

IMPERFECT	Charles jouait au tennis tous les jours.
----	*Charles played (used to play) tennis every day.*
COMPOUND PAST	Hélène a fait le lit.
•	*Helen made the bed.*
IMPERFECT	Hélène faisait le lit chaque matin.
----	*Helen used to make the bed every morning.*

WORDS TO REMEMBER

très peu, *very little* **chaque semaine,** *every week*
chaque, *each, every*

EXERCISE I

Fill in the correct verb form in the imperfect.

1. Quand nous‿ (habiter) __________ la campagne, nous nous (lever) __________ très tôt.
   When we lived in the country, we got up very early.
2. Quand les‿enfants‿ (être) __________ jeunes, nous (sortir) __________ très peu le soir.
   When the children were young, we went out very little in the evening.
3. Je (comprendre) __________ le français quand j'(avoir) __________ cinq‿ans.
   I understood French when I was five years old.
4. Quand nous‿ (être) __________‿à l'école, nous (danser) __________ chaque semaine.
   When we were at school, we danced every week.

Check with the correct answers below:

1. Quand nous‿habitions la campagne, nous nous levions très tôt.
2. Quand les‿enfants‿étaient jeunes, nous sortions très peu le soir.
3. Je comprenais le français quand j'avais cinq‿ans.
4. Quand nous‿étions‿à l'école, nous dansions chaque semaine.

WORDS TO REMEMBER

beau (masc.), *handsome*
beaux (masc. pl.), *handsome*

belle (fem.), *beautiful*
belles (fem. pl.), *beautiful*
jeune (masc. and fem.), *young*
la cinquième symphonie, *the fifth symphony*
l'arbre, *the tree*
le chien, *the dog*

EXERCISE II

Fill in the correct verb form in the imperfect or the compound past.

1. Quand j'(être) __________ jeune, je (jouer) __________ très bien au football.
   When I was young I played football very well.
2. Il (aller) __________ au théâtre hier soir.
   He went to the theater last night.
3. Quand j'(être) __________ malade, je (dormir) __________ tout le temps.
   When I was sick, I slept all the time.
4. Nous (aller) __________ en‿Europe l'année dernière.
   We went to Europe last year.
5. J'(entendre) __________ la cinquième symphonie de Beethoven hier soir.
   I heard Beethoven's fifth symphony last night.

Check with correct answers below:

1. Quand j'étais jeune, je jouais très bien au football.
2. Il est‿allé au théâtre hier soir.
3. Quand j'étais malade, je dormais tout le temps.
4. Nous sommes‿allés en‿Europe l'année dernière.
5. J'ai entendu la cinquième symphonie de Beethoven hier soir.

USE OF THE IMPERFECT

The imperfect is a past tense that is used to express:

1. HABITUAL ACTION (repeated action)
2. CONTINUOUS ACTION
3. QUALITIES (continuous)

4. DESCRIPTIONS (in the past)
5. INTERRUPTED ACTION

I. HABITUAL ACTION (repeated)

1. Il achetait les journaux tous les jours. *He used to buy the newspapers every day.*
2. Il parlait toujours lentement. *He always talked slowly (It was his habit [custom] to talk slowly).*
3. Je faisais des fautes. *I made mistakes. I used to make mistakes.*

II. CONTINUOUS ACTION

1. J'avais‿un chien. *I had a dog.*
2. L'arbre était près de la maison. *The tree was close to the house.*
3. Quand j'étais‿en France. *When I was in France.*

III. QUALITIES (continuous)

1. Il était très beau. *He was very handsome.*
2. Charles était très‿intelligent. *Charles was very intelligent.*
3. Le président Lincoln était grand. *President Lincoln was tall.*

IV. DESCRIPTIONS

1. La maison avait de larges portes. *The house had large doors.*
2. Les chiens étaient noirs. *The dogs were black.*
3. La robe était ravissante. *The dress was lovely.*
4. Les routes étaient larges. *The roads were wide.*
5. Le ciel était bleu. *The sky was blue.*
6. La mer était verte. *The sea was green.*

V. INTERRUPTED ACTION

When one action is interrupted by another, the interrupted action is in the imperfect and the action that interrupts is in the compound past.

Je **lisais** (imperfect) le journal quand Paul **est‿arrivé** (compound past).

I was reading the newspaper when Paul arrived.

Je me **promenais** (imperfect) lorsque j'**ai rencontré** (compound past) Paul.

I was walking when I met Paul.

Je **lisais** (imperfect) le journal quand le téléphone **a sonné** (compound past).
I was reading the newspaper when the phone rang.

When you express an "iffy" wish, that is, a wish that begins with the word "*if*," the verb that follows "*if*" must be in the imperfect.

Si j'étais roi! *If I were king!*
Si je pouvais! *If I could!*
Si vous pouviez comprendre! *If you could understand!*
S'il le faisait! *If he would do it!*
Si j'avais l'argent! *If I had the money!*

WORDS TO REMEMBER

les tableaux, *the paintings*
des gâteaux, *cakes*
les bonbons, *the candy*
un chien, *a dog*
un cheval, *a horse*
adroit, *clever*
une vache, *a cow*
un chat, *a cat*
des poulets, *chickens*
une bonne, *a maid*
comme vous voyez, *as you see*
maladroit, *awkward, clumsy*

"Quand" and **"lorsque"** both mean "*when.*"

SENTENCE-FORMING EXERCISES

Combine these words in different ways to form as many sentences as you can. Be sure to use words from each of the columns in every sentence you form.

A

"*I wanted*" is almost always expressed in the imperfect (je voulais).

1	2	3
Je voulais	acheter	une maison
(*I wanted*)	jouer	au tennis
Charles voulait	aller	au cinéma
(*Charles wanted*)		à la campagne

1	2	3
Nous voulions	faire	des gâteaux (*cakes*)
(*We wanted*)	préparer	
Ils, elles voulaient	rester	le dîner
(*They wanted*)		à la maison

B

1	2
J'avais	un chien (*a dog*)
(*I had, used to have*)	un cheval (*a horse*)
Albert avait	une vache (*a cow*)
(*Albert had, used to have*)	un chat (*a cat*)
Nous‿avions	une auto (*a car*)
(*We had, used to have*)	une bonne (a *maid*)
Ils, elles‿avaient	
(*They had, used to have*)	

C

1	2
Je me levais	tôt
(*I used to get up*)	tard
Albert se levait	à huit‿heures
(*Albert used to get up*)	à cinq‿heures
Nous nous levions	à neuf‿heures
(*We used to get up*)	à dix‿heures
Ils, elles se levaient	à onze heures
(*They used to get up*)	très tard
Nous nous couchions	très tôt
(*We used to go to bed*)	à midi

NOTE: Albert avait l'habitude de se lever à onze heures.
Albert used to get up at eleven o'clock.
"Avait l'habitude de" is an idiomatic expression that means *"used to, was in the habit of."*

EXERCISE IN TRANSLATION

Translate the following sentences into French. Write out each sentence in French, using the columns above as a guide.

1. I wanted to buy a house.
2. I wanted to play tennis.

3. Charles wanted to go to the movies.
4. Charles wanted to go to the country.
5. We wanted to make cakes.
6. We wanted to prepare dinner.
7. They wanted to stay at home.
8. I had a horse.
9. Albert used to have a cow.
10. They had a car.
11. We used to have a maid.
12. They (masc.) used to have a car.
13. I used to get up early.
14. Albert used to get up late.
15. We used to get up at six.
16. They used to get up very early.
17. I used to go to bed very late.
18. We used to go to bed at ten o'clock.
19. I used to go to bed at eleven.
20. I used to get up at five.

Check your sentences with the translations below. After you have checked each of your French sentences, read it aloud, again and again, so that the language is as familiar to your ear and your tongue as it is to your mind.

1. Je voulais acheter une maison.
2. Je voulais jouer au tennis.
3. Charles voulait aller au cinéma.
4. Charles voulait aller à la campagne.
5. Nous voulions faire des gâteaux.
6. Nous voulions préparer le dîner.
7. Ils (Elles) voulaient rester à la maison.
8. J'avais un cheval.
9. Albert avait une vache.
10. Ils (Elles) avaient une auto.
11. Nous avions une bonne.
12. Ils avaient une voiture.
13. Je me levais tôt.
14. Albert se levait tard.
15. Nous nous levions à six heures.
16. Ils (Elles) se levaient très tôt.

17. Je me couchais très tard.
18. Nous nous couchions à dix heures.
19. Je me couchais à onze heures.
20. Je me levais à cinq heures.

SENTENCE-FORMING EXERCISES

A

1	2	3
J'ai dit	que c'était	délicieux
(*I said*)	(*that it was*)	
Robert a dit	que vous‿étiez	élégant(e)
(*Robert said*)	(*that you were*)	charmant(e)
		(*charming*)
Qui a dit	qu'il était	adroit
(*Who said?*)	(*that he was*)	
	qu'elle était	intelligente
	(*that she was*)	
Nous‿avons dit	que c'était	stupide
(*We said*)	(*that it was*)	
Ils (Elles) ont dit	qu'ils‿étaient	beaux
(*They said*)	(*that they were*)	(*handsome*)
Vous‿avez répondu	que nous‿étions	fatigués
(*You answered*)	(*that we were*)	(*tired*)

B

1	2	3
J'étais (*I was*)	à Paris	au printemps
Ils‿étaient	en France	en‿automne
Étiez-vous	fatigués	hier soir
Nous‿étions	très‿occupés	comme vous voyez
Les robes	étaient	ravissantes
Charles	était	très‿intelligent
Louise	était	jolie
L'enfant	était	beau
Le chien	était	gris
Les maisons	étaient	petites

C

1	2	3
Je vais *(I am going)*	arriver	tard
Je suis‿allé *(I went)*	voir	les tableaux *(the paintings)*
J'allais *(I was going)*	acheter	des bonbons *(some candy)*
Paul allait *(Paul was going)*	l'inviter *(to invite him, her)*	au cinéma
Nous‿allions *(We were going)*	travailler	tôt
Ils (Elles) allaient *(They were going)*	écrire	des lettres

D

1	2	3
Je dormais *(I was sleeping)*	lorsque *(when)*	vous‿avez téléphoné *(you phoned)*
Il vous‿écrivait *(He was writing to you)*	quand *(when)*	il a reçu votre lettre *(he received your letter)*
Nous partions	lorsque	vous êtes‿arrivé(e)
Elles lisaient	quand	Paul est‿arrivé

EXERCISE IN TRANSLATION

Translate the following sentences into French. Write out each sentence in French, using the columns above as a guide. Check your sentences with the correct translations below this exercise.

1. I said that it was delicious.
2. Robert said that it was beautiful.
3. Who said that he was clever?
4. Who said that he was stupid?
5. We said that she was charming.
6. Robert said that she was clever.
7. They (masc.) said that he was tall.
8. We said that he was handsome.

9. They said that they were tired.
10. You said that you were tired.
11. Were you busy last night?
12. I was in Paris in the spring.
13. The dresses were lovely.
14. We were going to buy some candy.
15. I was sleeping when you called me up.
16. They were leaving when you arrived.
17. She was reading when he arrived.
18. Who said that it was clever?

Check your sentences with the correct translations below.

1. J'ai dit que c'était délicieux.
2. Robert a dit que c'était beau.
3. Qui a dit qu'il était adroit?
4. Qui a dit qu'il était stupide?
5. Nous avons dit qu'elle était charmante.
6. Robert a dit qu'elle était adroite.
7. Ils ont dit qu'il était grand.
8. Nous avons dit qu'il était beau.
9. Ils ont dit qu'ils étaient fatigués (Elles ont dit qu'elles étaient fatiguées).
10. Vous avez dit que vous étiez fatigué(e).
11. Étiez-vous occupé(e) hier soir?
12. J'étais à Paris au printemps.
13. Les robes étaient ravissantes.
14. Nous allions acheter des bonbons.
15. Je dormais quand vous m'avez téléphoné.
16. Ils (Elles) partaient quand vous êtes arrivé(e).
17. Elle lisait quand il est arrivé.
18. Qui a dit que c'était adroit?

EXTRA WORDS

il y a, *there is, there are*
y a-t‿il? *is there? are there?*
il y a eu, *there was, there were*
y a-t‿il eu? *was there? were there?*
il y avait, *there used to be*
tant que, *as long as*
un chien, *a dog*
lentement, *slowly*
une porte, *a door*
large, *large*

y avait‿il? *did there use to be?* **à l'école,** *in school*
lorsque, *when* **la ville,** *the city*

REMINDER CARD

Je voulais	aller	au cinéma
Charles voulait	rester	à la maison
Nous voulions	prendre	un taxi
Ils voulaient	acheter	une auto
J'avais	un chien *(a dog)*	
Ils‿avaient	une bonne *(a maid)*	
J'ai dit	que c'était	délicieux
J'étais	à Paris	au printemps
La robe	était	jolie
Ils	étaient	petits
Je dormais	lorsqu'	ils sont‿arrivés
(I was sleeping)	*(when)*	*(they arrived)*

CATEGORY XXIII

You can convert many English words that end in "*ian*" into French words by changing "*ian*" to "ien." These words are masculine.

IAN = IEN (masculine)
= IENNE (feminine)
Pronounce the "ienne" as "yen."

a comedian, un comédien (masc.)
une comédienne (fem.)

un Algérien	un éléctricien	un mathématicien	un Péruvien
un Australien	un Égyptien	un musicien	un presbytérien
un Bolivien	un Italien	un Norvégien	un Prussien
un Brésilien	un Indien	(*Norwegian*)	un opticien
(*Brazilian*)	un magicien	un Parisien	un théologien
un comédien			

41
Leçon Numéro Quarante-et-un

FUTURE TENSE

To form the future tense of "er, re," or "ir" verbs, add the following endings to the COMPLETE INFINITIVE.

FUTURE-TENSE ENDINGS

AI	**ONS**
EZ	**EZ**
A	**ONT**

EXCEPTION: Drop the final "e" from "re" verbs before you add the above endings (see below: **vendre,** *to sell*).

The endings of the future tense are the same as the endings of the present tense of "avoir" (to have).

Present of **"avoir,"** *to have*

j'AI (*I have*)	**nous‿avONS** (*we have*)
vous‿avEZ (*you have*)	**vous‿avEZ** (*you have*)
il A (*he has*)	**ils‿ONT** (*they have*)

Future of **"parler,"** *to talk, speak*

je parlerAI (*I shall, will speak*)	**nous parlerONS** (*we shall, will speak*)
vous parlerEZ (*you will speak*)	**vous parlerEZ** (*you will speak*)
il parlerA (*he will speak*)	**ils parlerONT** (*they will speak*)

"ONS" and "ONT" have the same pronunciation.

"Parlerons" and "parleront" are pronounced alike. They end in a nasal "on."

donner, *to give*

je donnerAI (*I shall, will give*)	**nous donnerONS** (*we shall, will give*)
vous donnerEZ (*you will give*)	**vous donnerEZ** (*you will give*)
il, elle donnerA (*he, she will give*)	**ils, elles donnerONT** (*they will give*)

vendre, *to sell*

je vendrAI (*I shall, will sell*)	**nous vendrONS** (*we shall, will sell*)
vous vendrEZ (*you will sell*)	**vous vendrEZ** (*you will sell*)
il, elle vendrA (*he, she will sell*)	**ils, elles vendrONT** (*they will sell*)

Remember: In "re" verbs like "vendre," drop the final "e" before you add the endings.

Read these sentences aloud:

Je dînerai avec Paul demain. *I'll have dinner with Paul tomorrow.*

Il téléphonera à huit‿heures. *He'll call up at eight o'clock.*

Nous choisirons un bon restaurant. *We'll choose a good restaurant.*

Finirez-vous votre travail demain? *Will you finish your work tomorrow?*

Ils‿attendront l'avion. *They'll wait for the plane.*

Nous vendrons notre maison l'année prochaine. *We'll sell our house next year.*
Est-ce que vous câblerez à Robert? *Will you cable Robert?*
Est-ce que vous prêterez le livre à Louise? *Will you lend Louise the book?*

WRITTEN EXERCISE

Following is a list of infinitives converted into the first person singular and the second person (singular and plural) of the future tense.

1. Cover up the two right-hand columns.
2. Add the letters "ai" to the COMPLETE INFINITIVE as in the second column below for the first person singular.

   Remember: When a verb ends in "re," drop the "e" before you add the endings.

3. Add the letters "ez" to the COMPLETE INFINITIVE, as in the third column below, for the second person.

   Remember: When a verb ends in "re," drop the "e" before you add the endings.

4. Check your columns with those below.

INFINITIVE	FUTURE (first person singular)	FUTURE (second person)
parler	je parlerai	vous parlerez
to speak	*I shall, will speak*	*you will speak*
travailler	je travaillerai	vous travaillerez
to work	*I shall, will work*	*you will work*
câbler	je câblerai	vous câblerez
to cable	*I shall, will cable*	*you will cable*
finir	je finirai	vous finirez
to finish	*I shall, will finish*	*you will finish*
choisir	je choisirai	vous choisirez
to choose	*I shall, will choose*	*you will choose*
punir	je punirai	vous punirez
to punish	*I shall, will punish*	*you will punish*

INFINITIVE	FUTURE (first person singular)	FUTURE (second person)
apprendre	j'apprendrai	vous‿apprendrez
to learn	*I shall, will learn*	*you will learn*
comprendre	je comprendrai	vous comprendrez
to understand	*I shall, will understand*	*you will understand*
prendre	je prendrai	vous prendrez
to take	*I shall, will take*	*you will take*
danser	je danserai	vous danserez
to dance	*I shall, will dance*	*you will dance*
répondre	je répondrai	vous répondrez
to answer	*I shall, will answer*	*you will answer*
vendre	je vendrai	vous vendrez
to sell	*I shall, will sell*	*you will sell*
obéir	j'obéirai	vous‿obéirez
to obey	*I shall, will obey*	*you will obey*
préparer	je préparerai	vous préparerez
to prepare	*I shall, will prepare*	*you will prepare*
donner	je donnerai	vous donnerez
to give	*I shall, will give*	*you will give*
acheter	j'achèterai	vous‿achèterez
to buy	*I shall, will buy*	*you will buy*
aimer	j'aimerai	vous‿aimerez
to love, like	*I shall, will love, like*	*you will love, like*

WRITTEN EXERCISE

Following is a list of infinitives converted into the first and third persons plural of the future tense.

1. Cover up the two right-hand columns.
2. Add the letters "ONS" to the COMPLETE INFINITIVE, as in the second column below, for the first person plural.

   Remember: When a verb ends in "re," drop the "e" before you add the endings.

3. Add the letters "ONT" to the COMPLETE INFINITIVE, as in the third column below, for the third person plural.

   Remember: When a verb ends in "re," drop the "e" before you add the endings.

4. Check your columns with the two right-hand columns below.

INFINITIVE	FUTURE (first person plural)	FUTURE (third person plural)
parler	nous parlerons	ils parleront
to speak	*we shall, will speak*	*they will speak*
travailler	nous travaillerons	ils travailleront
to work	*we shall, will work*	*they will work*
câbler	nous câblerons	ils câbleront
to cable	*we shall, will cable*	*they will cable*
finir	nous finirons	ils finiront
to finish	*we shall, will finish*	*they will finish*
choisir	nous choisirons	ils choisiront
to choose	*we shall, will choose*	*they will choose*
punir	nous punirons	ils puniront
to punish	*we shall, will punish*	*they will punish*
apprendre	nous‿apprendrons	ils‿apprendront
to learn	*we shall, will learn*	*they will learn*
comprendre	nous comprendrons	ils comprendront
to understand	*we shall, will understand*	*they will understand*
prendre	nous prendrons	ils prendront
to take	*we shall, will take*	*they will take*
danser	nous danserons	ils danseront
to dance	*we shall, will dance*	*they will dance*
répondre	nous répondrons	ils répondront
to answer	*we shall, will answer*	*they will answer*
vendre	nous vendrons	ils vendront
to sell	*we shall, will sell*	*they will sell*
obéir	nous‿obéirons	ils‿obéiront
to obey	*we shall, will obey*	*they will obey*
préparer	nous préparerons	ils prépareront
to prepare	*we shall, will prepare*	*they will prepare*
donner	nous donnerons	ils donneront
to give	*we shall, will give*	*they will give*
acheter	nous‿achèterons	ils‿achèteront
to buy	*we shall, will buy*	*they will buy*
aimer	nous‿aimerons	ils‿aimeront
to love, like	*we shall, will love, like*	*they will love, like*

WRITTEN EXERCISE

Following is a list of infinitives converted into the third person singular.

1. Cover up the right-hand column.
2. Add the letter "a" to the COMPLETE INFINITIVE for the third person singular.

   Remember: When a verb ends in "re," remove the "e" before you add the endings.

3. Check your column with the right column below.

Pronounce the final "a" in these verbs. Pronounce the "a" as in "ah, sweet mystery."

INFINITIVE	FUTURE (third person singular)
parler, *to speak*	il parlera, *he will speak*
travailler, *to work*	il travaillera, *he will work*
câbler, *to cable*	il câblera, *he will cable*
finir, *to finish*	il finira, *he will finish*
choisir, *to choose*	il choisira, *he will choose*
punir, *to punish*	il punira, *he will punish*
apprendre, *to learn*	il apprendra, *he will learn*
comprendre, *to understand*	il comprendra, *he will understand*
prendre, *to take*	il prendra, *he will take*
danser, *to dance*	il dansera, *he will dance*
répondre, *to answer*	il répondra, *he will answer*
vendre, *to sell*	il vendra, *he will sell*
obéir, *to obey*	il obéira, *he will obey*
préparer, *to prepare*	il préparera, *he will prepare*
donner, *to give*	il donnera, *he will give*
acheter, *to buy*	il achètera, *he will buy*
aimer, *to love, like*	il aimera, *he will love, like*

Read the following sentences aloud:

Je finirai le travail à minuit.
I'll finish the work at midnight.
Resterez-vous‿à la campagne jusqu'à lundi?

Will you stay in the country until Monday?
Elles prépareront le dîner.
They will prepare dinner.
Nous‿achèterons un joli chapeau.
We'll buy a pretty hat.
Danserez-vous au restaurant?
Will you dance at the restaurant?
Il ne répondra pas‿au téléphone.
He will not answer the phone.
Vendrez-vous la maison l'année prochaine?
Will you sell the house next year?
Oui, je vendrai la maison l'année prochaine.
Yes, I'll sell the house next year.
Elle dînera demain avec Robert.
She'll have dinner with Robert tomorrow.
Il dînera ce soir avec Hélène.
He'll have dinner with Helen tonight.
Je parlerai demain à votre père.
I'll speak to your father tomorrow.
Jouerez-vous‿au tennis samedi prochain?
Will you play tennis next Saturday?
Nous donnerons‿une soirée.
We'll give a party.
Je répondrai à votre lettre.
I'll answer your letter.
J'inviterai Louise à dîner.
I'll invite Louise to dinner.
Je passerai le weekend à la campagne.
I'll spend the weekend in the country.
Est-ce qu'ils câbleront à Paul?
Will they cable Paul?
Elle arrangera les fleurs.
She will arrange the flowers.
Nous réserverons‿une table.
We'll reserve a table.
Ils commanderont le dîner.
They will order dinner.

NOTE: Most irregular verbs are regular in the future tense.

Dormir, *to sleep* je dormirai, *I will sleep*

Remember: When a verb ends in "e," drop the "e," before you add the future-tense endings.

Lire, *to read* je lirai, *I shall, will read*

WRITTEN EXERCISE

1. Cover up the two right-hand columns.
2. Add "ai" to the infinitive in the left-hand column to form the first person singular (as in the second column below).

   Remember to drop the "e" from "re" verbs.
3. Add the letter "a" for the third person singular, as in the third column below.

   Remember to drop the "e" from "re" verbs.
4. Check your columns with those below.

Most verbs that are irregular in other tenses are REGULAR in the future tense.

EXAMPLES:

INFINITIVE	FUTURE (first person singular)	FUTURE (third person singular)
dormir	je dormirai	il dormira
to sleep	*I shall, will sleep*	*he will sleep*
ouvrir	j'ouvrirai	il ouvrira
to open	*I shall, will open*	*he will open*
lire	je lirai	il lira
to read	*I shall, will read*	*he will read*
rire	je rirai	il rira
to laugh	*I shall, will laugh*	*he will laugh*
prendre	je prendrai	il prendra
to take	*I shall, will take*	*he will take*
apprendre	j'apprendrai	il apprendra
to learn	*I shall, will learn*	*he will learn*
comprendre	je comprendrai	il comprendra
to understand	*I shall, will understand*	*he will understand*
boire	je boirai	il boira
to drink	*I shall, will drink*	*he will drink*

INFINITIVE	FUTURE (first person singular)	FUTURE (third person singular)
dire	je dirai	il dira
to say, tell	*I shall, will say, tell*	*he will say, tell*
sortir	je sortirai	il sortira
to go out	*I shall, will go out*	*he will go out*
partir	je partirai	il partira
to leave	*I shall, will leave*	*he will leave*
offrir	j'offrirai	il offrira
to offer	*I shall, will offer*	*he will offer*
suivre	je suivrai	il suivra
to follow	*I shall, will follow*	*he will follow*
promettre	je promettrai	il promettra
to promise	*I shall, will promise*	*he will promise*
écrire	j'écrirai	il écrira
to write	*I shall, will write*	*he will write*

SENTENCE-FORMING EXERCISES

Combine the words below to form as many sentences as you can. Remember to say aloud all the French words and sentences in this book.

A

1	2	3
Parlerez-vous	à Paul	demain
Je danserai	au restaurant	ce soir
Il finira	le travail	à minuit
Resterez-vous	à la campagne	jusqu'à lundi
Je vous donnerai	le livre	demain
Paul achètera	une auto	samedi
Nous commanderons	le dîner	pour sept‿heures
Ils réserveront	une chambre	à l'hôtel
Finirez-vous	votre travail	aujourd'hui
Nous dînerons	au restaurant	avec Paul
Je passerai	le weekend	chez Robert
Nous‿accepterons	l'invitation	de Paul

B

1	2	3
Nous ne lirons pas	le journal	ce soir
Mettrez-vous	des fleurs	sur la table
Nous sortirons	avec Suzanne	après le dîner
Est-ce qu'ils partiront	avec Paul	demain
Prendrez-vous	la voiture	demain
Il ne lira pas	la revue	ce soir
Elle mettra	le courrier	sur la table

EXERCISE IN TRANSLATION

Translate the following sentences into French and check them with the correct translations below:

1. Will you speak to Paul tomorrow?
2. I'll dance at the restaurant tonight.
3. He will finish the work at midnight.
4. Will you stay in the country until Monday?
5. I'll give you the book tomorrow.
6. Paul will buy a car on Saturday.
7. We'll order dinner for seven o'clock.
8. They will reserve a room at the hotel.
9. Will you finish your work today?
10. We will have dinner at the restaurant with Paul.
11. I'll spend the weekend at Robert's house.
12. We will accept Paul's invitation.
13. We will not read the newspaper tonight.
14. Will you put flowers on the table?
15. We will go out with Susan after dinner.
16. Will they leave with Paul tomorrow?
17. Will you take the car tomorrow?
18. He will not read the magazine tonight.
19. She will put the mail on the table.

Check your sentences with the correct translations below.

1. Parlerez-vous à Paul demain?
2. Je danserai au restaurant ce soir.

3. Il finira le travail à minuit.
4. Resterez-vous à la campagne jusqu'à lundi?
5. Je vous donnerai le livre demain.
6. Paul achètera une auto samedi.
7. Nous commanderons le dîner pour sept heures.
8. Ils réserveront une chambre à l'hôtel.
9. Finirez-vous votre travail aujourd'hui?
10. Nous dînerons au restaurant avec Paul.
11. Je passerai le weekend chez Robert.
12. Nous accepterons l'invitation de Paul.
13. Nous ne lirons pas le journal ce soir.
14. Mettrez-vous des fleurs sur la table?
15. Nous sortirons avec Suzanne après le dîner.
16. Est-ce qu'ils partiront avec Paul demain?
17. Prendrez-vous la voiture demain?
18. Il ne lira pas la revue ce soir.
19. Elle mettra le courrier sur la table.

VERBS THAT ARE IRREGULAR IN THE FUTURE TENSE

Only a few verbs are irregular in the future tense. Notice that only the root (the body) of these verbs is irregular. The endings are REGULAR future-tense endings.

venir, *to come*

je viendrAI (*I shall, will come*)	**nous viendrONS** (*we shall, will come*)
vous viendrEZ (*you will come*)	**vous viendrEZ** (*you will come*)
il viendrA (*he will come*)	**ils viendrONT** (*they will come*)

voir, *to see*

je verrAI (*I shall, will see*)	**nous verrONS** (*we shall, will see*)
vous verrEZ (*you will see*)	**vous verrEZ** (*you will see*)
il verrA (*he will see*)	**ils verrONT** (*they will see*)

LIST OF VERBS THAT ARE IRREGULAR IN THE FUTURE TENSE

INFINITIVE	FUTURE	TRANSLATION
aller, *to go*	j'IRai	*I shall, will go*
s'en‿aller, *to go away*	je m'en‿IRai	*I shall, will go away*
s'asseoir, *to sit down*	je m'ASSIÉRai	*I shall, will sit down*
avoir, *to have*	j'AURai	*I shall, will have*
courir, *to run*	je COURRai	*I shall, will run*
devoir, *to owe, to have to*	je DEVRai	*I shall, will owe, I shall, will have to*
envoyer, *to send*	j'ENVERRai	*I shall, will send*
être, *to be*	je SERai	*I shall, will be*
faire, *to do, make*	je FERai	*I shall, will do*
mourir, *to die*	je MOURRai	*I shall, will die*
pouvoir, *to be able*	je POURRai	*I shall, will be able*
recevoir, *to receive*	je RECEVRai	*I shall, will receive*
revenir, *to return*	je REVIENDRai	*I shall, will return*
savoir, *to know*	je SAURai	*I shall, will know*
tenir, *to hold*	je TIENDRai	*I shall, will hold*
venir, *to come*	je VIENDRai	*I shall, will come*
voir, *to see*	je VERRai	*I shall, will see*
vouloir, *to want*	je VOUDRai	*I shall, will want*

WORDS TO REMEMBER

beaucoup d'invités, *many guests*
Quand je partirai. *When I leave.*
Lorsque nous serons prêts. *When we are ready.*
Aussitôt qu'il rentrera. *As soon as he gets home.*
Dès que je pourrai. *As soon as I can.*
Pendant que Paul sera en voyage. *While Paul is away.*
Il y aura beaucoup de monde. *There will be a lot of people.*
Est-ce qu'il y aura beaucoup de monde? *Will there be a lot of people?*
Il n'y aura pas de courrier. *There will not be any mail.*
Si j'ai le temps. *If I have the time.*
Le téléphone sonne. *The phone is ringing.*

Il ne répondra pas‿au téléphone. *He will not answer the phone.*
Je vais‿être en retard. *I am going to be late.*
Le train va partir. *The train is going to leave.*
Paul va arriver tout de suite. *Paul is going to arrive right away.*
J'irai en France. *I will go to France.*
Il ira au cinéma. *He will go to the movies.*
Ils‿auront beaucoup de travail. *They will have a lot of work.*
Je serai à Paris en‿août. *I'll be in Paris in August.*
Il viendra à huit‿heures. *He'll come at eight o'clock.*
Pourront‿ils finir le travail? *Will they be able to finish the work?*
Je ferai un long voyage. *I'll take (make) a long trip.*
J'enverrai des fleurs. *I'll send some flowers.*
Est-ce que nous verrons Paul? *Will we see Paul?*

FUTURE OF "IL Y A" (There is, there are)

Il y aura. *There will be.*
Il n'y aura pas. *There will not be.*
Y aura-t‿il? *Will there be?*
Est-ce qu'il y aura? *Will there be?*

EXAMPLES:

Est-ce qu'il y aura beaucoup de travail ce soir? *Will there be a lot of work tonight?*
Y aura-t‿il beaucoup de travail? *Will there be a lot of work?*
Il y aura beaucoup de travail. *There will be a lot of work.*
Il y aura beaucoup de monde. *There will be a lot of people.*
Il n'y aura pas de courrier. *There will not be any mail, there will be no mail.*

USES OF THE FUTURE TENSE

I

In general the future is used in the same way in French as it is in English.

EXAMPLES:

Il vous‿écrira. *He'll write to you.*
Je vendrai la maison. *I'll sell the house.*

Nous‿attendrons l'avion. *We'll wait for the plane.*
Ils finiront le travail. *They'll finish the work.*
Je resterai à la maison. *I'll stay home.*

II. IMMEDIATE ACTION REQUIRES THE "JE VAIS" FORM

Don't use the future tense, which you learn in this lesson, to express anything that is going to happen immediately. In this case you must use the "je vais" form. If you can say *"right away"* after a sentence, you must use the "je vais" form.

EXAMPLES OF IMMEDIATE ACTION

Le téléphone sonne; je vais répondre.
The phone is ringing; I am going to answer it (right away).
J'ai froid; je vais fermer la fenêtre.
I am cold; I am going to close the window (right away).
Je vais me coucher tout de suite.
I am going to bed right away.
Je suis‿en retard; je vais prendre un taxi.
I am late; I am going to take a taxi (right away).
Nous‿avons très faim; nous‿allons déjeuner.
We are very hungry; we are going to have lunch (right away).
Le train va partir dans cinq minutes.
The train is going to leave in five minutes.
Je prépare le dîner parce que Paul va arriver tout de suite.
I am preparing dinner because Paul is going to get here right away.
Il est huit‿heures; je vais‿être en retard.
It's eight; I am going to be late.

III. ACTION THAT IS NOT IMMEDIATE

When an action is not going to take place immediately, EITHER the future tense or the "je vais" form is used. It's just a matter of individual choice.

EXAMPLES:

1. Je parlerai à Paul demain. *I'll speak to Paul tomorrow.*
2. Je vais parler à Paul demain. *I'm going to speak to Paul tomorrow.*

1. Je vendrai la maison. *I'll sell the house.*
2. Je vais vendre la maison. *I'm going to sell the house.*

Use whichever form you like if the action is not immediate.

THE PRESENT USED WITH THE FUTURE

In French the present tense is used with the future tense as it is in English:

PRESENT	FUTURE
Si j'ai le temps........	j'irai au cinéma.
If I have the time......	*I will go to the movies.*
Si vous venez..........	je vous montrerai la maison.
If you come...........	*I will show you the house.*
Si Louise nous‿écrit....	nous lui répondrons.
If Louise writes us.....	*we will answer her.*

WORDS THAT ARE FOLLOWED BY THE FUTURE TENSE

In French you must use the future tense after the following words (when they imply a future time). In English you use the present tense after these words.

quand, *when* **dès que,** *as soon as*
lorsque, *when* **pendant que,** *while*
aussitôt que, *as soon as*

EXAMPLES:

Il prendra mon appartement..quand je partirai.
(FUTURE) (FUTURE)
He will take my apartment....when I leave.
(FUTURE) (PRESENT)

Nous dînerons...............aussitôt qu'il rentrera.
(FUTURE) (FUTURE)
We will have dinner.........as soon as he gets home.
(FUTURE) (PRESENT)

Je répondrai..................dès que je pourrai.
(FUTURE) (FUTURE)
I will answer ....as soon as I can.
(FUTURE) (PRESENT)

Nous vous téléphonerons......lorsque nous serons prêts.
(FUTURE) (FUTURE)
We will call you.............when we are ready.
(FUTURE) (PRESENT)

Je dînerai au restaurant.......pendant que Paul sera en voyage.
(FUTURE) (FUTURE)
I will have dinner at the restaurant..........while Paul is away.
(FUTURE) (PRESENT)

NOTE: "En voyage" means *"on a trip"* or *"away on a trip."*

SENTENCE-FORMING EXERCISES

Combine the words below in different ways to form as many sentences as you can. Be sure to use words from each of the columns in every sentence you form.

A

1	2	3
J'irai *(I'll go)*	en France *(to France)*	l'année prochaine *(next year)*
Il ira	au cinéma	ce soir
Ils n'iront pas	en France	cet‿été
Irez-vous	en Europe	avec vos‿amis
Nous n'irons pas	à la réception	de Monsieur Dufrac

B

1	2	3
J'aurai *(I will have)*	l'argent *(the money)*	demain *(tomorrow)*
Ils‿auront *(They will have)*	beaucoup de travail *(a lot of work)*	cette année *(this year)*
Nous‿aurons *(We shall have)*	une auto *(a car)*	à la campagne *(in the country)*
Paul ne sera pas *(Paul will not be)*	à l'heure *(on time)*	ce matin *(this morning)*

C

1	2	3
Je serai	à Paris	en‿août
Serez-vous	au bureau	à trois‿heures
J'irai	vous voir	vendredi
Est-ce que Paul viendra	avec vous	dimanche
Viendrez-vous	avant	le dîner
Il viendra	à huit‿heures	demain

D

1	2	3
Il verra	Louise	à Paris
(*He'll see*)	(*Louise*)	(*in Paris*)
Nous vous verrons	au théâtre	ce soir
Est-ce que nous verrons	Paul	pendant le weekend
Je ne pourrai pas	partir	avant le printemps
(*I will not be able*)	(*to leave*)	(*before spring*)
Pourront‿ils	finir leur travail	le mois prochain
Je ferai	un long voyage	l'été prochain
J'enverrai	des fleurs	à Louise
Je ne pourrai pas	aller	à la réception

E

1	2	3
Il y aura	beaucoup de monde	à la réception
(*There will be*)	(*a lot of people*)	(*at the party*)
Il n'y aura pas	beaucoup de travail	demain
Y aura-t‿il	beaucoup d'invités	ce soir
Est-ce qu'il y aura	(*many guests*)	(*tonight*)
(*Will there be*)		

EXERCISE IN TRANSLATION

Translate the following sentences into French and check them with the correct translations below.

1. I'll go to France next year.
2. He'll go to the movies tonight.
3. They will not go to France this summer.
4. Will you go to Europe with your friends?

5. We will not go to Mr. Dufrac's party.
6. I'll have the money tomorrow.
7. They will have much work this year.
8. We will have a car in the country.
9. Paul will not be on time this morning.
10. I'll be in Paris in August.
11. Will you be at the office at three o'clock?
12. I'll go to see you on Friday.
13. Will Paul come with you?
14. Will you come before dinner?
15. He will come at eight o'clock tomorrow.
16. He'll see Louise in Paris.
17. We will see you at the theater tonight.
18. Will we see Paul during the weekend?
19. I will not be able to leave before spring.
20. Will they be able to finish their work next month?
21. I'll take (make) a long trip next summer.
22. I'll send Louise some flowers.
23. I will not be able to go to the party.
24. There will be a lot of people at the party.
25. Will there be much work tomorrow?
26. Will there be many guests tonight?

Check your sentences with the correct translations below.

1. J'irai en France l'année prochaine.
2. Il ira au cinéma ce soir.
3. Ils n'iront pas en France cet été.
4. Irez-vous en Europe avec vos amis?
5. Nous n'irons pas à la réception de Monsieur Dufrac.
6. J'aurai l'argent demain.
7. Ils auront beaucoup de travail cette année.
8. Nous aurons une auto à la campagne.
9. Paul ne sera pas à l'heure ce matin.
10. Je serai à Paris en août.
11. Serez-vous au bureau à trois heures?
12. J'irai vous voir vendredi.
13. Est-ce que Paul viendra avec vous?
14. Viendrez-vous avant le dîner?
15. Il viendra demain à huit heures.

16. Il verra Louise à Paris.
17. Nous vous verrons au théâtre ce soir.
18. Est-ce que nous verrons Paul pendant le weekend?
19. Je ne pourrai pas partir avant le printemps.
20. Pourront-ils finir leur travail le mois prochain?
21. Je ferai un long voyage l'été prochain.
22. J'enverrai des fleurs à Louise.
23. Je ne pourrai pas aller à la réception.
24. Il y aura beaucoup de monde à la réception.
25. Y aura-t-il beaucoup de travail demain?
    Est-ce qu'il y aura beaucoup de travail demain?
26. Est-ce qu'il y aura beaucoup d'invités ce soir?
    Y aura-t-il beaucoup d'invités ce soir?

REMINDER CARDS

Je parlerai	à Suzanne
Vous finirez	le livre
Il vendra	la maison
Nous lirons	le livre
J'irai	à la campagne
Il ira	à Paris
Vous verrez	Paul
Ils répondront	à Louise

Il y aura — beaucoup de monde
(There will be) — *(a lot of people)*

Si j'ai le temps — j'irai au cinéma
(If I have time) — *(I'll go to the movies)*

Immediate future

Je vais fermer la fenêtre.
(I'm going to close the window [right away].)

Je vais finir tout de suite.
(I'm going to finish right away.)

CATEGORY XXIV

Many words that end in "ct" are identical in French and in English. You must add the letter "e" to some of these to convert them into French words. Most of these words are masculine.

CT = CT
= CTE

direct, direct
an architect, un architecte

The letters "ct" are not pronounced in the words marked with an asterisk. The letters "ct" are pronounced in the words that are not so marked.

un acte	correct	incorrect	un pacte
un architecte	un dialecte	indirect	le respect*
un aspect*	(*dialect*)	un insecte	strict
une cataracte	direct	un instinct*	suspect*
circonspect*	distinct*	intact	le tact
(*circumspect*)	un district*	l'intellect	le verdict*
un contact	exact		

In a few words that belong to this category the letter "c" is dropped in French. The last letter, "t," is not pronounced.

un conflit	un édit	un objet	un sujet
(*conflict*)	(*edict*)	(*object*)	(*subject*)
un contrat	un effet	un projet	
(*contract*)	(*effect*)	(*project*)	

EXTRA WORDS

Exercise in Pronunciation of A, À, Â

In French "A, À, Â" are pronounced as the "a" in "*father.*"

la carte des vins, *the wine list*
une cabine, *a stateroom*
une cabine extérieure, *an outside cabin*

une carte d'identité, *an identification paper*
le bar, *the bar*
une agence immobilière, *a real estate agency*
une villa, *a country house*
une écharpe, *a scarf* (woman's)
la tarte, *open fruit pie, tart*
la salle d'attente, *the waiting room*
la salle à manger, *the dining room*
la glace, *ice cream*
l'eau glacée, *ice water*
la place, *the square*
papa, *papa, dad*
la gare, *the railway station*
Frappez. *Knock* (on the door)
un sac (à main), *a bag* (*hand*)
une actrice, *an actress*
l'arrivée, *the arrival*
une carafe de vin rouge, *a decanter of red wine*
une carafe de vin blanc, *a decanter of white wine*
la carte du jour, *the menu*
une nappe, *a tablecloth*
de savon à barbe, *shaving cream*
les lames (de rasoir), (*razor*) *blades*
mon mari, *my husband*
ma femme, *my wife*
mon‿ami, *my friend* (masc.)
mon‿amie, *my friend* (fem.)
une place d'avion, *an airplane seat*
l'argent français, *French money*
les vacances, *the vacation*
déjà, *already*
sale, *dirty*
pâle, *pale*
Relâche. *Closed* (for theaters).
l'âge, *the age*
la pâte dentifrice, *toothpaste*

EXTRA WORDS

Exercise in Pronunciation of É, final ER, final EZ

In French, "É, ER, EZ" are pronounced as the *"e"* in *"heir,"* but make this a short sound.

expédier, *to send*
le portier, *the doorman, luggage porter*
papier à lettre, *writing paper*
le caissier, *the cashier*
le souper, *the supper*
le cordonnier, *the shoemaker, cobbler*
un cendrier, *an ash tray*
le sommelier, *the wine waiter*
premier (masc.), **première** (fem.), *first*
le premier service, *the first call (in the dining car, etc.)*
un teinturier, *a cleaner and dyer*
le panier, *the basket*
le courrier, *the mail*
À quelle heure est le premier service? *At what time is the first call (in the dining car)?*
un bijoutier, *a jeweler*
l'escalier, *the stairs*
l'hôtelier, *the hotelkeeper*
l'étranger (masc.), **l'étrangère** (fem.), *the foreigner*
souper, *to have supper*
volontiers, *gladly*
assez, *enough*
assez d'argent, *enough money*
et, *and*
traverser, *to cross*
remercier, *to thank*

EXTRA WORDS

Exercise in Pronunciation of O and Ô

In French, "O, Ô" are pronounced as the *"o"* in *"boat."*

rose, *pink*
l'aérodrome, *the airport*
le métro, *the subway*

un stylo, *a fountain pen*
le mot, *the word*
drôle, *droll, funny*
le rôle, *the part* (in a play)
le (la) vôtre, *yours*
le maître d'hôtel, *the headwaiter*
à côté (de), *next (to)*
gros (masc.), **grosse** (fem.), *thick, stout, big*

EXTRA WORDS

Exercise in Pronunciation of CH

In French "CH" is pronounced as the "*sh*" in "*shell.*"

chacun (masc.), **chacune** (fem.), *each one*
charmant(e), *charming*
une chaise, *a chair*
une chanteuse, *a singer*
le champagne, *the champagne*
blanche (fem.), *white*
Charles, *Charles*
un chèque, *a check*

The letter "j" in French and the letter "g" before "e, i" are pronounced as the second "g" in "*garage.*"

une agence, *an agency*
Georges, *George*
avantage, *advantage*
Joseph, *Joseph*
juste, *just*
une jaquette, *a jacket* (woman's)
Jean, *John*
un journal, *a newspaper*
Jacques, *Jack*
juin, *June*
juillet, *July*

EXTRA WORDS

Exercises in Pronunciation of I

Pronounce every "I" in this exercise as the "*i*" in "*niece.*"

si, *so*
Je suis si fatigué(e). *I am so tired.*
le lit, *the bed*
la ville, *the town, the city*
un plan de la ville, *a map of the city*
gris(e), *gray*
une chambre à un lit, *a single room*
une chambre à deux lits, *a double room*
mon fils, *my son* ("fils" is pronounced, "feece")
mon petit-fils, *my grandson*
vite, *fast*
quatre litres d'essence, *one gallon of gasoline*
mille, *one thousand*
les visites, *visitors, company*
triste, *sad*
Entrée Libre. *Free Entrance, Admission Free.*
du fil, *thread*

EXTRA WORDS

Exercise in Pronunciation of È, Ê

In French "È, Ê" are pronounced as the *"e"* in *"men."*

la mère, *the mother*
la première, *the first*
un billet de première (classe), *a first-class ticket*
légère (fem.), *light* (in weight)
fière (fem.), *proud*
chère (fem.), *expensive*
la première fois, *the first time*
le même (masc.), *the same*
la même (fem.), *the same*
la même robe, *the same dress*
C'est la même chose. *It's the same thing.*
Donnez-moi la même chose. *Give me the same thing.*
Vous de même. *The same to you.*
prêter, *to lend*

42
Leçon Numéro Quarante-deux

THE CONDITIONAL

The conditional is what its name implies: an act you would do under a certain condition.

EXAMPLE:

He would go if he could get a ticket.

"*He would go*" is conditional because he would go on the condition that he could get a ticket.

The conditional is very easy to form in French. The conditional endings are exactly like the imperfect endings. The only difference in the formation of these tenses is that in the imperfect you add the endings to the root of the verb, and in the conditional you add the endings to the COMPLETE INFINITIVE.

Following is a chart of the endings of the imperfect and the conditional.

To form the imperfect, you add these endings to the stems of the verb (you know this well by now).
To form the conditional, you add these endings to the COMPLETE INFINITIVE.

AIS	**IONS**
IEZ	**IEZ**
AIT	**AIENT**

EXAMPLE:

donner, *to give*

je donnerais (*I would give*)	**nous donnerions** (*we would give*)
vous donneriez (*you would give*)	**vous donneriez** (*you would give*)
il donnerait (*he would give*)	**ils donneraient** (*they would give*)

THE CONDITIONAL COMPARED WITH THE IMPERFECT

IMPERFECT

parler, *to speak*

je PARLais (*I used to speak*)	nous PARLions (*we used to speak*)
vous PARLiez (*you used to speak*)	vous PARLiez (*you used to speak*)
il PARLait (*he used to speak*)	ils PARLaient (*they* [masc.] *used to speak*)

CONDITIONAL

parler, *to speak*

je PARLERais (*I would speak*)	nous PARLERions (*we would speak*)
vous PARLERiez (*you would speak*)	vous PARLERiez (*you would speak*)
il PARLERait (*he would speak*)	ils PARLERaient (*they* [masc.] *would speak*)

You can add the conditional endings to the complete infinitive of "er," "ir," and "re" verbs. However, drop the final "e" from "re" verbs before you add the endings.

EXAMPLE:

CONDITIONAL

vendre, *to sell*

je VENDRais (*I would sell*)	nous VENDRions (*we would sell*)
vous VENDRiez (*you would sell*)	vous VENDRiez (*you would sell*)
il VENDRait (*he would sell*)	ils VENDRaient (*they* [masc.] *would sell*)

WRITTEN EXERCISE

Write out the conditional chart of each of the following verbs. After you have written the verbs, compare your charts with those below.

1. **parler,** *to speak*
2. **finir,** *to finish*
3. **vendre,** *to sell*
4. **lire,** *to read*

1. parler, *to speak*

je PARLERais (*I would speak*)	nous PARLERions (*we would speak*)
vous PARLERiez (*you would speak*)	vous PARLERiez (*you would speak*)
il, elle PARLERait (*he, she would speak*)	ils, elles PARLERaient (*they would speak*)

2. finir, *to finish*

je FINIRais (*I would finish*)	nous FINIRions (*we would finish*)
vous FINIRiez (*you would finish*)	vous FINIRiez (*you would finish*)
il, elle FINIRait (*he, she would finish*)	ils, elles FINIRaient (*they would finish*)

3. **vendre,** *to sell*

je VENDRais (*I would sell*)	nous VENDRions (*we would sell*)
vous VENDRiez (*you would sell*)	vous VENDRiez (*you would sell*)
il, elle VENDRait (*he, she would sell*)	ils, elles VENDRaient (*they would sell*)

4. **lire,** *to read*

je LIRais (*I would read*)	nous LIRions (*we would read*)
vous LIRiez (*you would read*)	(vous LIRiez) (*you would read*)
il, elle LIRait (*he, she would read*)	ils, elles LIRaient (*they would read*)

LIST OF VERBS IN THE CONDITIONAL

INFINITIVE	CONDITIONAL
embrasser, *to kiss*	j'embrasserais, *I would kiss*
publier, *to publish*	je publierais, *I would publish*
grandir, *to grow*	je grandirais, *I would grow*
menacer, *to threaten*	je menacerais, *I would threaten*
apprécier, *to appreciate*	j'apprécierais, *I would appreciate*
prétendre, *to pretend*	je prétendrais, *I would pretend*
déduire, *to deduct, deduce*	je déduirais, *I would deduct, deduce*
perdre, *to lose*	je perdrais, *I would lose*
cuire, *to cook*	je cuirais, *I would cook*
vieillir, *to grow old*	je vieillirais, *I would grow old*
admettre, *to admit*	j'admettrais, *I would admit*
suspendre, *to hang up*	je suspendrais, *I would hang up*
mentir, *to lie*	je mentirais, *I would lie*
garantir, *to guarantee*	je garantirais, *I would guarantee*
prêter, *to lend*	je prêterais, *I would lend*
garnir, *to garnish*	je garnirais, *I would garnish*
forcer, *to compel, to force*	je forcerais, *I would compel, force*
embellir, *to embellish*	j'embellirais, *I would embellish*
jouer, *to play*	je jouerais, *I would play*
insister, *to insist*	j'insisterais, *I would insist*

INFINITIVE	CONDITIONAL
détester, *to detest*	je détesterais, *I would detest*
caresser, *to caress*	je caresserais, *I would caress*
affirmer, *to affirm*	j'affirmerais, *I would affirm*
réfléchir, *to think over, reflect*	je réfléchirais, *I would think over, reflect*
assortir, *to match, go with*	j'assortirais, *I would match*
décider, *to decide*	je déciderais, *I would decide*
comparer, *to compare*	je comparerais, *I would compare*
approuver, *to appprove*	j'approuverais, *I would approve*
consoler, *to comfort*	je consolerais, *I would comfort*
brunir, *to brown* (a meat), *to tan* (in the sun)	je brunirais, *I would brown* (a meat), *tan* (in the sun)
continuer, *to continue*	je continuerais, *I would continue*
dormir, *to sleep*	je dormirais, *I would sleep*
observer, *to observe*	j'observerais, *I would observe*
sortir, *to go out*	je sortirais, *I would go out*
proposer, *to propose*	je proposerais, *I would propose*
consentir, *to consent*	je consentirais, *I would consent*
résister, *to resist*	je résisterais, *I would resist*
conduire, *to conduct* (an orchestra) *drive* (a car) *take someone* (to a place) *lead* (the way)	je conduirais, *I would conduct*

VERBS THAT ARE IRREGULAR IN THE CONDITIONAL

There are a few verbs that are irregular in the conditional. These are the same verbs that are irregular in the future.

To form the conditional, take the stem of a verb irregular in the future tense and add the conditional endings to it.

EXAMPLE:

You know that "Je VERRai" (*I will see*) is the future of "voir" (*to see*). Take "VERR" (the stem) and add the regular conditional endings:

COMPARE THE FUTURE AND THE CONDITIONAL

FUTURE

voir, *to see*

je VERRai (*I shall, will see*)	*nous* VERR*ons* (*we shall, will see*)
vous VERRez (*you will see*)	vous VERRez (*you will see*)
il, elle VERRa (*he, she will see*)	ils, elles VERRont (*they will see*)

CONDITIONAL

voir, *to see*

je VERRais (*I should, would see*)	nous VERRions (*we should, would see*)
vous VERRiez (*you would see*)	vous VERRiez (*you would see*)
il, elle VERRait (*he, she would see*)	ils, elles VERRaient (*they would see*)

Notice that the stem of the conditional (VERR) is identical to the stem of the future. Only the endings are different.

LIST OF VERBS THAT ARE IRREGULAR IN THE FUTURE AND IN THE CONDITIONAL

To form the complete conditional of each of the following irregular verbs, take the stem (in capital letters below) and add the REGULAR conditional endings to it.

Notice that the stems are identical in the conditional and in the future.

INFINITIVE	FUTURE 1st Person Sing.	CONDITIONAL 1st Person Sing.
aller	j'IRai	j'IRais
to go	*I will go*	*I would go*
s'en‿aller	je m'en‿IRai	je m'en‿IRais
to go away	*I will go away*	*I would go away*
s'asseoir	je m'ASSIÉRai	je m'ASSIÉRais
to sit down	*I will sit down*	*I would sit down*

INFINITIVE	FUTURE 1st Person Sing.	CONDITIONAL 1st Person Sing.
avoir	j'AURai	j'AURais
to have	*I will have*	*I would have*
courir	je COURRai	je COURRais
to run	*I will run*	*I would run*
devoir	je DEVRai	je DEVRais
to owe, to have to	*I will owe, will have to*	*I ought to, should*
envoyer	j'ENVERRai	j'ENVERRais
to send	*I will send*	*I would send*
être	je SERai	je SERais
to be	*I will be*	*I would be*
faire	je FERai	je FERais
to do, make	*I will do*	*I would do*
mourir	je MOURRai	je MOURRais
to die	*I will die*	*I would die*
pouvoir	je POURRai	je POURRais
to be able	*I will be able*	*I would be able*
recevoir	je RECEVRai	je RECEVRais
to receive	*I will receive*	*I would receive*
revenir	je REVIENDRai	je REVIENDRais
to return	*I will return*	*I would return*
savoir	je SAURai	je SAURais
to know	*I will know*	*I would know*
tenir	je TIENDRai	je TIENDRais
to hold	*I will hold*	*I would hold*
venir	je VIENDRai	je VIENDRais
to come	*I will come*	*I would come*
voir	je VERRai	je VERRais
to see	*I will see*	*I would see*
vouloir	je VOUDRai	je VOUDRais
to want	*I will want*	*I would want*

WRITTEN EXERCISE

Write out a chart of the conditional of each of the following verbs:

1. **aller,** *to go* 2. **avoir,** *to have* 3. **être,** *to be*

Check your charts with those below.

aller, *to go*

j'irais (*I would go*)	**nous‿irions** (*we would go*)
vous‿iriez (*you would go*)	**vous‿iriez** (*you would go*)
il irait (*he would go*)	**ils‿iraient** (*they would go*)

avoir, *to have*

j'aurais (*I would have*)	**nous‿aurions** (*we would have*)
vous‿auriez (*you would have*)	**vous‿auriez** (*you would have*)
il aurait (*he would have*)	**ils‿auraient** (*they would have*)

être, *to be*

je serais (*I would be*)	**nous serions** (*we would be*)
vous seriez (*you would be*)	**vous seriez** (*you would be*)
il serait (*he would be*)	**ils seraient** (*they would be*)

WRITTEN EXERCISE

Following is a list of infinitives converted into the first person of the future and the first person of the conditional.

1. Cover up the right-hand columns.
2. Write out the first person singular of the future as in the second column below.
3. Write out the first person of the conditional as in the third column below.
4. Check your columns with those below.

INFINITIVE	FIRST PERSON FUTURE (*singular*)	FIRST PERSON CONDITIONAL (*singular*)
aller	j'irai	j'irais
to go	*I'll go*	*I would go*
s'en‿aller	je m'en‿irai	je m'en‿irais
to go away	*I'll go away*	*I would go away*
s'asseoir	je m'assiérai	je m'assiérais
to sit down	*I'll sit down*	*I would sit down*
avoir	j'aurai	j'aurais
to have	*I'll have*	*I would have*
courir	je courrai	je courrais
to run	*I'll run*	*I would run*
devoir	je devrai	je devrais
to have to, must, owe	*I must, have to*	*I would owe, have to*
envoyer	j'enverrai	j'enverrais
to send	*I'll send*	*I would send*
être	je serai	je serais
to be	*I'll be*	*I would be*
faire	je ferai	je ferais
to do	*I'll do*	*I would do*
mourir	je mourrai	je mourrais
to die	*I'll die*	*I would die*
pouvoir	je pourrai	je pourrais
to be able	*I'll be able*	*I would be able, I could, I might*
recevoir	je recevrai	je recevrais
to receive	*I'll receive*	*I would receive*
revenir	je reviendrai	je reviendrais
to return	*I'll return*	*I would return*
savoir	je saurai	je saurais
to know	*I'll know*	*I would know*
tenir	je tiendrai	je tiendrais
to hold	*I'll hold*	*I would hold*
venir	je viendrai	je viendrais
to come	*I'll come*	*I would come*
voir	je verrai	je verrais
to see	*I'll see*	*I would see*

INFINITIVE	FIRST PERSON FUTURE (*singular*)	FIRST PERSON CONDITIONAL (*singular*)
vouloir *to want*	je voudrai *I'll want*	je voudrais *I would want, I would like*

USES OF THE CONDITIONAL

1. THE CONDITIONAL AND THE IMPERFECT

In French the conditional is used in combination with the imperfect.

EXAMPLE:

JÉCRIRAIS‿une lettre........si j'AVAIS le temps.
(conditional) (imperfect)
I WOULD WRITE a letter....if I HAD time.

This order can be reversed:

Si J'AVAIS le temps...........j'ÉCRIRAIS‿une lettre.
(imperfect) (conditional)
If I HAD time.................I WOULD WRITE a letter.

WORDS TO REMEMBER

IMPERFECT

si j'avais le temps, *if I had time*
si vous‿aviez le temps, *if you had time*
s'il (si elle) avait le temps, *if he (if she) had time*
si nous‿avions le temps, *if we had time*
si vous‿aviez le temps, *if you had time*
s'ils (si elles) avaient le temps, *if they* (masc., fem.) *had time*
si je pouvais, *if I could*
si vous pouviez, *if you could*
s'il (si elle) pouvait, *if he (if she) could*
si nous pouvions, *if we could*
si vous pouviez, *if you could*
s'ils (si elles) pouvaient, *if they could*

CONDITIONAL

je me lèverais tard, *I would get up late*
nous nous reposerions‿une heure, *we would rest for an hour*
Voudriez-vous me donner un verre d'eau, s'il vous plaît? *Would you please give me a glass of water?*
Voudriez-vous‿ouvrir la porte, s'il vous plaît? *Would you open the door, please?*
Voudriez-vous fermer la porte, s'il vous plaît? *Would you close the door, please?*
elle a dit que, *she said that*
Je joue au bridge. *I play bridge*
Je joue du piano. *I play the piano.*

Read the following sentences aloud:

1. S'il avait de l'argent. .il ACHÈTERAIT une voiture.
   If he had money.....he would buy a car.
2. Si j'avais le temps....j'ÉCRIRAIS un livre.
   If I had time........I would write a book.
3. Si elle avait le temps. .elle PRÉPARERAIT le dîner.
   If she had time......she would prepare dinner.
4. Si nous‿avions du papier..............nous COPIERIONS la leçon.
   If we had paper.....we would copy the lesson.
5. Si vous‿étudiiez plus. vous PARLERIEZ le français.
   If you studied more..you would speak French.
6. S'il avait le temps....il FINIRAIT le travail.
   If he had time.......he would finish the work.
7. Si je pouvais........je me LÈVERAIS tard.
   If I could...........I would get up late.
8. Si nous pouvions.....nous nous REPOSERIONS une heure.
   If we could.........we would rest for an hour.
9. Si vous pouviez......ÉTUDIERIEZ-vous l'italien?
   If you could.........would you study Italian?

II. THE CONDITIONAL AFTER "IF I WERE"

You have learned that *"If I were . . ."* is expressed in the imperfect in French: "Si j'étais . . ." The expressions *"If I were," "If you were,"* etc., are used in combination with the conditional.

EXAMPLE:

IMPERFECT	CONDITIONAL
Si j'étais‿avec vous....	je serais content(e).
If I were with you.....	*I would be happy.*

Read the following sentences aloud:

1. Si j'étais prêt, je PARTIRAIS tout de suite.
   If I were ready, I would leave at once.
2. Si j'étais vous, je l'ACCEPTERAIS.
   If I were you, I would accept it.
3. Si j'allais‿à Paris, je RESTERAIS tout l'été.
   If I went to Paris, I would stay all summer.
4. Si vous veniez, je RESTERAIS jusqu'à dimanche.
   If you came, I would stay until Sunday.
5. Si la maison était plus grande, nous l'ACHÈTERIONS.
   If the house were bigger (more big), we would buy it.
6. Si vous n'étiez pas fatigué, nous JOUERIONS‿au tennis.
   If you weren't tired, we would play tennis.
7. Si je n'étais pas‿aussi occupée, j'APPRENDRAIS à jouer du piano.
   If I (fem.) *weren't so busy, I would learn to play the piano.*

NOTE: "Jouer" is followed by the word "au" (*to the, at the*) when you speak of playing games.
"Jouer" is followed by the word "du" when you speak of playing musical instruments.

EXAMPLES:

Je joue au tennis. *I play tennis.*
Je joue au bridge. *I play bridge.*
Je joue du piano. *I play the piano.*
Je joue du violon. *I play the violin.*

III. THE CONDITIONAL AFTER "HE SAID THAT . . ."

"Il a dit" (*He said that*) is combined with the conditional in French, just as it is in English.

Read the following sentences aloud:

Il a dit qu'il resterait‿avec Louise.
He said that he would stay with Louise.

Il a dit qu'il finirait son travail.
He said that he would finish his work.
J'ai dit que je préparerais le dîner.
I said that I would prepare dinner.
Il a dit qu'il me prêterait‿un livre.
He said that he would lend me a book.
Nous‿avons dit que nous resterions‿à la maison.
We said that we would stay at home.
Ils‿ont dit qu'ils‿inviteraient Paul.
They said that they would invite Paul.
Vous‿avez dit que vous dormiriez tard.
You said that you would sleep late.
Elle a dit qu'elle sortirait de bonne heure ce soir.
She said that she would go out early tonight.
Elle a dit qu'elle écrirait à Robert.
She said that she would write to Robert.

In French, you can never omit the word *"that"* after *"He said."* You must always say, *"He said that . . ., She said that . . ."* (Il a dit que . . ., Elle a dit que . . ., J'ai dit que . . ., etc.).

"Voudriez-vous" expresses a request, and is used as follows:

Use the infinitive after "Voudriez-vous" (*Would you*).

Voudriez-vous‿ouvrir la porte, s'il vous plaît?
Would you open the door, please?
Voudriez-vous me donner un verre d'eau, s'il vous plaît?
Would you give me a glass of water, please?

"J'aimerais" is used as follows:

Use the infinitive after "j'aimerais" (*I would like*).

J'aimerais‿aller à la campagne.
I would like to go to the country.
J'aimerais parler le français.
I would like to speak French.

SENTENCE-FORMING EXERCISES

Combine the words below in different ways to form as many sentences as you can. Be sure to use words from each of the columns in every sentence you form.

A

1	2	3
Si j'avais le temps	j'écrirais	un livre
Si elle avait le temps	elle préparerait	le dîner
S'il avait le temps	il finirait	le travail
Si je pouvais	je me lèverais	tard
Si nous pouvions	nous finirions	le travail

B

Si j'étais prêt	je partirais	tout de suite
Si j'étais vous	je l'accepterais	avec plaisir
Si la maison était	plus grande	nous l'achèterions
Si vous n'étiez pas fatigué	nous jouerions	au tennis

C

Il a dit	qu'il resterait	avec Louis
Il a dit	qu'il finirait	son travail
J'ai dit	que je préparerais	le dîner
Nous‿avons dit	que nous resterions	à la maison
Ils‿ont dit	qu'ils‿inviteraient	Paul
Vous‿avez dit	que vous dormiriez	tard
Elle a dit	qu'elle sortirait	de bonne heure

D

1	2	3	4
Voudriez-vous	ouvrir	la porte	s'il vous plaît
Voudriez-vous	me donner	un verre d'eau	s'il vous plaît
Voudriez-vous	fermer	la porte	s'il vous plaît
J'aimerais	aller	à la campagne	demain
J'aimerais	voir	Paul	ce soir
J'aimerais	parler	le français	tout de suite

WRITTEN EXERCISE

Translate the following sentences into French. Check your sentences with the correct translations below this exercise.

1. If I had the time, I would write a book.
2. If she had time, she would prepare dinner.

3. If he had time, he would finish the work.
4. If I could, I would get up late.
5. If we could, we would finish the work.
6. If I (masc.) were ready, I woud leave at once.
7. If I were you, I would accept it.
8. If I went to Paris, I would stay all summer.
9. If the house were bigger, we would buy it.
10. If you (masc.) weren't tired, we would play tennis.
11. He said that he would stay with Louise.
12. He said that he would finish his work.
13. I said that I would prepare dinner.
14. We said that we would stay at home.
15. They said that they would invite Paul.
16. You said that you would sleep late.
17. She said that she would go out early tonight.
18. Would you please open the door?
19. Would you please give me a glass of water?
20. Would you please close the door?
21. I would like to go to the country.
22. I would like to see Paul.
23. I would like to speak French.

Check your sentences with the correct translations below:

1. Si j'avais le temps, j'écrirais un livre.
2. Si elle avait le temps, elle préparerait le dîner.
3. S'il avait le temps, il finirait le travail.
4. Si je pouvais, je me lèverais tard.
5. Si nous pouvions, nous finirions le travail.
6. Si j'étais prêt, je partirais tout de suite.
7. Si j'étais vous, je l'accepterais.
8. Si j'allais à Paris, je resterais tout l'été.
9. Si la maison était plus grande, nous l'achèterions.
10. Si vous n'étiez pas fatigué, nous jouerions au tennis.
11. Il a dit qu'il resterait avec Louise.
12. Il a dit qu'il finirait son travail.
13. J'ai dit que je préparerais le dîner.
14. Nous avons dit que nous resterions à la maison.
15. Ils ont dit qu'ils inviteraient Paul.
16. Vous avez dit que vous dormiriez tard.

17. Elle a dit qu'elle sortirait de bonne heure ce soir.
18. Voudriez-vous ouvrir la porte, s'il vous plaît?
19. Voudriez-vous me donner un verre d'eau, s'il vous plaît?
20. Voudriez-vous fermer la porte, s'il vous plaît?
21. J'aimerais aller à la campagne.
22. J'aimerais voir Paul.
23. J'aimerais parler le français.

REMINDER CARDS

CONDITIONAL

Si j'avais le temps	j'écrirais un livre
Si je pouvais	je me lèverais tard
Si j'étais prêt	je partirais tout de suite
Il a dit	qu'il resterait avec Louis
Nous‿avons dit	que nous‿inviterions Paul

CONDITIONAL

Voudriez-vous	ouvrir la porte	s'il vous plaît
Would you like	*to open the door*	*please*
Je voudrais	un verre d'eau	s'il vous plaît
I would like	*a glass of water*	*please*
J'aimerais	aller à la campagne	demain
I would like	*to go to the country*	*tomorrow*

Remember:

To form the imperfect, add the imperfect endings to the STEM of all verbs ("er, re, ir" and irregular verbs).

To form the future and conditional, add the endings to the COMPLETE INFINITIVE of all verbs, but remember to drop the "e" from "re" verbs before you add the endings.

REMINDER CARDS

IMPERFECT

donner, *to give*

(gave, used to give)

je donnAIS *(I gave, used to give)*	nous donnIONS *(we gave, used to give)*
vous donnIEZ *(you gave, used to give)*	vous donnIEZ *(you gave, used to give)*
il donnAIT *(he gave, used to give)*	ils donnAIENT *(they gave, used to give)*

CONDITIONAL

donner, *to give*

je donnerAIS *(I would give)*	nous donnerIONS *(we would give)*
vous donnerIEZ *(you would give)*	vous donnerIEZ *(you would give)*
il donnerAIT *(he would give)*	ils donnerAIENT *(they would give)*

FUTURE

donner, *to give*

je donnerAI *(I will give)*	nous donnerONS *(we will give)*
vous donnerEZ *(you will give)*	vous donnerEZ *(you will give)*
il donnerA *(he will give)*	ils donnerONT *(they will give)*

ACCENTS ON VERBS IN THE FUTURE AND CONDITIONAL

You have learned that in French there are accents that make the pronunciation of certain verbs more comfortable. The following chart will show you exactly where to place the accents in the future and the conditional.

ACCENT CHART

ˋ	ˋ
ˋ	ˋ
ˋ	ˋ

EXAMPLE:

acheter, *to buy*

FUTURE

j'achèterai (*I will buy*)	nous‿achèterons (*we will buy*)
vous‿achèterez (*you will buy*)	vous‿achèterez (*you will buy*)
il achètera (*he will buy*)	ils‿achèteront (*they* [masc.] *will buy*)

CONDITIONAL

j'achèterais (*I would buy*)	nous‿achèterions (*we would buy*)
vous‿achèteriez (*you would buy*)	vous‿achèteriez (*you would buy*)
il achèterait (*he would buy*)	ils‿achèteraient (*they* [masc.] *would buy*)

The following verbs have accents as indicated on the chart above. The "E" that receives the accent is printed as a capital letter for your convenience.

LIST OF VERBS THAT REQUIRE ACCENTS IN THE FUTURE AND CONDITIONAL

achEter, *to buy*
achEver, *to finish*
amEner, *to bring*
gEler, *to freeze*
lEver, *to raise*
pEser, *to weigh*

élEver, *to raise*	ramEner, *to bring back*
emmEner, *to take* (a person someplace)	relEver, *to raise again*
enlEver, *to carry off*	soulEver, *to lift*

LETTERS THAT ARE DOUBLED IN THE FUTURE AND THE CONDITIONAL

You have learned that double letters are used instead of accents in certain verbs and that they correspond in position to accents.

Compare the charts below and you will see that the double letter corresponds exactly to the accents.

FOR THE CONDITIONAL AND FUTURE

ACCENTS

`	`
`	`
`	`

DOUBLE LETTERS

ll	ll
ll	ll
ll	ll

There are only two double-letter verbs for you to learn.

FUTURE

1. **appeler,** *to call*

j'appeLLerai (*I will call*)	nous‿appeLLerons (*we will call*)
vous‿appeLLerez (*you will call*)	vous‿appeLLerez (*you will call*)
il appeLLera (*he will call*)	ils‿appeLLeront (*they* [masc.] *will call*)

CONDITIONAL

1. **appeler,** *to call*

j'appeLLerais (*I would call*)	nous‿appeLLerions (*we would call*)
vous‿appeLLeriez (*you would call*)	vous‿appeLLeriez (*you would call*)
il appeLLerait (*he would call*)	ils‿appeLLeraient (*they* [*masc.*] *would call*)

2. **jeter,** *to throw*

je jeTTerai (*I will throw*)	nous jeTTerons (*we will throw*)
vous jeTTerez (*you will throw*)	vous jeTTerez (*you will throw*)
il jeTTera (*he will throw*)	ils jeTTeront (*they* [masc.] *will throw*)

2. **jeter,** *to throw*

je jeTTerais (*I would throw*)	nous jeTTerions (*we would throw*)
vous jeTTeriez (*you would throw*)	vous jeTTeriez (*you would throw*)
il jeTTerait (*he would throw*)	ils jeTTeraient (*they* [masc.] *would throw*)

EXTRA WORDS

Exercise in Pronunciation of EAU, AU

des tableaux, *paintings*
un cadeau, *a gift*
un couteau, *a knife*
un manteau, *a* (woman's) *coat*
beaucoup, *much, many*
de l'eau, *water*
une chambre avec eau courante, *a room with running water*
du veau, *veal*
le château, *the castle, country mansion*
mon beau-père, *my father-in-law*
mon beau-frère, *my brother-in-law*
chaud(e), *hot*
de l'eau chaude, *hot water*
une auberge, *an inn*
des chaussures, *shoes*
des chaussettes, *socks*
la boîte aux lettres, *the mailbox*
le marché aux fleurs, *the flower market*
jaune, *yellow*

aussi, *too, also*
vous‿aussi, *the same to you, you too*
à gauche, *to the left*
aucun (masc.), **aucune** (fem.), *none, no*

43
Leçon Numéro Quarante-trois

THE PRESENT SUBJUNCTIVE

It will help you if you think of the subjunctive mood as the mood of lovers and politicians. "I want it to happen." "I wish that it would happen." "I doubt that it will happen."

The subjunctive is a wistful mood that is fraught with doubts and yearnings.

Whenever you want or wish or doubt or fear that someone will do something, the thing you want, wish, doubt, or fear that another person will do is in the subjunctive mood.

EXAMPLES:

I wish that you would kiss me.
Je voudrais que vous m'embrassiez.

"Embrassiez" is in the subjunctive. You will soon learn how to form it.

Je veux que vous votiez pour moi.
I want you to vote for me.

"Votiez" is in the subjunctive.

USES OF THE SUBJUNCTIVE—PART I

The subjunctive is used after certain definite expressions.

1. JE VEUX QUE, *I want you* [*to*]
I want him, her, it [*to*]

2. JE VOUDRAIS QUE, *I would like you [to]*
I would like him, her, it [to]

3. JE SOUHAITE QUE, *I wish that you would*
I wish that he, she, it would

4. JE PRÉFÈRE QUE, *I prefer that you*
I prefer that he, she, it

5. J'AIME MIEUX QUE, *I would like it better if you (I like it better)*
I would like it better if he, she, it

6. JE DOUTE QUE, *I doubt that you will*
I doubt that he, she, it will

7. JE CRAINS QUE, *I fear that you will*
I fear that he, she, it will

8. J'AI PEUR QUE, *I am afraid that you will*
I am afraid that he, she, it will

9. JE REGRETTE QUE, *I am sorry that you*
I am sorry that he, she, it

PRESENT SUBJUNCTIVE ENDINGS

To form the present subjunctive, drop "ent" from the third person plural of the present tense, and add the following endings:

SUBJUNCTIVE ENDINGS FOR "ER, RE, IR" VERBS

E	**IONS**
IEZ	**IEZ**
E	**ENT**

The only endings you pronounce are "IEZ" and "IONS." The other endings are silent.

NOTE: These are the endings of all regular verbs and of most irregular verbs. Only a few irregular verbs are formed differently. We will cover them later in this chapter.

parler, *to speak*

que je parle	**que nous parlions**
que vous parliez	**que vous parliez**
qu'il, qu'elle parle	**qu'ils, qu'elles parlent**

finir, *to finish*

que je finisse	**que nous finissions**
que vous finissiez	**que vous finissiez**
qu'il, qu'elle finisse	**qu'ils, qu'elles finissent**

vendre, *to sell*

que je vende	**que nous vendions**
que vous vendiez	**que vous vendiez**
qu'il, qu'elle vende	**qu'ils, qu'elles vendent**

Read the following sentences aloud:

1. Je veux que vous finissiez.
   I want you to finish.
2. Je veux que vous vendiez la maison.
   I want you to sell the house.
3. Je veux que vous travailliez ce soir.
   I want you to work tonight.
4. Je voudrais que vous finissiez.
   I would like you to finish.
5. Je voudrais que vous vendiez la maison.
   I would like you to sell the house.
6. Je voudrais que vous travailliez ce soir.
   I would like you to work tonight.
7. Je voudrais que vous me téléphoniez.
   I would like you to call me up.
8. Je regrette que vous partiez demain.
   I am sorry that you are leaving tomorrow.
9. Je souhaite que vous restiez ici.
   I wish that you would stay here.
10. J'ai peur que vous n'arriviez pas‿à l'heure.
    I am afraid that you will not get there on time.

11. J'ai peur que nous n'arrivions pas‿à l'heure.
I am afraid that we will not get there on time.

NOTE: Use "Je crains que" (*I fear that*) and "j'ai peur que" (*I am afraid that*) only with the negative for the time being. The use of these expressions will be explained later.

The most important thing to remember about the subjunctive is that it has no definite English translation. It has several English equivalents:

I want you to finish. Infinitive
I wish that you would finish. Conditional
I doubt that he will finish. Future tense

And there are still more English equivalents. Consequently you CANNOT recognize the subjunctive by its English equivalents. The subjunctive is used only after certain expressions in French. These are very definite expressions. You learned nine of them in the first part of this lesson. Whenever you get to one of these expressions, stop short and shift into the subjunctive. It does not matter how the verb is expressed in English; it must be in the subjunctive in French.

For example, when you get to the expression "Je voudrais que," whatever verb follows must be in the subjunctive because "Je voudrais que" always requires the subjunctive. The expressions you know require two people: ONE who wishes, wants, fears, etc., that ANOTHER PERSON will do something.

NOTE: You know the different persons of the expressions that require the subjunctive. However, it would be a good idea to review the present tense of the following verbs:

vouloir, *to want*

je veux *I want*	**nous voulons** *we want*
vous voulez *you want*	**vous voulez** *you want*
il veut *he wants*	**ils veulent** *they want*

craindre, *to fear, be afraid*

je crains *I fear*	**nous craignons** *we fear*
vous craignez *you fear*	**vous craignez** *you fear*
il craint *he fears*	**ils craignent** *they fear*

SENTENCE-FORMING EXERCISE

Make up dozens and dozens of sentences with the words in the columns below. Combine the first verb in Column 1 with each verb in Column 2, then take the second verb in Column 1 and combine it with each verb in Column 2. If you use the columns with imagination, you can form hundreds of sentences.

1	2	3
Je voudrais *I would like*	que vous finissiez *you to finish*	votre travail *your work*
Pierre voudrait *Peter would like*	que vous travailliez *you to work*	demain *tomorrow*
Nous voudrions *We would like*	que vous travailliez *you to work*	ce matin *this morning*
Ils voudraient *They would like*	que nous travaillions *us to work*	demain *tomorrow*
Je veux *I want*	qu'ils travaillent *them to work*	demain *tomorrow*
Il veut *He wants*	que vous travailliez *you to work*	ce matin *this morning*
Pauline veut *Pauline wants*	que vous finissiez *you to finish*	tout de suite *right away*
Nous voulons *We want*	qu'ils travaillent *them to work*	ce soir *tonight*
Ils veulent *They want*	que vous‿apportiez *you to bring*	le billet *the ticket*
Je regrette *I am sorry*	que vous partiez *that you are leaving*	demain *tomorrow*
Paul regrette *Paul is sorry*	que vous vendiez *that you are selling*	votre maison *your house*

1	2	3
Elle regrette	que vous partiez	demain
She is sorry	*that you are leaving*	*tomorrow*
Nous regrettons	qu'ils partent	demain
We are sorry	*that they are leaving*	*tomorrow*
Je souhaite	que vous restiez	ici
I wish	*that you would stay*	*here*
J'aime mieux	que nous sortions	tôt
I (would) like it better	*if we would go out*	*early*
Je crains	que vous n'arriviez pas‿à	l'heure
I fear	*that you will not get there*	*on time*
J'ai peur	qu'il n'arrive pas	à l'heure
I am afraid	*that he will arrive*	*late*

EXERCISE IN TRANSLATION

Translate the following sentences into French. After you have written out all the sentences, check them with the correct translations below this exercise.

1. I would like you to finish your work.
2. Peter would like you to work tomorrow.
3. We would like you to work this morning.
4. They would like us to work tomorrow.
5. I want them to work tomorrow.
6. He wants you to work this morning.
7. Pauline wants you to finish right away.
8. We want them to work tonight.
9. They want you to bring the ticket.
10. I am sorry that you are leaving tomorrow.
11. Paul is sorry that you are selling your house.
12. She is sorry that you are leaving tomorrow.
13. We are sorry that they are leaving tomorrow.
14. I wish that you would stay here.
15. I would like it better if we would go out early.
16. I fear that you will not get there on time.

17. I am afraid that he will not arrive on time.
18. I want you to sell your house.
19. Pauline wants them to leave tomorrow.
20. I would like you to bring the ticket.

Check your sentences with the correct translations below:

1. Je voudrais que vous finissiez votre travail.
2. Pierre voudrait que vous travailliez demain.
3. Nous voudrions que vous travailliez ce matin.
4. Ils voudraient que nous travaillions demain.
5. Je veux qu'ils travaillent demain.
6. Il veut que vous travailliez ce matin.
7. Pauline veut que vous finissiez tout de suite.
8. Nous voulons qu'ils travaillent ce soir.
9. Ils veulent que vous apportiez le billet.
10. Je regrette que vous partiez demain.
11. Paul regrette que vous vendiez votre maison.
12. Elle regrette que vous partiez demain.
13. Nous regrettons qu'ils partent demain.
14. Je souhaite que vous restiez ici.
15. J'aime mieux que nous sortions tôt.
16. Je crains que vous n'arriviez pas à l'heure.
17. J'ai peur qu'il n'arrive pas à l'heure.
18. Je veux que vous vendiez votre maison.
19. Pauline veut qu'ils partent demain.
20. Je voudrais que vous apportiez le billet.

WRITTEN EXERCISE

1. Cover up the two right-hand columns below.
2. Write the third person plural of the present tense of each verb as in Column 2.
3. Write the third person plural of the subjunctive as in Column 3.

IMPORTANT. The second column and the third column are identical except for the fact that the "ILS" in the second column becomes "QU'ILS" in the third column.

4. Check your columns with those below.

NOTE: Since the subjunctive has so many different translations into English, we will omit them. Just remember that the subjunctive is used after certain definite expressions. You learned nine of them in the first part of this lesson.

INFINITIVE	PRESENT Third person plural	SUBJUNCTIVE Third person plural
1	2	3
parler	ils parlent	qu'ils parlent
to speak	*they speak*	
finir	ils finissent	qu'ils finissent
to finish	*they finish*	
vendre	ils vendent	qu'ils vendent
to sell	*they sell*	
travailler	ils travaillent	qu'ils travaillent
to work	*they work*	
nager	ils nagent	qu'ils nagent
to swim	*they swim*	
partir	ils partent	qu'ils partent
to leave (a city)	*they leave*	
téléphoner	ils téléphonent	qu'ils téléphonent
to call up	*they telephone*	
écrire	ils‿écrivent	qu'ils‿écrivent
to write	*they wrtie*	
sortir	ils sortent	qu'ils sortent
to go out	*they go out*	
lire	ils lisent	qu'ils lisent
to read	*they read*	
apporter	ils‿apportent	qu'ils‿apportent
to bring	*they bring*	
rentrer	ils rentrent	qu'ils rentrent
to come home	*they come home*	
chercher	ils cherchent	qu'ils cherchent
to look for	*they look for*	

WRITTEN EXERCISE

1. Cover up the two right-hand columns below.
2. Write the first person plural of the subjunctive as in the second column below.
3. Write the second person of the subjunctive as in the third column below.
4. Check your columns with those below.

SUBJUNCTIVE Third person plural	SUBJUNCTIVE First person plural	SUBJUNCTIVE Second person plural
qu'ils travaillent	que nous travaillions	que vous travailliez
qu'ils parlent	que nous parlions	que vous parliez
qu'ils‿écrivent	que nous‿écrivions	que vous‿écriviez
qu'ils finissent	que nous finissions	que vous finissiez
qu'ils vendent	que nous vendions	que vous vendiez
qu'ils nagent	que nous nagions	que vous nagiez
qu'ils sortent	que nous sortions	que vous sortiez
qu'ils lisent	que nous lisions	que vous lisiez
qu'ils téléphonent	que nous téléphonions	que vous téléphoniez
qu'ils‿apportent	que nous‿apportions	que vous‿apportiez
qu'ils rentrent	que nous rentrions	que vous rentriez
qu'ils cherchent	que nous cherchions	que vous cherchiez

WRITTEN EXERCISE

1. Cover up all but the first column.
2. Drop the ending ENT from each verb in the first column below (as in the second column).
3. Add the letter "E" to form the first person singular of the subjunctive (as in the third column below).
4. Do the same for the third person singular of the subjunctive as in the fourth column below.
5. Check your columns with those below.

1 SUBJUNCTIVE Third person plural	2 STEM	3 SUBJUNCTIVE First person singular	4 SUBJUNCTIVE Third person singular
qu'ils parlent	parl–	que je parle	qu'il parle
qu'ils finissent	finiss–	que je finisse	qu'il finisse
qu'ils vendent	vend–	que je vende	qu'il vende
qu'ils dorment	dorm–	que je dorme	qu'il dorme
qu'ils travaillent	travaill–	que je travaille	qu'il travaille
qu'ils partent	part–	que je parte	qu'il parte
qu'ils sortent	sort–	que je sorte	qu'il sorte
qu'ils‿écrivent	écriv–	que j'écrive	qu'il écrive
qu'ils‿apportent	apport–	que j'apporte	qu'il apporte
qu'ils donnent	donn–	que je donne	qu'il donne

WRITTEN EXERCISE

Write the subjunctive charts of the following verbs:

1. **travailler** 2. **sortir** 3. **écrire** 4. **vendre**

Remember that the subjunctive is based on the third person plural of the present tense.

Check your charts with those below:

1. **travailler,** *to work*

travaille	travaillions
travailliez	travailliez
travaille	travaillent

2. **sortir,** *to go out*

sorte	sortions
sortiez	sortiez
sorte	sortent

3. **écrire,** *to write*

écrive	écrivions
écriviez	écriviez
écrive	écrivent

4. **vendre,** *to sell*

vende	vendions
vendiez	vendiez
vende	vendent

Now that we know how to form the subjunctive, we will practice sentences that use the different persons of the subjunctive in the singular and the plural.

1. **je vende**	4. **nous vendions**
2. **vous vendiez**	5. **vous vendiez**
3. **il, elle vende**	6. **ils, elles vendent**

1. Il veut que je vende (1) la maison.
   He wants me to sell the house.
2. Je veux que vous vendiez (2) la maison.
   I want you to sell the house.
3. Nous voulons qu'il vende (3) la maison.
   We want him to sell the house.
4. Il veut que nous vendions (4) la maison.
   He wants us to sell the house.
5. Je voudrais que vous vendiez (5) la maison.
   I would like you to sell the house.
6. Je doute qu'ils vendent (6) la maison.
   I doubt that they (masc.) *will sell the house.*
7. Je doute qu'elles vendent (6) la maison.
   I doubt that they (fem.) *will sell the house.*

REFLEXIVE VERBS

INFINITIVE	PRESENT	SUBJUNCTIVE
se lever	je me lève	que je me lève
to get up	*I get up*	
se coucher	je me couche	que je me couche
to go to bed	*I go to bed*	
se marier	je me marie	que je me marie
to get married	*I get married*	
se dépêcher	je me dépêche	que je me dépêche
to hurry	*I hurry*	

s'inquiéter	je m'inquiète	que je m'inquiète
to worry	*I worry*	
se fâcher	je me fâche	que je me fâche
to get angry	*I get angry*	
se rappeler	je me rappelle	que je me rappelle
to remember	*I remember*	
se préparer	je me prépare	que je me prépare
to get ready	*I am getting ready*	

SAMPLE CHART OF REFLEXIVE VERB IN THE SUBJUNCTIVE

se dépêcher, *to hurry*

je me dépêche	**nous nous dépêchions**
vous vous dépêchiez	**vous vous dépêchiez**
il se dépêche **elle se dépêche**	**ils se dépêchent** **elles se dépêchent**

Read the following sentences aloud:

1. Je voudrais que vous vous leviez tôt.
   I would like you to get up early.
2. Je voudrais que vous vous dépêchiez.
   I would like you to hurry up.
3. Je voudrais que vous vous prépariez tout de suite.
   I would like you to get ready right away.
4. Je doute qu'il se couche tôt.
   I doubt that he will go to bed early.
5. Je ne veux pas qu'elle s'inquiète.
   I don't want her to worry.
6. Je souhaite qu'ils se marient.
   I wish that they would get married.
7. Je souhaite que vous ne vous fâchiez pas.
   I wish that you would not get angry.
8. Je regrette que vous ne vous rappeliez pas.
   I am sorry that you don't remember.
9. Je souhaite que vous vous dépêchiez.
   I wish that you would hurry.

THE SUBJUNCTIVE WITH OBJECT PRONOUNS

10. Je voudrais que vous l'apportiez.
    I would like you to bring it.

11. Je voudrais que vous me l'apportiez.
    I would like you to bring it to me.
12. Je préfère que vous le disiez.
    I prefer that you say it.
13. Je préfère que vous me le disiez.
    I prefer that you tell (it to) me.
14. Je souhaite qu'il me la prête.
    I wish that he would lend it (fem.) *to me.*

SENTENCE-FORMING EXERCISE

Combine the words below in different ways to form as many sentences as you can.

1	2
Je voudrais (*I would like*)	que vous le disiez (*you to say it*)
Je veux (*I want*)	que vous vous dépêchiez (*you to hurry*)
J'ai peur (*I am afraid*)	que vous ne le rencontriez pas (*that you will not meet him*)
Je souhaite (*I wish*)	qu'elle m'invite (*that she would invite me*)
Je doute (*I doubt*)	qu'il arrive à l'heure (*that he will arrive on time*)
Je voudrais (*I would like*)	que vous lui donniez le livre (*you to give him the book*)
Je voudrais (*I would like*)	que vous lui téléphoniez (*you to call him up*)
Je voudrais (*I would like*)	que vous me l'apportiez (*you to bring it to me*)
Je veux (*I want*)	qu'il me le donne (*him to give it to me*)
Nous ne voulons pas (*We don't want*)	qu'il nous le donne (*him to give it to us*)
Je ne veux pas (*I don't want*)	qu'il le lui donne (*him to give it to her*)

1	2
Voulez-vous	que je vous‿écrive
(*Do you want*)	(*me to write to you*)
Nous voudrions	qu'elle nous le montre
(*We would like*)	(*her to show it to us*)
Nous voulons	qu'elle nous le montre
(*We want*)	(*her to show it to us*)
Elle voudrait	qu'il le lui demande
(*She would like*)	(*him to ask* [*it to*] *her*)
Pierre voudrait	que vous la lui envoyiez
(*Peter would like*)	(*you to send it* [fem.] *to him*)
Pierre veut	que vous la lui envoyiez
(*Peter wants*)	(*you to send it* [fem.] *to him*)
Ils voudraient	que vous la leur donniez
(*They would like*)	(*you to give it to them*)
Ils veulent	que vous la leur donniez
(*They want*)	(*you to give it to them*)
Je voudrais	que vous vous leviez
(*I would like*)	(*you to get up*)
Je veux	que vous vous dépêchiez
(*I want*)	(*you to hurry*)
Il ne veut pas	que vous‿arriviez tard
(*He does not want*)	(*you to get here late*)
Je ne veux pas	que vous partiez
(*I don't want*)	(*you to leave*)
Hélène voudrait	que nous nous‿amusions
(*Helen would like*)	(*us to have a good time*)
Hélène veut	qu'il s'amuse
(*Helen wants*)	(*him to have a good time*)
Pierre voudrait	qu'elle se marie
(*Pierre would like*)	(*her to get married*)
Pierre veut	qu'elle s'amuse
(*Pierre wants*)	(*her to have a good time*)
Ils voudraient	que je me repose
(*They would like*)	(*me to rest*)
Ils veulent	qu'il se repose
(*They want*)	(*him to rest*)
Elle ne voudrait pas	que vous vous fatiguiez
(*She would not like*)	(*you to get tired*)

1	2
Elle ne veut pas	qu'il se fatigue
(*She does not want*)	(*him to get tired*)

EXERCISE IN TRANSLATION

Translate the following sentences into French. After you have written out each sentence in French, check your translations with those below this exercise.

1. I would like you to hurry.
2. I am afraid that you will not meet him.
3. I would like him to get here on time.
4. I doubt that he will get here on time.
5. I want him to get here on time.
6. I would like you to give him the book.
7. I would like you to call him up.
8. I would like you to bring it (masc.) to him.
9. I want him to give it (masc.) to me.
10. Do you want him to give it (masc.) to her?
11. Do you want me to write to you?
12. We would like her to show it (fem.) to us.
13. Peter would like you to bring it (masc.) to him.
14. They would like you to give it (fem.) to them.
15. I would like you to get up early.
16. I want you to hurry.
17. I don't want you to get there late.
18. I don't want you to leave.
19. Helen would like us to have a good time.
20. Helen wants him to have a good time.
21. They want me to rest.
22. They don't want you to get tired.
23. Helen does not want him to get tired.
24. They want us to have a good time.
25. She does not want you to leave.

Check your sentences with the correct translations below:

1. Je voudrais que vous vous dépêchiez.
2. J'ai peur que vous ne le rencontriez pas.
3. Je voudrais qu'il arrive ici à l'heure.

4. Je doute qu'il arrive à l'heure.
5. Je veux qu'il arrive ici à l'heure.
6. Je voudrais que vous lui donniez le livre.
7. Je voudrais que vous lui téléphoniez.
8. Je voudrais que vous le lui apportiez.
9. Je veux qu'il me le donne.
10. Voulez-vous qu'il le lui donne?
11. Voulez-vous que je vous écrive?
12. Nous voudrions qu'elle nous la montre.
13. Pierre voudrait que vous le lui apportiez.
14. Ils voudraient que vous la leur donniez.
15. Je voudrais que vous vous leviez tôt.
16. Je veux que vous vous dépêchiez.
17. Je ne veux pas que vous arriviez en retard.
18. Je ne veux pas que vous partiez.
19. Hélène voudrait que nous nous amusions.
20. Hélène veut qu'il s'amuse.
21. Ils veulent que je me repose.
22. Ils ne veulent pas que vous vous fatiguiez.
23. Hélène ne veut pas qu'il se fatigue.
24. Ils veulent que nous nous amusions.
25. Elle ne veut pas que vous partiez.

You have learned several expressions that must be followed by the subjunctive. No doubt you have noticed that all these expressions involve at least two people: ONE PERSON who fears, wants, doubts, wishes, or prefers that ANOTHER PERSON will do something.

Don't confuse these subjunctive expressions that involve at least two people with the expressions that you have already learned that involve only ONE person.

When a person wants to do something himself, use the infinitive.

ONE PERSON–INFINITIVE

1. Je voudrais sortir.
   I would like to go out.
2. Albert voudrait sortir.
   Albert would like to go out.

3. Nous préférons travailler.
   We prefer to work.
4. Je voudrais partir demain.
   I would like to leave tomorrow.
5. Il voudrait rester ici.
   He would like to stay here.
6. Elle voudrait vendre la maison.
   She would like to sell the house.

When a person wants somebody else to do something, use the subjunctive.

TWO PERSONS—SUBJUNCTIVE

1. Je voudrais que vous sortiez.
   I would like you to go out.
2. Albert voudrait que je téléphone.
   Albert would like me to phone.
3. Nous préférons que vous finissiez votre travail.
   We prefer that you finish your work.
4. Elle souhaite qu'il finisse son travail.
   She wishes that he would finish his work.
5. Elles voudraient que vous vous dépêchiez.
   They would like you to hurry.

The subjunctive of "étudier":

j'étudie	**nous‿étudiions**
vous‿étudiiez	**vous‿étudiiez**
il, elle étudie	**ils, elles‿étudient**

The stem of "étudier" ends in the letter "i": "étudi." When you add the subjunctive endings "IEZ" or "IONS" to this stem, you get a double "i": "étudiions, étudiiez." When a verb has a stem that ends in the letter "i," it has this idiosyncrasy in the subjunctive. It is perfectly regular, but it just looks funny. "Copier" is one of these verbs. "Copi" is the stem, so double "i" appears as follows. 'Copiions, copiiez." "Je voudrais que vous copiiez la leçon" (*I would like you to copy the lesson*).

THE IRREGULAR SUBJUNCTIVE

GROUP I

You have learned that the subjunctive is based on the THIRD PERSON plural of the present tense.

The following verbs have some persons that follow this rule and other persons that do not. First let us write exercises with the persons that do follow the rule.

WRITTEN EXERCISE

1. Cover up the two right-hand columns below.
2. Write the third person plural of the present tense of each verb, as in the second column below.
3. Write the third person plural of the subjunctive, as in the third column below.

   IMPORTANT: The second and third columns are identical except for the fact that the "ILS" in the second column becomes "QU'ILS" in the third.

4. Check your verbs with those below:

INFINITIVE	PRESENT Third person plural	SUBJUNCTIVE Third person plural
1	2	3
prendre *to take*	ils prennent *they take*	qu'ils prennent
apprendre *to learn*	ils‿apprennent *they learn*	qu'ils‿apprennent
comprendre *to understand*	ils comprennent *they understand*	qu'ils comprennent
tenir *to hold*	ils tiennent *they hold*	qu'ils tiennent
venir *to come*	ils viennent *they come*	qu'ils viennent
recevoir *to receive*	ils reçoivent *they receive*	qu'ils reçoivent

INFINITIVE	PRESENT	SUBJUNCTIVE
1	2	3
boire	ils boivent	qu'ils boivent
to drink	*they drink*	
devoir	ils doivent	qu'ils doivent
to owe, have to	*they owe, must, have to*	
mourir	ils meurent	qu'ils meurent
to die	*they die*	

WRITTEN EXERCISE

1. Cover up all but the first column.
2. Drop the ending "ENT" from each verb in the first column below.
3. Add the letter "E" to form the first person singular of the subjunctive, as in the second column below.
4. Do exactly the same thing again to form the third person singular of the subjunctive.
5. Check your columns with those below.

SUBJUNCTIVE Third person plural	SUBJUNCTIVE First person singular	SUBJUNCTIVE Third person singular
1	2	3
qu'ils PRENNent	que je prenne	qu'il prenne
qu'ils‿APPRENNent	que j'apprenne	qu'il apprenne
qu'ils COMPRENNent	que je comprenne	qu'il comprenne
qu'ils TIENNent	que je tienne	qu'il tienne
qu'ils VIENNent	que je vienne	qu'il vienne
qu'ils REÇOIVent	que je reçoive	qu'il reçoive
qu'ils BOIVent	que je boive	qu'il boive
qu'ils DOIVent	que je doive	qu'il doive
qu'ils MEURent	que je meure	qu'il meure

Now we come to the persons of these verbs that are NOT based on the third person plural of the present tense.

The first and second person plurals of these verbs are based on the FIRST PERSON plural of the present tense.

WRITTEN EXERCISE

1. Cover up all but the first column.
2. Remove the ending "ONS" from each verb in the first column below.
3. Add "IONS" to form the first person plural of the subjunctive, as in the second column below.
4. Add "IEZ" to form the second person of the subjunctive, as in the third column below.
5. Check your columns with those below.

1	2	3
PRESENT TENSE First person plural	SUBJUNCTIVE First person plural	SUBJUNCTIVE Second person
nous PRENons *we take*	que nous prenions	que vous preniez
nous‿APPRENons *we learn*	que nous‿apprenions	que vous‿appreniez
nous COMPRENons *we understand*	que nous comprenions	que vous compreniez
nous TENons *we hold*	que nous tenions	que vous teniez
nous VENons *we come*	que nous venions	que vous veniez
nous RECEVons *we receive*	que nous recevions	que vous receviez
nous BUVons *we drink*	que nous buvions	que vous buviez
nous DEVons *we owe, must, have to*	que nous devions	que vous deviez
nous MOURons *we die*	que nous mourions	que vous mouriez

WRITTEN EXERCISE

Write the subjunctive of the following verbs:

1. **prendre** 2. **venir** 3. **recevoir** 4. **devoir**

Remember that the first person singular (I) and the third person singular (he) and plural (they) of these verbs are based on the THIRD PERSON plural of the present tense. But the first and second persons plural (we, you) of these verbs are based on the FIRST PERSON plural (we) of the present tense.

Check your charts with those below:

1. **prendre,** *to take*

prenne	**prenions**
preniez	**preniez**
prenne	prennent

2. **venir,** *to come*

vienne	**venions**
veniez	**veniez**
vienne	viennent

3. **recevoir,** *to receive*

reçoive	**recevions**
receviez	**receviez**
reçoive	reçoivent

4. **devoir,** *to owe, have to*

doive	**devions**
deviez	**deviez**
doive	doivent

THE IRREGULAR SUBJUNCTIVE

GROUP II

Add the regular subjunctive endings to the irregular stems that are in capital letters below. Notice that the stem does not change in any of the persons. Only the endings change. Learn the stems by heart.

pouvoir, *to be able*
stem: PUISS

PUISSe	PUISSions
PUISSiez	PUISSiez
PUISSe	PUISSent

savoir, *to know*

stem: SACH

SACHe	SACHions
SACHiez	SACHiez
SACHe	SACHent

faire, *to know*

stem: FASS

FASSe	FASSions
FASSiez	FASSiez
FASSe	FASSent

THE IRREGULAR SUBJUNCTIVE

GROUP III

Learn the following verbs by heart:

avoir, *to have*

aie	ayons
ayez	ayez
ait	aient

être, *to be*

sois	soyons
soyez	soyez
soit	soient

vouloir, *to want*

veuille	VOULions
VOULiez	VOULiez
veuille	veuillent

aller, *to go*

aille	ALLions
ALLiez	ALLiez
aille	aillent

Note that the regular stems are printed in capital letters.

SENTENCE-FORMING EXERCISES

Combine the words below to form as many sentences as you can.

A

1	2	3
Je veux	que vous preniez	le train
Il voudrait	que j'apprenne	le français
Nous souhaitons	que vous compreniez	la situation
Ils doutent	que Paul vienne	dîner
Voulez-vous	que nous venions	vous voir
Avez-vous peur	qu'il boive	trop
Il craint	que vous ne veniez pas	à l'heure
Nous‿avons peur	que Paul n'apprenne pas	le français
Nous voudrions	qu'il comprenne	la situation
Paul veut	que son fils apprenne	l'italien
J'aime mieux	que vous veniez	tout de suite

B

Il veut	que Robert sache	le français
Nous voudrions	qu'elle fasse	un voyage
Est-ce que Paul veut	que vous fassiez	un voyage
Nous regrettons	que vous ne sachiez pas	l'italien
Ils‿ont peur	que nous ne puissions pas	venir
Louise regrette	que Paul ne puisse pas	sortir
Robert a peur	que je ne fasse pas	attention
Ils souhaitent	que vous puissiez	les‿attendre
Je doute	que nous sachions	la raison (*reason*)

C

Il veut	que nous‿allions	à la campagne
Elle regrette	que vous vouliez	partir
Est-ce que Robert veut	que j'aille	le voir
Voulez-vous	que Paul aille	au bureau

1	2	3
Nous voudrions	que vous‿alliez	à Paris
Nous préférons	qu'ils‿aillent	en France
Paul regrette	que nous ne voulions pas	vendre la maison

D

Nous regrettons	que vous soyez	en retard
Ils veulent	que nous soyons	‿heureux
Paul souhaite	qu'ils soient	à l'heure
Louise regrette	que je sois	en retard
Avez-vous peur	que Louise ne soit pas	à l'heure
Elles veulent	que nous soyons	contents
Elle voudrait	que j'aie	le temps
Ils craignent	que nous n'ayons pas	assez d'argent
Elles‿ont peur	que Robert n'ait pas	de billets
Louise et Paul regrettent	que vous n'ayez pas	l'auto dimanche

WRITTEN EXERCISE

Translate the following sentences into French. After you have written out all the sentences, check them with the correct translations below this exercise.

1. I want you to take the train.
2. He would like me to learn French.
3. We wish that you would understand the situation.
4. They doubt that Paul will come to dinner.
5. Would you like us to come to see you?
6. He fears that you will not come on time.
7. We would like him to understand the situation.
8. Paul wants his son to learn Italian.
9. He wants Robert to know French.
10. We would like her to take (make) a trip.
11. Does Paul want you to take (make) a trip?
12. We are sorry that you don't know the address.
13. They are afraid that we cannot come.
14. Louise is sorry that Paul cannot go out.
15. I doubt that we know the reason.

16. He wants us to go to the country.
17. She is sorry that you want to leave.
18. Does Robert want me to go to see him?
19. Do you want Paul to go to the office?
20. We would like you to go to Paris.
21. Paul is sorry that we don't want to sell the house.
22. We are sorry that you are late.
23. They want us to be happy.
24. Louise is sorry that I am late.
25. They fear that we will not have enough money.

Check your sentences with the correct translations below:

1. Je veux que vous preniez le train.
2. Il voudrait que j'apprenne le français.
3. Nous souhaitons que vous compreniez la situation.
4. Ils doutent que Paul vienne dîner.
5. Voulez-vous que nous venions vous voir?
6. Il craint que vous ne veniez pas à l'heure.
7. Nous voudrions qu'il comprenne la situation.
8. Paul veut que son fils apprenne l'italien.
9. Il veut que Robert sache le français.
10. Nous voudrions qu'elle fasse un voyage.
11. Est-ce que Paul veut que vous fassiez un voyage?
12. Nous regrettons que vous ne sachiez pas l'adresse.
13. Ils ont peur que nous ne puissions pas venir.
14. Louise regrette que Paul ne puisse pas sortir.
15. Je doute que nous sachions la raison.
16. Il veut que nous allions à la campagne.
17. Elle regrette que vous vouliez partir.
18. Est-ce que Robert veut que j'aille le voir?
19. Voulez-vous que Paul aille au bureau?
20. Nous voudrions que vous alliez à Paris.
21. Paul regrette que nous ne voulions pas vendre la maison.
22. Nous regrettons que vous soyez en retard.
23. Ils veulent que nous soyons heureux.
24. Louise regrette que je sois en retard.
25. Ils craignent que nous n'ayons pas assez d'argent.

USES OF THE SUBJUNCTIVE—PART II

"Il est," when followed by most adjectives and the word "que," requires the subjunctive.

EXAMPLES:

1. IL EST‿ÉTRANGE QUE (*it is strange that*) is followed by the subjunctive.
2. IL EST POSSIBLE QUE (*it is possible that*) is followed by the subjunctive.

Use the following adjectives to fill in the blanks below:

étrange, *strange*
possible, *possible*
nécessaire, *necessary*
extraordinaire, *extraordinary*
impossible, *impossible*
important, *important*
préférable, *preferable*
indispensable, *indispensable*
regrettable, *regrettable, too bad*
incroyable, *incredible, unbelievable*
faux, *false, wrong*

Il est ________________ qu'il le fasse.
It is ________________ (*that he do it, that he does it, that he should do it, will do it*).
Il est ________________ qu'ils le fassent.
It is ________________ (*that they do it, that they should do it, for them to do it*).

EXERCISE IN TRANSLATION

Translate the following sentences into French. After you have written out all the sentences, check them with the correct translations below.

1. It is strange that he should do it.
2. It is extraordinary that he should do it.
3. It is possible that he will do it.
4. It is important that he do it.
5. It is probable that he will do it.
6. It is incredible that she should do it.
7. It is strange that they should do it.
8. It is possible that they will do it.

Check your sentences with the translations below:

1. Il est étrange qu'il le fasse.
2. Il est extraordinaire qu'il le fasse.
3. Il est possible qu'il le fasse.
4. Il est important qu'il le fasse.
5. Il est probable qu'il le fasse.
6. Il est incroyable qu'elle le fasse.
7. Il est étrange qu'ils le fassent.
8. Il est possible qu'ils le fassent.

The present subjunctive is used not only with "il est ——— que" but with the other forms of "être" too.

PRESENT
être, *to be*

je suis *I am*	**nous sommes** *we are*
vous‿êtes *you are*	**vous‿êtes** *you are*
il est *he, it is*	**ils sont** (*they* [masc.] *are*)

Any verb form in the chart above that is followed by an adjective and the word "que" requires the present subjunctive.

Use the following adjectives to fill in the blanks below.

1. content, contente, contents, contentes, *glad*
2. étonné, étonnée, étonnés, étonnées, *astonished, surprised*
3. enchanté, enchantée, enchantés, enchantées, *delighted*
4. triste, tristes, *sad*
5. désolé, désolée, désolés, désolées, *very sorry* (*desolate*)
6. heureux, heureuse, heureux, heureuses, *happy*
7. furieux, furieuse, furieux, furieuses, *furious*
8. ennuyé, ennuyée, ennuyés, ennuyées, *annoyed*
9. ravi, ravie, ravis, ravies, *delighted* (*ravished*)
10. navré, navrée, navrés, navrées, *extremely sorry*

Je suis _______________ que vous veniez.
I am _______________ *that you are coming.*

Êtes-vous _______________ qu'il vienne?
Are you _______________ *that he is coming?*

Il est _______________ que vous soyez‿ici.
He is _______________ *that you are here.*

Elle est _______________ que vous partiez.
She is _______________ *that you are leaving.*

Nous sommes _______________ qu'il parte.
We are _______________ *that he is leaving.*

Ils sont _______________ que vous ne veniez pas.
They (masc.) *are* _______________ *that you are not coming.*

Elles sont _______________ que vous‿alliez en France.
They (fem.) *are* _______________ *that you are going to France.*

EXERCISE IN TRANSLATION

Translate the following sentences into French. After you have written out all the sentences, check them with the correct translations below.

1. I (fem.) am glad that you are coming.
2. I (masc.) am delighted that you are going to France.
3. I (masc.) am surprised (astonished) that he is coming.
4. I (fem.) am very sorry (desolate) that you are leaving.
5. They (masc.) are delighted (ravished) that you are coming.
6. Are you (masc.) glad that he is coming?
7. He is glad that you are here.
8. She is very sorry (desolate) that you are leaving.
9. We (fem.) are sorry (desolate) that you are not coming.
10. They (fem.) are extremely sorry that he is leaving.
11. We (masc.) are delighted that you are here.
12. They (masc.) are glad that you are here.
13. She is extremely sorry that you are not coming.
14. We (fem.) are glad that you are going to France.

Check your sentences with the translations below:

1. Je suis contente que vous veniez.
2. Je suis enchanté que vous alliez en France.
3. Je suis étonné qu'il vienne.
4. Je suis désolée que vous partiez .
5. Ils sont ravis que vous veniez.
6. Êtes-vous content qu'il vienne?
7. Il est content que vous soyez ici.
8. Elle est désolée que vous partiez.
9. Nous sommes désolées que vous ne veniez pas.
10. Elles sont navrées qu'il parte.
11. Nous sommes enchantés que vous soyez ici.
12. Ils sont contents que vous soyez ici.
13. Elle est navrée que vous ne veniez pas.
14. Nous sommes contentes que vous alliez en France.

SUBSTITUTES FOR ADJECTIVES REQUIRE THE SUBJUNCTIVE

There are some expressions in French that are substitutes for adjectives. These expressions are followed by the present subjunctive just as if they were adjectives.

LIST OF EXPRESSIONS THAT REQUIRE THE PRESENT SUBJUNCTIVE

1. IL FAUT QUE, *it is necessary that* (*it must be that*)
2. IL VAUT MIEUX QUE, *it is better that* (*it is worth better that*)
3. IL SUFFIT QUE, *it is enough that* (*it suffices that*)
4. C'EST DOMMAGE QUE, *it is too bad that, it is a pity that*

Read the following sentences aloud:

1. Il faut que vous travailliez. *It is necessary that you work* (*You have got to work*).
2. Il faut qu'il le fasse. *It is necessary that he do it* (*He has got to do it*).
3. Il faut que vous‿alliez‿en France. *It is necessary that you go to France.*

4. Il vaut mieux que vous restiez‿ici. *It is better that you stay here.*
5. Il vaut mieux que je le sache. *It is better that I know it.*
6. Il suffit que je le sache. *It is enough that I know it.*
7. Il suffit que vous soyez ici. *It is enough that you are here.*
8. C'est dommage qu'il parte. *It is too bad that he is leaving.*
9. C'est dommage que vous ne veniez pas. *It is too bad that you are not coming.*
10. C'est dommage que je ne le sache pas. *It is too bad that I don't know it.*

REQUEST, PREFERENCE, COMMAND

In French an expression that states that somebody wants you to do something requires the subjunctive. This ranges from the most delicate request or preference to the most authoritative command.

1. IL VOUDRAIT QUE vous travailliez. *He would like you to work.*
2. IL VEUT QUE vous travailliez. *He wants you to work.*
3. IL DEMANDE QUE vous travailliez. *He asks that you work.*
4. IL PRÉFÈRE QUE vous travailliez. *He prefers that you work.*
5. IL PROPOSE QUE vous travailliez. *He proposes that you work.*
6. IL SUGGÈRE QUE vous travailliez. *He suggests that you work.*
7. IL SUPPLIE QUE vous travailliez. *He implores you to work.*
8. IL DÉFEND QUE vous travailliez. *He forbids you to work.*
9. IL INTERDIT QUE vous travailliez. *He will not allow you to work.*

Notice that the above expressions involve two people.
Notice also that all the verbs above are followed by "QUE."

"LET HIM" is followed by the subjunctive.

Another expression that requires the subjunctive is "QUE" *let* (*him, her, them*).

QU'IL travaille. *Let him work.*
QU'ELLE travaille. *Let her work.*
QU'ILS finissent. *Let them finish.*
QU'IL le fasse. *Let him do it.*
QU'IL fasse ce qu'il veut. *Let him do what he wants.*
QU'IL y réfléchisse. *Let him think it over (Let him reflect about it).* In this sentence "y" means "*about it.*"
QU'ELLES y réfléchissent. *Let them think it over (Let them reflect about it).* In this sentence "y" means "*about it.*"
QU'IL sorte. *Let him go out, get out.*
QU'ELLE y aille. *Let her go there (Let her there go).* In this sentence "y" means "*there.*"
QUE Paul monte. *Let Paul come upstairs.*
QUE Mademoiselle Coquette entre. *Let Miss Coquette come in.*

THE INDEFINITE OR UNKNOWN FAMILY

When you speak of an indefinite or unknown person, place, or thing, you must use the subjunctive.

EXAMPLES:

PERSONS UNKNOWN

1. *I want a maid who will do the work well.*
   Je veux‿une bonne qui FASSE bien le travail.
   Since you don't know who the maid will be, you must use the subjunctive.
2. *I want a secretary who does not talk all the time.*
   Je veux‿une secrétaire qui ne PARLE pas tout le temps.
   Since you don't know who the secretary will be, you must use the subjunctive.

THINGS AND PLACES UNKNOWN

1. Je cherche une maison qui SOIT près de la gare.
   I am looking for a house that is near the station.
   Since you don't know which house it will be, you must use the subjunctive.
2. Je veux une maison qui AIT une cheminée.
   I want a house that has a fireplace.

Since you don't know which house it will be, you must use the subjunctive.

NOTE: The subjunctive expressions you have studied in this lesson are in the present tense. When you use these same expressions in the conditional, they are also followed by the subjunctive. For example: "Je veux que" is in the present tense. "Je voudrais que" is in the conditional. Both are followed by the present subjunctive.

EXAMPLE: Conditional tense.

JE SERAIS CONTENT que Paul VIENNE.
I would be happy if Paul would come.

There are other expressions that call for the subjunctive, but save them for later. Let's go on now to the past subjunctive, which you'll learn easily. (These other expressions are offered on p. 560.)

EXTRA WORDS

Exercise in Pronunciation of OU

In French "OU" is pronounced as the "*oo*" in "*moo.*"

Merci beaucoup. *Thank you very much.*
de la moutarde, *mustard*
doux (masc.), **douce** (fem.), *sweet*
du vin doux, *sweet wine*
une coupe, *a haircut*
la douane, *customs or customhouse*
louer, *to rent*
louer une barque, *to rent a rowboat*
louer un bateau à moteur, *to rent a motorboat*
la route, *the road*
la grand-route, *the highway*
louer une auto avec chauffeur, *to rent a car with a chauffeur*
louer une auto sans chauffeur, *to rent a car without a chauffeur*
une carte routière, *a road map*
une douche, *a shower*
une couverture, *a blanket*
court, *short*
Combien coûte . . . ? *How much does . . . cost?*

44
Leçon Numéro Quarante-quatre

THE PAST SUBJUNCTIVE

The past subjunctive is like the past tense (indicative) except for the auxiliary verbs. Notice the difference between the past tense (indicative) and the past subjunctive below. The auxiliary verbs have been put in large letters so that you will see the difference between the two charts.

PAST TENSE (indicative)
parler, *to speak*

j'AI parlé *I spoke*	nous‿AVONS parlé *we spoke*
vous‿AVEZ parlé *you spoke*	vous‿AVEZ parlé *you spoke*
il A parlé *he spoke*	ils‿ONT parlé *they spoke*

PAST SUBJUNCTIVE
parler, *to speak*

j'AIE parlé	nous‿AYONS parlé
vous‿AYEZ parlé	vous‿AYEZ parlé
il AIT parlé	ils‿AIENT parlé

Notice that the past participle (parlé) does not change in either chart. Only the auxiliary verbs change.

USE OF THE PAST SUBJUNCTIVE

When a subjunctive expression is followed by action in the past, it requires a past subjunctive. You already know that "JE REGRETTE QUE" (*I am sorry that*) requires the subjunctive. When "JE REGRETTE QUE" is followed by action in the present or future, it requires the present subjunctive. When "JE REGRETTE QUE" is followed by action in the past, it requires the past subjunctive.

EXAMPLES:

1. PRÉSENT SUBJUNCTIVE (action in the future or in the present)
   Je regrette que vous PARTIEZ demain.
   I am sorry that you are leaving tomorrow (action in the future).
   Je regrette que vous PARTIEZ tôt.
   I am sorry that you leave early (action in the present).
2. PAST SUBJUNCTIVE (action in the past)
   Je regrette que vous‿AYEZ TRAVAILLÉ hier.
   I am sorry that you worked yesterday (action in the past).
   IMPORTANT: When a subjunctive expression is followed by action in the past, it requires the past subjunctive.

WRITTEN EXERCISE

1. Cover up the right-hand column.
2. Write the past subjunctive of each verb in the left-hand column.
3. Check your column with the right-hand column below.

PAST TENSE (indicative)	PAST SUBJUNCTIVE
j'ai parlé, *I talked*	que j'aie parlé
j'ai oublié, *I forgot*	que j'aie oublié
vous‿avez parlé, *you talked*	que vous‿ayez parlé
nous‿avons‿oublié, *we forgot*	que nous‿ayons‿oublié
j'ai demandé, *I asked*	que j'aie demandé
nous‿avons dit, *we said*	que nous‿ayons dit
il a dit, *he said*	qu'il ait dit

PAST TENSE (indicative)	PAST SUBJUNCTIVE
nous‿avons‿écrit, *we wrote*	que nous‿ayons‿écrit
j'ai dit, *I said*	que j'aie dit
j'ai téléphoné, *I phoned*	que j'aie téléphoné
nous‿avons téléphoné, *we phoned*	que nous‿ayons téléphoné
il a chanté, *he sang*	qu'il ait chanté
j'ai fait, *I did, I made*	que j'aie fait
ils‿ont fait, *they made, did*	qu'ils‿aient fait
elles‿ont parlé, *they talked*	qu'elles‿aient parlé
il a répondu, *he answered*	qu'il ait répondu
ils‿ont compris, *they understood*	qu'ils‿aient compris
il a dansé, *he danced*	qu'il ait dansé
vous‿avez reçu, *you received*	que vous‿ayez reçu
nous‿avons reçu, *we received*	que nous‿ayons reçu
il a fini, *he finished*	qu'il ait fini
vous‿avez‿été, *you were*	que vous‿ayez‿été
vous‿avez‿eu, *you had*	que vous‿ayez‿eu
nous‿avons vu, *we saw*	que nous‿ayons vu
j'ai acheté, *I bought*	que j'aie acheté
vous‿avez‿acheté, *you bought*	que vous‿ayez‿acheté
il a envoyé, *he sent*	qu'il ait‿envoyé
ils‿ont‿envoyé, *they sent*	qu'ils‿aient‿envoyé

Read the following sentences aloud:

1. Je suis‿heureux (masc.) que vous‿ayez téléphoné.
   I am happy that you phoned.
2. Je suis heureuse (fem.) que vous‿ayez fini.
   I am happy that you finished.
3. Je suis heureuse (fem.) que vous‿ayez vu mon père.
   I am glad that you saw my father.
4. Je suis ravi que vous‿ayez fini.
   I am delighted that you finished.
5. Il est ravi que vous‿ayez‿acheté la maison.
   He is delighted that you bought the house.
6. Je suis désolée qu'il ait‿oublié le paquet.
   I am very sorry that he forgot the package.
7. Je doute qu'il l'ait fait.
   I doubt that he did it.

8. C'est dommage qu'il ait fini tard.
   It is a pity that he finished late.
9. Je regrette que vous‿ayez‿eu un‿accident.
   I am sorry that you had an accident.

THE PAST SUBJUNCTIVE FORMED WITH "ÊTRE"

PAST TENSE (indicative)
aller, *to go*

je SUIS‿allé *I went* (masc.)	nous SOMMES‿allés *we went* (masc.)
vous‿ÊTES‿allé *you went* (masc.)	vous‿ÊTES‿allés *you went* (masc., pl.)
il EST‿allé *he went*	elles SONT‿allées *they went* (fem.)

PAST SUBJUNCTIVE
aller, *to go*

je SOIS‿allé (masc.)	nous SOYONS‿allés (masc.)
vous SOYEZ‿allé (masc., sing.)	vous SOYEZ‿allés (masc., pl.)
il SOIT‿allé	ils SOIENT‿allés (masc.)

WRITTEN EXERCISE

1. Cover up the right-hand column.
2. Write the past subjunctive of each verb in the left-hand column.
3. Check your column with the right-hand column below.

PAST TENSE (indicative)	PAST SUBJUNCTIVE
je suis‿allé (masc.), *I went*	que je sois‿allé
je suis‿allée (fem.), *I went*	que je sois‿allée
nous sommes‿allés (masc., pl.), *we went*	que nous soyons‿allés
il est‿allé, *he went*	qu'il soit‿allé
elle est‿allée, *she went*	qu'elle soit‿allée

PAST TENSE (indicative)	PAST SUBJUNCTIVE
ils sont‿allés, *they went*	qu'ils soient‿allés
elles sont‿allées, *they went*	qu'elles soient‿allées
je suis parti (masc.), *I left*	que je sois parti
elle est partie, *she left*	qu'elle soit partie
nous sommes partis (masc., pl.), *we left*	que nous soyons partis
elle est rentrée, *she came home*	qu'elle soit rentrée
nous sommes sortis (masc., pl.), *we went out*	que nous soyons sortis
il est resté, *he stayed*	qu'il soit resté
je suis‿arrivé (masc.), *I arrived*	que je sois‿arrivé
nous sommes‿entrées (fem., pl.), *we came in*	que nous soyons‿entrées
je suis venu (masc.), *I came*	que je sois venu
il est venu, *he came*	qu'il soit venu
elle est venue, *she came*	qu'elle soit venue

THE PAST SUBJUNCTIVE OF REFLEXIVE VERBS

Remember: Reflexive verbs are formed with "être" in the past tense (indicative).

EXAMPLE:

Je me suis lavé (masc.).
I washed myself.

Reflexive verbs are formed with "être" in the past subjunctive, too.

EXAMPLES:

Je doute qu'il se soit couché.
I doubt that he went to bed.
Je regrette que vous vous soyez‿ennuyé.
I am sorry that you got bored.

Read the following sentences aloud:

1. Je suis désolée qu'il soit parti.
   I am very sorry that he left.

2. Je suis désolé qu'elle soit partie.
   I am very sorry that she left.
3. Je regrette qu'ils soient sortis.
   I am sorry that they went out.
4. Nous regrettons qu'ils soient sortis.
   We are sorry that they went out.
5. Je regrette qu'il se soit couché.
   I am sorry that he went to bed.

CATEGORY XXV

You can convert many English adjectives that end in "*ous*" into French words by changing "*ous*" to "eux."

OUS = EUX (for the masculine form)
EUSE (for the feminine form)

precious, précieux (masculine)
précieuse (feminine)

ambitieux
amoureux
(*amorous*)
anxieux
audacieux
avantageux
(*advantageous*)
avaricieux
capricieux
cérémonieux
consciencieux
contagieux
copieux
courageux
(*courageous*)
curieux
dangereux
délicieux
désastreux
(*disastrous*)
envieux

fabuleux
facétieux
fastidieux
furieux
généreux
glorieux
gracieux
harmonieux
hasardeux
(*hazardous*)
hideux
(*hideous*)
impérieux
impétueux
industrieux
infectieux
ingénieux
injurieux
insidieux
judicieux
laborieux

lumineux
malicieux
mélodieux
merveilleux
(*marvelous*)
méticuleux
miraculeux
monstrueux
(*monstrous*)
mystérieux
nébuleux
nerveux
odieux
officieux
onéreux
outrageux
(*outrageous*)
périlleux
(*perilous*)
pernicieux
pieux

piteux
(*piteous*)
pompeux
populeux
poreux
précieux
présomptueux
(*presumptuous*)
prodigieux
religieux
rigoureux
(*rigorous*)
ruineux
scandaleux
scrupuleux
séditieux
sérieux
spacieux
studieux
superstitieux
tempêtueux
(*tempestuous*)
valeureux
(*valorous*)
vaporeux
vertueux
(*virtuous*)
vicieux
victorieux
vigoureux
(*vigorous*)
volumineux
voluptueux

TEST YOUR PROGRESS

Now that you have covered forty-four lessons, test yourself again to see how you are progressing.

TEST I

Let's see how well you remember the reflexive verbs. Translate the following into French. You should be able to complete this test in ten minutes.

1. I (fem.) washed myself.
2. I (masc.) went to bed.
3. I (fem.) had a good time.
4. I (masc.) even went to sleep.
5. We (masc.) went to bed.
6. He washed his hands.
7. I (masc.) get up at eight o'clock.
8. I wake up early.
9. What's your name?
10. I (masc.) get up early.
11. I dry my face.
12. I brush my teeth.
13. Do you rest?
14. I'm going to dress.
15. I'm going to comb my hair.
16. Did you (masc.) hurry?

17. I (masc.) got married.
18. Did you (fem.) get married in August?
19. He shaved before breakfast.
20. I (fem.) went to sleep this afternoon.

Now check your answers with those below. If you made less than four errors, you are doing fine work. If you made more than eight errors you should review the reflexive verbs.

1. Je me suis lavée.
2. Je me suis couché.
3. Je me suis amusée.
4. Je me suis même endormi.
5. Nous nous sommes couchés.
6. Il s'est lavé les mains.
7. Je me lève à huit heures.
8. Je me réveille tôt.
9. Comment vous appelez-vous?
10. Je me lève tôt.
11. Je me sèche la figure.
12. Je me brosse les dents.
13. Vous reposez-vous?
14. Je vais m'habiller.
15. Je vais me peigner.
16. Vous êtes-vous dépêché?
17. Je me suis marié.
18. Vous êtes-vous mariée en août?
19. Il s'est rasé avant le petit déjeuner.
20. Je me suis endormie cet après-midi.

TEST II

Now let's see how you can distinguish the imperfect and the compound past tenses. Translate the following sentences into French. You should be able to complete this test in fifteen minutes.

1. Edward used to come to my house often.
2. John wrote an article.
3. My uncle always paid the bills.
4. Helen used to make the bed every morning.

5. Mary took a taxi.
6. He always talked slowly.
7. I had a dog.
8. When I was in France.
9. Charles was very intelligent.
10. The house had large doors.
11. The dress was lovely.
12. I was walking when I met Paul.
13. I was reading the newspaper when the phone rang.
14. The sea was green.
15. If he would do it!
16. If I had money!
17. I wanted to buy a house.
18. We were going to make cakes.
19. I bought a house.
20. They (fem.) used to have a car.
21. They (masc.) wanted to stay at home.
22. Robert said that she was clever.
23. You (fem.) said that you were tired.
24. We were going to buy candy.
25. She was reading when he arrived.

Check your answers with those below. If you make no more than five errors, you understand the imperfect. If you make ten or more errors, you should study Lesson Forty more thoroughly.

1. Édouard venait souvent chez moi.
2. Jean a écrit un article.
3. Mon oncle payait toujours les notes.
4. Hélène faisait le lit tous les matins.
5. Marie a pris un taxi.
6. Il parlait toujours lentement.
7. J'avais un chien.
8. Quand j'étais en France.
9. Charles était très intelligent.
10. La maison avait de larges portes.
11. La robe était ravissante.
12. Je me promenais lorsque j'ai rencontré Paul.
13. Je lisais le journal quand le téléphone a sonné.
14. La mer était verte.

15. S'il le faisait!
16. Si j'avais de l'argent!
17. Je voulais acheter une maison.
18. Nous allions faire des gâteaux.
19. J'ai acheté une maison.
20. Elles avaient une auto.
21. Ils voulaient rester à la maison.
22. Robert a dit qu'elle était adroite.
23. Vous avez dit que vous étiez fatiguée.
24. Nous allions acheter des bonbons.
25. Elle lisait quand il est arrivé.

TEST III

Translate the following sentences into French to discover how well you know these verb forms. You should be able to complete this test in twenty minutes.

1. I'll go to France next year.
2. I'll have the money tomorrow.
3. We will have a car in the country.
4. Will you come before dinner?
5. He'll see Louise in Paris.
6. I will not be able to leave before spring.
7. I'll send Louise some flowers.
8. There will be a lot of people.
9. Will there be much work tomorrow?
10. Will you speak to Paul tomorrow?
11. If he had money, he would buy a car.
12. If she had time, she would prepare dinner.
13. If we had paper, we would copy the lesson.
14. If I (masc.) were ready, I would leave at once.
15. If I were you, I would accept it.
16. If you (masc.) weren't tired, we would play tennis.
17. He said that he would finish his work.
18. We said that we would stay at home.
19. You said that you would sleep late.
20. She said that she would write to Robert.
21. Would you please open the door?

22. Would you please give me a glass of water?
23. I would like to go to the country.
24. I would like to see Paul.
25. If the house were bigger, we would buy it.

Check your answers with those below. This was not an easy test. If you made no more than five errors, you understand the material very well. If you made more than twelve errors, you should, for your own satisfaction, recheck Lessons Forty-one and Forty-two, and try the test again.

1. J'irai en France l'année prochaine.
2. J'aurai l'argent demain.
3. Nous aurons une auto à la campagne.
4. Viendrez-vous avant le dîner?
5. Il verra Louise à Paris.
6. Je ne pourrai pas partir avant le printemps.
7. J'enverrai des fleurs à Louise.
8. Il y aura beaucoup de monde.
9. Y aura-t-il beaucoup de travail demain?
   Est-ce qu'il y aura beaucoup de travail demain?
10. Parlerez-vous à Paul demain?
11. S'il avait de l'argent, il achèterait une auto.
12. Si elle avait le temps, elle préparerait le dîner.
13. Si nous avions du papier, nous copierions la leçon.
14. Si j'étais prêt, je partirais tout de suite.
15. Si j'étais vous, je l'accepterais.
16. Si vous n'étiez pas fatigué, nous jouerions au tennis.
17. Il a dit qu'il finirait son travail.
18. Nous avons dit que nous resterions à la maison.
19. Vous avez dit que vous dormiriez tard.
20. Elle a dit qu'elle écrirait à Robert.
21. Voudriez-vous ouvrir la porte, s'il vous plaît?
22. Voudriez-vous me donner un verre d'eau, s'il vous plaît?
23. J'aimerais aller à la campagne.
24. J'aimerais voir Paul.
25. Si la maison était plus grande, nous l'achèterions.

TEST IV

Translate the following sentences into French to give yourself a review of the present and past subjunctive. You should be able to complete this test in thirty minutes.

1. I want you to finish.
2. I would like you to sell the house.
3. I would like you to work tonight.
4. I'm sorry that you are leaving tomorrow.
5. I wish that you would stay here.
6. I am afraid that you will not get there on time.
7. I want them to work tomorrow.
8. We want them to work tonight.
9. I would like better that we go out early.
10. I would like you to bring the ticket.
11. He wants us to sell the house.
12. I doubt that they (masc.) will sell the house.
13. I doubt that he will go to bed early.
14. I don't want her to worry.
15. I wish that they would get married.
16. I wish that you wouldn't get angry.
17. I wish that you would hurry.
18. I would like you to bring it to me.
19. I prefer that you say it.
20. I wish that he would lend it (fem.) to me.
21. I would like to leave tomorrow.
22. I would like you to go out.
23. She would like to sell the house.
24. We prefer that you finish your work.
25. They (fem.) would like you to hurry.
26. I am sorry that you worked yesterday.
27. I (masc.) am happy that you phoned.
28. I (fem.) am glad that you saw my father.
29. I doubt that he did it.
30. It's a pity that he finished late.
31. I doubt that he has gone to bed.
32. I (fem.) am very sorry that he left.
33. We are sorry that they (masc.) went out.

34. I am sorry that he went to bed.
35. I'm sorry that you (masc.) got bored.

Check your sentences with those below. This was a mean test, but a most important one. If you made no more than eight errors, you are a blue-ribbon student. If you made more than eighteen errors, you should review the last few chapters.

1. Je veux que vous finissiez.
2. Je voudrais que vous vendiez la maison.
3. Je voudrais que vous travailliez ce soir.
4. Je regrette que vous partiez demain.
5. Je souhaite que vous restiez ici.
6. J'ai peur que vous n'arriviez pas à l'heure.
7. Je veux qu'ils travaillent demain.
8. Nous voulons qu'ils travaillent ce soir.
9. J'aimerais mieux que nous sortions tôt.
10. Je voudrais que vous apportiez le billet.
11. Il veut que nous vendions la maison.
12. Je doute qu'ils vendent la maison.
13. Je doute qu'il se couche tôt.
14. Je ne veux pas qu'elle s'inquiète.
15. Je souhaite qu'ils se marient.
16. Je souhaite que vous ne vous fâchiez pas.
17. Je souhaite que vous vous dépêchiez.
18. Je voudrais que vous me l'apportiez.
19. Je préfère que vous le disiez.
20. Je souhaite qu'il me la prête.
21. Je voudrais partir demain.
22. Je voudrais que vous sortiez.
23. Elle voudrait vendre la maison.
24. Nous préférons que vous finissiez votre travail.
25. Elles voudraient que vous vous dépêchiez.
26. Je regrette que vous ayez travaillé hier.
27. Je suis heureux que vous ayez téléphoné.
28. Je suis heureuse que vous ayez vu mon père.
29. Je doute qu'il l'ait fait.
30. C'est dommage qu'il ait fini tard.
31. Je doute qu'il se soit couché.
32. Je suis désolée qu'il soit parti.

33. Nous regrettons qu'ils soient sortis.
34. Je regrette qu'il se soit couché.
35. Je regrette que vous vous soyez ennuyé.

EXTRA WORDS

Exercise in Pronunciation of AINE, EINE

In French "AIN" and "EIN" are pronounced as the *"an"* in *"man,"* but make this a sharp nasal sound. "AINE" and "EINE" are pronounced as the *"en"* in *"men."*

la prochaine (fem.), *the next*
l'année prochaine, *next year*
la semaine prochaine, *next week*
dans‿une semaine, *in a week*
la semaine dernière, *last week*
le capitaine, *the captain*
la prochaine fois, *next time*
l'église américaine, *the American church*
la bibliothèque américaine, *the American library*
Je suis‿Américaine (fem.). *I am an American.*
pleine (fem.) **(de),** *full (of)*

MASCULINE	FEMININE
prochain, *next*	**prochaine**
un‿Américain, *an American*	**une Américaine**
américain, *American*	**américaine**
plein (de), *full (of)*	**pleine (de)**

45
Leçon Numéro Quarante-cinq

SPELLING CHANGES IN VERBS
(orthographic-changing verbs)

There are some verbs in French that are regular when you pronounce them but that have irregularities in spelling when you write them. The only purpose of the irregularities in spelling is to keep the verbs regular in their pronunciation.

I. "G" CHANGES TO "GE"

For example, the "G" in "manger" (*to eat*) is soft, and must remain soft throughout all forms of the verb. But if you put the regular endings on this verb, you would have to change the pronunciation. For example, if you added the ending "ONS" to the stem "mang," the "G" in "mangons" would have to be pronounced as the hard "G" in the English word "*gone.*" In order to retain the soft "g," you must add the letter "e" after the "g." Then you get "nous mangeons" and the letter "g" retains the soft sound it has in "manger."

When a verb ends in "GER" in the infinitive, add the letter "E" after the "G" in the first person plural of the present tense.

EXAMPLE:

PRESENT TENSE

manger, *to eat*

je mange (*I eat*)	**nous mangEons** (*we eat*)
vous mangez (*you eat*)	**vous mangez** (*you eat*)
il mange (*he eats*)	**ils mangent** (*they* [masc.] *eat*)

The following chart shows you exactly where to add the letter "E" after the "G."

PRESENT TENSE

GO = GEO

	E

In the imperfect you must add an "E" after the "G" before all endings that begin with "A," for the same reason you add the "E" before "ONS." That is, in order to retain the soft "G."

IMPERFECT TENSE

manger, *to eat*

je mangEais (*I used to eat*)	**nous mangions** (*we used to eat*)
vous mangiez (*you used to eat*)	**vous mangiez** (*you used to eat*)
il mangEait (*he used to eat*)	**ils mangEaient** (*they* [masc.] *used to eat*)

The following chart shows you exactly where to add the letter "E" after the "G" in the imperfect tense.

IMPERFECT TENSE

GA = GEA

E	
E	E

In the following verbs add an "E" after the "G" in the present tense and in the imperfect tense. We repeat the charts here for your convenience.

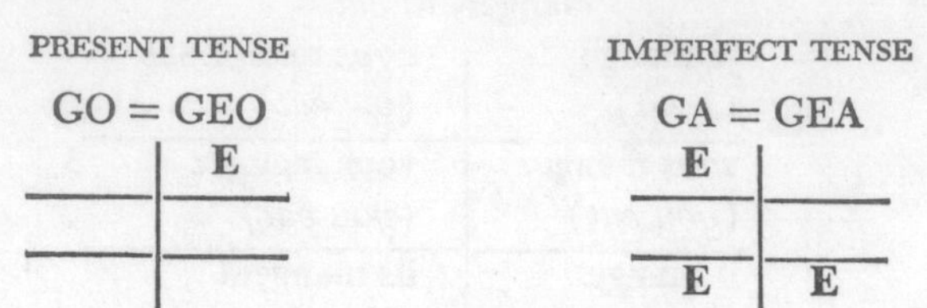

LIST OF VERBS IN WHICH YOU ADD THE LETTER "E"

(as indicated in the charts above)

arranger, *to arrange*
charger, *to load*
bouger, *to budge*
corriger, *to correct*
diriger, *to direct*
échanger, *to exchange*
décourager, *to discourage*
encourager, *to encourage*
déranger, *to disturb*
exiger, *to require*
interroger, *to question*
juger, *to judge*
manger, *to eat*
nager, *to swim*
obliger, *to oblige*
partager, *to share*
plonger, *to plunge*
prolonger, *to prolong*
protéger, *to protect*
ranger, *to put away, put in order*
songer, *to dream, to think*
venger, *to avenge*
voyager, *to travel*

II. "C" CHANGES TO "Ç"

When a verb ends in "cer" in the infinitive, the "C" changes to "Ç" before the letters "A" and "O." You add the cedilla under the "C" in order to soften it. "Ç" is pronounced as the letter "S" in "*so.*"

EXAMPLES: PRESENT TENSE

commencer, *to begin*

je commence (*I begin*)	nous commenÇons (*we begin*)
vous commencez (*you begin*)	vous commencez (*you begin*)
il commence (*he begins*)	ils commencent) (*they* [masc.] *begin*)

IMPERFECT TENSE

commencer, *to begin*

je commenÇais (*I used to begin*)	nous commencions (*we used to begin*)
vous commenciez (*you used to begin*)	vous commenciez (*you used to begin*)
il commenÇait (*he used to begin*)	ils commenÇaient (*they* [masc.] *used to begin*)

In the following verbs add a cedilla to the letter "C" in the present tense and in the imperfect tense.

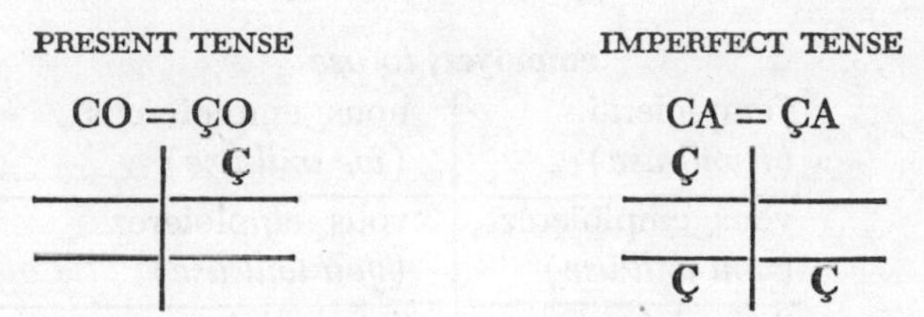

Notice that the "C" changes to "Ç" in exactly the same place that "G" changes to "GE" (as in Group I above).

LIST OF VERBS IN WHICH "C" BECOMES "Ç"

(as indicated in the charts above)

annoncer, *to announce*
avancer, *to advance*
balancer, *to balance*
commencer, *to begin*
dénoncer, *to denounce*
divorcer, *to divorce*
effacer, *to erase*
(s)'élancer, *to rush or spring forward*
exercer, *to exercise*
forcer, *to force, oblige*
influencer, *to influence*
lancer, *to hurl*
menacer, *to threaten*
percer, *to pierce*
placer, *to place*
prononcer, *to pronounce*
remplacer, *to replace*
renoncer, *to give up*
tracer, *to trace*

III. "Y" CHANGES TO "I"

When a verb ends in "oyer" or in "uyer," the letter "Y" changes to "I" before a silent "E."

EXAMPLE:

PRESENT TENSE

employer, *to use*

j'emploie (*I use*)	nous‿employons (*we use*)
vous‿employez (*you use*)	vous‿employez (*you use*)
il emploie (*he uses*)	ils‿emploient (*they use*)

FUTURE

employer, *to use*

j'emploierai (*I will use*)	nous‿emploierons (*we will use*)
vous‿emploierez (*you will use*)	vous‿emploierez (*you will use*)
il emploiera (*he will use*)	ils‿emploieront (*they will use*)

CONDITIONAL

employer, *to use*

j'emploierais (*I would use*)	nous‿emploierions (*we would use*)
vous‿emploieriez (*you would use*)	vous‿emploieriez (*you would use*)
il emploierait (*he would use*)	ils‿emploieraient (*they would use*)

In the following verbs the "Y" changes to "I" as indicated in the charts below.

PRESENT TENSE

Y = I

I	
I	**I**

FUTURE AND CONDITIONAL

Y = I

I	**I**
I	**I**
I	**I**

LIST OF VERBS IN WHICH "Y" CHANGES TO "I"

(as indicated in the charts above)

aboyer, *to bark*
appuyer, *to support*
employer, *to use*
ennuyer, *to bore*
s'ennuyer, *to be bored*
envoyer, renvoyer, *to send, send back*
essuyer, *to wipe*
nettoyer, *to clean*
se noyer, *to drown*

CATEGORY XXVI

You can convert many English words that end in "*ate*" into French words by removing the letter "e." These words are masculine.

ATE = AT

the chocolate, le chocolat

un candidat
un célibat
un certificat
le chocolat
un climat
un consulat
un débat
immédiat
indélicat
un lauréat
un magistrat
un magnat
un mandat
un prélat
un protectorat
un sénat
un syndicat

CATEGORY XXVII

You can convert some English words that end in "*am*" into French words by adding the letters "me." These words are masculine.

AM = AMME

the program, le programme

un anagramme
un câblogramme (*cablegram*)
un diagramme
un épigramme
un gramme
un kilogramme
un monogramme
un programme
un télégramme

You can also convert some English words that end in "*em*" into French words by adding the letter "e." These words are masculine.

EM = ÈME

the problem, le problème

un emblème un diadème un problème un système

EXTRA WORDS

Exercise in Pronunciation of OU

In French "OU" is pronounced as the *"oo"* in *"moo."*

le four, *the oven*
au four, *baked in the oven*
la poudre, *powder*
un journal américain, *an American newspaper*
un journal français, *a French newspaper*
les courses, *the races*
sous, *under*
sous la table, *under the table*
le couloir, *the corridor*
nouveau (masc.), **nouvelle** (fem.), *new*
mou (masc.), **molle** (fem.), *soft*
ma fourrure, *my fur*
surtout, *above all, especially*
le mouton, *mutton*
tousser, *to cough*
toute la journée, *all day*
trouver, *to find*
N'oubliez pas. *Don't forget.*

46
Leçon Numéro Quarante-six

USES OF THE INFINITIVE

I. You have already learned some uses of the infinitive. For example, you have learned that "je vais" expresses future action when it is used in combination with the infinitive.

EXAMPLE: Je vais chanter. *I'm going to sing.*

II. When an English present participle (singing, talking, etc.) is not used with an auxiliary, its French equivalent is an infinitive.

EXAMPLE: VOIR c'est CROIRE. *Seeing is believing.*

When you say, "I AM seeing"—in other words, when you use the auxiliary "AM"—you must use the present tense in French. When you do not use "AM" or any other auxiliary, you must use the INFINITIVE.

EXAMPLE: Je vois. *I am seeing, I see.*

There is one exception to this rule: After "en" (*on*) use the present participle. "En‿entrant, j'ai vu Paul." *On entering I saw Paul.* However, don't let this worry you now. It is covered fully in the section on the present participle.

The important thing to remember is: AN ENGLISH PRESENT

PARTICIPLE WITHOUT AN AUXILIARY BECOMES AN INFINITIVE IN FRENCH (except after "en").

EXAMPLES:

1. After "sans" (*without*).
   Cela va sans dire. *That (It) goes without saying.*
   J'ai lu la lettre sans la comprendre. *I read the letter without understanding it.*
2. After "avant de" (*before*).
   Avant de sortir, je dois téléphoner à mon ami. *Before leaving, I have to phone my friend.*
   Je vais dîner avant d'aller au cinéma. *I'm going to have dinner (to dine) before going to the movies.*
3. After "après" (*after*). "Après" is used only with the auxiliary verbs "avoir" and "être." In French you cannot say *"after speaking"*; you must say *"after having spoken"* (après avoir parlé). The word *"having"* becomes the infinitive "avoir" (*to have*).

   Je comprendrai mieux après‿avoir parlé à Paul. *I will understand better after having spoken to Paul.*

Remember that the infinitive is used after "après," but this infinitive must be either "avoir" or "être."

après‿être sorti, *after going out* (*after having gone out*)
après‿être parti, *after leaving* (*after having left*)
après‿avoir fini, *after finishing* (*after having finished*)

COMMON EXPRESSIONS USED WITH THE INFINITIVE IN BOTH ENGLISH AND FRENCH

In the left-hand column below there is a list of verbs and expressions followed by the infinitive. In the right-hand column there is a list of infinitives you can combine with the left-hand column. There is purposely no third column. Take an expression from the first column, and any infinitive from the second column, and then finish the sentence any way you want. Use each expression in the first column with ALL the verbs in the right-hand column.

ALLEZ-VOUS	VOIR
Are you going	*to see*
JE VAIS	FINIR
I am going	*to finish*
POUVEZ-VOUS	RESTER ici
Are you able	*to stay here*
JE PEUX	PARLER à Paul
I am able	*to speak to Paul*
VOULEZ-VOUS	DÎNER avec moi
Do you want	*to have dinner with me*
Would you like	
JE VOUDRAIS	FAIRE
I want	*to do, make*
I would like	
PRÉFÉREZ-VOUS	TÉLÉPHONER
Do you prefer	*to phone*
JE PRÉFÈRE	PRENDRE un taxi
I prefer	*to take a taxi*
DEVEZ-VOUS	PARTIR
Do you have to, must you	*leave*
JE DOIS	PARTIR
I have to, must	*leave*
ESPÉREZ-VOUS	RÉUSSIR
Do you hope	*to succeed*
J'ESPÈRE	RÉUSSIR
I hope	*to succeed*
AVEZ-VOUS‿ENVIE DE (D')	ALLER
Are you eager	*to go*
J'AI ENVIE DE	VENIR
I am eager	*to come*
AVEZ-VOUS BESOIN DE (D')	ACHETER
Do you need	*to buy*
J'AI BESOIN DE	VENDRE
I need	*to sell*

THE PRESENT PARTICIPLE

You have learned that the present participle is used after "EN."

EXAMPLE: EN‿entrant, j'ai vu Paul. *ON entering, I saw Paul.*

To form the present participle, take the first person plural of the present tense, drop the ending "ONS," and add "ANT."

INFINITIVE	PRESENT TENSE (first person plural)	PRESENT PARTICIPLE
donner, *to give*	nous donnons, *we give*	donnant, *giving*
vendre, *to sell*	nous vendons, *we sell*	vendant, *selling*
finir, *to finish*	nous finissons, *we finish*	finissant, *finishing*
lire, *to read*	nous lisons, *we read*	lisant, *reading*
se reposer, *to rest*	nous nous reposons, *we are resting, we rest*	se reposant, *resting*

The present participle of both regular and irregular verbs is formed in the same way. The three following verbs are exceptions to the rule.

INFINITIVE	PRESENT PARTICIPLE
1. être, *to be*	étant, *being*
2. avoir, *to have*	ayant, *having*
3. savoir, *to know*	sachant, *knowing*

WRITTEN EXERCISE

1. Cover up the right-hand column.
2. Remove "ONS" from the first person plural of the present tense in the second column.
3. Add "ANT," as in the third column below.
4. Check your column with the third column below.

INFINITIVE	PRESENT TENSE (first person plural)	PRESENT PARTICIPLE
fumer, *to smoke*	nous fumons, *we smoke*	fumant, *smoking*
choisir, *to choose*	nous choisissons, *we choose*	choisissant, *choosing*

INFINITIVE	PRESENT TENSE (first person plural)	PRESENT PARTICIPLE
partir, *to leave*	nous partons, *we leave*	partant, *leaving*
faire, *to do, make*	nous faisons, *we do, make*	faisant, *doing, making*
venir, *to come*	nous venons, *we come*	venant, *coming*
boire, *to drink*	nous buvons, *we drink*	buvant, *drinking*
manger, *to eat*	nous mangeons, *we eat*	mangeant, *eating*
écrire, *to write*	nous‿écrivons, *we write*	écrivant, *writing*
se promener, *to take a walk*	nous nous promenons, *we take walk*	se promenant, *taking a walk*
sortir, *to go out*	nous sortons, *we go out*	sortant, *going out*
écouter, *to listen*	nous‿écoutons, *we listen*	écoutant, *listening*
aller, *to go*	nous‿allons, *we go*	allant, *going*
arriver, *to arrive*	nous‿arrivons, *we arrive*	arrivant, *arriving*
marcher, *to walk*	nous marchons, *we walk*	marchant, *walking*

CATEGORY XXVIII

You can convert many English words that end in "*ing*" or "*ating*" into French words by changing the "*ing*" or "*ating*" to "ant."

ING = ANT

charming, charmant

alarmant	déplaisant	fatigant	pétrifiant
amusant	(*displeasing*)	(*fatiguing*)	(*petrifying*)
appétissant	embarrassant	fortifiant	purifiant
(*appetizing*)	émouvant	(*fortifying*)	(*purifying*)
caressant	(*moving*)	horrifiant	ravissant
charmant	encourageant	(*horrifying*)	(*ravishing*)
décourageant	(*encouraging*)	imposant	rassurant
(*discouraging*)	enrageant	insultant	(*reassuring*)
défigurant	(*enraging*)	intrigant	révoltant
(*disfiguring*)	enveloppant	(*intriguing*)	terrifiant
dégoûtant	(*enveloping*)	menaçant	(*terrifying*)
(*disgusting*)	existant	obligeant	vexant
dégradant	(*existent*)	(*obliging*)	

ATING = ANT

enervating, énervant

désolant (*desolating*)	humiliant (*humiliating*)	palpitant (*palpitating*)	vacillant (*vacillating*)
énervant (*enervating*)	insinuant (*insinuating*)	suffocant (*suffocating*)	vibrant (*vibrating*)
exaspérant (*exasperating*)	isolant (*isolating*)		

Some words show important spelling differences but are nevertheless recognizable.

compromettant (*compromising*)	encombrant (*encumbering, cumbersome*)	intéressant (*interesting*)	tentant (*tempting*)
convainquant (*convincing*)	étonnant (*astonishing*)	surprenant (*surprising*)	

EXTRA WORDS

Exercise in Pronunciation of EUR, OEUR

In French "EUR, OEUR" are pronounced as *"urr"* in *"blurred."*

la fleur, *the flower*
le chasseur, *the bell-boy*
la liqueur, *the liqueur*
le porteur, *the porter*
l'ascenseur, *the elevator*
le tailleur, *the tailor, the suit* (woman's)
la couleur, *the color*
la chaleur, *the heat*
le moteur, *the motor*
le chauffeur, *the chauffeur, driver*
l'indicateur, *the timetable*
le radiateur, *the radiator*
l'ambassadeur des‿États-‿Unis, *the American ambassador*
le conducteur, *the conductor*
le facteur, *the mailman*
du beurre, *butter*

du pain et du beurre, *bread and butter*
J'ai peur. *I am afraid.*
de bonne heure, *early*
Quelle heure est‿il? *What time is it?*
à une heure, *at one o'clock*
ma soeur, *my sister*
ma belle-soeur, *my sister-in-law*

47
Leçon Numéro Quarante-sept

USE OF "EN" AND "Y"

Use of "en"

EN, *some, any, none of it, of them*

You have learned the use of "du, de la, des."

EXAMPLES:

J'ai acheté du café. *I bought some coffee.*
J'ai acheté de la viande. *I bought some meat.*
J'ai acheté des roses. *I bought some roses.*

"En" used as "some, any, none"

In French, when "some" does not come before a noun, it becomes "EN" (a pronoun).

EXAMPLES:

J'EN‿ai acheté. *I bought SOME.*
J'EN‿achète. *I buy SOME.*
Achetez-‿EN. *Buy SOME.*
Apportez-‿EN. *Bring SOME.*
Je vais‿EN‿acheter. *I am going to buy SOME.*

J'EN‿ai. *I have SOME.*
J'EN‿ai vu aujourd'hui. *I saw SOME today.*

You have learned that in English the negative of "*some*" is "*not any*" or "*none.*" In French "EN" has no negative form.

EXAMPLES:

Je n'EN‿ai pas. *I haven't ANY.*
Je n'EN‿ai pas‿acheté. *I haven't bought ANY.*
Je n'EN‿achète jamais. *I never buy ANY.*
N'EN‿achetez pas. *Don't buy ANY.*
Je n'EN‿ai pas. *I have NONE.*

You have learned that in English the interrogative is formed with "*any*" and "*some.*" In French use "EN."

EXAMPLES:

EN voulez-vous? *Do you want SOME? Do you want ANY?*
EN‿avez-vous‿acheté? *Did you buy ANY?*
EN‿avez-vous trouvé? *Did you find ANY?*
Allez-vous‿EN‿acheter? *Are you going to buy SOME? Are you going to buy ANY?*

"En" used as "of it, of them"

EXAMPLES:

J'EN‿ai beaucoup. *I have a lot OF IT (OF THEM).*
Je n'EN‿ai pas beaucoup. *I have not much OF IT (OF THEM).*
J'EN‿ai assez. *I have enough OF IT (OF THEM).*

Sometimes you omit *OF IT, OF THEM* in English. You can never omit "EN" in French.

J'EN‿ai assez. *I have enough (OF IT, OF THEM).*
Je n'EN‿ai plus. *I have no more (OF IT, OF THEM).*
J'EN‿ai un. *I have one (OF THEM).*
J'EN‿ai deux. *I have two (OF THEM).*

NOTE: "EN" means "*FROM THERE*" when it is used with "venir, revenir."

EXAMPLES:

J'EN viens. *I come FROM THERE.*
J'EN suis revenu. *I came back FROM THERE.*

Use of "Y"

"Y" means **"there"** when it refers to a previously mentioned place.

EXAMPLE:

Est-ce que le livre est sur la table? *Is the book on the table?*
Oui, il Y est. *Yes, it is THERE.*

The **"there"** in this sentence is **"Y"** because you have already mentioned the table.

"LÀ" means **"there"** when it refers to a place not previously mentioned.

EXAMPLE:

Où est le livre? *Where is the book?*
Il est LÀ. *It is THERE.*

You have not mentioned a place previously, so you must use "LÀ."

Practice "Y" in the following sentences and remember that every "Y" refers to a distinct place (country, city, road, etc.) that has been mentioned before.

Il Y est. *It is THERE.*
Ils‿Y sont. *They are THERE.*
Il Y va. *He is going THERE.*
Ils‿Y vont. *They are going THERE.*
J'Y vais. *I am going THERE.*
Je vais‿Y aller. *I am going to go THERE.*
Il va Y aller. *He is going to go THERE.*
N'Y allez pas. *Don't go THERE.*
La valise Y est. *The suitcase is THERE.*
Y allez-vous? *Are you going THERE?*
Y vont‿ils? *Are they going THERE?*
Je n'Y vais pas. *I am not going THERE.*

"Y" also means **"about it, about them, in it, on it."**

EXAMPLES:

Il Y pense souvent. *He thinks ABOUT IT often.*
J'Y pense toujours. *I think ABOUT IT always.*
Je n'Y pense jamais. *I don't ever think ABOUT IT.*
Elle n'Y croit pas. *She does not believe IN IT.*
Vous‿Y travaillez beaucoup. *You work ON IT a lot.*

NOTE: Remember not to use "Y" with the verbs "venir, revenir." These two verbs require "EN," which means "THERE" when it is used with either "VENIR" or "REVENIR."

EXAMPLES:

J'EN viens. *I come FROM THERE.*
J'EN suis revenu. *I came back FROM THERE.*

POSSESSIVE ADJECTIVES

MASCULINE (singular)	FEMININE (singular)	PLURAL (masculine and feminine)
mon, *my*	ma, *my*	mes, *my*
son, *his, her*	sa, *her, his*	ses, *his* or *her*
notre, *our*	notre, *our*	nos, *our*
votre, *your*	votre, *your*	vos, *your*
leur, *their*	leur, *their*	leurs, *their*

Possessive adjectives agree in gender and number with the noun that follows them. A masculine singular noun requires a masculine singular adjective; a feminine plural noun requires a feminine plural adjective, etc.

EXAMPLES:

mon père, *my father*
ma mère, *my mother*
mes frères, *my brothers*
mes soeurs, *my sisters*
son chapeau, *his hat*
sa blouse, *her blouse*
ses frères, *his, her brothers*
ses soeurs, *her, his sisters*
notre mère, *our mother*
notre père, *our father*
nos chapeaux, *our hats*
nos blouses, *our blouses*

votre fille, *your daughter*	leur plume, *their pen*
votre fils, *your son*	leur crayon, *their pencil*
vos filles, *your daughters*	leurs plumes, *their pens*

NOTE: Use "mon" and "son" before feminine words that start with a vowel. Mon‿âme, *my soul;* son‿âme, *his soul.*

POSSESSIVE PRONOUNS

SINGULAR

MASCULINE	FEMININE
le mien, *mine*	la mienne, *mine*
le sien, *his, its*	la sienne, *hers, its*
le nôtre, *ours*	la nôtre, *ours*
le vôtre, *yours*	la vôtre, *yours*
le leur, *theirs*	la leur, *theirs*

PLURAL

MASCULINE	FEMININE
les miens, *mine*	les miennes, *mine*
les siens, *his, its*	les siennes, *hers, its*
les nôtres, *ours*	les nôtres, *ours*
les vôtres, *yours*	les vôtres, *yours*
les leurs, *theirs*	les leurs, *theirs*

These pronouns agree in gender and number with that which is possessed.

EXAMPLES:

1. Mon livre est plus petit que le vôtre.
   My book is smaller than yours.
2. Voici vos gants et voici les miens.
   Here are your gloves and here are mine.
3. Votre fille est plus grande que la mienne.
   Your daughter is taller than mine.

CE, CET, CETTE, CES

(*this, that, these, those*)

CE, *this, that* (masc.): ce chapeau, *this hat, that hat.*
CE becomes CET before "a, e, i, o, u," and "h" in most cases: cet‿homme, *this man.*
CETTE, *this, that* (fem.): cette femme, *this woman, that woman.*
CES, *these, those* (masc. and fem.): ces maisons, *these houses*; ces‿hommes, *these men, those men.*

CELUI, CELLE, CEUX, CELLES

In English you can answer the question "*Whose hat is it?*" simply by saying, "Paul's." In French you cannot say, "Paul's." You must say, "*The one of Paul*" (Celui de Paul).

"*The one of, the ones of,*" must always agree in gender and number with the thing that is possessed and not with the person who possesses them.

EXAMPLES:

1. le chapeau de Paul, *Paul's hat*
   celui de Paul, *Paul's* (because "chapeau" is masculine)
2. la table de Paul, *Paul's table*
   celle de Paul, *Paul's* (because "table" is feminine)
3. les chapeaux de Paul, *Paul's hats*
   ceux de Paul, *Paul's* (because "chapeaux" is masculine plural)
4. les tables de Paul, *Paul's tables*
   celles de Paul, *Paul's* (because "tables" is feminine plural)

	MASCULINE	FEMININE
SINGULAR:	CELUI de, *the one of*	CELLE de, *the one of*
PLURAL:	CEUX de, *the ones of*	CELLES de, *the ones of*

CELUI-CI, *this one* (masc., sing.)
CELUI-LÀ, *that one* (masc., sing.)
CELLE-CI, *this one* (fem., sing.)
CELLE-LÀ, *that one* (fem., sing.)
CEUX-CI, *these* (masc., pl.)

CEUX-LÀ, *those* (masc., pl.)
CELLES-CI, *these* (fem., pl.)
CELLES-LÀ, *those* (fem., pl.)

"SAVOIR" AND "CONNAÎTRE" (to know)

CONNAÎTRE

"Connaître" is used in the sense of knowing people, places, or countries.

EXAMPLES:

Je connais Paul. *I know Paul.*
Robert connaît Louise. *Robert knows Louise.*
Connaissez-vous la route pour Paris? *Do you know the road to Paris?*
Connaissez-vous le chemin? *Do you know the way?*
Connaissez-vous Robert? *Do you know Robert?*
Nous connaissons votre oncle. *We know your uncle.*
Ils connaissent Paris. *They know Paris.*
Elles connaissent la France. *They know France.*

"Connaître" takes the personal pronouns "le, la, les" because you don't say, "*I know to*" or "*I know for.*" (Only verbs that can be followed by "*to*" or "*for*" take the indirect pronouns "lui" or "leur.")

EXAMPLES:

Je le connais. *I know him. I know it.*
Je la connais. *I know her. I know it.*
Je les connais. *I know them* (masc. and fem.).
Le connaissez-vous? *Do you know him (it)?*
La connaissez-vous? *Do you know her (it)?*
Les connaissez-vous? *Do you know them?*

"Reconnaître" (*to recognize*) also takes the direct-object pronouns "le, la, les."

EXAMPLES:

Je l'ai reconnu. *I recognized him.*
Est-ce que vous l'avez reconnu? *Did you recognize him?*

SAVOIR

"Savoir" is used in the sense of knowing facts.

EXAMPLES:

Je sais que Paul est parti. *I know that Paul has left.*
Savez-vous l'heure? *Do you know the time?*
Nous savons l'adresse. *We know the address.*
Ils ne savent pas le nom. *They* (masc.) *don't know the name.*
Je vous téléphonerai dès que je le saurai. *I will call you as soon as I find out* (*as soon as I know*).

"Savoir" is also used in the sense of knowing how.

EXAMPLES:

Savez-vous nager? *Do you know how to swim?*
Savez-vous conduire? *Do you know how to drive?*
Est-ce que Paul sait dessiner? *Does Paul know how to draw?*
Avez-vous su répondre? *Did you know how to answer?*

USE OF "ON" AND THE PASSIVE VOICE

"ON" means "one, you, somebody," etc. "ON" represents an indefinite or unknown person or persons.

EXAMPLES:

Où trouve-t‿on un taxi? *Where does one find a taxi?*
On dit que le film est‿intéressant. *They say that the film is interesting.* Since the "*They*" represents indefinite and unknown persons, you must use "ON."

THE PASSIVE VOICE

"*I was invited to a party*" is a classic sentence in the passive voice in English. It is passive because you do not state who actively invited you. In the sentence "*Jack invited me*" Jack acts.

In the sentence *"I was invited"* no definite person acts; therefore, it is passive.

"ON" expresses the passive voice.

On m'a invité au club. *I was invited to the club* (*Someone invited me to the club*).

Generally speaking, "ON" is used to express the passive voice. However, there is a form in French that corresponds to the English passive voice. You will hear it occasionally in French conversation.

EXAMPLES:

La maison est vendue. *The house is sold.*
La maison a été vendue. *The house has been sold* (*was sold*).
J'ai été impressionné. *I have been impressed* (*was impressed*).

NEGATIVES AND DOUBLE NEGATIVES

These are negative expressions:

ne . . . pas, *not* | **ne . . . personne,** *no one, nobody*
ne . . . rien, *nothing* | **ne . . . aucun(e),** *not any, none*
ne . . . jamais, *never* | **ne . . . plus,** *no longer, not any more*

"NE" goes before the verb and "pas, rien, jamais," etc., go after the verb. Notice that the double negative, which is such a sin in English, is correct in French. "Je ne vois rien" (*I don't see nothing*) is correct in French.

EXAMPLES:

Je ne vois pas. *I don't see.*
Je ne vois jamais. *I never see.*
Je ne vois plus. *I don't see any more.*
Je ne vois rien. *I don't see anything* (*I don't see nothing*).
Je ne vois personne. *I don't see anybody* (*I don't see nobody*).
Je ne vois aucun résultat. *I don't see any result* (*I don't see no result*).
Je ne vois aucune solution. *I don't see any solution* (*I don't see no solution*).
Nous n'avons rien trouvé. *We did not find anything.*

Qui attendez-vous? Personne. *Whom are you expecting? Nobody.*
Que faites-vous ce soir? Rien. *What are you doing tonight? Nothing.*
Allez-vous‿au cinéma? Non, jamais. *Do you go to the movies? No, never.*

In expressing the past "RIEN" goes before the past participle, but "PERSONNE" goes after it.

EXAMPLES:

Je n'ai vu personne. *I did not see anybody (I did not see a soul).*
Je n'ai rien vu. *I did not see anything.*

DIMINUTIVES

"TTE" is a diminutive ending in French:

une chambre, *a room*	une chambrette, *a small room*
un amour, *a love*	une amourette, *a light love affair*
une chemise, *a shirt*	une chemisette, *a small shirt (sleeveless)*
une chaîne, *a chain*	une chaînette, *a small chain*

EXTRA WORDS

Exercise in Pronunciation of "E" before Two Consonants

In French "E" before two consonants is pronounced as the "*e*" in "*set.*"

des cigarettes, *some cigarettes*
une côtelette, *a cutlet, chop*
une serviette de toilette, *a face towel*
une fourchette, *a fork*
des‿allumettes, *some matches*
une vedette, *a star* (in movies, etc.)
une jaquette, *a jacket* (woman's)
une côtelette de porc, *a pork chop*
une côtelette de mouton, *a mutton chop*
une bicyclette, *a bicycle*
la sonnette, *the bell*

une antenne, *an antenna*
belle (fem.), **beau** (masc.), *handsome, beautiful*
ma belle-mère, *my mother-in-law*

48
Leçon Numéro Quarante-huit

IMPERSONAL VERBS

Impersonal verbs are verbs in which nobody acts. These verbs are used only in the third person singular.

pleuvoir, *to rain*

PRESENT	IL PLEUT, *it rains, it is raining*
	IL PLEUT BEAUCOUP, *it rains a lot*
COMPOUND PAST	IL A PLU, *it rained, it has rained*
	IL A BEAUCOUP PLU, *it rained a lot*
IMPERFECT	IL PLEUVAIT, *it used to rain*
FUTURE	IL VA PLEUVOIR, *it is going to rain*
	IL PLEUVRA, *it will rain*
PRESENT SUBJUNCTIVE	QU'IL PLEUVE
PAST SUBJUNCTIVE	QU'IL AIT PLU

neiger, *to snow*

PRESENT	IL NEIGE, *it snows, it is snowing*
COMPOUND PAST	IL A NEIGÉ, *it snowed, it has snowed*
IMPERFECT	IL NEIGEAIT, *it used to snow*
FUTURE	IL VA NEIGER, *it is going to snow*
	IL NEIGERA, *it will snow*
PRESENT SUBJUNCTIVE	QU'IL NEIGE
PAST SUBJUNCTIVE	QU'IL AIT NEIGÉ

avoir, *there, to be*

PRESENT	IL Y A, *there is, there are*
	Y A-T-IL? / EST-CE QU'IL Y A? } *is there? are there?*
COMPOUND PAST	IL Y A EU, *there was, there were*
	Y A-T-IL EU? *was there? were there?*
IMPERFECT	IL Y AVAIT, *there used to be, there was, there were*
	Y AVAIT-IL? *was there? were there?*
FUTURE	IL VA Y AVOIR, *there is going to be, there are going to be*
	VA-T-IL Y AVOIR? *is there going to be? are there going to be?*
	IL Y AURA, *there will be*
	Y AURA-T-IL? *will there be?*
CONDITIONAL	IL Y AURAIT, *there would be*
PRESENT SUBJUNCTIVE	QU'IL Y AIT
PAST SUBJUNCTIVE	QU'IL Y AIT EU

NOTE: "Il y a" also means "*ago.*" Il y a deux‿ans. *Two years ago.*

falloir, *to be necessary, have to, need*

PRESENT	IL FAUT, *one must, one has to, it is necessary*
	FAUT-IL? *does one have to? is it necessary?*
COMPOUND PAST	IL A FALLU, *it had to, it was necessary*
	A-T-IL FALLU? *was it necessary?*
IMPERFECT	IL FALLAIT, *it was necessary*
	FALLAIT-IL? *was it necessary?*
FUTURE	IL VA FALLOIR, *it is going to be necessary*
	IL FAUDRA, *it will be necessary*
CONDITIONAL	IL FAUDRAIT, *it would be necessary*
PRESENT SUBJUNCTIVE	QU'IL FAILLE
PAST SUBJUNCTIVE	QU'IL AIT FALLU

NOTE: In the negative "il ne faut pas" does not mean "*it is not necessary.*" It means "*one must not.*"

faire (used for weather and temperature)

PRESENT	IL FAIT FROID, *it is cold*
COMPOUND PAST	IL A FAIT FROID, *it was cold* (*it has been cold*)
FUTURE	IL VA FAIRE FROID, *it is going to be cold*
	IL FERA FROID, *it will be cold*
IMPERFECT	IL FAISAIT FROID, *it was cold, it used to be cold*
PRESENT SUBJUNCTIVE	QU'IL FASSE FROID
PAST SUBJUNCTIVE	QU'IL AIT FAIT FROID

PAST CONDITIONAL

Just as you formed the past tense using the auxiliary verb "avoir," *to have* (j'ai parlé), the past conditional is formed with the same verb in the conditional tense:

j'aurais *I would have*	**nous‿aurions** *we would have*
vous‿auriez *you would have*	**vous‿auriez** *you would have*
il, elle aurait *he, she would have*	**ils, elles‿auraient** *they would have*

Merely add the past participle to this verb to form the past conditional.

parler, *to speak*

j'aurais parlé *I would have spoken*	**nous‿aurions parlé** *we would have spoken*
vous‿auriez parlé *you would have spoken*	**vous‿auriez parlé** *you would have spoken*
il, elle aurait parlé *he, she would have spoken*	**ils, elles‿auraient parlé** *they would have spoken*

finir, *to finish*

j'aurais fini *I would have finished*	**nous‿aurions fini** *we would have finished*
vous‿auriez fini *you would have finished*	**vous‿auriez fini** *you would have finished*
il, elle aurait fini *he, she would have finished*	**ils, elles‿auraient fini** *they would have finished*

vendre, *to sell*

j'aurais vendu *I would have sold*	**nous‿aurions vendu** *we would have sold*
vous‿auriez vendu *you would have sold*	**vous‿auriez vendu** *you would have sold*
il, elle aurait vendu *he, she would have sold*	**ils, elles‿auraient vendu** *they would have sold*

avoir, *to have*

j'aurais‿eu *I would have had*	**nous‿aurions‿eu** *we would have had*
vous‿auriez‿eu *you would have had*	**vous‿auriez‿eu** *you would have had*
il, elle aurait‿eu *he, she would have had*	**ils, elles‿auraient‿eu** *they would have had*

être, *to be*

j'aurais‿été *I would have been*	**nous‿aurions‿été** *we would have been*
vous‿auriez‿été *you would have been*	**vous‿auriez‿été** *you would have been*
il, elle aurait‿été *he, she would have been*	**ils, elles‿auraient‿été** *they would have been*

FUTURE PERFECT

(Future Anterior)

In order to form the future perfect tense, use again the auxiliary verb "avoir," *to have*, this time in its future tense:

j'aurai *I shall, will have*	**nous‿aurons** *we shall, will have*
vous‿aurez *you will have*	**vous‿aurez** *you will have*
il, elle aura *he, she will have*	**ils, elles‿auront** *they will have*

Merely add the past participle to this verb to form the future perfect.

parler, *to speak*

j'aurai parlé *I shall, will have spoken*	**nous‿aurons parlé** *we shall, will have spoken*
vous‿aurez parlé *you will have spoken*	**vous‿aurez parlé** *you will have spoken*
il, elle aura parlé *he, she will have spoken*	**ils, elles‿auront parlé** *they will have spoken*

finir, *to finish*

j'aurai fini *I shall, will have finished*	**nous‿aurons fini** *we shall, will have finished*
vous‿aurez fini *you will have finished*	**vous‿aurez fini** *you will have finished*
il, elle aura fini *he, she will have finished*	**ils, elles‿auront fini** *they will have finished*

vendre, *to sell*

j'aurai vendu *I shall, will have sold*	**nous‿aurons vendu** *we shall, will have sold*
vous‿aurez vendu *you will have sold*	**vous‿aurez vendu** *you will have sold*
il, elle aura vendu *he, she will have sold*	**ils, elles‿auront vendu** *they will have sold*

avoir, *to have*

j'aurai eu *I shall, will have had*	**nous‿aurons‿eu** *we shall, will have had*
vous‿aurez‿eu *you will have had*	**vous‿aurez‿eu** *you will have had*
il, elle aura eu *he, she will have had*	**ils, elles‿auront‿eu** *they will have had*

être, *to be*

j'aurai été *I shall, will have been*	**nous‿aurons‿été** *we shall, will have been*
vous‿aurez‿été *you will have been*	**vous‿aurez‿été** *you will have been*
il, elle aura été *he, she will have been*	**ils, elles‿auront‿été** *they will have been*

PAST PERFECT

(Pluperfect)

The past perfect tense is also formed by the auxiliary verb "avoir," *to have*, and here the imperfect tense of "avoir" is used:

j'avais *I had*	**nous‿avions** *we had*
vous‿aviez *you had*	**vous‿aviez** *you had*
il, elle avait *he, she had*	**ils, elles‿avaient** *they had*

Now add a past participle to this verb and you have the past perfect.

parler, *to speak*

j'avais parlé *I had spoken*	**nous‿avions parlé** *we had spoken*
vous‿aviez parlé *you had spoken*	**vous‿aviez parlé** *you had spoken*
il, elle avait parlé *he, she had spoken*	**ils, elles‿avaient parlé** *they had spoken*

finir, *to finish*

j'avais fini *I had finished*	**nous‿avions fini** *we had finished*
vous‿aviez fini *you had finished*	**vous‿aviez fini** *you had finished*
il, elle avait fini *he, she had finished*	**ils, elles‿avaient fini** *they had finished*

vendre, *to sell*

j'avais vendu *I had sold*	**nous‿avions vendu** *we had sold*
vous‿aviez vendu *you had sold*	**vous‿aviez vendu** *you had sold*
il, elle avait vendu *he, she had sold*	**ils, elles‿avaient vendu** *they had sold*

avoir, *to have*

j'avais‿eu *I had had*	**nous‿avions‿eu** *we had had*
vous‿aviez‿eu *you had had*	**vous‿aviez‿eu** *you had had*
il, elle avait‿eu *he, she had had*	**ils, elles‿avaient‿eu** *they had had*

être, *to be*

j'avais‿été *I had been*	**nous‿avions‿été** *we had been*
vous‿aviez‿été *you had been*	**vous‿aviez‿été** *you had been*
il, elle avait‿été *he, she had been*	**ils, elles‿avaient‿été** *they had been*

EXTRA WORDS

Exercise in Pronunciation of EU

un peu, *a little*
encore un peu, *a little more*
des‿oeufs ("fs" is not pronounced here), *eggs*
bleu(e), *blue*
des‿oeufs au lard, *bacon and eggs*
deux, *two*
deuxième, *second*
des‿oeufs sur le plat, *fried eggs*
joyeux (masc.), **joyeuse** (fem.), *joyous, gay*
un billet de deuxième (classe), une deuxième, *a second-class ticket*

du feu, *fire, a light for a cigarette*
vieux (masc.), *old*
au deuxième (étage), *on the third floor*
mon neveu, *my nephew*
le deuxième service, *the second call in the dining car*
une vendeuse, *a salesgirl*
une ouvreuse, *an usherette*
un pneu (pronounce the "p"), *a tire*
heureux (masc.), **heureuse** (fem.), *happy*
Je peux, *I can, am able*
il pleut, *it is raining*

ADDITIONAL MATERIAL ON THE SUBJUNCTIVE

THE PRESENT SUBJUNCTIVE EXPRESSES ACTION THAT HAS NOT TAKEN PLACE

I

"JUSQU'À CE QUE," means *"till, until."* This expression requires the present subjunctive when it is followed by action in the future.

EXAMPLES:

jusqu'à ce que vous VENIEZ, *until you come*
jusqu'à ce que nous PUISSIONS sortir, *until we can go out*

When "JUSQU'À CE QUE" (*until*) is NOT followed by action in the future, it does not require the present subjunctive. *"Until he did it"* is an accomplished fact. The action has taken place, therefore it is not expressed in the present subjunctive. The present subjunctive is used to express the uncertainty of an action that has not taken place.

EXAMPLE:

Nous‿attendrons jusqu'à ce que vous‿ARRIVIEZ.
We'll wait until you come (at a future time).

EXPRESSIONS THAT REQUIRE THE SUBJUNCTIVE

1. JUSQU'À CE QUE (*till, until*) requires the present subjunctive when followed by action in the future.

   EXAMPLE:

   Jusqu'à ce qu'il le FASSE. *Until he does it* (action in the future).

2. QUOIQUE (*though, even though, although*) requires the present subjunctive when it is followed by action in the present or future. Je viendrai vous voir quoique je SOIS fatigué. *I'll come to see you even though I am tired.*
3. BIEN QUE (*though, although, even though*). Use "bien que" just as you use "quoique" above. "Quoique, bien que" mean the same thing and are used in the same way.
4. POURVU QUE (*provided that*) requires the present subjunctive when it is followed by action in the present or future. Nous vous‿attendrons pourvu que vous ne RENTRIEZ pas trop tard. *We will wait for you provided that you don't come home too late.*
5. SANS QUE (*without*) requires the present subjunctive when it is followed by action in the present or future. Je ne commence rien sans que vous me le DISIEZ. *I don't begin anything unless you tell me* (*without your telling me*).
6. POUR QUE (*in order that, so that*) requires the present subjunctive when it expresses the purpose of an action in the present or future. Je vous le dis pour que vous le SACHIEZ. *I tell you so that you will know it.*

II

The following expressions require the subjunctive when they are followed by action in the present or future.

1. QUI QUE (*whoever*). Qui que ce soit, *whoever it may be.*
2. QUOI QUE (*whatever*). Quoi qu'il en soit, *whatever that may be.*
3. QUELQUE . . . QUE (*however*). Quelque fort qu'il soit, *however strong he may be.*

4. SI . . . QUE (*however*). Si fort qu'il soit, *however strong he may be.*
5. QUEL QUE (*whatever* [masc., sing.])
   QUELLE QUE (*whatever* [fem., sing.])
   QUELS QUE (*whatever* [masc., pl.])
   QUELLES QUE (*whatever* [fem., pl.])

EXAMPLES:

QUEL que soit LE résultat, *whatever the result may be.*
QUELLE que soit LA raison, *whatever the reason may be.*
QUELS que soient LES résultats, *whatever the results may be.*
QUELLES que soient LES raisons, *whatever the reasons may be.*

VERBS THAT ARE FOLLOWED BY THE SUBJUNCTIVE IN THE NEGATIVE AND INTERROGATIVE FORMS

There are some verbs that are followed by the subjunctive ONLY in the negative and interrogative forms. They are not followed by the subjunctive when they are in the affirmative.

EXAMPLES:

Je ne crois pas qu'il vienne (subjunctive).
I don't think that he is coming.
Je crois que (*I think*) is NOT followed by the subjunctive.
Je ne crois pas que (*I don't think that*) is ALWAYS followed by the subjunctive.
Croyez-vous que (*do you think that*) is ALWAYS followed by the subjunctive.

EXPRESSIONS THAT REQUIRE THE SUBJUNCTIVE

(only in the negative and interrogative forms)

1. JE NE CROIS PAS QUE . . . *I don't think that . . .*
2. CROYEZ-VOUS QUE . . . ? *Do you think that . . . ?*
3. JE NE PENSE PAS QUE . . . *I don't think that . . .*
4. PENSEZ-VOUS QUE . . . ? *Do you think that . . . ?*

5. IL N'EST PAS SÛR QUE, *it is not sure that.*
6. JE NE SUIS PAS SÛR QUE, *I am not sure that* (and all the other forms of "être")
7. IL N'EST PAS CERTAIN QUE, *it is not certain that*
8. EST‿IL SÛR QUE? *is it sure that?*
9. EST‿IL CERTAIN QUE? *is it certain that?*
10. ÊTES-VOUS SÛR QUE? *are you sure that?*

EXAMPLES:

Il n'est pas sûr qu'il VIENNE (subjunctive).
It is not sure that he will come.
Je ne suis pas sûr qu'il VIENNE (subjunctive).
I (masc.) *am not sure that he will come.*
Je ne suis pas certain qu'il VIENNE (subjunctive).
I (masc.) *am not certain that he will come.*
Il n'est pas certain qu'il VIENNE (subjunctive).
It is not certain that he will come.
Est-il sûr que Robert VIENNE (subjunctive)?
Is it sure that Robert is coming?
Êtes-vous sûr qu'il VIENNE (subjunctive)?
Are you (masc.) *sure that he is coming?*

When these expressions are not in the negative or in a question, they are not followed by the subjunctive.

EXAMPLES:

Il est sûr qu'il VIENDRA. *It is sure that he will come.* ("Viendra" is in the future tense and not in the subjunctive.)
Il est certain qu'il VIENDRA (future). *It is certain that he will come.*

THE SUBJUNCTIVE AND THE USE OF "NE"

You already know that the negative is formed with "NE . . . PAS." However, there are some subjunctives that are not in the negative but require "NE" (but not "pas").

For example, when you use the expression "de peur que" (*for fear that*), you must put "NE" before the subjunctive that follows it, whether the subjunctive is negative or not.

EXPRESSIONS THAT REQUIRE BOTH THE SUBJUNCTIVE AND "NE"

1. DE PEUR QUE (*for fear that*). J'ai pris un taxi de peur que vous N'ARRIVIEZ avant moi. *I took a taxi for fear that you would arrive before me.*
2. DE CRAINTE QUE (*for fear that*). J'ai pris un taxi de crainte que vous N'ARRIVIEZ‿avant moi. *I took a taxi for fear that you would arrive before me.*
3. À MOINS QUE (*unless*). Nous‿irons‿au cinéma à moins que vous NE PRÉFÉRIEZ aller au théâtre. *We will go to the movies unless you prefer to go to the theater.*
4. J'AI PEUR QUE (*I'm afraid that*). J'ai peur que vous N'ARRIVIEZ‿avant moi. *I'm afraid that you will get there before me.*
5. JE CRAINS QUE (*I fear that, I'm afraid that*). Je crains qu'il NE SOIT trop tard. *I'm afraid that it will be too late.*

If you make an affirmative statement using the above expressions, use "NE" before the subjunctive.

If you make a negative statement using the above expressions, use "NE . . . PAS."

EXAMPLES:

AFFIRMATIVE: J'appelle un taxi pour Paul de peur qu'il NE soit‿en retard.

I am calling for a taxi for Paul for fear that he will be late.

NEGATIVE: J'appelle un taxi pour Paul de peur qu'il NE soit PAS‿à l'heure.

I am calling for a taxi for Paul for fear that he will not be on time.

THE SUBJUNCTIVE IS USED AFTER CERTAIN NEGATIONS

These negations are followed by the subjunctive:

1. NO ONE WHO
2. NOBODY WHO
3. NONE WHO
4. NOTHING THAT

Whenever these expressions are followed by action in the present or the future, they require the subjunctive.

Always use the subjunctive after:

1. IL N'Y A QUE MOI QUI . . . *there is NO ONE but me who . . .*
2. IL N'Y A QUE LUI QUI . . . *there is NO ONE but him who . . .*
3. IL N'Y A QUE ROBERT QUI . . . *there is NO ONE but Robert who . . .*
4. IL N'Y A QUE LE DOCTEUR QUI . . . *there is NO ONE but the doctor who . . .*
5. IL N'Y A PERSONNE QUI . . . *there is NOBODY who . . . there is NONE who . . . (there is no person who . . .)*
6. IL N'Y A RIEN QUE . . . *there is NOTHING that . . .*

These are expressions that always require the subjunctive. However, "*nobody who, nothing that,*" etc., require the subjunctive wherever they are used, in any kind of sentence.

EXAMPLE:

Je ne connais personne qui puisse le faire ("puisse" is a subjunctive). *I know of NO ONE who can do it (I don't know anybody who can do it).*

THE SUBJUNCTIVE EXPRESSIONS IN DIFFERENT TENSES

The expressions that require the present subjunctive have been presented in the present tense in this lesson. However, these same expressions require the present subjunctive when they are in other tenses, too.

EXAMPLE:

Present Tense: IL FAUT qu'il VIENNE à six‿heures.
He has to come at six o'clock (It is necessary that he come at six o'clock).

Future Tense: IL FAUDRA qu'il VIENNE à six‿heures.
He will have to come at six o'clock (It will be necessary that he come at six o'clock).

Present Tense: JE SUIS CONTENT que Paul VIENNE.
I am happy that Paul is coming.

Future Tense: JE SERAI CONTENT que Paul VIENNE.
I will be happy if Paul comes (I will be happy that Paul comes).

IDIOMATIC EXPRESSIONS IN THE SUBJUNCTIVE

VIVE LA FRANCE, *long live France.*
ADVIENNE QUE POURRA, *come what may.*
PAS QUE JE SACHE, *not that I know of.*
AUTANT QUE JE SACHE, *as far as I know.*
SOIT, *so be it.*
À DIEU NE PLAISE, *God forbid.*
DIEU VOUS BÉNISSE, *God bless you.*

THE SUBJUNCTIVE IS USED AFTER A SUPERLATIVE

When a superlative is followed by "que" or "qui," it requires the subjunctive.

EXAMPLES:

C'est la plus jolie fille que je connaisse (subjunctive).
She is the prettiest girl I know.
C'est la plus jolie robe que j'aie (subjunctive).
It is the prettiest dress I have.

Vocabulary

ENGLISH — FRENCH

FRANÇAIS — ANGLAIS

List of word endings that are identical or similar in French and English, with page references

I **IST = ISTE** *the artist* = l'artiste, 1, 5
II **OR = EUR** *the doctor* = le docteur, 16, 20, 23–25
III **BLE = BLE** *noble* = noble, 27, 31–33
IV **ENT = ENT** *evident* = évident, 35, 38–39
ANT = ANT *important* = important, 35, 40
V **TY = TÉ** *the publicity* = la publicité, 43, 47–48
VI **IC = IQUE** *magic* = magique, 43, 48–50
ICAL = IQUE *classical* = classique, 43, 48–50
VII **ION = ION** *the nation* = la nation, 51–56, 60–63
VIII **ARY = AIRE** *ordinary* = ordinaire, 82, 85–86
ORY = OIRE *the glory* = la gloire, 82, 86
IX **CE = CE** *the distance* = la distance, 82, 86–87
X **ADE = ADE** *the parade* = la parade, 104
IDE = IDE *the guide* = le guide, 104
ID = IDE *liquid* = liquide, 104
UDE = UDE *the attitude* = l'attitude, 105
XI **AGE = AGE** *the heritage* = l'héritage, 115–16
XII **SM = SME** *the optimism* = l'optimisme, 180–81
XIII **URE = URE** *the creature* = la créature, 200–1
XIV **AL = AL** *the canal* = le canal, 236–37
XV **AL = EL** *annual* = annuel, 237–38
ELLE annuelle
XVI **ET = ET** *a secret* = un secret, 272–73
ET = ETTE *a tablet* = une tablette
ÈTE *a planet* = une planète
XVII **UM = UM** *the album* = l'album, 282–83
XVIII **INE = INE** *the machine* = la machine, 317
IN = IN *the cousin* = le cousin
XIX **A = E** *the banana* = la banane, 329–30
XX **OUS = E** *frivolous* = frivole, 347
XXI **Y = IE** *the comedy* = la comédie, 364
XXII **IVE = IVE** *active* = active, 391–92
IF actif
XXIII **IAN = IEN** *a comedian* = un comédien, 436
IENNE une comédienne
XXIV **CT = CT** *direct* = direct, 456
CTE *an architect* = un architecte
XXV **OUS = EUX** *precious* = précieux, 519–20
EUSE précieuse
XXVI **ATE = AT** *the chocolate* = le chocolat, 533
XXVII **AM = AMME** *the program* = le programme, 533
EM = ÈME *the problem* = le problème
XXVIII **ING = ANT** *charming* = charmant, 539–40
ATING = ANT *vibrating* =vibrant

Vocabulary

ENGLISH—FRENCH

A

a, an, one, un,M., une,F.
  a book, un livre
  a pen, une plume
*able, to be,*V., pouvoir; *I am able, can,* je peux; *I could, was able,* j'ai pu
*abolish,*V., abolir
absorbent, absorbant(e)
abundant, abondant(e); *abundance,* l'abondance,F.
*accept,*V., accepter
*accomplish,*V., accomplir; *I accomplished,* j'ai accompli
*accord,*V., accorder; *accord (agreement),* l'accord,M.
*accuse,*V., accuser
*acquire,*V., acquérir
*adapt,*V., adapter
additional, additionnel(elle)
*address,*V., adresser; *address,* l'adresse,F.
*adopt,*V., adopter
*advance,*V., avancer; *advance,* l'avance,F.; *in advance,* en avance
adventure, l'aventure,F.
*advise,*V., conseiller; *advice,* le conseil
*afraid, be (have fear),*V., avoir peur, craindre; *for fear that . . . ,* de peur que . . .
after, après; *after dinner,* après le dîner
afternoon, l'après-midi,M.
afterward, ensuite
aggression, l'agression,F.
ago, il y a; *two hours ago,* il y a deux‿heures
agreeable, agréable
agreement, l'accord,M.
*aid, help,*V., aider; *aid, help,* l'aide,F.
air mail, par avion
airplane, plane, l'avion,M.; *on a plane, by plane,* en avion
*alarm,*V., alarmer; *alarm,* l'alarme,F.
already, déjà
all, every, tout, toute, tous, toutes
also, too, as, aussi
always, toujours
am, I, je suis
American, l'Américain(e); *American,* ADJ., américain(e)
amiable, aimable
*amuse, divert,*V., amuser, divertir; *have a good time,*V., s'amuser
amusing, amusant(e)
an, a, one, un,M., une,F.
  an elephant, un éléphant
  a table, une table
*analyze,*V., analyser; *analysis,* l'analyse,F.
and, et
*angry, to get,*V., se fâcher
animal, l'animal,M.
*announce,*V., annoncer; *announcement,* l'annonce,F.
*annoy,*V., ennuyer

*answer,*v., répondre
Anthony, Antoine
*anticipate,*v., anticiper
any, du, de la, des, en, quelque(s). *See Index for usages*
apartment, l'appartement,M.
*applaud,*v., applaudir; *I applauded,* j'ai applaudi
appointment, date, le rendez-vous; *I made an appointment,* j'ai pris rendez-vous
*approach, get close,*v., s'approcher; *approachable,* approchable
approval. See *on approval*
April, avril,M.
are there? is there? y a-t-il? est-ce qu'il y a?
*arm,*v., armer; *arm (weapon),* l'arme, F.
armament, l'armement,M.
armchair, le fauteuil
*arrange,*v., arranger
*arrive,*v., arriver; *I arrived (I am arrived),* je suis‿arrivé(e)
article, l'article,M.
as, also, aussi
as far as . . ., autant que . . .
as long as, tant que
as soon as, aussitôt que, dès que
ash tray, le cendrier
*ask, ask for,*v., demander
astonished, surprised, étonné(e)
at, chez; *at Louise's house,* chez Louise
*attack,*v., attaquer; *attack,* l'attaque, F.
August, août,M.
aunt, la tante
author, l'auteur,M.
authority, l'autorité,F.
authorization, l'autorisation,F.
auto, l'auto,F.
autumn, l'automne,M.
*avenge,*v., venger
avenue, l'avenue,F.
*awake,*v., réveiller; *awakening,*N., le réveil
awful, affreux(euse)
awkward, clumsy, maladroit(e)

B

baby, le bébé
back, le dos
bag (hand), le sac
baggage, les bagages,M.PL.
baker, le boulanger; *at the baker's, bakery,* chez le boulanger
*balance,*v., balancer; *balance, scales,* la balance
ballet, le ballet
bank, la banque
bar, le bar
barber, hairdresser, le coiffeur
bath, le bain; *bath towel,* la serviette de bain
bathtub, la baignoire
*be,*v., être; *I was, have been,* j'ai été
I am, je suis
you are, vous‿êtes
he, she, it is, il, elle est
we are, nous sommes
they are, ils, elles‿sont
*be . . . (doing something at this precise moment),*v., être en train de . . . ; *I am speaking (now),* je suis‿en train de parler
be (command), soyez; *be on time,* soyez‿à l'heure
beach, la plage
beautiful, belle,F., belles,PL., beau,M., beaux,PL.
because, parce que
*become,*v., devenir; *I became,* je suis devenu(e)
bed, le lit; *go to bed,*v., se coucher
beefsteak, le bifteck
been, été; *I have been, was,* j'ai été
before, avant; *before . . .,* avant que . . .
*begin, start, commence,*v., commencer
*behave oneself,*v., se bien conduire
behind, derrière
*believe, think (opinion),*v., croire; *I believed,* j'ai cru

bellboy, le chasseur
belligerent, belligérant(e)
*belong,*v., appartenir; *I belonged,* j'ai appartenu
belt, la ceinture
*bet,*v., parier; *bet,* le pari
better, meilleur(e),ADJ., mieux,ADV.
a better piano, un meilleur piano
he sings better, il chante mieux
bicycle, la bicyclette
big, grand(e); *bigger,* plus grand(e); *the biggest,* le (la) plus grand(e); *big, thick,* gros(se)
bill, la facture; la note; l'addition,F. (*restaurant*)
billion, milliard,M.
biography, la biographie
birthday, l'anniversaire,M.
*black,*ADJ., noir(e)
*blame,*v., blâmer; *blame,* le blâme
blouse, la blouse
blue, bleu(e)
boardinghouse, la pension
book, le livre
bookstore, la librairie
*bored, to get,*v., s'ennuyer
*born, to be,*v., naître; *I was born,* je suis né(e)
boss, le patron
bottle, la bouteille
box, la boîte
boy, le garçon
brandy, le cognac, la fine
bravery, la valeur
bread, le pain; *roll,* petit pain
*break,*v., rompre; *he broke,* il a rompu
breakfast, le petit déjeuner
bridge (*game*), le bridge; *to play bridge,* jouer au bridge
*bring,*v., amener, apporter; *bring back,*v., ramener, rapporter
brother, le frère
brother-in-law, le beau-frère
brown, brun(e)
*brush,*v., brosser; *brush oneself,*v., se brosser; *brush,* la brosse
*build, construct,*v., construire
*burn oneself,*v., se brûler
bus l'autobus,M.
busy, occupied, occupé(e)
but, mais
butcher, le boucher; *at the butcher's, butcher shop,* chez le boucher
butter, le beurre
*buy,*v., acheter

C

*cable,*v., câbler; *to cable to the senator,* câbler au sénateur; *cable,* le câble
cake, le gâteau
*calculate,*v., calculer; *calculation,* le calcul
*call oneself, be named,*v., s'appeler; *he calls himself* (*is named*) *John,* il s'appelle Jean
camera, l'appareil photographique,M.
*can,*v., See *able, to be*
can, am able, I, je peux
can you? pouvez-vous?
canary, le canari
candy, le bonbon
capital (*city*), la capitale; *capital* (*money*), le capital
car, la voiture, l'auto,F.; *by car,* en voiture
*caress,*v., caresser; *caress,* la caresse
carrot, la carotte
*carry,*v., porter
*carry off,*v., enlever
case, le cas
cat, le chat, la chatte
cathedral, la cathédrale
Catholic, catholique
celery, le céleri
cement, le ciment
chair, la chaise
*change,*v., changer; *change* (*one's clothes*),v., se changer
charming, charmant(e)
cheap, bon marché
check, le cheque; *check* (*restaurant*), l'addition,F.
cheese, le fromage
chemist, le chimiste

cherish,v., cherir
chicken, le poulet
child, l'enfant,M.,F.; *the children*, les enfants
chocolate, le chocolat
choose,v., choisir; *I chose*, j'ai choisi
chop, *cutlet*, la côtelette
Christmas, Noël,M.
church, l'église,F.
cigar, le cigare
cigarette, la cigarette
circumstance, la circonstance
city, la ville
civilization, la civilisation
class, la classe; *in class*, en classe
clean,v., nettoyer
clever, adroit(e)
client, le client
close, *shut*,v., fermer
close to, *near*, près de
club, le club; *to the club*, au club
clumsy, *awkward*, maladroit(e)
coat, le manteau
cocktail, *cocktail party*, le cocktail
coffee, le café; *coffee with cream*, café crème
coincidence, la coïncidence
cold,ADJ., froid(e); *I'm cold (I have cold)*, j'ai froid
cold (catch a),v., s'enrhumer; *cold*, un rhume
color, la couleur
comb oneself,v., se peigner; *comb*, le peigne
come,v., venir; *I came (I am come)*, je suis venu(e)
comedy, la comédie
comfortable, confortable
comical, *funny*, comique
command, *order*,v., commander; *command*, *order*, la commande
commence, *begin*, *start*,v., commencer
compartment, le compartiment
compensate, *reward*,v., récompenser; *compensation*, *reward*, la récompense
complete,v., compléter
compliment,v., complimenter; *compliment*, le compliment
conceive,v., concevoir; *I conceived*, j'ai conçu
concert, le concert
conclude,v., conclure; *I concluded*, j'ai conclu
condition, la condition; *conditional*, conditionnel(elle)
conductor, le conducteur
conduct, *drive*,v., conduire; *he conducted*, il a conduit
confidence, la confiance
consistent, consistant(e)
construct, *build*,v., construire
consulate, le consulat
continue,v., continuer
contract, le contrat
convent, le couvent
conversation, la conversation
convert,v., convertir
cook,v., cuire
copy,v., copier; *copy*, la copie
corner, le coin
correct,v., corriger
correspond,v., correspondre; *correspondence*, la correspondance
corridor, le couloir
cost,v., coûter
cough,v., tousser
could,v. See *able, to be*
country, *countryside*, la campagne; *in (to) the country*, à la campagne
courtesy, la courtoisie
cousin, cousin,M., cousine,F.
cover,v., couvrir; *I covered*, j'ai couvert; *I cover*, je couvre
cow, la vache
cross,v., traverser
cup, la tasse
current, courant(e)
customs, *custom house*, la douane
cut,v., couper
cute, mignon
cutlet, *chop*, la côtelette

D

dairy man, woman, le crémier, la crémière
damp, humide
*dance,*v., danser; *dancer,* le danseur
darkness, l'obscurité,F.
date, appointment, le rendez-vous
day, le jour, la journée
  day after tomorrow, après-demain
  every day, tous les jours
  next day, le lendemain
  all day long, toute la journée
dear, cher,M., chère,F.
*decide,*v., décider
December, décembre,M.
*decorate,*v., décorer; *decoration,* le décor
*define,*v., définir
*defy,*v., défier; *defiance,* le défi
delighted, enchanté(e), ravi(e)
*demolish,*v., démolir
*denounce,*v., dénoncer
dentist, le dentiste
department, le département
*depend,*v., dépendre
dependent, dépendant(e)
*design,*v., dessiner; *design,* le dessin
*desire,*v., désirer; *desire,* le désir
desk, le bureau
desk clerk, le chef de réception
dessert, le dessert
*destroy,*v., détruire
detest, hate, v., détester
dictionary, le dictionnaire
did . . . See *done, made*
did he, she, etc. . . . ? est-ce qu'il (elle) a . . . ? est-ce qu'il est . . . ?
*die,*v., mourir; *he died (is dead),* il est mort
difficult, difficile
*dine, have dinner,*v., dîner
dining room, la salle à manger
dinner, le dîner; *dine, have dinner,*v., dîner
*direct,*v., diriger
dirty, sale
disagreeable, désagréable
*discourage,*v., décourager
discreet, discret, discrète
disinfectant, le désinfectant
*disobey,*v., désobéir
*dispute,*v., disputer; *dispute,* la dispute
distinguished, distingué(e)
*disturb,*v., déranger
*divert, amuse,*v., divertir, amuser
*divorce,*v., divorcer; *divorce,* le divorce
*do, make,*v., faire; *I did, made,* j'ai fait
doctor, le docteur
does he . . . ? est-ce qu'il . . . ?
dog, le chien
done, made, fait; *he has done, made (he did),* il a fait
door, la porte
*doubt,*v., douter; *doubt,* le doute
downstairs, below, en bas
dozen, la douzaine; *a dozen roses,* une douzaine de roses
*dream,*v., rêver, songer; *dream,* le rêve
dress, la robe
*dress oneself,*v., s'habiller
*drink,*v., boire; *I drank,* j'ai bu
*drive, conduct,*v., conduire; *he drove,* il a conduit
*drown oneself,*v., se noyer
drugstore, la pharmacie
*drunk, to get,*v., s'enivrer
*dry oneself,*v., se sécher
during, pendant

E

each, every, chaque
each one, chacun,M., chacune,F.
*early,*ADV., tôt, de bonne heure, en avance
easy, facile,M.,F.; *easily,* facilement
*eat,*v., manger
Edward, Édouard
effect, l'effet,M.
egg, l'oeuf,M.
eight, huit; *eighth,* huitième

eighteen, dix-huit; *eighteenth,* dix-huitième
eighty, quatre-vingts; *eighty-one, etc.,* quatre-vingt-un, *etc.*
elegant, élégant(e)
elephant, l'éléphant,M.
elevator, l'ascenseur,M.
eleven, onze; *eleventh,* onzième
eloquent, éloquent(e)
*embarrass,*V., embarrasser; *embarrassment, obstacle,* l'embarras,M.
*embellish,*V., embellir
*encounter, meet,*V., rencontrer; *encounter, meeting,* la rencontre
*encourage,*V., encourager
*English,*ADJ., anglais(e); *English (language),* l'anglais,M.
*enlarge,*V., élargir
enough, assez; *enough money,* assez d'argent; *be enough,*V., suffire
enrollment, l'enrôlement,M.
*enter, go in,*V., entrer; *I entered, went in,* je suis‿entré(e)
*enthusiastic, to get,*V., s'enthousiasmer
entrance, l'entrée,F.
*envelop,*V., envelopper; *envelope,* l'enveloppe,F.
errands, shopping, les courses,F.
*escape, get away,*V., s'échapper
especially, surtout
*establish,*V., établir; *establishment,* l'établissement,M.
Europe, l'Europe,F.
even, same, même
evening, le soir
every, each, chaque
every morning, tous les matins
everybody, tout le monde
*exaggerate,*V., exagérer; *exaggeration,* l'exagération,F.
*exasperate,*V., exaspérer; *to get exasperated,* s'exaspérer
excellent, excellent(e)
exception, l'exception,F.; *exceptional,* exceptionnel(elle)
*exchange,*V., échanger; *exchange,* l'échange,M.
*exclude,*V., exclure; *I excluded,* j'ai exclu
*excuse,*V., excuser; *excuse,* l'excuse,F.
excuse me, pardon me, pardon
*exercise,*V., exercer; *exercise,* l'exercice,M.
exhibition, exposition, l'exposition,F.
expensive, cher,M., chère,F.
*explain,*V., expliquer
*export,*V., exporter
exposition, exhibition, l'exposition,F.
extraordinary, extraordinaire

F

face, la figure
factory, la fabrique
*fall, fall down,*V., tomber; *he fell,* il est tombé (*is fallen*)
false, wrong, faux,M., fausse,F.
family, la famille
*far,*ADV., loin
farm, la ferme
fast, ADJ., vite
father, le père
*fear,*V., craindre; *I feared,* j'ai craint; *fear,* la peur; *be afraid,*V., avoir peur; *for fear that . . . ,* de peur que, de crainte que . . .
February, février,M.
feeble, faible
*feel,*V., sentir
fifteen, quinze; *fifteenth,* quinzième
fifth, cinquième
fifty, cinquante; *fifty-one,* cinquante et un; *fifty-two, etc.,* cinquante-deux, *etc.*
*fight,*V., se battre
film, movie, le film
*find,*V., trouver
finger, le doigt
*finish,*V., finir, achever; *I finished,* j'ai fini
fireplace, la cheminée
first, premier,M., première,F.
fish, le poisson
five, cinq; *fifth,* cinquième
flavor, la saveur
*flee,*V., fuir

flour, la farine
flower, la fleur
*follow,*v., suivre; *I followed,* j'ai suivi; succéder
football, le football
for, pour
*forbid,*v., défendre, interdire
foreigner, l'étranger,M., l'étrangère,F.
forest, la forêt
fork, la fourchette
*form,*v., former; *form,* la forme
forty, quarante; *forty-one,* quarante et un; *forty-two, etc.,* quarante-deux, *etc.*
four, quatre; *fourth,* quatrième
fourteen, quatorze; *fourteenth,* quatorzième
France, la France; *in, to France,* en France
*freeze,*v., geler
*French,*ADJ., français(e); *French (language),* le français
fresh, frais,M., fraîche,F.
Friday, vendredi,M.; *on Fridays,* le vendredi
friend, l'ami(e)
*frightened, to get,*v., s'effrayer
full of, plein(e) de
fundamental, fondamental(e)
funny, comical, comique, drôle
furious, furieux,M., furieuse,F.
*furnish,*v., fournir
*future,*ADJ., futur(e)

G

*gain, win,*v., gagner
gallant, galant
garage, le garage
garden, le jardin; *the zoological garden,* le jardin zoologique
*garnish,*v., garnir
gasoline, l'essence,F.
*gather,*v., cueillir
gay, gai
general, général(e); *generally,* généralement
*get (oneself) up,*v., se lever
gift, present, le cadeau
*give,*v., donner; *gift,* le don
*give up,*v., renoncer
glass, le verre
glove, le gant
*go,*v., aller; *I went (am gone),* je suis‿allé(e)
I go, am going, je vais
you go, are going, vous‿allez
he, she goes, is going, il, elle va
we go, are going, nous‿allons
they go, are going, ils, elles vont
*go away,*v., s'en aller; *I went away,* je m'en suis‿allé(e)
*go down, go downstairs,*v., descendre; *he went down,* il est descendu
*go out,*v., sortir; *I went out,* je suis sorti(e)
*go to bed,*v., se coucher
*go up, go upstairs,*v., monter; *he went up,* il est monté
God, Dieu
goes, is going, va; *she goes, is going,* elle va
golf, le golf; *to play golf,* jouer au golf
gone, allé(e); *I have (am) gone, I went,* je suis‿allé(e)
good, bon,M., bonne,F.
good-by, au revoir
good evening, bonsoir
good morning, bonjour
government, le gouvernement
governor, le gouverneur
granddaughter, la petite-fille
grandfather, le grand-père
grandmother, la grand-mère
grandson, le petit-fils
gray, gris(e)
green, vert(e)
grocer, l'épicier,M.; *at the grocer's, grocery store,* chez l'épicier
*grow,*v., grandir
*guarantee,*v., garantir
*guide,*v., guider; *guide, guidebook,* le guide
gun, le fusil; *shoot,*v., fusiller

H

had, eu; *I had, have had,* j'ai eu
hair, les cheveux,M.PL.; *hair, to do one's,*v., se coiffer; *haircut,* une coupe
hairdresser, barber, le coiffeur
half demi; *half hour,* la demi-heure; *half-dozen,* la demi-douzaine
hand, la main; *hands,* les mains
handkerchief, le mouchoir
handsome, beau,M., beaux,PL., belle,F., belles,PL.
*hang,*v., pendre
*hang up, suspend,*v., suspendre
happy, heureux,M., heureuse,F., content(e); *be happy (in a place),*v., se plaire
*harm,*v., nuire
has, a; *he has a book,* il a un livre
hat, le chapeau
*hate, detest,*v., détester
*have,*v., avoir; *I had, have had,* j'ai eu
  I have, j'ai
  you have, vous‿avez
  he, she has, il, elle a
  we have, nous‿avons
  they have, ils, elles‿ont
have (command), ayez; *have confidence,* ayez confiance
*have a good time,*v., s'amuser
*have to, owe,*v., devoir; *I had to, owed,* j'ai dû; *I must, owe,* je dois
have you, did you? avez-vous?; *have you dined (had dinner)? did you dine (have dinner)?* avez-vous dîné?
he, il
*hear,*v., entendre
Helen, Hélène
*help, aid,*v., aider; *help, aid,* l'aide,F.
her, la; *to her,* lui
  I pay her, je la paye
  I give to her, je lui donne
her (poss.), son,M., sa,F., ses,M.,F.PL.
  her father, son père
  her mother, sa mère
  her parents, ses parents
here, ici
here is, here are, voici
hers, his, its, le sien, les siens, la sienne, les siennes
herself, se; *she washes herself,* elle se lave
*hesitate,*v., hésiter
*hide oneself,*v., se cacher
highway, la grand-route
him, le; *to him,* lui
  I pay him, je le paye
  I give to him, je lui donne
himself, se; *he washes himself,* il se lave
his, son,M., sa,F., *ses,*M.,F.PL.
  his father, son père
  his mother, sa mère
  his parents, ses parents
his, hers, its, le sien, les siens, la sienne, les siennes
*hold,*v., tenir; *I held,* j'ai tenu
honor, l'honneur,M.
*hope,*v., espérer; *I hope,* j'espère
horrible, horrible
horse, le cheval
hospital, l'hôpital,M.
hot, chaud(e)
hotel, l'hôtel,M.,
hour, o'clock, time, l'heure,F.
  at what time (hour)? à quelle heure?
  at three o'clock, à trois‿heures
  on time, à l'heure
  half hour, la demi-heure
  3:15, trois‿heures et quart (*three hours and a quarter*)
house, home, la maison; *at home,* à la maison
housework, le ménage
how, comment
how are you? comment‿allez-vous?
how much, how many, combien
hundred, cent; *one hundred one, etc.,* cent-un, *etc.; two hundred, etc.,* deux cents, *etc.*

hunger, la faim; *I am hungry (have hunger)*, j'ai faim
hurry (oneself),v., se dépêcher; *hurry (in a), pressed (for time)*, pressé(e)
hurt oneself,v., se faire mal

I

I, je
ice cream, la glace
if, si
ignorant, ignorant(e)
imitate,v., imiter
immediate, immédiat(e); *immediately*, immédiatement, tout de suite
impartial, impartial(e); *impartially*, impartialement
implore,v., implorer, supplier
import,v., importer
important, important(e)
impracticable, impraticable
imprisonment, l'emprisonnement,M.
in, dans, à; *in the suitcase*, dans la valise; *in Paris*, à Paris
in front of, devant; *in front of the bank*, devant la banque
in order that, so that . . . , pour que . . .
include,v., inclure; *I included*, j'ai inclu
inconsistent, inconsistant(e)
independence, l'indépendance,F.
independent, indépendant(e)
industry, l'industrie,F.
infallible, infaillible
influence,v., influencer
inform,v., informer
ink, l'encre,F.
insect, l'insecte,M.
insignificance, l'insignifiance,F.
insist,v., insister; *insistence*, l'insistance,F.
inspire,v., inspirer
install,v., installer
insult,v., insulter; *insult*, l'insulte,F.
insurmountable, insurmontable
interesting, intéressant(e)
interminably, interminablement
interpreter, l'interprète,M.
interrupt,v., interrompre; *I interrupted*, j'ai interrompu
invent,v., inventer
invite,v., inviter; *invitation*, l'invitation,F.
irreproachable, irréprochable
irresponsible, irresponsable
is, he, she, it, il est, elle est, c'est
is it that? est-ce que?; *is it that he has (has he, does he have)?* est-ce qu'il a?
is not, n'est; *Robert is not here*, Robert n'est pas‿ici
is there, are there? y a-t-il? est-ce qu'il y a?
it, il, elle, le, la
it is necessary, il faut
he speaks it, il le parle
it, that, ça; *it, that is done*, ça se fait (*it, that one does*)
it is, it's, c'est; *it's good;* c'est bon
Italian (language), l'italien,M.; *Italian*,ADJ., italien(ne)
its, son, sa, ses; *its origins*, ses‿origines
its, le sien, les siens, la sienne, les siennes
it's, it is, c'est; *it's good*, c'est bon
itself, se

J

jacket (woman's), la jaquette
jam, la confiture
January, janvier,M.
John, Jean
join,v., joindre; *I joined*, j'ai joint
joke, la plaisanterie
judge,v., juger; *judgment*, le jugement
June, juin,M.
July, juillet,M.
jump,v., sauter; *jump*, le saut

K

kind, le genre; *what kind?* quel genre?

king, le roi
*kiss,*v., embrasser
knife, le couteau
*knock,*v., frapper
*know (person, place),*v., connaître; *I knew,* j'ai connu
*know (a fact),*v., savoir; *I knew,* j'ai su

L

lamp, la lampe
*late,*ADV., en retard, tard
lately, dernièrement
*laugh,*v., rire; *I laughed,* j'ai ri
laundry, la blanchisserie
lazy, paresseux(euse)
*learn,*v., apprendre; *I learned,* j'ai appris
left, gauche; *to the left,* à gauche
lemonade, la limonade
*lend,*v., prêter
*less,*ADV., moins
lesson, la leçon
let . . . (command), que . . . ; *let Paul come upstairs,* que Paul monte
let's (PL. COMMAND), *use "we" form of the present tense and drop* "nous"; *let's dance,* dansons
let's be, soyons; *let's be patient,* soyons patients
let's have, ayons; *let's have confidence,* ayons confiance
letter, la lettre
library, la bibliothèque
*lie,*v., mentir
*lift,*v., soulever
*like, love,*v., aimer; *I would like,* j'aimerais, je voudrais (*from* vouloir, *to want, wish*)
*limit,*v., limiter; *limit,* la limite
line, la ligne
lipstick, le bâton de rouge
*listen,*v., écouter
literal, littéral
literature, la littérature; *literary,* littéraire
little, bit of, un peu; *a little (bit of) coffee,* un peu de café
*live,*v., vivre; *I lived,* j'ai vécu
*live (in),*v., habiter; *I live in an apartment,* j'habite un appartement
living room, le salon
*load,*v., charger
lobby, le vestibule
long time, longtemps
*look at,*v., regarder; *glance,* le regard
*look for,*v., chercher
*lose,*v., perdre
lot, much, many, beaucoup (de); *a lot of people,* beaucoup de monde
*love, like,*v., aimer; *love,* l'amour,M.
lovely, ravishing, ravissant(e)
*lunch, have lunch,*v., déjeuner; *lunch,* le déjeuner

M

made, done, fait; *she made, did, has done,* elle a fait
magazine, la revue
magnificent, magnifique
maid, la bonne
mail, le courrier; *mailman,* le facteur
*maintain,*v., maintenir; *I maintained,* j'ai maintenu
*make, do,*v., faire; *I have made, made, have done, did,* j'ai fait
*make fun (of)*v., se moquer (de)
mamma, la maman
man, l'homme,M.
*manufacture,*v., fabriquer; *factory,* la fabrique
many, beaucoup (de)
March, mars,M.
*mark,*v., marquer; *mark,* la marque
marketing, le marché
*marry, get married,*v., épouser, se marier
she married Paul, elle a épousé Paul
I got married, je me suis marié(e)
Martha, Marthe

marvelous, merveilleux(euse); *it's marvelous,* c'est merveilleux
match, l'allumette,F.
May, mai,M.
me, to me, me, moi
he pays me, il me paye
he gives to me, il me donne
kiss me, embrassez-moi
speak to me, parlez-moi
meat, la viande
mechanical, mécanique
*meet, encounter,*v., rencontrer; *meeting, encounter,* la rencontre
*menace,*v., menacer; *menace,* la menace
menu, le menu, la carte du jour
message, le message
midnight, le minuit
milk, le lait
million, million,M.
mine, le mien, les miens, la mienne, les miennes
minute, la minute
miss, mademoiselle
*mistake, to make a,*v., se tromper; *mistake, error,* la faute
mister, monsieur
Monday, lundi,M.; *on Mondays,* le lundi
money, l'argent,M.
monstrosity, la monstruosité
month, le mois
moon, la lune
morning, le matin; *this morning,* ce matin
mother, la mère
mother-in-law, la belle-mère
mountain, la montagne
movement, le mouvement
movies, le cinéma; *to the movies,* au cinéma
Mrs., madam, madame
much, many, a lot, beaucoup (de)
mule, la mule
museum, le musée
mushroom, le champignon
music, la musique
must. See *have to, owe*
my, mon,M., ma,F., mes,M.,F.,PL.
my book, mon livre
my room, ma chambre
my friends, mes‿amis
myself, me; *I wash myself,* je me lave

N

name, le nom
*named, to be, to call oneself,*v., s'appeler; *his name is John (he calls himself John),* il s'appelle Jean
napkin, la serviette
natural, naturel(elle); *naturally, of course,* naturellement
navy, la marine
near, close to, près de
necessary, nécessaire; *it is necessary that . . . ,* il est nécessaire que, il faut que . . . ; *to be necessary,* falloir
necktie, la cravate
*need,*v., avoir besoin de
do you need? avez-vous besoin de?
I need, j'ai besoin de
negotiable, négociable
never, jamais
new, nouveau(elle)
newspaper, le journal
newspaperman, le journaliste
next, prochain(e); *next Wednesday,* mercredi prochain; *next year,* l'année prochaine
next day, le lendemain
nice, gentil,M., gentille,F.
niece, la nièce
night, le soir; *tonight, this evening,* ce soir
nine, neuf; *ninth,* neuvième
nineteen, dix-neuf; *nineteenth,* dix-neuvième
ninety, quatre-vingt-dix; *ninety-one, etc.,* quatre-vingt-onze, *etc.*
no, non
no longer, ne . . . plus
nobody, no one, personne, ne . . . aucun(e)
none, no, aucun(e)

noon, midi,M.
normal, normal(e); *normally*, normalement
not, ne——pas; *he does not vote*, il ne vote pas
note, *notice*,V., noter; *note*, *bill*, la note
notice, *note*,V., noter
nourish,V., nourrir
novel, le roman
November, novembre,M.
now, maintenant
number, le numéro

O

obey,V., obéir; *I obeyed*, j'ai obéi
object, l'objet,M.
oblige,V., obliger
obtain,V., obtenir; *I obtained*, j'ai obtenu
o'clock. See *hour*
October, octobre,M.
offend,V., offenser; *offense*, l'offense, F.
offer,V., offrir; *I offered*, j'ai offert; *I offer*, j'offre
office, le bureau; *at the office*, *to the office*, au bureau
often, souvent
old, *to become*,V., vieillir
on, sur; *on the table*, sur la table
on approval, à condition
one, un,M., une,F.
one, *you*, *somebody*, *they*, on; *one says*, *you say*, *they say* . . . , on dit . . .
onion, l'oignon,M.
only, ADJ., seul(e); *only*, ADV., seulement
open,V., ouvrir; *I opened*, j'ai ouvert; *I open*, j'ouvre; *opening*, *overture*, l'ouverture,F.
opera, l'opéra,M.
or, ou
orange, l'orange,F.
organization, l'organisation,F.
ornament, l'ornement,M.
our, notre,M.,F.SING.; nos,M.,F.PL.; *our father*, *mother*, notre père, mère; *our pens*, nos plumes
ours, le, la nôtre, les nôtres; à nous; *it's ours*, c'est‿à nous
ourselves, nous; *we wash ourselves*, nous nous lavons

P

package, le paquet
paint,V., peindre; *I painted*, j'ai peint
painting, le tableau
pale, *grow pale*,V., pâlir
pardon, le pardon
pardon me, *excuse me*, pardon
pardonable, pardonnable
parents, les parents,M.PL.
Parisian,N., Parisien(ne) (*person*)
park, le parc
parliament, le parlement
party, la réception; *evening party*, la soirée
pass,V., passer
patient, patient(e)
pay,V., payer
pen, la plume
people, les gens,M.PL.; monde,M.; *many people*, beaucoup de monde
pepper, le poivre
perceivable, percevable
performance, la représentation
perfume, le parfum
perish,V., périr
persevere,V., persévérer
persistent, persistant(e)
person, la personne
personal, personnel(elle)
personality, la personnalité
persuade,V., persuader
phlegmatic, flegmatique
phonograph, le phonographe; *phonograph record*, le disque
pink, rose
pity, la pitié; *what a pity*, quel dommage
place,V., placer; *place* (*square*), la place

plan, le plan
plane, airplane, l'avion,M.; *on a plane, by plane,* en avion
*play,*v., jouer; *play football,* jouer au football
play, la pièce
pleasant, agréable
*please,*v., plaire; *he pleased,* il a plu
please, s'il vous plaît (*if it pleases you*)
pleasure, le plaisir; *with pleasure, gladly,* avec plaisir
*plunge,*v., plonger
policeman, l'agent,M., le gendarme
*polish,*v., polir; *I polished,* j'ai poli
political, politique; *politics,* la politique
poor, pauvre
porter, le porteur
*possess,*v., posséder
post office, le bureau de poste, la poste
pound, la livre
*powder oneself,*v., se poudrer
practicable, praticable
*precede,*v., précéder
*prefer,*v., préférer; *preferable,* préférable
*prepare,*v., préparer
*present,*v., présenter
president, le président
*pretend,*v., prétendre
pretty, joli(e)
principal, principal(e); *principally,* principalement
prison, la prison
*proceed,*v., procéder
*produce,*v., produire
program, le programme
*prolong,*v., prolonger
prominent, proéminent(e)
*promise,*v., promettre; *I promised,* j'ai promis
*pronounce,*v., prononcer
*propose,*v., proposer
*protect,*v., protéger
provided that . . . pourvu que . . .
punctual, ponctuel(elle); *punctuality,* la ponctualité
*punish,*v., punir
pupil, l'élève,M.,F.
pure, pur(e)
*put, put on, set,*v., mettre; *he put, put on, set,* il a mis

Q

*question,*v., interroger; *question,* la question
quickly, vite
quiet, tranquille

R

races, les courses
radio, la T.S.F.; *on the radio,* à la T.S.F.
radish, le radis
*rain,*v., pleuvoir; *it rained,* il a plu
raincoat, l'imperméable,M.
*raise,*v., élever, lever; *raise again,*v., relever
*ravish, delight,*v., ravir
razor, le rasoir; *safety razor,* le rasoir mécanique
*read,*v., lire; *I read* (*past*), j'ai lu
read (*past*), lu; *she read, has read,* elle a lu
ready, prêt(e); *get ready,*v., se préparer
reason, la raison; *reasonable,* raisonnable
receipt, le reçu
*receive,*v., recevoir; *I received,* j'ai reçu
*recognize,*v., reconnaître; *he recognized,* il a reconnu
*recommend,*v., recommander
record (*phonograph*), le disque
red, rouge,M.,F.
*re-establish,*v., rétablir
*reflect,*v., refléter; *reflect* (*think over*),v., réfléchir; *reflection,* la réflexion
refreshments, les consommations,F.
*refuse,*v., refuser; *did you refuse?* avez-vous refusé?

region, part of the country, la région
*regret,*v., regretter; *regret,* le regret; *regrettable,* regrettable
*regulate,*v., régler
relatives, les parents
*remain, stay,*v., rester; *I remained,* je suis resté(e)
*remark,*v., remarquer; *remark,* la remarque
remarkable, remarquable
*remember,*v., se souvenir (de), se rappeler
*rent,*v., louer
repairable, réparable
*repeat,*v., répéter
*replace,*v., remplacer
reporter, le rapporteur
*require,*v., exiger
*reserve,*v., réserver
resonance, la résonnance
responsibility, la responsabilité
responsible, responsable
*rest oneself,*v., se reposer
restaurant, le restaurant; *small restaurant,* le bistro
*retain,*v., retenir; *I retained,* j'ai retenu
*retard, delay,*v., retarder; *delay,* le retard
*return (a thing),*v., rendre
*return, come back, get back,*v., revenir; *I returned,* je suis revenu (e)
*return, go back,*v., retourner; *I went back,* je suis retourné(e)
*return home, get home,*v., rentrer; *I returned home,* je suis rentré(e)
*reveal,*v., révéler; *revelation,* la révélation
*reward, compensate,*v., récompenser; *reward, compensation,* la récompense
rich, riche
*rid of, to get,*v., se débarrasser
ridiculous, ridicule; *ridicule,*v., se moquer (de)
*right,*ADJ., droit(e); *right, law,* le droit; *to the right,* à droite
*ring,*v., sonner
*risk,*v., risquer
road, le chemin, la route
*roast,*v., rôtir
roast beef, le rosbif
role, le rôle
roll, le petit pain, le croissant (*crescent-shaped*)
room, la chambre; *room on the American plan,* la chambre avec pension
rose, la rose
row, le rang; *in the first row,* au premier rang
*ruin,*v., ruiner; *ruin,* la ruine
*run,*v., courir; *I ran,* j'ai couru

S

sacrament, le sacrement
sad, triste
said, dit; *she said, has said,* elle a dit
salad, la salade
salary, le salaire
salesgirl, la vendeuse
salt, le sel
same, even, même
sarcastic, sarcastique
Saturday, samedi,M.; *on Saturdays,* le samedi
*say, tell,*v., dire; *I said, told,* j'ai dit
scale, balance, la balance
school, l'école,F.; *in school,* à l'école
seat, le siège
*second,*N., la seconde; *second,*ADJ., deuxième; *the second row,* le deuxième rang
secretary, le, la secrétaire
*see,*v., voir; *I saw, have seen,* j'ai vu
seen, vu; *she has seen, saw,* elle a vu
*seize,*v., saisir
*sell,*v., vendre
senator, le sénateur
*send,*v., envoyer
September, septembre,M.
*serve,*v., servir
seven, sept; *seventh,* septième

seventeen, dix-sept; *seventeenth,* dix-septième
seventy, soixante-dix; *seventy-one,* soixante et onze; *seventy-two, etc.,* soixante-douze, *etc.*
several, plusieurs
*share,*v., partager
*shave oneself,*v., se raser
she, elle
shirt, la chemise
shoe, la chaussure
*shoot,*v., fusiller; *gun,* le fusil
short, court(e)
*show,*v., montrer
shower, la douche
*shut, close,*v., fermer
sick, malade
side, le côté; *by my side, next to me,* à côté de moi
sidewalk, le trottoir
*signal,*v., signaler; *signal,* le signal
*silent, to be,*v., se taire
simple, simple
since, depuis; *since (for) two years,* depuis deux‿ans
*sing,*v., chanter; *song,* le chant, la chanson; *singer,* chanteur,M.
sister, la soeur
sister-in-law, la belle-soeur
*sit (oneself) down,*v., s'asseoir
six, six; *sixth,* sixième
sixteen, seize, *sixteenth,* seizième
sixty, soixante; *sixty-one,* soixante-et un; *sixty-two, etc.,* soixante-deux, *etc.*
skepticism, le scepticisme
skirt, la jupe
*sleep,*v., dormir; *I slept,* j'ai dormi; *sleep, to go to,*v., s'endormir
slowly, lentement
small, little, petit(e); *smaller,* plus petit(e); *the smallest,* le (la) plus petit(e)
*smile,*v., sourire; *I smiled,* j'ai souri; *smile,* le sourire
*smoke,*v., fumer; *smoking room,* le fumoir
*snow,*v., neiger
so, aussi, si
so that, in order that . . . , pour que . . .
soap, le savon
sock, la chaussette
sofa, le sofa, le canapé
soft, mou,M., molle,F.
some, du, de la, de l', des, quelque(s), en. See *Index for usages*
someone, somebody, quelqu'un
something, quelque chose
sometimes, quelquefois
somewhere, quelque part
son, le fils
soon, bientôt
sorry, desolated, désolé(e), navré(e)
soup, la soupe
*speak,*v., parler
speech, le discours
*spend (time),*v., passer; to spend *the weekend,* passer le week-end
spring, le printemps
stairs, l'escalier,M.
stamp, le timbre
*start, begin,*v., commencer
*start to,*v., se mettre à (*to put oneself to*)
stateroom, cabin, la cabine
station, la gare
*stay, remain,*v., rester; *I stayed,* je suis resté(e)
steam, la vapeur
still, yet, encore
*stoop,*v., se baisser
*stop,*v., arrêter, s'arrêter; *stop,* l'arrêt, M.
store, le magasin; *department store,* le grand magasin
story, l'histoire,F.
strange, étrange
strawberry, une fraise
street, la rue
strength, force, la force
*study,*v., étudier
stupid, stupide
subject, le sujet
subtlety, la subtilité

subway, le métro
*succeed,*v., réussir
*suffer,*v., souffrir; *I suffered,* j'ai souffert; *I suffer,* je souffre
sugar, le sucre
*suggest,*v., suggérer
suit, le costume (*man's*), le tailleur (*woman's*)
suitcase, la valise
summary, le sommaire
summer, l'été,M.
Sunday, dimanche,M.; *on Sundays,* le dimanche
superb, superbe
sure, ADJ., sûr(e)
surmountable, surmontable
*surprise,*v., surprendre; *he surprised,* il a surpris; *surprise,* la surprise
Susan, Suzanne
*suspend, hang up,*v., suspendre
*sustain,*v., soutenir; *I sustained,* j'ai soutenu
sweet, doux,M., douce,F.
*swim,*v., nager
swimming pool, la piscine

T

table, la table
tailor, le tailleur
*take,*v., prendre; *I took (have taken),* j'ai pris
*take (a person to a place),*v., emmener
*take off, get rid of,*v., se débarrasser
*tan (in the sun),*v., brunir
taxi, le taxi; *in a cab,* en taxi
taxistand, la station de taxis
tea, le thé
teeth, les dents,F.PL.
telegram, le télégramme; *telegraph,*v., télégraphier
*telephone,*v., téléphoner; *telephone,* le téléphone; *telephone number,* le numéro de téléphone
television, la télévision; *watch television,*v., regarder la télévision; *television program,* le programme de télévision
*tell, say,*v., dire; *I told, have told, said, have said,* j'ai dit
ten, dix; *tenth,* dixième
tennis, le tennis
terrible, terrible; *terribly,* terriblement
than, que; *taller than John,* plus grand que Jean
thanks, thank you, merci
*thank,*v., remercier
that, ce, cet, cette, que, qui, ça
  that book, ce livre
  the book that I have, le livre que j'ai
  the pen that writes, la plume qui écrit
  that's enough, ça suffit
that one, celui-là,M., celle-là,F.
that which, what, ce que; *what (that which) I want,* ce que je veux
the, le,M., la,F., les,M.,F.PL.
  le docteur,M.
  la blouse,F.
  les docteurs,M.PL.
  les blouses,F.PL.
theater, le théâtre
their, leur,M.,F.SING.; leurs, M.,F.PL.; *their sofa,* leur sofa; *their pens,* leurs plumes
theirs, le leur, la leur, les leurs
them, les,M.,F.; *to them,* leur,M.,F.
  I pay them, je les paye
  I give to them, je leur donne
themselves, se; *they wash themselves,* ils (elles) se lavent
then, puis
there, ADV., là
there is, there are, voilà; *there he is* le voilà
there is, there are, il y a
  there isn't, il n'y a pas
  is there? y a-t‿il?
these was, there were, il y a eu
  was there, were there? y a-t‿il eu?
  there used to be, il y avait
  did there use to be? y avait‿il?
there will be, il y aura
thermometer, le thermomètre

these, ces,M.,F., ceux-ci,M., celles-ci, F.
they, ils,M., elles,F.
thing, la chose
think (*opinion*), *believe,*v., croire; *I thought,* j'ai cru; pensé; *thought,* la pensée
*think over, reflect,*v., réfléchir
third, troisième
thirst, la soif; *I am thirsty* (*I have thirst*), j'ai soif
thirteen, treize; *thirteenth,* treizième
thirty, trente; *thirty-one,* trente et un; *thirty-two, etc.,* trente-deux, *etc.*
this, ce,M., cet,M., cette,F.
  this book, ce livre
  this man, cet‿homme
  this pen, cette plume
this one, celui-ci,M., celle-ci,F.
those, ces,M.,F., ceux-là,M., celles-là,F.
though, although, even though . . . , quoique, bien que . . .
thousand, mille; *two thousand, etc.* deux mille, *etc.*
*threaten,*v., menacer
*throw,*v., jeter; *I throw,* je jette
Thursday, jeudi,M.; *on Thursdays,* le jeudi
ticket, le billet
tiger, le tigre
time, le temps. See also *hour*
time, occasion, la fois; *two times, twice,* deux fois
timid, timide
tip, le pourboire
*tired, to get,*v., se fatiguer; tired,ADJ., fatigué(e)
to, à
to the, au,M., à la,F., AUX,M.,F.PL.
today, aujourd'hui
together, ensemble
told, said, dit; *I told, have told, said, have said,* j'ai dit
tomato, la tomate
tomorrow, demain
tonight, this evening, ce soir
too, also, aussi
too much, too many, too, trop
  too much coffee, trop de café
  too many books, trop de livres
  I read (PAST) *too much,* j'ai trop lu
torment, le tourment
towel, la serviette
*trace,*v., tracer; *trace,* la trace
tradition, la tradition; *traditional,* traditionnel(elle)
train, le train; *on a train, by train,* en train
*translate,*v., traduire; *I translated,* j'ai traduit
*transport,*v., transporter; *transport,* le transport
*travel,*v., voyager; *trip,* le voyage
tree, l'arbre,M.
trip, le voyage; *have a good trip,* bon voyage
triomphe
*triumph,*v., triompher; *triumph,* le
truck, le camion
true, vrai(e); *it's true,* c'est vrai
Tuesday, mardi,M.; *on Tuesdays,* le mardi
tulip, la tulipe
twelve, douze; *twelfth,* douzième
twenty, vingt; *twenty-one,* vingt et un; *twenty-two, etc.,* vingt-deux, *etc.*
two, deux; *second,* deuxième

U

ugly, laid(e)
umbrella, le parapluie
unbelievable, incredible, incroyable
uncle, l'oncle,M.
under, sous
*understand,*v., comprendre; *I understood,* j'ai compris
undesirable, indésirable
unimaginable, inimaginable
unless . . . , à moins que . . .
unstable, instable
until, till, jusque; *until five o'clock,*

jusqu'à cinq‿heures; *until, till . . . . ,* jusqu'à ce que . . .
urgent, urgent(e)
us, to us, nous
he pays us, il nous paye
he gives to us, il nous donne
*use, make use of,*v., se servir (de), employer
used to, be in the habit of, avoir l'habitude de
used to . . . (past). See *Imperfect tense in Index*
useful, utile
usually, d'habitude

V

vacation, les vacances,F.PL.
vegetable, le légume
very, très; *very easy,* très facile
violet, la violette
*visit,*v., visiter (a place); *visit,* la visite
*vote,*v., voter; *vote,* le vote

W

*wait for,*v., attendre
waiter, le garçon
waiting room, la salle d'attente
*wake (oneself) up,*v., se réveiller
*walk,*v., marcher, se promener; *walk,* une promenade
waltz, la valse
want, wish, vouloir; *do you want, would you like?* voulez-vous?; *I wanted,* j'ai voulu
*wash oneself,*v., se laver
Watch out, Look out! Attention!
*watch television,*v., regarder la télévision
water, l'eau,F.
weak, faible
weather, le temps
Wednesday, mercredi,M.; *on Wednesdays,* le mercredi
week, la semaine; *last week,* la semaine dernière
weekend, le weekend; *to spend the weekend,* passer le weekend
*weigh oneself,*v., se peser
welcome, you are, il n'y a pas de quoi, de rien
well, bien
what, que, qu'est-ce que, quoi, ce que
what do you want? que voulez-vous?
what is it that you want? qu'est-ce que vous voulez?
with what? avec quoi?
what (that which) you want, ce que vous voulez
what, which, quel(SING), quels (PL.),M.; quelle(SING), quelles(PL.),F.
what is the matter? qu'est-ce qu'il y a? (*what is there?*) qu'y a-t-il?
what time (at what time), à quelle heure (*hour*)
whatever, quoique
when, quand, lorsque
where, où
whether, or . . . , soit que . . .
while, pendant que
white, blanc,M., blanche,F.
who, qui
whoever, qui que
why, pourquoi
wide, large
wife, la femme
will there be? y aura-t‿il? est-ce qu'il y aura?
*win, gain,*v., gagner
window, la fenêtre
wine, le vin
winter, l'hiver,M.
*wipe,*v., essuyer
*wish,*v.,désirer, souhaiter; *wish,* le désir, le souhait
with, avec
without, sans
woman, la femme
*wonder,*v., se demander
word, le mot
*work,*v., travailler; *the work,* le travail

worry, get uneasy,V., s'inquiéter
would like, I, je voudrais
would you like, do you want? voulez-vous?
write,V., écrire; *I wrote (have written)*, j'ai écrit

Y

year, l'an,M.; *two years*, deux‿ans; l'année,F.; *all year*, toute l'année
yellow, jaune
yesterday, hier; *yesterday morning*, hier matin; *last night*, hier soir
yet, encore
you, to you, vous (SING.,PL.)
he pays you, il vous paye
he gives to you, il vous donne
young, jeune,M.,F.
your, votre,M.,F.SING.; vos,M.,F.PL.
your father, mother, votre père, mère
your pens, vos plumes
yours, le, la vôtre, les vôtres; à vous;
it's yours, c'est à vous
yourself, yourselves, vous; *you wash yourself, yourselves*, vous vous lavez

Vocabulaire

FRANÇAIS—ANGLAIS

A

a, *has;* elle a une rose, *she has a rose;* il a parlé, *he spoke, has spoken*
à, *to, in;* à Paris, *to, in Paris*
 à la,F., *to the*
 à moins que . . . , *unless*
 à condition, *on approval*
abolir, *to abolish*
accepter, *to accept*
accomplir, *to accomplish;* j'ai accompli, *I accomplished*
accorder, *to accord;* accord,M., *accord (agreement)*
accuser, *to accuse*
acheter, *to buy*
achever, *to finish*
acquérir, *to acquire*
adapter, *to adapt*
addition,F., *bill, check (restaurant)*
admettre, *to admit;* j'ai admis, *I admitted*
adopter, *to adopt*
adresser, *to address;* adresse,F., *address*
adroit(e), *clever*
affreux(euse), *awful*
agent,M., *policeman*
ai, j', *I have;* j'ai le livre, *I have the book;* j'ai parlé, *I spoke, have spoken*
aider, *to help, aid;* aide,F., *aid, help*
aie, j', *subj. of* avoir, *to have*
aient, ils, elles, *subj.* of avoir, *to have*
aille, j', il, elle, *subj. of* aller, *to go*
aillent, ils, elles, *subj. of* aller, *to go*
aimable, *amiable*
aimer, *to love, like*
ait, il, elle, *subj. of* avoir, *to have*
alarmer, *to alarm;* alarme,F., *alarm*
allé(e), *gone;* je suis‿allé(e), *I went, have (am) gone*
aller, *to go;* je suis‿allé(e), *I went, have (am) gone*
allez, *go* (command)
allez-vous? *are you going, do you go?*
alliez, vous, *subj. of* aller, *to go*
allions, nous, *subj. of* aller, *to go*
allons, *let's go*
allumette,F., *match*
amener, *to bring*
Américain(e), *American;* américain(e),ADJ., *American*
ami(e), *friend*
amour,M., *love;* la lettre d'amour, *the love letter*
amusant(e), *amusing*
amuser, *to amuse;* (s')amuser, *to have a good time*
an,M., *year;* deux‿ans, *two years;* année,F., toute l'année, *all year*
analyser, *to analyze;* analyse,F., *analysis*
anglais(e),ADJ., *English;* anglais,M., *English (language)*
année,F., *year;* l'année prochaine, *next year*
anniversaire,M., *birthday, anniversary*

annoncer, *to announce;* annonce,F., *announcement*
anticiper, *to anticipate*
Antoine, *Anthony*
août,M., *August*
appareil photographique,M., *camera*
appartement,M., *apartment*
appartenir, *to belong;* il a appartenu, *he belonged*
appartenu, *belonged;* elle a appartenu, *she belonged*
appeler, *to call;* j'appelle, *I call;* s'appeler, *to call oneself (be named);* il s'appelle Jean, *his name is (he calls himself) John*
applaudir, *to applaud;* j'ai applaudi, *I applauded*
apporter, *to bring*
apprendre, *to learn;* j'ai appris, *I learned*
appris, *learned;* il a appris, *he learned*
approcher, *to approach;* approche,F., *approach*
après, *after;* après le dîner, *after dinner*
après-demain, *day after tomorrow*
après-midi,M., *afternoon*
arbre,M., *tree*
argent,M., *money*
armer, *to arm;* arme,F., *arm (weapon)*
arranger, *to arrange*
(s')arrêter, *to stop*
arriver, *to arrive;* je suis‿arrivé(e), *I arrived (am arrived)*
ascenseur,M., *elevator*
(s')asseoir, *to sit (oneself) down;* il s'est‿assis, *he sat down*
assez, *enough;* assez d'argent, *enough money*
assiérai, je m', *I will sit down*
assiérais, je m', *I would sit down*
assis(e), *seated;* je me suis‿assis(e) *I sat down (am seated)*
attaquer, *to attack;* attaque,F., *attack*
attendre, *to wait for*
Attention! *Watch out!*
au,M., *to the;* au sénateur, *to the senator*
au revoir, *good-by*
aucun(e), *none, no;* ne . . . aucun, *not any*
aujourd'hui, *today*
aurai, j', *I will have*
aurais, j' *I would have*
aussi, *also, too, as*
aussitôt que, *as soon as*
autant que, *as far as*
auto,F., *auto, car*
autobus,M., *bus*
automne,M., *autumn*
aux, *to the,*M.,F.PL.
avaient, ils, elles, *they had, used to have*
avais, j', *I had, used to have*
avait, il, elle, *he, she had, used to have*
avancer, *to advance;* en avance, *in advance*
avant, *before;* avant que . . . , *before . . .*
avec, *with*
aventure,F., *adventure*
avez-vous? *have you, did you?;* avez-vous dîné? *have you dined (had dinner), did you dine (have dinner)?*
aviez, vous, *you had, used to have*
avion,M., *airplane, plane;* en avion, *on a plane, by plane*
avions, nous, *we had, used to have*
avoir, *to have;* j'ai eu, *I had (have had)*
avoir besoin de, *to have need of*
avons, nous, *we have;* nous‿avons voté, *we have voted, we voted;* nous‿avons‿une maison, *we have a house*
avril,M., *April*
ayant, *having* (present participle)
ayez, *have* (command); ayez confiance, *have confidence*
ayez, vous, *subj.* of avoir, *to have*

ayons, *let's have;* ayons confiance, *let's have confidence*
ayons, nous, *subj. of* avoir, *to have*

B

bagages,M.PL., *baggage*
(se) baigner, *to bathe oneself;* baignoire,F., *bathtub*
bain,M., *bath;* salle de bain,F., *bathroom*
(se) baisser, *to stoop*
balancer, *to balance;* balance,F., *balance, scales*
ballet,M., *ballet*
banque,F., *bank*
bar,M., *bar*
bâton de rouge,M., *lipstick*
(se) battre, *to fight*
beau,M., *handsome, beautiful;* beaux,PL.
beaucoup (de), *much, a lot, many*
beau-frère,M., *brother-in-law*
bébé,M., *baby*
belle,F., *beautiful, handsome;* belles,PL.
belle-mère,F., *mother-in-law*
belle-soeur,F., *sister-in-law*
besoin,M., *need;* avez-vous besoin de . . . ? *do you need (have need of) . . . ?*
beurre,M., *butter*
bibliothèque,F., *library*
bicyclette,F., *bicycle*
bien, *well*
bien que . . . , *though, although, even though*
bientôt, *soon*
bifteck,M., *beefsteak*
billet,M., *ticket*
biographie,F., *biography*
bistro,M., *small restaurant*
blâmer, *to blame;* blâme,M., *blame*
blanc,M., blanche,F., *white*
blanchisserie,F., *laundry*
bleu(e), *blue*
blouse,F., *blouse*
boire, *to drink;* j'ai bu, *I drank*
boit, il, elle, *he, she drinks*
boîte,F., *box*
boivent, ils, *they drink*
bon,M., bonne,F., *good*
bon marché, *cheap*
bon voyage, *have a good trip*
bonbon,M., *candy*
bonjour, *good morning*
bonne,F., *maid; good,F.*
bonsoir, *good evening*
boucher,M., *butcher;* chez le boucher, *at the butcher's, butcher shop*
boucherie,F., *butcher shop*
boulanger,M., *baker;* chez le boulanger, *at the baker's, bakery*
boulangerie,F., *bakery*
bouteille,F., *bottle*
bridge (game),M., *bridge;* jouer au bridge, *to play bridge*
(se) brosser, *to brush (oneself);* brosse,F., *brush*
(se) brûler, *to burn (oneself)*
brun(e), *brown*
bureau,M., *office, desk;* au bureau, *to the, at the office*
bureau de poste, *post office*
buvez, vous, *you drink*
buvons, nous, *we drink*

C

ça, *it, that*
cabine,F., *cabin, stateroom*
câbler, *to cable;* câbler au sénateur, *to cable to the senator;* le câble, *cable*
(se) cacher, *to hide (oneself)*
cadeau,M., *gift, present*
calculer, *to calculate;* calcul,M., *calculation*
café,M., *coffee, café;* café crème, *coffee with cream*
camion,M., *truck*
campagne,F., *countryside, country;* à la campagne, *in (to) the country*
canapé,M., *sofa*
canari,M., *canary*

capital,M., *capital (money)*; capitale,F., *capital (city)*
caresser, *to caress*; caresse,F., *caress*
carotte,F., *carrot*
carte du jour,F., *menu*
cas,M., *case*; en cas que . . . , *in case that . . .*
cathédrale,F., *cathedral*
catholique, *Catholic*
ce,M., *this, that*; ce soir, *this evening, tonight*
ce que, *that which, what*; ce que je veux, *what (that which) I want*
ce soir,M., *this evening, tonight*
ceinture,F., *belt*
céleri,M., *celery*
celle,F., *the one*; celles,PL., *the ones*; celle de Paul, *Paul's (the one of Paul)*; celle-ci, *this one*; celle-là, *that one*; celles-ci, *these*; celles-là, *those*
celui,M., *the one*; celui de Paul, *Paul's (the one of Paul)*; celui-ci, *this one*; celui-là, *that one*
cendrier,M., *ash tray*
cent,M., *one hundred*; cent-un, *etc.*, *one hundred one, etc.*; deux cents, *etc.*, *two hundred, etc.*
ces,M.,F., *these, those*; ces livres, *these books*
c'est, *it is, it's*; c'est bon, *it's good*
cet,M., *this, that*; cet homme, *this, that man*
c'était, *it, that was*; c'était bon, *it, that was good*
cette,F., *this, that*; cette table, *this table*
ceux,M.PL., *those*; ceux de Paul, *Paul's (those of Paul)*; ceux-ci, *these*; ceux-là, *those*
chacun,M., chacune,F., *each one*
chaise,F., *chair*
chambre,F., *room*
chambre avec pension, *room on the American plan*
chambre avec salle de bain, *room with bath*
champignon,M., *mushroom*
changer, *to change*; se changer, *to change (one's clothes)*
chanter, *to sing*; chant,M., *song*; chanteur,M., *singer*
chapeau,M., *hat*
chaque, *each, every*
charger, *to load*
charmant(e), *charming*
chasseur,M., *bellboy*
chat,M., *cat*
chaud(e), *hot, warm*; de l'eau chaude, *hot water*
chaussette,F., *sock*
chaussure,F., *shoe*
chef de réception,M., *desk clerk*
chemin,M., *road, way*
cheminée,F., *chimney, fireplace*
chemise,F., *shirt*
chèque,M., *check*
cher,M., chère,F., *dear, expensive*
chercher, *to look for*
chérir, *to cherish*
cheval,M., *horse*
cheveux,M.PL., *hair*
chez, *at*; chez Louise, *at Louise's house*; chez moi, *at my house*
chien,M., *dog*
chimiste,M., *chemist*
chocolat,M., *chocolate*
choisir, *to choose*; j'ai choisi, *I chose*
chose,F., *thing*
cigare,M., *cigar*
cigarette,F., *cigarette*
ciment,M., *cement*
cinéma,M., *movies*; au cinéma; *to the movies*
cinq, *five*; cinquième, *fifth*
cinquante, *fifty*; cinquante et un, *fifty-one*; cinquante-deux, *etc.*, *fifty-two, etc.*
circonstance,F., *circumstance*
civilisation,F., *civilization*
classe,F., *class*; en classe, *in class*
client,M., *client*
club,M., *club*; au club, *to, at the club*
cocktail,M., *cocktail, cocktail party*

cognac,M., *cognac, brandy*
coiffeur,M., *hairdresser, barber;* se coiffer, *to do one's hair*
coin,M., *corner*
coïncidence,F., *coincidence*
combien, *how much, how many*
comédie,F., *comedy*
comique, *comical, funny*
commander, *to order, command;* commande,F., *order, command*
commencer, *to begin, start, commence*
comment‿allez-vous? *how are you (how do you go)?*
compartiment,M., *compartment*
compléter, *to complete*
complimenter, *to compliment;* compliment,M., *compliment*
comprendre, *to understand;* j'ai compris, *I understood*
compris, *understood;* il a compris, *he understood*
compter, *to count*
concert,M., *concert*
concevoir, *to conceive;* j'ai conçu, *I conceived*
conclure, *to conclude;* j'ai conclu, *I concluded*
conclut, il, elle, *he, she concludes*
conçu, *conceived;* j'ai conçu, *I conceived*
condition,F., *condition;* conditionnel (elle), *conditional;* à condition, *on approval*
conducteur,M., *conductor (train)*
conduire, *to drive, conduct, lead;* j'ai conduit, *I drove;* se bien conduire, *to behave oneself*
conduit, il, elle, *he, she drives, conducts*
confiance,F., *confidence*
confiture,F., *jam*
confortable, *comfortable*
connais, je, *I know (person, place)*
connaissez, vous, *you know*
connaissent, ils, *they know*
connaissons, nous, *we know*
connaît, il, elle, *he, she knows (person, place)*
connaître, *to know (a person, place);* il a connu, *he knew*
connu, *known;* j'ai connu, *I have known, knew*
conseiller, *to advise;* conseil,M., *advice*
consommations,F., *refreshments*
construire, *to build, construct;* il a construit, *he built*
construit, il, elle, *he, she builds, constructs*
consulat,M., *consulate*
content(e), *happy, glad, contented*
continuer, *to continue*
contrat,M., *contract*
conversation,F., *conversation*
convertir, *to convert*
copiiez, vous, *you copy (subj.)*
copiions, nous, *we copy (subj.)*
copier, *to copy;* copie,F., *copy*
correspondre, *to correspond;* correspondance,F., *correspondence*
corriger, *to correct*
costume,M., *suit (man's)*
côté,M., *side;* à côté de moi, *by my side, next to me*
côtelette,F., *cutlet, chop*
(se) coucher, *to go to bed*
couleur,F., *color*
couloir,M., *corridor*
couper, *to cut;* se couper, *to cut oneself;* coupe,F., *haircut*
courant(e), *current*
courent, ils, *they run*
courez, vous, *you run*
courir, *to run;* j'ai couru, *I ran*
courrai, je, *I will run*
courrais, je, *I would run*
courrier,M., *mail*
course,F., *errand, race*
court(e), *short*
courtoisie,F., *courtesy*
couru, *run (past);* j'ai couru, *I have run, ran*
cousin,M., cousine,F., *cousin*
couteau,M., *knife*

ûter, *to cost*
ouvent,M., *convent*
couvrir, *to cover;* j'ai couvert, *I covered;* je couvre, *I cover*
craignent, ils, *they fear*
craindre, *to fear;* j'ai craint, *I feared*
crains, je, *I fear*
craint, il, elle, *he, she fears*
cravate,F., *necktie*
crémerie,F., *dairy, creamery*
crémier,M., crémière,F., *dairy man, woman;* chez la crémière, *at the dairy*
croient, ils, *they think*
croire, *to think (opinion), believe;* j'ai cru, *I thought*
crois, je, *I think (opinion)*
croit, il, elle, *he, she thinks, believes*
croissant,M., *roll*
croyez, vous, *you think*
croyons, nous, *we think*
cru, *believed, thought;* j'ai cru, *I believed*
cueillir, *to gather*
cuire, *to cook*
cuit, il, elle, *he, she cooks*

D

dans, *in;* dans la valise, *in the suitcase*
danser, *to dance*
danseur,M., *dancer*
de, *of, about;* des, *of the, about the* (PL.)
(se) débarrasser, *to get rid of, take off*
décembre,M., *December*
décider, *to decide*
décorer, *to decorate;* décor,M., *decoration*
décourager, *to discourage*
défendre, *to forbid, defend*
défier, *to defy;* défi,M., *defiance*
définir, *to define*
déjà, *already*
déjeuner, *to lunch, have lunch;* déjeuner,M., *lunch*
demain, *tomorrow;* demain soir, *tomorrow night;* après-demain, *day after tomorrow*
demander, *to ask, ask for;* se demander, *to wonder*
demi, *half;* demi-heure,F., *half hour;* demi-douzaine,F., *half-dozen*
démolir, *to demolish*
dénoncer, *to denounce*
dentiste,M., *dentist*
dents, les,M.PL., *the teeth*
département,M., *department*
(se) dépêcher, *to hurry (oneself)*
dépendre, *to depend*
depuis, *since;* depuis deux‿ans, *since (for) two years*
déranger, *to disturb*
dernier(ière), *last;* dernièrement, *lately*
derrière, *behind,*ADV.
des,M.,F.PL., *of the, some*
dès que, *as soon as*
désagréable, *disagreeable*
descendre, *to go down, go downstairs;* il est descendu, *he went down*
désinfectant,M., *disinfectant*
désirer, *to desire;* désir,M., *desire*
désobéir, *to disobey*
désolé(e), *very sorry, desolated*
dessert,M., *dessert*
dessiner, *to design;* dessin,M., *design*
détester, *to detest, hate*
détruire, *to destroy*
détruit, il, elle, *he, she destroys*
deux, *two;* deuxième, *second*
devant, *in front of;* devant la banque, *in front of the bank*
devenir, *to become;* je suis devenu (e), *I became*
devez, vous, *you have to, owe*
devoir, *to have to, owe;* j'ai dû, *I had to, owed*
devrai, je, *I will have to, will owe*
devrais, je, *I would have to, would owe*
d'habitude, *usually*
dictionnaire,M., *dictionary*
Dieu, *God*

difficile, *difficult*
dimanche,M., *Sunday, on Sunday;* le dimanche, *on Sundays*
dîner,V., *to have dinner, dine;* dîner, M., *dinner*
dire, *to say, tell;* j'ai dit, *I said, told*
diriger, *to direct*
dis, je, *I say*
discours,M., *speech*
disent, ils, *they say*
disons, nous, *we say*
disque,M., *disc, phonograph record*
distingué(e), *distinguished*
dit, *said, told;* il a dit, *he said, told, has said, has told*
dit, il, elle, *he, she says*
dites, vous, *you say*
divertir, *to divert, amuse*
divorcer, *to divorce;* divorce,M., *divorce*
dix, *ten;* dixième, *tenth*
dix-huit, *eighteen;* dix-huitième, *eighteenth*
dix-neuf, *nineteenth;* dix-neuvième, *nineteenth*
dix-sept, *seventeen;* dix-septième, *seventeenth*
docteur,M., *doctor;* au docteur, *to the doctor;* chez le docteur, *at the doctor's*
doigt,M., *finger*
dois, je, *I have to, must, owe*
doit, il, elle, *he, she has to, must, owes*
doivent, ils, *they have to, owe*
dommage,M., *pity;* quel dommage, *what a pity*
donner, *to give;* don,M., *gift*
dorment, ils, *they sleep*
dormez, vous, *you sleep*
dormi, *slept;* j'ai dormi, *I slept, have slept*
dormir, *to sleep;* j'ai dormi, *I slept*
dors, je, *I sleep*
dort, il, elle, *he, she sleeps*
dos,M., *back*
douane,F., *customs, customhouse*
douche,F., *shower*
douter, *to doubt;* doute,M., *doubt*
doux,M., douce,F., *sweet*
douzaine,F., *dozen;* une douzaine de roses, *a dozen roses*
douze, *twelve;* douzième, *twelfth*
droit(e),ADJ., *right;* droit,M., *right, law;* à droite, *to the right*
drôle, *funny, droll*
du,M., *of the, some*

E

eau,F., *water*
échanger, *to exchange;* échange,M., *exchange*
(s')échapper, *to escape, get away*
école,F., *school;* à l'école, *in school*
écouter, *to listen*
écrire, *to write;* j'ai écrit, *I wrote, have written.*
écrit, *written;* j'ai écrit, *I have written, wrote*
écrivent, ils, *they write*
écrivez, vous, *you write*
écrivons, nous, *we write*
Édouard, *Edward*
effet,M., *effect*
(s')effrayer, *to get frightened*
église,F., *church*
élargir, *to enlarge*
élégant(e), *elegant*
éléphant,M., *elephant*
élève,M.,F., *pupil*
élever, *to raise*
elles,F., *they*
éloquent(e), *eloquent*
embarrasser, *to embarrass;* embarras M., *embarrassment, obstacle*
embellir, *to embellish*
embrasser, *to kiss*
emmener, *to take (a person to a place)*
employer, *to use*
emprisonnement,M., *imprisonment*
en, *some, any, none, none of it (of them), of it (of them).* See *Index for usages*
en, *in, to, while, from there.* See *Index for usages*

(s')en aller, *to go away*
en avance, *early, in advance*
en bas, *downstairs, below*
en irai, je m', *I will go away*
en irais, je m', *I would go away*
en retard, *late,*ADV.
enchanté(e), *delighted*
encore, *yet, still*
encourager, *to encourage*
encre,F., *ink*
(s')endormir, *to go to sleep*
enfant,M.,F., *child;* les‿enfants, *the children*
(s')enivrer, *to get drunk*
enlever, *to carry off*
ennuyer, *to annoy;* s'ennuyer, *to get bored*
(s')enrhumer, *to catch a cold;* rhume,M., *cold*
enrôlement,M., *enrollment*
ensemble, *together*
ensuite, *afterward*
entendre, *to hear*
(s')enthousiasmer, *to get enthusiastic;* enthousiasme,M., *enthusiasm*
entrer, *to go in, come in;* je suis‿entré(e), *I went in;* entrée,F., *entrance*
entretenu, *entertained;* elle a entretenu, *she entertained*
envelopper, *to envelop;* enveloppe,F., *envelope*
enverrai, j', *I will send*
enverrais, j', *I would send*
envoyer, *to send*
épicerie,F., *grocery store*
épicier,M., *grocer;* chez l'épicier, *at the grocer's, grocery store*
épouser, *to marry*
escalier,M., *stairs*
espérer, *to hope;* j'espère, *I hope*
essence,F., *gasoline*
essuyer, *to wipe*
est, il, elle, c', *he, she, it is*
est-ce que? *is it that;* est-ce qu'il a chanté? *did he sing (is it that he sang, has sung)?*
et, *and*
établir, *to establish;* établissement,M., *establishment*
étaient, ils, elles, *they were, used to be*
étais, j', *I was, used to be*
était, il, elle, *he, she was, used to be*
étant, *being* (present participle)
été,M., *summer*
été, *been;* j'ai été, *I have been, was*
êtes, vous, *you are*(SING.,PL.)
étiez, vous, *you were, used to be*
étions, nous, *we were, used to be*
étonné(e), *astonished, surprised*
étrange, *strange*
étranger,M., étrangère,F., *foreigner*
être, *to be;* j'ai été, *I was (have been)*
être en train de . . . , *to be . . . (doing something at this precise moment);* je suis‿en train de parler, *I am speaking (I am in train of speaking)*
étudier, *to study*
étudiiez, vous, *you study* (subj.)
étudiions, nous, *we study* (subj.)
eu, *had;* j'ai eu, *I had*
exagérer, *to exaggerate*
exaspérer, *to exasperate;* exaspération,F., *exasperation;* s'exaspérer, *to get exasperated*
exception,F., *exception;* exceptionnel (elle), *exceptional*
exclure, *to exclude;* j'ai exclu, *I excluded*
exclut, il, elle, *he, she excludes*
excuser, *to excuse;* excuse,F., *excuse*
exercer, *to exercise*
exiger, *to require*
expliquer, *to explain*
exporter, *to export*
exposition,F., *exposition, exhibition*
extraordinaire, *extraordinary*

F

fabriquer, *to manufacture;* fabrique, F., *factory*
(se) fâcher, *to get angry*
facile,M.,F., *easy;* facilement, *easily*

facteur,M., *mailman*
facture,F., *bill*
faible, *feeble, weak*
faim,F., *hunger;* j'ai faim, *I am hungry (have hunger)*
faire, *to make, do;* j'ai fait, *I made, did*
(se) faire mal, *to hurt oneself*
fais, je, *I make, do*
faisons, nous, *we make, do*
fait, *done, made;* il a fait, *he did, has done, has made, made*
fait, il, elle, *he, she makes, does*
faites, vous, *you make, do*
falloir, *to be necessary;* il faut que . . . , *it is necessary that . . .*
famille,F., *family*
farine,F., *flour*
fasse, je, il, elle, *subj. of* faire, *to make, do*
(se) fatiguer, *to get tired;* fatigué(e), *tired;* je suis fatigué(e), *I am tired*
faut que . . . , il, *it is necessary that . . .*
faute,F., *mistake, error*
fauteuil,M., *armchair*
faux,M., fausse,F., *false, wrong*
femme,F., *woman, wife*
fenêtre,F., *window*
ferai, je, *I will make, do*
ferais, je, *I would make, do*
ferme,F., *farm*
fermer, *to close, shut*
février,M., *February*
figure,F., *face*
film,M., *film, movie*
fils,M., *son*
fine,F., *brandy, cognac*
finir, *to finish;* j'ai fini, *I finished*
fleur,F., *flower*
fois,F., *time (occasion);* une fois, *one time, once*
fondamental, *fundamental*
font, ils, *they make, do*
football,M., *football*
force,F., *force, strength;* forcer, *to force*
forêt,F., *forest*
former, *to form;* forme,F., *form*
fourchette,F., *fork*
fournir, *to furnish*
frais,M., fraîche,F., *fresh*
fraise,F., *strawberry*
français(e)ADJ., *French;* français,M., *French (language)*
France,F., *France;* en France, *in, to France*
frapper, *to knock*
frère,M., *brother*
froid(e),ADJ., *cold;* de l'eau froide, *cold water*
fromage,M., *cheese*
fuir, *to flee*
fumer, *to smoke;* fumoir,M., *smoking room*
furieux,M., furieuse,F., *furious*
fusiller, *to shoot;* fusil,M., *gun*
futur(e),ADJ., *future*

G

gagner, *to win, gain*
gai, *gay*
galant, *gallant*
gant,M., *glove*
garage,M., *garage*
garantir, *to guarantee*
garçon,M., *boy, waiter*
gare,F., *station*
garnir, *to garnish*
gâteau,M., *cake*
gauche, *left;* à gauche, *to the left*
geler, *to freeze*
gendarme,M., *policeman*
général(e), *general;* généralement, *generally*
genre,M., *kind;* quel genre? *what kind?*
gens,M.PL., *people*
gentil,M., gentille,F., *nice*
golf,M., *golf;* jouer au golf, *to play golf*
gouvernement,M., *government*
gouverneur,M., *governor*
grand(e), *big, tall;* plus grand(e),

bigger, taller; le (la) plus grand(e), *the biggest, tallest*
grand magasin,M., *department store*
grandir, *to grow*
grand-mère,F., *grandmother*
grand-père,M., *grandfather*
grand-route,F., *highway*
gris(e), *gray*
gros,M., grosse,F., *thick, big*
guider, *to guide;* guide,M., *guide, guidebook*

H

(s')habiller, *to dress oneself*
habiter, *to live (in);* j'habite un appartement, *I live in an apartment*
Hélène, *Helen*
hésiter, *to hesitate*
heure,F., *hour, o'clock, time*
à quelle heure? *at what time (hour)?*
à trois‿heures, *at three o'clock (hours)*
à l'heure, *on time*
de bonne heure, *early*
demi-heure,F., *half hour*
trois‿heures et quart, *three-fifteen (three hours and a quarter)*
heureux,M., heureuse,F., *happy*
hier, *yesterday;* hier soir, *last night;* hier matin, *yesterday morning*
histoire,F., *story*
hiver,M., *winter*
homme,M., *man*
honneur,M., *honor*
hôpital,M., *hospital*
hôtel,M., *hotel*
huit, *eight;* huitième, *eighth*
humide, *humid, damp*

I

ici, *here*
il,M., *he, it,*M.
il n'y a pas de quoi, *you are welcome (there is not for what)*
il y a, *there is, there are, ago*
il n'y a pas, *there isn't, there aren't*
est-ce qu'il y a? *is there, are there?*
y a-t‿il? *is there, are there?*
il y a eu, *there was, there were*
y a-t‿il eu? *was there, were there?*
il y avait, *there used to be*
y avait‿il? *did there use to be?*
il y aura, *there will be*
il y a deux‿ans, *two years ago*
ils,M., *they*
imiter, *to imitate*
immédiat(e), *immediate;* immédiatement, *immediately*
impartial(e), *impartial;* impartialement, *impartially*
imperméable, *impermeable;*M., *raincoat*
implorer, *to implore*
importer, *to import*
impraticable, *impracticable*
inclure, *to include;* j'ai inclu, *I included*
inclut, il, elle, *he, she includes*
inconcevable, *inconceivable*
incroyable, *unbelievable, incredible*
indépendant(e), *independent*
indésirable, *undesirable*
industrie,F., *industry*
infaillible, *infallible*
influencer, *to influence*
informer, *to inform*
inimaginable, *unimaginable*
inquiéter, *to worry;* s'inquiéter, *to worry, get uneasy*
insecte,M., *insect*
insignifiance,F., *insignificance*
insister, *to insist;* insistance,F., *insistence*
inspirer, *to inspire*
instable, *unstable*
insurmontable, *insurmountable*
installer, *to install*
insulter, *to insult;* insulte,F., *insult*
interdire, *to forbid*
intéressant(e), *interesting*
interprète,M., *interpreter*

interroger, *to question*
interrompre, *to interrupt;* j'ai interrompu, *I interrupted;* il interrompt, *he interrupts*
intransigeant(e), *intransigent*
inventer, *to invent*
inviter, *to invite;* invité,M., *guest*
irai, j', *I will go*
irais, j', *I would go*
irresponsable, *irresponsible*
italien,M., *Italian (language);* italien(ne),ADJ. *Italian*

J

jamais, *never*
janvier,M., *January*
jaquette,F., *jacket (woman's)*
jardin,M.,*garden;* le jardin zoologique, *the zoological garden*
jaune, *yellow*
je, *I*
Jean, *John*
jeter, *to throw;* je jette, *I throw;* nous jetons, *we throw*
jeudi,M., *Thursday;* le jeudi, *on Thursdays*
jeune,M.,F., *young*
joindre, *to join;* j'ai joint, *I joined*
joli(e), *pretty*
jouer, *to play;* jouer au tennis, *to play tennis*
jour,M., *day*; journée,F., *day, daytime;* toute la journée, *all day long*
journal,M., *newspaper*
journaliste,M., *newspaperman, journalist*
journée,F., *day, daytime;* toute la journée, *all day long*
juger, *to judge;* jugement,M., *judgment*
juillet,M., *July*
juin,M., *June*
jupe,F., *skirt*
jusque, *until;* jusqu'à dix‿heures, *until ten o'clock;* jusqu'à ce que . . . , *until, till* . . .
juste, *right*

L

la,F., *the;* la table, *the table*
la,F., *her, it;* je la paye, *I pay her*
là, *there,*ADV.; il est là, *it is there*
la leur,F., les leurs,PL., *theirs*
la mienne,F., les miennes,PL., *mine*
la nôtre,F., les nôtres,PL., *ours*
la sienne,F., les siennes,PL., *his, hers, its*
la vôtre,F., les vôtres,PL., *yours*
laid(e), *ugly*
lait,M., *milk*
lampe,F., *lamp*
large, *wide, large*
(se) laver, *to wash oneself;* je me lave, *I wash myself*
le,M., *the;* le livre, *the book*
le,M., *him, it;* je le paye, *I pay him*
le leur,M., les leurs,PL., *theirs*
le mien,M., les miens,PL., *mine*
le nôtre,M., les nôtres,PL., *ours*
le sien,M., les siens,PL., *his, hers, its*
le vôtre,M., les vôtres,PL., *yours*
leçon,F., *lesson*
légume,M., *vegetable*
lendemain,M., *next day*
lentement, *slowly*
les, *the,*M.,F.PL.; les livres, *the books*
les,M.,F.PL., *them;* je les paye, *I pay them*
lettre,F., *letter;* lettre d'amour, *love letter*
leur, *to them, their,*M.,F.
je leur donne, *I give to them*
leur ami, *their friend*
leurs‿amis, their friends
See also le leur, la leur, *theirs*
(se) lever, *to get (oneself) up*
librairie,F., *bookstore*
ligne,F., *line*
limiter, *to limit;* limite,F., *limit*
limonade,F., *lemonade*
lire, *to read;* j'ai lu, *I read* (past), *have read*
lis, je, *I read (present)*
lisent, ils, *they read (present)*
lisez, vous, *you read (present)*

lisons, nous, *we read (present)*
lit, il, elle, *he, she reads*
lit,M., *bed*
littérale, *literal*
littérature,F., *literature;* littéraire, *literary*
livre,M., *book*
livre,F., *pound*
loin, *far*,ADV.
longtemps, *long time*
lorsque, *when*
louer, *to rent*
lu, *read* (past); il a lu, *he read, has read*
lui, *to him, her, it;* je lui donne, *I give to him (her)*
lundi,M., *Monday;* le lundi, *on Mondays*
lune,F., *moon*
lyrisme,M., *lyricism*

M

ma,F., *my;* ma soeur, *my sister*
madame, *Mrs., madam*
mademoiselle,F., *miss*
magasin,M., *store;* grand magasin,M., *department store*
magnifique, *magnificent*
mai,M., *May*
main,F., *hand;* les mains, *hands*
maintenant, *now*
maintenir, *to maintain;* j'ai maintenu, *I maintained*
maintenu, *maintained;* j'ai maintenu, *I maintained*
mais, *but*
maison,F., *house;* à la maison, *at home*
malade, *sick*
maladroit(e), *awkward, clumsy*
maman,F., *mamma*
manger, *to eat*
manteau,M., *coat*
(se) maquiller, *to make oneself up*
marché,M., *market, marketing*
marcher, *to walk*
mardi,M., *Tuesday;* le mardi, *on Tuesdays*
Marie, *Mary*
marier, *to marry;* se marier, *to get married*
marine,F., *navy*
marquer, *to mark;* marque,F., *mark*
mars,M., *March*
Marthe, *Martha*
matin,M., *morning;* ce matin, *this morning*
me, *me, to me, myself*
il me paye, *he pays me*
il me donne, *he gives to me*
je me lave, *I wash myself*
mécanique, *mechanical*
meilleur(e),ADJ., *better*
un meilleur restaurant, *a better restaurant*
une meilleure chambre, *a better room*
même, *even, same*
menacer, *to menace, threaten;* menace,F., *menace*
ménage,M., *housework*
mens, je, *I lie*
ment, il, elle, *he, she lies*
mentir, *to lie;* il a menti, *he lied*
menu,M., *menu*
merci, *thanks, thank you*
mercredi,M., *Wednesday;* le mercredi, *on Wednesdays*
mère,F., *mother*
merveilleux(euse), *marvelous;* c'est merveilleux, *it's marvelous*
mes,M.,F.PL., *my;* mes frères, *my brothers;* mes soeurs, *my sisters*
met, il, elle, *he, she puts, puts on*
métro,M., *subway*
mets, je, *I put, put on*
mettre, *to put, put on, set;* elle a mis, *she put, put on, set;* se mettre à, *to start to*
meurs, je, *I die*
meurt, il, elle, *he, she dies*
midi,M., *noon*
mien, mienne, *mine.* See le mien; la mienne
mieux,ADV., il chante mieux, *he sings better*

mignon, *cute*
mille,M., *thousand;* deux mille, *etc., two thousand*
milliard,M., *billion*
million,M., *million*
minuit,M., *midnight*
minute,F., *minute*
mis, *put, put on* (past); il a mis, *he put, put on*
moi, *me, to me, mine*
embrassez-moi, *kiss me*
parlez-moi, *speak to me*
c'est‿à moi, *it's mine*
moins, *less*,ADV.
mois,M., *month*
mon,M., *my;* mon père, *my father*
monde,M., *world, people;* beaucoup de monde, *many people;* tout le monde, *everybody*
monsieur, *mister*
monstruosité,F., *monstrosity*
montagne,F., *mountain*
monter, *to go up, go upstairs, come up;* il est monté *he went up*
montrer, *to show*
(se) moquer (de), *to make fun (of), ridicule*
mort(e), *dead;* il est mort, *he died (is dead)*
mot,M., *word*
mou,M., molle,F., *soft*
mouchoir,M., *handkerchief*
mourir, *to die;* il est mort, *he died (is dead)*
mourrai, je, *I will die*
mourrais, je, *I would die*
mouvement,M., *movement*
mule,F., *mule*
murmurer, *to murmur;* murmure,M., *murmur*
musée,M., *museum*
musique,F., *music*

N

nager, *to swim*
naître, *to be born;* je suis né(e), *I was (am) born*
naturel(elle), *natural;* naturellement, *naturally*
navré(e), *extremely sorry*
né(e), *born;* je suis né(e), *I was (am) born*
ne . . . jamais, *never;* je ne vais jamais, *I never go*
ne . . . pas, *not;* je ne refuse pas, *I don't refuse*
ne . . . personne, *no one, nobody.*
ne . . . plus, *no longer*
ne . . . rien, *nothing*
neiger, *to snow*
n'est pas, *is not;* il n'est pas‿ici, *he is not here*
nettoyer, *to clean*
neuf, *nine;* neuvième, *ninth*
nièce,F., *niece*
Noël,M., *Christmas*
noir(e),ADJ., *black*
nom,M., *name*
non, *no*
normal(e), *normal;* normalement, *normally*
nos,M.,F.PL., *our;* nos chapeaux, *our hats;* nos blouses, *our blouses*
noter, *to note, notice;* note,F., *note, bill*
notre,M.,F.SING., *our;* notre père, mère, *our father, mother*
nôtre, *ours. See* le nôtre; la nôtre
nourrir, *to nourish*
nous, *we, us, to us, ourselves*
nous parlons, *we speak*
il nous paye, *he pays us*
il nous donne, *he gives to us*
nous nous lavons, *we wash ourselves*
nouveau,M., nouvelle,F., *new*
novembre,M., *November*
(se) noyer, *to drown oneself*
nuire, *to harm*
numéro,M., *number*

O

obéir, *to obey;* j'ai obéi, *I obeyed*
objet,M., *object*
obliger, *to oblige*

obscurité,F., *darkness, obscurity*
obtenir, *to obtain;* j'ai obtenu, *I obtained*
obtenu, *obtained;* j'ai obtenu, *I obtained*
occupé(e), *busy, occupied;* je suis occupé(e), *I am busy*
octobre,M., *October*
oeuf,M., *egg;* les oeufs, *the eggs*
offenser, *to offend;* offense,F., *offense*
offert, *offered;* elle a offert, *she offered*
offrir, *to offer;* j'ai offert, *I offered;* j'offre, *I offer*
oignon,M., *onion*
on, *one, you, somebody, they;* on dit . . . , *one says, you say, they say . . .*
oncle,M., *uncle*
ont, ils, elles, *they have;* ils ont les livres, *they have the books;* elles ont parlé, *they spoke, have spoken*
onze, *eleven;* onzième, *eleventh*
opéra,M., *opera*
orange,F., *orange*
ou, *or*
où, *where*
ouvert, *opened;* j'ai ouvert, *I opened, have opened*
ouvrir, *to open;* j'ai ouvert, *I opened;* j'ouvre, *I open;* ouverture,F., *overture, opening*

P

pain,M., *bread;* petit pain, *roll*
pâlir, *to grow pale*
paquet,M., *package*
par avion, *air mail*
parapluie,M., *umbrella*
parc,M., *park*
parce que, *because*
pardon,M., *pardon;* pardon, *excuse me, pardon me*
parents,M.PL., *parents, relatives*
paresseux(euse), *lazy*
parfum,M., *perfume*
parier, *to bet;* pari,M., *bet*
Parisien(ne),M., *Parisian (person)*
parlement,M., *parliament*
parler, *to speak, talk*
pars, je, *I leave, depart*
part, il, elle, *he, she leaves, departs*
partager, *to share*
partent, ils, *they leave*
partez, vous, *you leave*
partir, *to leave, go away;* je suis parti(e), *I (am) left*
pas. *See* ne . . . pas
passer, *to spend, pass;* passer le weekend, *to spend the weekend*
patron,M., *boss*
pauvre, *poor*
payer, *to pay*
(se) peigner, *to comb oneself;* peigne,M., *comb*
peindre, *to paint;* j'ai peint, *I painted*
penalité,F., *penalty*
pendant, *during;* pendant que, *while*
pendre, *to hang*
penser, *to think;* pensée,F., *thought*
pension,F., *boardinghouse*
percevable, *perceivable*
perdre, *to lose*
père,M., *father*
périr, *to perish*
persévérer, *to persevere*
personne,F., *person;* personne,PRON., *nobody, no one*
personnel(elle), *personal*
persuader, *to persuade*
(se) peser, *to weigh oneself*
petit(e), *small, little;* plus petit(e), *smaller;* le (la) plus petit(e), *the smallest*
petit déjeuner,M., *breakfast*
petit-fils,M., *grandson*
petit pain,M., *roll*
peu,M., *a little;* un peu de café, *a little (bit of) coffee*
peur,F., *fear;* avoir peur, *to be afraid;* de peur que . . . , *for fear that . . .*
peut, il, elle, *he, she can, is able*
peuvent, ils, *they can*
peux, je, *I can, am able*

pharmacie,F., *drugstore, pharmacy*
photographie,F., *photograph, snapshot*
pièce,F., *play*
piscine,F., *swimming pool*
pitié,F., *pity*
placer, *to place;* place,F., *place*
plage,F., *beach*
plaire, *to please;* il a plu, *he pleased;* se plaire, *to be happy, like* (a place)
plaisant(e), *pleasant*
plaisanterie,F., *joke*
plaisir,M., *pleasure;* avec plaisir, *with pleasure, gladly*
plaît, il, elle, *he, she pleases*
plan,M., *plan*
plein(e) de, *full of*
pleuvoir, *to rain;* il a plu, *it rained*
plonger, *to plunge*
plu, *pleased;* il a plu, *he pleased*
plume,F., *pen*
plus, *more;* plus grand(e), *bigger, taller;* le (la) plus grand(e), *the biggest, tallest*
plusieurs, *several*
poisson,M., *fish*
poivre,M., *pepper*
polir, *to polish;* j'ai poli, *I polished*
politique, *political;* politique,F., *politics*
ponctuel(elle), *punctual;* ponctualité,F., *punctuality*
porte,F., *door*
porter, *to carry, wear*
porteur,M., *porter*
posséder, *to possess*
poste,F., *post office*
(se) poudrer, *to powder oneself*
poulet,M., *chicken*
pour, *for, in order to*
pour que . . . , *in order that, so that . . .*
pourboire,M., *tip*
pourquoi, *why*
pourrai, je, *I will be able*
pourrais, je, *I would be able*
pouvez-vous? *can you?*
pouvoir, *to be able;* j'ai pu, *I was able, could*
pourvu que . . . , *provided that . . .*
précéder, *to precede*
préférer, *to prefer;* préférable, *preferable*
premier,M., première,F., *first*
prendre, *to take;* j'ai pris, *I took (have taken)*
prenez, vous, *you take*
prennent, ils, *they take*
prenons, nous, *we take*
préparer, *to prepare;* se préparer, *to get ready*
près de, *close to, near*
présenter, *to present*
pressé(e), *in a hurry, pressed (for time)*
prêt(e), *ready*
prétendre, *to pretend*
prêter, *to lend*
principal(e), *principal;* principalement, *principally*
printemps,M., *spring*
pris, *taken;* j'ai pris, *I have taken, took*
procéder, *to proceed*
prochain(e), *next;* mercredi prochain, *next Wednesday;* l'année prochaine, *next year*
produire, *to produce;* j'ai produit, *I produced*
produit, il, elle, *he, she produces*
proéminent(e), *prominent*
programme,M., *program*
programme de télévision,M., *television program*
prolonger, *to prolong*
(se) promener, *to walk, go for a walk;* promenade,F., *walk*
promettre, *to promise;* elle a promis, *she promised*
promis, *promised;* j'ai promis, *I promised*
prononcer, *to pronounce*
proposer, *to propose*
protéger, *to protect*
pu, *able;* j'ai pu, *I was able, could*

puis, *then*
puis-je?, *may I, can I?*
puisse, je, il, elle, *subj. of* pouvoir, *to be able*
punir, *to punish*
pur(e), *pure*

Q

quand, *when*
quarante, *forty;* quarante et un, *forty-one;* quarante-deux, *etc., forty-two, etc.*
quatorze, *fourteen;* quartorzième, *fourteenth*
quatre, *four;* quatrième, *fourth*
quatre-vingt-dix, *ninety;* quatre-vingt-onze, *etc., ninety-one etc.*
quatre-vingts, *eighty;* quatre-vingt-un, *etc., eighty-one, etc.*
que, *what, that, than*
que voulez-vous? *what do you want?*
le livre que vous‿avez, *the book that you have*
plus grand que Jean, *taller than John*
que . . . (COMMAND), *let . . . ;* que Paul monte, *let Paul come upstairs*
quel(SING.), quels(PL.),M., *what, which*
quelle(SING.), quelles(PL),F., *what, which*
quelque, quelques, *some, a few*
quelque chose, *something*
quelque part, *somewhere*
quelqu' un, *someone, somebody*
quelquefois, *sometimes*
quelques‿amis, *a few, some friends*
qu'est-ce que? *what, what is it that?*
qu'est-ce qu'il y a? *what is the matter (what is there)?*
qui, *who*
qui que, *whoever*
quinze, *fifteen;* quinzième, *fifteenth*
quoi, *what;* avec quoi, *with what*
quoique . . . , *though, although, even though, whatever*
qu'y a-t-il? *what is the matter (what is there)?*

R

radis,M., *radish*
raison,F., *reason;* raisonnable, *reasonable*
ramener, *to bring back*
rang,M., *row;* au premier rang, *in the first row*
(se) rappeler, *to remember*
(se) raser, *to shave oneself*
rasoir,M., *razor;* rasoir mécanique, *safety razor*
ravir, *to ravish, delight;* ravi(e), *delighted*
ravissant(e), *ravishing, lovely*
réception,F., *party*
recevoir, *to receive,* j'ai reçu, *I received*
recevrai, je, *I will receive*
recevrais, je, *I would receive*
reçois, je, *I receive*
reçoit, il, elle, *he, she receives*
reçoivent, ils, *they receive*
recommander, *to recommend*
récompenser, *to compensate, reward;* récompense,F., *compensation, reward*
reconnaître, *to recognize;* il a reconnu, *he recognized*
reconnu, *recognized;* elle a reconnu, *she recognized*
reçu, *received;* elle a reçu, *she received, has received;* reçu,M., *receipt*
réfléchir, *to reflect, think over*
refléter, *to reflect*
réflexion,F., *reflection*
refuser, *to refuse;* refus,M., *refusal*
regarder, *to look at;* regard,M., *glance*
région,F., *region, part of the country*
régler, *to regulate*
regretter, *to regret;* regret,M., *regret;* regrettable, *regrettable*

relever, *to raise again*
remarquer, *to remark;* remarque,F., *remark*
remercier, *to thank*
remplacer, *to replace*
rencontrer, *to meet, encounter;* rencontre,F., *meeting, encounter*
rendez-vous,M., *appointment, date;* j'ai pris rendez-vous, *I made (took) an appointment*
rendre, *to return (a thing)*
renoncer, *to give up*
rentrer, *to return home, get home;* je suis rentré(e), *I (am) returned home*
réparable, *repairable*
répéter, *to repeat*
répondre, *to answer*
(se) reposer, *to rest oneself*
représentation,F., *performance*
réserver, *to reserve*
résonance,F., *resonance*
responsabilité,F., *responsibility*
responsable, *responsible*
rester, *to stay, remain;* je suis resté(e), *I stayed*
rétablir, *to re-establish*
retarder, *to retard, delay;* retard,M., *delay*
retenir, *to retain;* il a retenu, *he retained*
retenu, *retained;* elle a retenu, *she retained*
retourner, *to return, go back;* je suis retourné(e), *I went (am gone) back*
réussir, *to succeed*
réveiller, *to wake;* se réveiller, *to wake up*
révéler, *to reveal;* révélation,F., *revelation, discovery*
revenir, *to come back, return, get back;* je suis revenu(e), *I came (am come) back*
rêver, *to dream;* rêve,M., *dream*
reviendrai, je, *I will return*
reviendrais, je, *I would return*
revue,F., *magazine*
ri, *laughed;* elle a ri, *she laughed, has laughed*
riche, *rich*
ridicule, *ridiculous*
rien, *nothing;* de rien, *you are welcome (of nothing)*
rire, *to laugh;* elle a ri, *she laughed, has laughed*
risquer, *to risk*
robe,F., *dress*
roi,M., *king*
rôle,M., *role (theater)*
roman,F., *novel*
rompre, *to break;* il a rompu, *he broke*
rompt, il, elle, *he, she breaks*
rosbif,M., *roast beef*
rose,F., *rose;* rose,ADJ., *pink*
rôtir, *to roast*
rouge, *red*
route,F., *road*
rue,F., *street*
ruiner, *to ruin;* ruine,F., *ruin*

S

sa,F., *his, her;* sa mère, *his, her mother*
sac,M., *bag (hand)*
sachant, *knowing (present participle)*
sache, je, il, elle, *subj. of* savoir, *to know*
sais, je, *I know*
saisir, *to seize*
sait, il, elle, *he, she knows*
salade,F., *salad*
salaire,M., *salary*
sale, *dirty*
salle à manger,F., *dining room*
salle de bain,F., *bathroom*
salon,M., *living room*
samedi,M., *Saturday;* le samedi, *on Saturdays*
sans, *without*
sans que . . . , *without . . .*
saurai, je, *I will know*
saurais, je, *I would know*
sauter, *to jump;* saut,M., *jump*

savent, ils, *they know*
saveur,F., *savor (flavor)*
savez, vous, *you know*
savoir, *to know (facts);* j'ai su, *I knew*
savon,M., *soap*
savons, nous, *we know*
scepticisme,M., *skepticism*
se, *himself, herself, itself, oneself, themselves;* il se lave, *he washes himself*
(se) sécher, *to dry oneself*
seconde,F., *second*
secrétaire,M.,F., *secretary*
seize, *sixteen;* seizième, *sixteenth*
sel,M., *salt*
semaine,F., *week;* la semaine dernière, *last week*
sénateur,M., *senator*
sens, je, *I feel*
sent, il, elle, *he, she feels*
(se) sentir, *to feel;* je me suis senti, *I felt*
sept, *seven;* septième, *seventh*
septembre,M., *September*
serai, je, *I will be*
serais, je, *I would be*
sers, je, *I serve*
sert, il, elle, *he, she serves*
serviette,F., *napkin, towel;* serviette de bain, *bath towel*
servir, *to serve;* se servir (de), *to use, make use of*
ses,M.,F.PL., *his, her;* ses frères, *his, her brothers;* ses soeurs, *his, her sisters*
seul(e),ADJ., *only;* seulement,ADV., *only*
si, *if, so*
siège,M., *seat*
sien, sienne, *his, hers, its.* See le sien; la sienne
signaler, *to signal;* signal,M., *signal*
s'il vous plaît, *please (if it pleases you)*
six, *six;* sixième, *sixth*
sofa,M., *sofa*
soif,F., *thirst;* j'ai soif, *I am thirsty (I have thirst)*
soit que . . . , *whether, or . . .*
soeur,F., *sister*
soient, ils, elles, *subj. of* être, *to be*
soir,M., *evening, night;* ce soir, *this evening, tonight;* soirée,F., *evening, evening party*
sois, je, *subj. of* être, *to be*
soit, il, elle, *subj. of* être, *to be*
soixante, *sixty;* soixante et un, *sixty-one;* soixante-deux, *etc., sixty-two, etc.*
soixante-dix, *seventy;* soixante et onze, *seventy-one;* soixante-douze, *etc., seventy-two, etc.*
sommaire,M., *summary*
sommes, nous, *we are*
son,M., *his, her;* son père, *his, her father*
songer, *to dream, think*
sonner, *to ring*
sors, je, *I go out*
sort, il, elle, *he, she goes out*
sortent, ils, *they go out*
sortez, vous, *you go out*
sortir, *to go out;* je suis sorti(e) *I went out (am gone out)*
souffert, *suffered;* j'ai souffert, *I suffered*
souffrir, *to suffer;* j'ai souffert, *I suffered;* je souffre, *I suffer*
souhaiter, *to wish;* souhait,M., *wish*
soulever, *to lift*
soupe,F., *soup*
souri, *smiled;* j'ai souri, *I smiled*
sourire, *to smile;* il a souri, *he smiled;* sourire,M., *smile*
sous, *under*
soutenir, *to sustain;* il a soutenu, *he sustained*
soutenu, *sustained;* elle a soutenu, *she sustained*
(se) souvenir (de), *to remember*
souvent, *often*
soyez, *be* (command); soyez‿à l'heure, *be on time*
soyez, vous, *subj. of* être, *to be*

soyons, *let's be;* soyons patients, *let's be patient*
soyons, nous, *subj. of* être, *to be*
station de taxis,F., *taxistand*
su, *known;* j'ai su, *I have known, knew*
subtilité,F., *subtlety*
succéder, *to follow*
sucre,M., *sugar*
suffire, *to be enough, suffice*
suggérer, *to suggest*
suis, je *I am*
suis, je, *I follow*
suit, il, elle, *he, she follows*
suivi, *followed;* il a suivi, *he followed*
suivre, *to follow;* j'ai suivi, *I followed*
sujet,M., *subject*
supplier, *to implore*
sur, *on;* sur la table, *on the table*
sûr(e), *sure*
surprendre, *to surprise;* j'ai surpris, *I surprised;* surprise,F., *surprise*
surpris, *surprised;* il a surpris, *he surprised*
surtout, *especially*
suspendre, *to hang up, suspend*

T

table,F., *table*
tableau,M., *painting, picture*
tailleur,M., *suit (woman's); tailor*
(se) taire, *to be silent*
tant que, *as long as*
tante,F., *aunt*
tard, en retard,ADV., *late*
tasse,F., *cup*
taxi,M., *taxi;* en taxi, *in a taxi*
télégramme,M., *telegram;* télégraphier, *to wire, send a telegram*
téléphoner, *to telephone;* téléphone, M., *telephone;* numéro de téléphone,M., *telephone number*
télévision,F., *television;* regarder la television, *to watch television*
temps,M., *time, weather*
tenir, *to hold;* j'ai tenu, *I held*
tennis,M., *tennis*
tenu, *held;* j'ai tenu, *I held*
terrible, *terrible;* terriblement, *terribly*
thé,M., *tea*
théâtre,M., *theater*
thermomètre,M., *thermometer*
tiendrai, je, *I will hold*
tiendrais, je, *I would hold*
tiennent, ils, *they hold*
tigre,M., *tiger*
timbre,M., *stamp;* timbre-postae, *postage stamp*
tomate,F., *tomato*
tomber, *to fall down, fall;* il est tombé, *he fell down*
tôt, *early*,ADV.
toujours, *always*
tourment,M., *torment*
tous les jours, *every day*
tousser, *to cough*
tout, toute, tous, toutes, *all, every*
tout de suite, *immediately, at once*
tout le monde, *everybody*
tracer, *to trace*; trace,F., *trace*
traduire, *to translate;* il a traduit, *he translated*
traduisent, ils, *they translate*
traduisez, vous, *you translate*
traduit, il, elle, *he, she translates*
train,M., *train;* en train, *on a train, by train*
train. *See* être en train de . . .
tranquille, *quiet, calm*
transporter, *to transport;* transport, M., *transport*
travailler, *to work;* travail,M., *work*
traverser, *to cross*
treize, *thirteen;* treizième, *thirteenth*
trente, *thirty;* trente et un, *thirty-one;* trente-deux, *etc., thirty-two, etc.*
très, *very;* très facile, *very easy*
triompher, *to triumph;* triomphe,M., *triumph*
triste, *sad*
trois, *three;* troisième, *third*

(se) tromper, *to make a mistake, be mistaken*
trop, *too, too much, too many*
  trop grand, *too big*
  trop de café, *too much coffee*
  trop de livres, *too many books*
trottoir,M., *sidewalk*
trouver, *to find*
T.S.F.,F., *radio;* à la T.S.F., *on the radio*
tulipe,F., *tulip*

U

un,M., *a, an, one*
une,F., *a, an, one*
utile, *useful*

V

va, il, elle, *he, she goes, is going;* il ne va pas, *he is not going*
vacances,F.PL., *vacation*
vache,F., *cow*
vais, je, *I go, am going;* je ne vais pas, *I am not going*
valeur,F., *valor, bravery, value*
valise,F., *suitcase*
valse,F., *waltz*
vapeur,F., *vapor, steam*
vendeuse,F., *salesgirl*
vendre, *to sell*
vendredi,M., *Friday;* le vendredi, *on Fridays*
venger, *to avenger*
venir, *to come;* je suis venu(e), *I came (I am come)*
verrai, je, *I will see*
verrais, je, *I would see*
verre,M., *glass (container)*
vert(e), *green*
vestibule,M., *lobby*
veulent, ils, *they want*
veut, il, elle, *he, she wants*
veux, je, *I want*
viande,F., *meat*
vieillir, *to grow old*
viendrai, je, *I will come*
viendrais, je, *I would come*
viennent, ils, *they come*
viens, je, *I come*
vient, il, elle, *he, she comes*
ville,F., *city*
vin,M., *wine*
vingt, *twenty;* vingt et un, *twenty-one;* vingt-deux, *etc., twenty-two, etc.*
vis, je, *I live*
visiter, *to visit (places);* visite,F., *visit*
vit, il, elle, *he, she lives*
vite, *quickly*
vivre, *to live;* j'ai vécu, *I lived*
voici, *here is, here are*
voient, ils, *they see*
voilà, *there is, there are;* le voilà, *there it is*
voir, *to see;* j'ai vu, *I saw, have seen*
vois, je *I see*
voit, il, elle, *he, she sees*
voiture,F., *car;* en voiture, *by car*
vos,M.,F.PL.; vos parents, *your parents*
voter, *to vote;* vote,M., *vote*
votre,M.,F.SING., *our;* votre père, mère, *your father, mother*
vôtre, *yours. See* le vôtre; la vôtre
voudrai, je, *I will want*
voudrais, je, *I would like, would want*
voudriez-vous? *would you like?*
voulez-vous? *would you like, do you want?*
vouloir, *to want, wish;* voulez-vous? *do you want, would you like?;* j'ai voulu, *I wanted*
voulons, nous, *we want*
vous(SING., PL.), *you, to you, yourself, yourselves*
  il vous paye, *he pays you*
  il vous donne, *he gives to you*
  vous vous lavez, *you wash yourself (yourselves)*
voyager, *to travel;* voyage,M., *voyage, trip*

voyez, vous, *you see*
voyons, nous, *we see*
vrai, *true;* c'est vrai, *it's true*
vu, *seen;* il a vu, *he has seen, saw*

W

weekend, M., *weekend;* passer le week, *to spend the weekend*

Y

y, *there, about it, about them, in it, on it. See Index for usages*
y a-t-il? *is there, are there?*
y aura-t-il? *will there be?*
y avait-il? *was there, were there, did there use to be?*

Index